DE KLEUREN VAN AMERIKA

BERT DE VROEY

HOUTEKIET

SPIEGEL VAN EUROPA

Houtekiet / Radio 1

Antwerpen / Brussel

Dit boek kwam tot stand met de steun van het
Fonds Pascal Decroos voor Bijzondere Journalistiek
www. fondspascaldecroos.org

FONDS PASCAL DECROOS
VOOR BIJZONDERE JOURNALISTIEK
fondspascaldecroos.org

© Bert De Vroey / Houtekiet / Linkeroever Uitgevers nv 2011
Houtekiet, Katwilgweg 2, B-2050 Antwerpen
info@houtekiet.com
www.houtekiet.com

Omslag Jan Hendrickx
Zetwerk Intertext, Antwerpen

ISBN 978 90 8924 192 4
D 2011 4765 52
NUR 740

INHOUD

Woord vooraf

door Herman Portocarero
Belgisch consul-generaal in New York

Tijdens de verkiezingscampagne in 1960 werd John Kennedy in het publiek ondervraagd over zijn loyaliteiten als katholieke presidentskandidaat. Ging hij, als president, instructies van het Vaticaan krijgen? Kennedy was de eerste niet-protestant die in het Witte Huis ging wonen. Zelfs nog in het midden van de twintigste eeuw werd hij als papist door veel van zijn landgenoten met wantrouwen bekeken. Hij werd ook vermoord. Of zijn religie daarin een rol speelde, zullen we nooit weten. Maar afgaande op de militante houdingen die ook vandaag nog in de vs bestaan over identiteit, zou dat niet zo absurd klinken.

New York, 2010. Bij de volkstelling van dat jaar vul ik, zoals elke bewoner van de stad, anoniem de formulieren in. De vragen vormen een interessant en ingewikkeld compromis tussen politieke correctheid en etnische en raciale definities. *Mayor* Bloomberg, een groot voorstander van integratie, heeft enkele maanden tevoren toegelicht dat die definities enkel statistisch worden gebruikt, om de diversiteit van de bevolking te achterhalen. Maar je leest doorheen die vragen over ras en culturele identiteit niettemin een stuk Amerikaanse geschiedenis, waarbij de opstellers zich in allerhande bochten en kronkels wringen om geen te geladen termen uit het verleden te gebruiken. Er wordt zeer omzichtig omgegaan met de term '*negro*' – maar de term is wel behouden, anders dan in de dagelijkse omgang. En er staat een veelzeggende toelichting: '*Hispanic origins are not races...*'

Is Amerika een geslaagd experiment in integratie? En zo ja, is dat succes definitief?

Het perspectief vanuit New York is vaak bedrieglijk. Ja, dit is het ultieme kruispunt van rassen en religies. Het werkt door de juiste dosering van contradictoire ingrediënten: van samenhorigheid en burgertrots, van wederzijdse onverschilligheid, van gezond verstand in bestuur en rechtspraak, van de alle energieopslorpende nood om geld te verdienen. Berooid zijn is het enige wat hier niet werkt en dat heeft, althans volgens de ideologie van de *American dream*, niets met huidskleur te maken. Het is goeddeels de cultus van succes die eenmaakt. In contrast daarmee, zullen veel Amerikanen argumenteren, zijn de Europese sociale voorzieningen gevestigd op de cultus van het slachtoffer, wat in hun visie integratie vertraagt. Dit ideologische debat werd bijzonder scherp tijdens de Obama-jaren: het hangt inderdaad samen met twee totaal uiteenlopende visies op de maatschappij.

Maar is alle racisme vreemd aan de stad? Nee. Er zijn attitudes en vooroordelen, zoals overal elders. Er is vaak genoeg nog 'racial profiling' bij de ordediensten. Hier worden ze enkel opgenomen in een visie die zulke hindernissen overstijgt. Succes hangt natuurlijk ook af van de kansen die je krijgt en die zijn, ook in New York, ongelijk gespreid, te beginnen met het onderwijs. Hoe dan ook, streven naar eenheid kenmerkt de stad. Het is tezelfdertijd nuchter en nobel. Bloomberg ziet dat als een economische noodzaak. Meer idealistisch gezien definieert het een gedeelde menselijkheid. Mij om het even, als het maar blijft werken.

Maar diezelfde ingrediënten toepassen op de vs als geheel blijft erg voorbarig, zelfs na meer dan tweehonderd jaar Amerikaanse geschiedenis. Ik heb ook in Atlanta, Georgia gewoond en gewerkt en in heel het zuiden van de vs blijft een de facto segregatie – overigens meestal gewild door beide zijden – voelbaar. Ik heb genoeg rondgezworven langs de gemilitariseerde zuidgrenzen in Arizona en New Mexico om de bittere situaties daar te smaken.

De latinisering van de *States* is een demografisch feit. Het is voelbaar van de grensstaten tot in Florida en de Midwest tot uiteraard in New York, waar het al perfect mogelijk is uitsluitend in het Spaans te leven en te werken als je dat wil. Ook in Chicago zijn de meeste opschriften al tweetalig Engels/Spaans.

Blanke anglo-vrees voor een latino-invasie is nochtans altijd erg simplistisch. Om te beginnen is er geen unieke latino-identiteit of -cultuur. Hoe meer je in het Spaans leeft in de vs, hoe meer je de verschillen leert tussen een Mexicaan en een Dominicaan, een Argentijn en een Guatemalteek. En ons Kennedy anno 1960 herinnerend: het papisme als grote bedreiging voor de WASP-identiteit verdunt erg bij de nieuwe generaties van Spaanssprekenden, die in toenemende mate evangelisch worden.

In het zuiden en het zuidwesten van de VS leer je ook snel dat immigratie geen unieke spanning tussen autochtonen en allochtonen schept, maar dat die opsplitst in tal van kleinere wrijvingen. De *blacks* en de *poor whites* in Georgia benijden de tweede generatie Mexicanen hun versnelde toegang tot de middenklasse, wat de opgekropte gevoelens tussen die twee groepen van *natives* vaak nog versterkt. De professionele Mexicanen, van hun kant, kijken niet enkel met schaamte naar hun landgenoten die wachten op werk op straathoeken, maar met nog meer gemengde gevoelens naar Guatemalteken en andere Centraal-Amerikaanse migranten, die in Mexico zelf als goedkope arbeidskrachten gelden.

Wordt integratie dan een blijvend succes? *The jury is out.* Of zoals Mao zei over de Franse Revolutie: te vroeg om te beoordelen.

Bij mijn speurtochten naar de vroegste kolonisering in de Hudsonvallei ten noorden van New York, kwam ik terecht in de *Walloon Church* in New Pfalz, een van de oudste vestigingen van wat op de kaarten van de jaren 1650 *Novum Belgium* heet. In het archief van de kerk bevindt zich het originele contract voor de aankoop van gronden door de Belgische (avant la lettre), Hollandse en Franse hugenoten van de *natives*. Zonder enige schroom duidden de kopers de verkopers aan als 'de wilden' (inderdaad, in het Nederlands).

Ze waren zelf op de vlucht voor intolerantie, maar het kwam blijkbaar geen moment bij hen op, hun situatie in termen van gedeelde menselijkheid te zien. *Like it or not,* met zulke attitudes werden de VS gesticht. We hebben dus een lange weg afgelegd. En in onze gezamenlijke geschiedenis zijn er eigenlijk nooit toestanden, enkel gebeurtenissen. Op de ruimste schaal gezien, is onze soort in constante, grootschalige migratie sinds haar ontstaan. Platforms van stabiliteit zijn daarin eerder een illusie en uitzondering. Vandaag gaat alles sneller en zichtbaarder, ook op korte termijn. In de toenemende vloeibaarheid van onze planeet blijven de VS een uniek experiment.

Wat kunnen we hiervan toepassen op Europa? Vooral geduld oefenen, denk ik. Als migraties nog zoveel open vragen bevatten in de VS, na een paar honderd jaar, dan staat Europa eigenlijk nog maar aan het begin van een proces. En het tweede wat we moeten doen is de diversiteit van situaties en attitudes, ook binnen de migraties, beter leren appreciëren. Is migratie sluipende verovering door anderen? Of is het een moeizame definitie van wat we gezamenlijk zijn? Beide visies zijn te simplistisch. In het midden wordt de geschiedenis geschreven. Dat probeert Bert De Vroey, met veel kennis, inleving en flair, te doen in *De kleuren van Amerika. Spiegel voor Europa.*

Inleiding

De immigratiebeambte in Atlanta is een jonge zwarte vrouw. Zoals gebruikelijk vraagt ze wat de bedoeling is van het bezoek. Ik vertel haar, kort en ingestudeerd, dat ik het zuiden bezoek in het spoor van de burgerrechtenstrijd. Dat vindt ze heel interessant. Ze doet me meteen een paar suggesties: een buurt en museum die ik zeker moet gaan bekijken. 'Ja', zeg ik, 'daar heb ik al over gelezen. Is dat de moeite?' vraag ik terwijl ik mijn rechterhand op de scanner leg. 'Tja', bekent ze. 'Ik ben er zelf nog niet geweest. Ik ben afkomstig uit Jamaica. *Good luck, and take care.*' Ze geeft me mijn afgestempeld paspoort en roept de volgende.

In hoeveel landen zal je een immigratiebeambte vinden die zelf nog recent geïmmigreerd is? Een relatieve nieuwkomer die de bezoekers mag screenen? Toegegeven, de zware procedure bij aankomst in de Verenigde Staten – met paspoortcontrole, vraagjes, foto en vingerafdrukken – vergt van de reiziger flink wat geduld en begrip. Het grondpersoneel op de luchthavens schreeuwt de vermoeide passagiers vaak onvriendelijk toe en snauwt hen naar de juiste loketten of bagageband. Dat alles zou hoffelijker kunnen en getuigt niet echt van warme gastvrijheid, maar op een veel fundamenteler niveau is dit een land dat ondanks alles zijn deuren ruimhartig openzet. Elk jaar worden meer dan een miljoen legale immigranten toegelaten en bijna 13% van de bevolking is in het buitenland geboren. Kijk naar de Jamaicaanse beambte: ooit heeft ze hier zelf in de rij gestaan, als kind misschien. Nu is ze door de Amerikaanse samenleving zo sterk aanvaard dat haar dit werk wordt toevertrouwd. Kijk bovendien naar haar eigen opstelling: als zwarte uit Jamaica heeft ze gehoord of gelezen over de zwarte burgerrechtenstrijd in de vs. Ze heeft dat met belangstelling opgepikt.

Dit boek kijkt naar Amerika met de verwonderde blik van een reiziger. Wie in de vs om zich heen kijkt en luistervinkt, weet in een mum van tijd kleuren en accenten te onderscheiden.

Stel dat je vliegtuig landt in Washington DC. Dan bots je in de gangen van de luchthaven heel waarschijnlijk op grondpersoneel van Aziatische herkomst. De immigratiebeambte die je paspoort doorbladert kan blank zijn of zwart of misschien wel hispanic. De taxichauffeur die buiten staat te wachten is van Ethiopië of Eritrea afkomstig, al kan het ook een bebaarde Pathaan zijn uit Afghanistan. Als je niet te duur logeert, staat er vaak een Indiër te wachten achter de balie van het hotel. Mag het verblijf wat chiquer zijn of centraler gelegen in de stad, dan zijn de receptionistes jong en blond, zwart en wat ouder of mannelijk met een stijlvolle zuiderse teint. 's Avonds kies je een eenvoudig restaurant: een Italiaan, een Libanees, een Frans eethuis misschien; het maakt niet uit, in zowat alle keukens zijn Mexicanen aan de slag. Ben je als argeloze reiziger een bar nabij Dupont Circle binnengestapt, dan ben je misschien beland op een ontmoetingsplaats voor homo's en lesbiennes.

Amerika's diversiteit ontdekken vergt weinig zin voor avontuur; de reiziger die zijn verwondering behoudt en aandachtig kijkt en luistert, ontwaart al gauw tientallen schakeringen in uiterlijk, gedrag, accent en taalgebruik.

Ik heb nooit in de vs gewoond, maar de voorbije twaalf jaar heb ik er meer dan veertig – korte of langere – trips gemaakt, meestal met het oog op radioreportages voor de vrt. Tussen die reizen door woonde en werkte ik in België. De jongste jaren heb ik ook intens gekeken naar de groeiende diversiteit van Nederland, Frankrijk, Groot-Brittannië en Italië. Dat Atlantisch heen en weer reizen biedt een voordeel: je behoudt de blik van de afstand en verwondering. Wie te lang op een plaats verblijft, raakt gewend aan het straatbeeld en de kenmerken ervan, zelfs al zijn die behoorlijk exotisch. Ga daarentegen een tijdje met vakantie en kijk om je heen bij je terugkeer: de oude vertrouwde biotoop zal je verrassen. Op dezelfde manier ben ik tel-

kens weer, bij elk bezoek aan de vs, verwonderd en verrast. Die lichte verbazing over het anders-zijn van Amerika, met name in de complexiteit van de samenleving en in de omgang met diversiteit, die
geamuseerde en geïnteresseerde waarneming ligt aan de basis van dit
boek. Als Europeaan breng ik Amerika's verscheidenheid in kaart; ik
kijk en vergelijk.

De methode van dit boek is journalistiek. Wat mij betreft is dat een
combinatie van empathisch reportagewerk en afstandelijke analyse.
Tijdens mijn reizen heb ik honderden gesprekken gevoerd, gepland
of toevallig. Ik heb met illegale dagloners gepraat uit Mexico, maar
ook met *minute men* die zichzelf tot doel hebben gesteld om clandestiene migranten te verklikken. Met zelfverklaarde atheïsten –
zeldzaam in Amerika – en met fundamentalistische protestanten die
ijzig verklaarden dat homo's in feite de doodstraf verdienen. In elke
situatie luister en registreer je als journalist, zonder te oordelen of te
sympathiseren, blij met elke ontmoeting die de grotere zoektocht
verder kan stofferen. Veel van die gesprekken, opgestapeld doorheen
de jaren, zijn verwerkt in dit boek. Ze vormen een soort hinkelpad
waarlangs de hoofdstukken kunnen worden verteld.
   Maar journalistiek is ook graaf- en spitwerk om de lege plekken
in te kleuren. Veel collega-journalisten en nog veel meer onderzoekers en wetenschappers hebben het terrein van Amerika's diversiteit
al grondig verkend; ik heb dankbaar van hun werk gebruikgemaakt.
   Tenslotte is er analyse nodig. Enkel een feitenrelaas geven zou
droog en nietszeggend zijn; door de verhalen te analyseren en te interpreteren doe je ze spreken. Dit boek wil toch een paar dingen zeggen
over diversiteit: hoe Amerika daarmee omgaat, hoe Europa ermee
worstelt en wat de twee van elkaar kunnen leren.

Amerika's diversiteit is ook een paradoxaal fenomeen. Terugkerend
naar het perspectief van de reiziger valt op hoe divers de bevolking
van Amerika is, terwijl de materiële cultuur uitblinkt in eenvormigheid. Wegen en straten, huizen en winkelcentra zien er tussen oostkust en westkust akelig hetzelfde uit. Zelfs restaurants en hotels
spelen schijnbaar hun herkenbaarheid en voorspelbaarheid uit: elke
keten zijn eigen uniforme imago, menukaart en kwaliteit – van Taco
Bell tot Kentucky Fried Chicken en van Days Inn tot Marriott – nooit
een greintje avontuur. Zou het kunnen dat dat het geheim is van

Amerika's *melting pot*? De onweerstaanbare aanzuigkracht van het Amerikaanse voorgekauwde consumentisme waar uiteindelijk elke minderheid voor zwicht? Burger King als inburgering? De materiële consumptie zegt uiteraard niet alles over mensen; maar toch houden we die gedachte maar even in ons achterhoofd.

Amerikanen spreken anders over diversiteit dan Europeanen en ook hier zijn tegenstellingen te ontwaren. Aan de ene kant hebben ze een uitgebreid lexicon ontwikkeld van politiek-correcte termen: zeg niet *Indian* maar *Native American*; vermijd het woord *black* en gebruik *African American*. Een soms wat overspannen taalgedrag, dat overigens niet heel nauw gevolgd wordt. Aan de andere kant voelen ze geen enkele schroom om een getto ook als getto te benoemen en zelfs als attractie aan te prijzen. Tal van steden gaan prat op hun Chinatown, Little Kabul of Little Saigon. In Europa ligt dat gevoeliger. Europeanen voelen zich evenmin comfortabel bij het woord ras; in de vs is *race* echter het onderwerp van grote presidentiële toespraken. In dit boek zal ik in elk geval niet proberen om de woorden zwart of indiaans te vermijden; ze zijn herkenbaarder en bovendien leesbaarder dan lange kunstmatige samenstellingen als 'Afrikaans-Amerikaans'.

Ook de betekenis van religie in de Amerikaanse diversiteit is paradoxaal. Aan de ene kant versterkt godsdienst nog de versnippering van Amerika. Er is geen land met zoveel kerken in het religieuze uitstalraam. De meeste respecteren ieders keuzevrijheid en richten zich enkel tot de eigen gemeenschap. Sommige trekken echter agressief ten strijde tegen andersdenkenden en willen de samenleving hun Bijbelse voorschriften opleggen. Je kunt in Amerika niet over diversiteit spreken als je die gespannen levensbeschouwelijke verhoudingen over het hoofd ziet.

Tegelijk sloopt religie ook muren en brengen kerken mensen samen. Het is waar dat zwarten iedere zondag nog altijd graag met zwarten vieren, Aziaten met Aziaten en blanken met blanken. In veel evangelische kerken daarentegen en met name in de nieuwe *megachurches* van sommige voorsteden, komen blanken en hispanics, zwarten en Aziaten schijnbaar moeiteloos bijeen en maken groepen kennis met elkaar.

Er is al heel wat inkt gevloeid over de juiste metafoor om die enorme diversiteit van de vs te omschrijven. Israel Zangwill lanceerde het beeld van de melting pot of smeltkroes in een gelijknamig theaterstuk, dat in 1909 in première ging.

Volgens Zangwill zouden alle volkeren in Amerika hun zelfstandigheid en eigenheid verliezen en compleet versmelten tot een nieuwe cultuur en nieuw mensentype. Later kwam daar kritiek op, toen duidelijk werd dat de meeste etnische groepen nog een flinke dosis eigenheid behielden en zich graag ook onderscheidden van de rest. Er werden dan vergelijkingen gezocht in de culinaire sfeer: van hutspot over salade tot soep. De hutspot leek nog te veel op de melting pot. De salade (of *salad bowl*) klonk beter: die husselde de diverse culturen weliswaar bij elkaar, maar het bleven afzonderlijke ingrediënten. Alleen suggereert de salade dan weer te weinig smaakvermenging; er zit niet veel uitwisseling van pigmenten in vervat. In een soep kunnen de groenten wel worden gemixt, maar daarmee zit je opnieuw bij het melting-potidee. Bovendien is soep niet zo'n krachtig beeld; het mooie concept van een ontmoeting van culturen dreigt een beetje te verwateren.

Populair en verheven is ook de mozaïek: Amerika als een fraai vlechtwerk van kleuren. Die vergelijking is mij te versteend, alsof alle verhoudingen voor eeuwig vastliggen. Bovendien is het een te rozige en positieve voorstelling; diversiteit is heus niet altijd mooi en aantrekkelijk, maar heeft ook lelijke en scherpe kanten.

Ik opteer voor een nieuwe metafoor: de *action painting*. Een doek waar de verf, in diverse kleuren, tamelijk lukraak en toevallig overheen is gegooid. Een canvas dat bovendien nog altijd blijft trillen en bewegen, zodat de verf nooit volledig stolt, maar oplost en samenvloeit, zich vermengt en verspreidt, nieuwe kleuren en schakeringen vormt. Er zijn grote vlakken te onderscheiden, wit en zwart en bruin en rood; maar aan de randen likken de kleuren aan elkaar en lopen ze zachtjes dooreen. En het schilderij is nooit af. Nu en dan wordt er een nieuwe klad verf aan toegevoegd, die op zijn beurt zijn weg begint te zoeken.

Misschien is dit niet het fijnzinnigste beeld; het suggereert ook een beetje geklieder en geknoei. Toch is dat precies wat diversiteit in de samenleving teweegbrengt: kleur en schoonheid, maar ook wrijvingen en mislukking.

Het opzet van het boek is erg breed. De prijs daarvoor is diepgang en ongetwijfeld ook volledigheid. Over elk van de aangesneden thema's

zijn boekenplanken en zelfs bibliotheken volgeschreven. Ik hoop dat
ik er in geslaagd ben om telkens de essentiële krachtlijnen te schetsen en die actueel te houden. Voor zover beschikbaar heb ik de cijfers
gebruikt van de jongste census of volkstelling in 2010. Ongetwijfeld
zijn die intussen alweer achterhaald. In 2010 werden er ruim driehonderdenacht miljoen inwoners geteld in de vs. Eind 2011 zijn het
er tenminste vier miljoen meer. De bevolking van Amerika blijft
groeien, nieuwe ontwikkelingen zullen sommige passages en beweringen inhalen. Halfweg oktober 2011 laaide de vrees weer op voor
een wereldwijde schulden- en bankencrisis en voor een nieuwe recessie. Tegelijk stak een protestbeweging de kop op van doorgaans jonge
actievoerders tegen de macht van banken en beleggers. Die ontwikkelingen zouden met name het klassenverschil weer kunnen bijkleu-
ren, al is het veel te vroeg om dat te beoordelen.

Het boek is uiteraard geen reisboek, al zitten er reistips en suggesties
in verscholen. Wel kan het reizigers een lens aanreiken om naar Amerika te kijken. De lezer kan bovendien naar believen selecteren of de
volgorde van de hoofdstukken dooreen gooien. Natuurlijk is het boek
opgebouwd van voor naar achter en geschreven volgens een doordacht
soort plan. Zo kan het ook best gelezen worden – als auteur zou ik
wel gek zijn om het anders te adviseren. Elk hoofdstuk staat echter
op zichzelf en wie iets wil overslaan zal niet verdwalen. Om de tekst
niet te verzwaren zijn voetnoten weggelaten, maar achteraan staan
bronnen en verwijzingen, gegroepeerd per hoofdstuk. Om de leeshon-
ger te stimuleren is ook een bibliografie toegevoegd.

Het eerste hoofdstuk van dit boek is meteen het langste. Het vertelt
de ontstaansgeschiedenis van het schilderij: de bevolking van de vs
als een werkwoord, als een historisch proces. Noem het de actie van
de action painting of hoe telkens nieuwe kleuren hun weg vonden
op het canvas. Een verhaal van pakweg vijfhonderd jaar. Daarna volgt
(in hoofdstuk twee) een overzicht van Amerika's historische ervaringen met vragen die momenteel in Europa aan de orde zijn: is tweetalig onderwijs voor migrantenkinderen een goed idee? Mag je priesters
en geestelijke leiders laten overkomen uit het buitenland? En hoe
onrustwekkend is gettovorming? In de vs werd over die kwesties
honderdvijftig jaar geleden al gedebatteerd.
    Daarna overlopen we (in hoofdstuk drie tot zeven) de belangrijkste

etnische minderheden. De zwarten vormen de bekendste minderheid: de eerste omvangrijke groep die de samenleving uitdaagde om in het reine te komen met racisme en gelijkberechtiging. De hispanics zijn intussen de grootste minderheid. De Aziaten worden vaak uitgespeeld als modelminderheid – een beeld dat enige nuances verdient. De indianen – ooit nog een strijdbare meerderheid in Amerika – zijn intussen pijnlijk vernederd en deemsteren weg als een vergeten minderheid. Tenslotte bekijken we waar de blanke Amerikanen hun identiteit situeren of er Europese nationale tradities zijn blijven sluimeren en of dat meer is dan folklore.

Je kunt ook forse religieuze minderheden onderscheiden in de vs. De machtige joodse gemeenschap komt aan bod in hoofdstuk acht, de jonge maar groeiende moslimgroep in hoofdstuk negen. Daarna bekijken we de verscheidenheid aan kerken binnen het christelijke geloof en de vragen die rijzen bij de militante en politieke rol die sommige kerken opeisen.

De hoofdstukken elf tot vijftien volgen de andere breuklijnen die door Amerika lopen. De kloof tussen de klassen, die in Amerika nogal makkelijk wordt weggemoffeld onder de grote middenklassedroom. De ontluikende spanningen tussen leeftijdsgroepen, nu de vergrijzing in snel tempo doorzet. De rolverdeling tussen mannen en vrouwen en de vraag naar het glazen plafond. Verder ook de gemeenschap van homo's en lesbiennes, die tegelijk in de aanval gaat en in het defensief wordt gedrongen. Tenslotte bekijken we de geografische en regionale verschillen – tussen kuststeden en binnenland, tussen noord en zuid en oost en west en tussen grootstad en voorstad.

In hoofdstuk zestien ronden we af met een paar algemene conclusies. Daar proberen we Amerika met Europa te vergelijken en gooien we wat knuppels in het hoenderhok: lessen uit Amerika, ervaringen waarvan Europa wat kan opsteken en dingen die we maar beter kunnen vermijden.

Wat beide continenten in elk geval radicaal verschillend maakt, is hun geschiedenis. De Amerikaanse historische ervaring is van meet af aan en fundamenteel, een ervaring van migratie en immigratie geweest. Vijfhonderd jaar lang streken er steeds nieuwe groepen neer, uit vrije wil en met zin voor avontuur of uit wanhoop en noodgedwongen. Al die mensen samen hebben Amerika bevolkt en gekleurd.

I

Vijfhonderd jaar diversiteit

The great nations of Europe
Had gathered on the shore
They'd conquered what was behind them
And now they wanted more
So they looked to the mighty ocean
And took to the western sea
The great nations of Europe in the sixteenth century

RANDY NEWMAN

Alleen in Amerika kan je in luttele uren van Holland naar Angola rijden. Van Antwerp naar Toledo kost het je anderhalf uur, van Rome naar Potsdam moet drie uur volstaan. Zelf ben ik ooit in zeventig minuten van Paris over Lisbon naar East Palestine gereden. Puur om het plezier ervan had ik een ommetje kunnen maken langs Calcutta of Amsterdam.

De landkaart van Amerika getuigt van de veelheid aan herinneringen van pioniers en immigranten. Zo verscheiden als de klankkleur van de plaatsnamen, zo divers was de herkomst van verkenners en kolonisten. Ook het namenregister van de Bijbel lijkt te zijn uitgeschud boven de wegenkaarten: New Galilee, Canaan, Mount Tabor en een veertigtal Salems (of Jeru-salem): voetafdrukken van devote dromers die hun stad en gemeenschap van meet af aan in christelijke wortels wilden verankeren. De naam van de hoofdstad van Rhode Island is Providence, want de stichter van de stad beschouwde zijn

missie als een geschenk van de Voorzienigheid. Lees de atlas van
Amerika en je leest de geschiedenis ervan.

Amerikanen maken vaak een onderscheid tussen kolonisten en
immigranten: hoe later de aankomst in hun land, hoe groter de neiging om de nieuwkomer als immigrant te zien. Toch zijn er miljoenen
gelukzoekers als immigrant in de havens aangekomen en als *settler*
of kolonist het diepe binnenland ingetrokken, achter de wijkende
frontier aan. In het verhaal over de groeiende verscheidenheid, de al-
maar diversere kleuring van Amerika, heeft dat onderscheid voorlopig geen enkel belang. Wat telt is hoe steeds weer nieuwe contacten
en projecten, verse groepen en golven van nieuwkomers allemaal hun
bijdrage hebben geleverd aan de Amerikaanse mozaïek.

De eerste naam op de kaart van Amerika werd niet in het Engels
geschreven. Het waren Spanjaarden die de vroegste verkennende stapjes deden op het grondgebied dat nu tot de vijftig staten van de vs
behoort. In 1513 al, bijna honderd jaar voor de eerste Engelse kolonisten hun tenten opsloegen in Virginia, bereikte de Spaanse ontdekkingsreiziger Juan Ponce de Leon een reusachtig schiereiland ten
westen van de Bahamas. Het was in het Paasseizoen: *Pascua Florida*
in het Spaans. Florida zou de naam worden van het gebied dat door
de Spaanse kroon meteen geclaimd werd. Voor zover bekend en tot
bewijs van het tegendeel, is Florida daarmee de oudste geschreven
naam die op de Amerikaanse kaart werd ingevuld. In een tijd waarin
sommige blanke Angelsaksische protestanten graag een eerstgeboorterecht inroepen om Spaans en Spaanstaligen te weren, is dat geen
onaardig detail van de geschiedenis.

Voor Columbus

Voor de Native Americans is het eerstgeboorterecht nog slechts een
machteloze kreet, maar natuurlijk waren zij het die de eerste namen
gaven aan de bergen en valleien, de kreken en rivieren van Amerika.
Overloop opnieuw de kaart en proef de indiaanse klanken: Susque-
hanna, Chattahoochee, Choktaw... Meer dan twintig staten in de vs
ontleenden hun naam – zij het soms verhaspeld – aan indiaanse talen:
Arkansas, Connecticut, Mississippi, Massachusetts, Oklahoma, Michigan of Kansas.

Wetenschappers weten vandaag nog steeds verbijsterend weinig over de indiaanse geschiedenis die aan Columbus voorafging. Zelfs de vraag hoeveel indianen er op het Amerikaanse continent woonden aan het eind van de vijftiende eeuw blijft een raadsel: de schattingen lopen uiteen van acht miljoen tot meer dan honderd miljoen. Het merendeel daarvan woonde in Centraal- en Zuid-Amerika; de noordelijke gebieden – de huidige Verenigde Staten – waren veel minder dichtbevolkt.

Ook waar ze vandaan kwamen en wanneer precies, is voer voor wetenschappelijke (en soms minder wetenschappelijke) discussies. Een breed gedragen theorie zegt dat ze vanuit Siberië de Beringstraat kwamen overgelopen, toen die drooggevallen was. Dat gebeurde vermoedelijk twaalfduizend jaar geleden. Anderen veronderstellen dat de eerste bewoners niet over land, maar in bootjes kwamen aanzetten. Ze zouden vanuit Azië of misschien Oceanië, naar de Amerikaanse westkust zijn gepeddeld. Toch is het ook mogelijk dat het allemaal in verschillende golven is gebeurd, met meerdere bronculturen.

Opvallend is in elk geval de geweldige verscheidenheid aan talen, leefwijzen en rituelen waarvan de eerste Amerikaanse bewoners blijk gaven. Wat we nu gemakshalve op een hoopje gooien als indiaans of *Native American*, was in werkelijkheid een waaier aan uiteenlopende culturen. Of zoals de auteurs Edwin Gaustad en Leigh Schmidt een beetje provocerend hebben benadrukt: 'De diversiteit werd teruggeschroefd, niet versterkt, door de invasie van Amerika.'

Over de stiekeme bezoekers van de Amerikaanse kusten, die Columbus zogenaamd zijn voorafgegaan, kunnen we kort zijn. De Ierse monnik St-Brendan zou volgens de legende al in de zesde eeuw een 'gezegend eiland' hebben ontdekt. Enthousiaste aanhangers (doorgaans van Ierse herkomst) herkenden hierin Amerika. Een andere theorie, recenter maar ophefmakender, ziet de Chinezen als de ontdekkers van het nieuwe continent: in 1421 zouden Chinese admiraals de Amerikaanse kust hebben bereikt, als slechts een etappe in een gigantische ontdekkingsreis. Omdat St-Brendan en de Chinese zeevaarders de vergissing hebben begaan geen sporen en zelfs geen plaatsnamen na te laten, spelen ze verder geen rol in dit verhaal. Er valt meer te zeggen voor de beweringen dat Noormannen uit IJsland al eerder de Noord-Amerikaanse kust hebben verkend, maar zij kwamen waarschijnlijk niet verder dan Newfoundland en de St-Lawrence-baai – en dat behoort niet tot het grondgebied van de vs.

Zestiende eeuw: eerste contacten

Terugblikkend vanuit de eenentwintigste eeuw verliep het in kaart brengen van het Noord-Amerikaanse vasteland ontstellend traag. De zestiende eeuw was vooral een periode van schuchtere verkenningen, mislukte nederzettingen en harde confrontaties met de lokale indianen. Engeland verscheen overigens laat op het toneel; de vroegste Europese bezoekers spraken Spaans, Frans of Italiaans.

De Florentijnse zeevaarder Giovanni da Verrazzano ging als eerste de oostkust van de huidige vs verkennen. In 1524 volgde hij, voor rekening van de Franse koning Frans i, de kustlijn vanaf wat nu Cape Fear in Noord-Carolina is, via de Chesapeake-baai en Long Island (bij New York) tot Maine. Hier en daar bleef hij een poosje hangen en had hij contact met indianen. Met een verbijsterend gemak claimde hij alle land waar hij langs was gevaren voor de Franse kroon als 'Nova Gallia': een naam die in de zestiende eeuw nog op landkaarten van Amerika verscheen, maar die intussen door de geschiedenis is uitgegomd.

De Fransen probeerden Noord-Amerika ook vanuit het noorden te doorploegen. Een van de drijfveren in die tijd was de zoektocht naar een noordwestelijke doorsteek naar Azië. Niemand in Europa kon op dat moment al vermoeden hoe uitgestrekt het Amerikaanse continent eigenlijk was. Nog altijd leefde de hoop dat er via Amerika een kortere, snellere route naar het oosten kon worden ontsloten waardoor er nieuwe kansen voor de specerijenhandel konden gecreëerd worden. De Bretoen Jacques Cartier dacht in 1535 dat hij de magische vaarroute gevonden had toen hij de St-Lawrence-rivier opvoer in het huidige Canada. In twee opeenvolgende reizen heeft hij het stroomgebied van de rivier verkend, maar verder dan het huidige Montréal – en dus verder dan Canada – is hij niet geraakt. Toch sloeg hij daarmee een Franse wig in het Amerikaanse territorium die later nog van groot belang zou zijn.

Intussen begonnen Spaanse monniken het gebied in het noorden van Mexico te verkennen. De dappere broeder Marcos van Nice liep duizenden kilometers, tot in Cibola in het huidige New Mexico (1539), om onbekende indianengroepen de blijde boodschap te verkondigen. De broeders trokken daarmee onuitwisbare Spaanse sporen in het land dat nu *the Southwest* van de vs is geworden. Rond diezelfde tijd verkende João Rodrigues Cabrilho – een Portugees in Spaanse dienst – de zuidelijke kust van het huidige Californië, van San Diego tot Monterey. Die tocht bleef lange tijd zonder concrete gevolgen, maar op papier was het gebied daarmee al door Spanje ingepikt. In Florida verliep de Spaanse kolonisatie intussen niet erg succesvol; de indianen reageerden onverschillig of vijandig.

In diezelfde periode was Florida ook het toneel van een andere episode die in de Angelsaksische geschiedschrijving van de vs doorgaans schromelijk onderbelicht blijft. De eerste echte poging om een nederzetting te vestigen, een nieuwe permanente leefgemeenschap op het Amerikaanse vasteland, was een Franse onderneming. Franse protestanten of hugenoten, op zoek naar religieuze ademruimte, vestigden zich in 1562 al op Parris Island, voor de kust van het huidige Zuid-Carolina. Dat eerste, te kleinschalige project mislukte; na een jaar zeilden de wanhopige kolonisten terug naar Europa. Even later pakten ze het groter aan en bouwden een fort aan de monding van de St-John's rivier, nabij Jacksonville in Florida. De Spanjaarden, die het hele schiereiland Florida als hun wingewest hadden opgeëist, waren furieus; een confrontatie kon niet uitblijven. Vanuit Frankrijk kwam er versterking, met nieuwe schepen, kolonisten en honderden soldaten. De Spanjaarden sloegen intussen hun kamp op even ten zuiden van het Franse fort, in St. Augustine. In september 1565 werd de strijd beslecht. De hugenoten hoopten met een *pre-emptive strike* de Spaanse dreiging te neutraliseren; ze stuurden verschillende schepen en zowat al hun manschappen op de Spaanse vesting af. Op dat moment bepaalde een speling van het lot – de grillen van het weer in dit geval – de loop van de geschiedenis. De Franse schepen werden verrast door zwaar stormweer; de meeste opvarenden verdronken, honderdzevenentwintig spoelden er levend aan op de kust. Voor de Spanjaarden was het een koud kunstje om de weerloze Franse nederzetting in te nemen en de aangespoelde hugenoten tot bijna de laatste man af te slachten. De plaats van die massamoord werd 'Matanzas' genoemd, Spaans voor 'slachting'. Fort Matanzas is nu een nationaal museum.

Het vermetele experiment van de Franse kolonisten kreeg daarmee vroegtijdig zijn beslag. St-Augustine, het Spaanse kamp, zou uitgroeien tot een heuse nederzetting, een noordelijk steunpunt voor het uitdijende Spaans-Amerikaanse koloniale rijk. Het was meer een toevallige dan een geplande kolonie en ze verschilde daarin van het hugenotenproject of van de latere Engelse nederzettingen. Toevallig of niet, de gemeente gaat nu prat op de titel van oudste stad van de Verenigde Staten.

De Britten leken intussen in slaap gesukkeld. In 1497 had een Italiaanse ontdekkingsreiziger, Giovanni Caboto – in Groot-Brittannië bekend als John Cabot – weliswaar Newfoundland bereikt en voor de Britse kroon ingepalmd, maar die trip had verder geen concrete projecten in gang gezet. Pas tegen het einde van de zestiende eeuw, onder het bewind van Elizabeth 1, raakten mannen als Richard Hakluyt, Walter Raleigh en Humphrey Gilbert in de ban van imperialistische ambities en koloniale dromen. Hakluyt was de denker, de anderen de doeners. Sir Gilbert zette opnieuw koers naar Newfoundland, in navolging van Cabot, maar zijn schip werd op de terugreis door de golven verzwolgen. Zijn halfbroer Sir Raleigh ging een kijkje nemen voor de kust van Noord-Carolina en Virginia. Het rapport van die expeditie klonk zo enthousiast, dat een jaar later (in 1585) zeven schepen terugkeerden en een honderdtal mannen dropten op Roanoke Island: eindelijk had Engeland een eerste voet aan Amerikaanse grond. Helaas, toen de beruchte koninklijke kaper Francis Drake een jaar later een kijkje kwam nemen, smeekten de kolonisten om hen terug naar huis te varen; het leven op het eiland was te onzeker, de relatie met de indiaanse bewoners te gespannen. Sir Raleigh gaf niet op en stuurde in 1587 een nieuwe groep: honderdvijftig avonturiers, waaronder ook vrouwen en kinderen, beter voorbereid en voorzien van meer proviand en middelen. Deze tweede nederzetting op Roanoke Island eindigde nog noodlottiger dan de eerste. Toen een Engels schip hen vier jaar later kwam bevoorraden, was er geen spoor meer van de kolonisten te bekennen. Het enige wat de Britten tot dan toe hadden nagelaten, was de naam die Sir Raleigh had bedacht voor hun verhoopte wingewest: Virginia, ter ere van de *virgin queen* Elizabeth.

De Engelse kolonies: planters en predikanten

In Virginia zou het echte werk beginnen, de schepping van het moderne en unieke project Amerika. De zestiende eeuw was de eeuw van speldenprikjes, van neuzen aan het venster; de zeventiende eeuw werd de eeuw van de *settlers*. Een ander slag volk was het, dat niet alleen handel wou drijven en komen en gaan, maar nieuwe permanente gemeenschappen wou vestigen. De eerste vestiging die stand hield was het Engelse Jamestown in Virginia. Het was een project van de recent opgerichte Virginia Company of London die drie schepen en een honderdtal avonturiers uitstuurde. In mei 1607 koos kapitein John Smith een zompig eiland op de James-rivier, zestig kilometer landinwaarts, als de nieuwe pleisterplaats.

Het verhaal van die kolonie is recent in een Disney-versie gegoten: Pocahontas. De indiaanse schone huwde inderdaad met zakenman John Rolfe, maar de relaties tussen kolonisten en indianen waren over het algemeen weinig idyllisch en bij momenten ronduit geweld- dadig. Toch bleef Londen versterkingen sturen, in mensen en midde- len, zodat het stadje uitdeinde en kolonisten zich ook verder van het eiland gingen vestigen. In 1622 voerden de Powhatan verrassingsraids uit (de *Indian massacre*) en werden honderden settlers vermoord – naar schatting een vijfde van de bevolking. De overlevenden bleven koppig doorzetten. De kolonisten kozen hun eigen parlementje, het House of Burgesses, een primeur voor Amerika. De ontdekking van tabak als exportproduct opende nieuwe perspectieven en maakte de onderneming uiteindelijk rendabel. De kolonisten van Virginia waren in alle opzichten pioniers: als Amerikanen, als democraten en als exportboeren. Virginia zou mettertijd uitgroeien tot een typische zui- delijke plantersstaat, met plantages en grootschalige slavernij; in 1619 al werden de eerste Afrikaanse slaven ingevoerd.

In 1624 nam de Engelse kroon het bestuur van de kolonie over van de London Company. Virginia was Brits in opzet en karakter en zou dat lange tijd ook blijven. Typerend was het besluit van het parlement om de anglicaanse godsdienst – de Church of England – als de offici- ele godsdienst te erkennen.

Hoger in het noorden werden er intussen nieuwe kolonies opge- start die even Engels waren in oorsprong en taal, maar die toch wezen- lijk van Virginia afweken: de streng protestantse projecten van New England. Hun relaas wordt door veel gelovige Amerikanen gekoesterd als een heilig stichtingsverhaal; feiten en fictie worden daarbij onbe- kommerd door elkaar gehaspeld. Toch kan hun betekenis voor de Amerikaanse diversiteit en paradoxaal genoeg ook voor de Ameri- kaanse identiteit, nauwelijks worden onderschat. De pelgrims van Plymouth en de puriteinen van de Massachusetts-baai hebben in Amerika de wortels geplant van een geloofsbeleving en moraal die in Europa hun gelijke niet meer kennen. Nog altijd spiegelen en laven kerken en gebedsgroepen zich aan het beeld van die zeventiende- eeuwse pioniers. Sterker nog, de onmiskenbaar theocratische trekjes van die kolonies steken in het huidige Amerika opnieuw de kop op (zoals zal blijken uit hoofdstuk negen) en zorgen voor juridische en politieke spanningen die de diversiteit van de Amerikaanse samenleving op de proef stellen.

De pelgrims die met de Mayflower voor anker gingen in wat nu Plymouth is, in Massachusetts, hadden al dertien jaar van ballingschap achter de rug. Omdat ze de leer en geloofsbeleving van de Church of England veel te slap vonden en als separatisten hun eigen religieuze weg wilden gaan, liepen ze in Engeland gevaar. Van 1607 tot 1620 verbleven ze in Leiden, in het tolerante Nederland, maar omdat ze ook daar niet als gemeenschap konden aarden, keken ze uit naar andere horizonten. Amerika bood hen een uitweg en na behoedzame onderhandelingen in Londen kregen ze de toestemming van de Engelse koning en geld van de Virginia Company, om een nieuwe kolonie te vestigen op de Amerikaanse oostkust. In november 1620 kwamen ze aan met een honderdtal mannen, vrouwen en kinderen. Lang niet alle deelnemers aan de expeditie waren gelovige separatisten, maar de kolonie zou wel door de streng protestantse pelgrims worden geleid. De eerste maanden waren verschrikkelijk genoeg om het meest gestaalde geloof op de proef te stellen; veertien mannen en vijftien vrouwen, vaders en moeders, haalden de lente niet. Het was een uitgedund groepje dat in november 1621 een dankviering hield voor de eerste oogst en daarmee Amerika zijn unieke feestdag schonk op de religieuze kalender: *Thanksgiving.*

De puriteinen die vanaf 1630 nog een derde kolonie opstartten in de baai van Massachusetts waren eveneens van het rigide slag. Anders dan de separatisten wilden zij geen schisma met de anglicaanse kerk. Zij zagen Amerika als een uitgelezen kans om hun ideaalbeeld van geloof- en gemeenschapsleven waar te maken, zonder daarom te breken met koning en vaderland. Van meet af aan beschouwden zij dat als een uitzonderlijke, haast Bijbelse onderneming. 'We moeten voor ogen houden,' schreef hun gouverneur John Winthrop, 'dat we als een stad op de heuvel zullen zijn. De ogen van alle mensen zijn op ons gericht.' Het Amerikaanse exceptionalisme, het idee dat voor de Amerikanen een bijzondere rol is weggelegd in de geschiedenis of in Gods plan met de wereld, was geboren.

Pelgrims en puriteinen zouden het burgerlijke en religieuze leven in de New England-kolonies nauw met elkaar verweven houden. Ook de rechtspraak raakte doordrongen van – soms koortsige – geloofskwesties, zoals bleek in de beroemde heksenprocessen van Salem in

1690. De band met de Church of England werd losser. In de puriteinse theologie primeerde de lokale geloofsgemeenschap of congregatie
op het afstandelijke gezag van de bisschoppen. Ook in dat congrega-
tionalisme – de naam waaronder de New England-variant van het
anglicanisme bekend werd – waren de puriteinen gangmakers: vandaag ziet haast elke protestantse kerk in de vs zichzelf als een lokale congregatie van gelijkgestemden, niet als een afdeling of onderdeel
van een hiërarchisch vertakt systeem.

In 1635 gaf ruzie aanleiding tot de start van alweer een nieuw koloniaal project. In Massachusetts kreeg de puriteinse predikant Roger
Williams het aan de stok met de andere religieuze leiders. Williams
nam het op voor de indianen in de streek van wie de kolonisten onbe-
schaamd land in gebruik namen. Williams vond ook dat de banden
met de Church of England radicaal moesten worden doorgeknipt.
Sterker nog, Williams vond dat het uit moest zijn met elke alliantie
tussen burgerlijke en religieuze gezagsdragers. Als een premature
pleitbezorger voor de scheiding van kerk en staat riep hij de woede
van de lokale leiders over zich af. Hij werd voor de rechter gedaagd
en verbannen. De uitgestoten predikant nam pak en zak, liep te voet
tot aan de baai van Narraganset en begon daar een nederzetting die
hij Providence noemde. Want ondanks zijn pleidooi voor een onderscheid tussen wereldlijke en religieuze zaken had ook bij hem het
idee postgevat dat alles wat in New England gebeurde, inclusief zijn
eigen lotgevallen, het werk van de Voorzienigheid moest zijn. Williams garandeerde in zijn kolonie, Rhode Island, volstrekte godsdienstvrijheid: een revolutionaire keuze. Rhode Island kreeg in 1663
een charter van de Engelse koning Charles ii waarin die tolerante
uitgangspunten bekrachtigd werden.

Charles was trouwens lang niet de moeilijkste op religieus gebied.
In 1682 schonk hij het grondgebied ten westen van de Delaware-rivier
aan William Penn, een vooraanstaand quaker. De quakers (of de Religious Society of Friends) waren religieuze nieuwlichters; ze braken
met alle sacramenten (zelfs het doopsel) en vormen van geloofsbelij-
denis. Ze beschouwden het geloof als een individueel gebeuren tussen mens en God, leefden volgens een strikt pacifistische code en
waren radicaal tolerant. Pennsylvania (de bossen van Penn), met als
hoofdstad Philadelphia (broederlijke liefde), zou dan ook snel een
trekpleister worden voor alle religieuze gezindten en varianten – en
natuurlijk voor tienduizenden quakers uit Europa.

Religie loerde voortdurend om de hoek, bij de start van haast elke Britse kolonie aan de oostkust. In 1634 kreeg de katholieke Lord Baltimore van de koning een stuk grondgebied ten noorden van Virginia, aan weerszijden van de Chesapeake Bay en volmacht om het in persoonlijke naam te besturen. Ter ere van de gemalin van de koning, Henrietta Maria, kreeg de nieuwste kolonie de naam Maryland. Aanvankelijk leek het gebied uit te groeien tot een katholieke enclave in Amerika maar protestanten kwamen in verzet en tegen het einde van de zeventiende eeuw was ook Maryland een koninklijke en overwegend anglicaanse kolonie.

Alleen in de zuidelijke kolonie Carolina (1663, genaamd naar Charles II) leek godsdienst minder bepalend. In Georgia (1732, genaamd naar George II) was er van meet af aan een religieus filantropisch genootschap mee gemoeid. Ook strategische overwegingen speelden mee in de creatie van Georgia: de Britten vreesden voor Spaanse gebiedsuitbreiding vanuit Florida. De economische troeven van de nieuwe wingewesten zouden meer en meer op de voorgrond treden, zeker in de zuidelijke plantagestaten. Het blijft opmerkelijk hoe geloofskwesties de Engelse kolonies van meet af aan gekleurd en gevormd hebben en van bij de start een diversiteit aan overtuigingen hebben meegegeven.

Koloniale concurrenten

De etnische diversiteit was in die zeventiende eeuw nog overzichtelijk: de Engelse kolonies trokken voor het overgrote deel Engelsen aan. Elders in Noord-Amerika zetten de Spanjaarden, traag maar gestaag, hun opmars voort. St-Augustine in Florida groeide en in 1610 stichtten Spaanse franciscanen in New Mexico de stad Santa Fe. De Spaanse infiltraties bleven grotendeels het werk van priesters en soldaten.

Ook Franse paters drongen eenzaam maar dapper vanuit het noorden verder het binnenland in. De jezuïet Jacques Marquette vertoefde al rond 1670 in het huidige Wisconsin en werd befaamd om de ontdekking van de Mississippi. Zijn landgenoot (en uitgetreden confrater) Sieur de La Salle bracht de hele Mississippi in kaart, tot aan de monding in de Golf van Mexico. Hij noemde het uitgestrekte stroomgebied van de rivier Louisiana, ter ere van de Franse koning

Louis xiv en eiste het veiligheidshalve op voor de Franse kroon. Toch
zou het nog decennialang duren vooraleer er nabij de monding van
de Mississippi Franse nederzettingen uit de grond rezen. New Orleans, bedoeld als hoofdstad van het territorium, werd pas in 1718
gesticht.

De eerste grote Europese immigratiegolf in Noord-Amerika, de
koloniale invasie van de zeventiende eeuw, was dus voornamelijk
Engels. Daar was een uitzondering op: Nieuw Amsterdam. Want ook
de Nederlanders hoorden de lokroep van Amerika. Als ervaren koop-
vaarders in de specerijenhandel met het oosten hoopten ook zij de
magische vaarroute te ontdekken, dwars door Amerika naar Azië.
Daarvoor nam de Oost-Indië Compagnie in 1609 (twee jaar na de
stichting van Jamestown in Virginia) de Engelse zeevaarder Henry
Hudson onder de arm. Tot zijn eigen ontgoocheling kon ook Hudson
de gegeerde doorsteek niet vinden. Hij bracht echter wel een fascine-
rend verslag mee over de eilanden en kusten die hij verkend had: de
baai van Delaware, Staten Island, Long Island en de rivier die later
zijn naam zou dragen: de Hudson. De Nederlanders beschouwden dat
gebied – ten noorden van Virginia, ten zuiden van Massachusetts –
voortaan als hun rechtmatige wingewest: Nieuw Nederland. Vijftien
jaar later, in 1624, stuurde de nieuw opgerichte West-Indië Compagnie (wic) de eerste schepen en kolonisten. Nog eens twee jaar later
kozen de kolonisten het eiland Manhattan – waar ze tot dan toe alleen maar wat vee lieten grazen – als centrum voor hun nederzetting.
Peter Minuit, gouverneur van de kolonie, kocht het van de Lenape-
indianen voor een waarde van zestig gulden.

In de Lage Landen laait nu en dan een pietluttige discussie op over
wie New York nu eigenlijk gesticht heeft: de Belgen of de Nederlanders. Minuit was inderdaad van Belgische – want Waalse – herkomst.
Zijn ouders kwamen oorspronkelijk uit Doornik, maar hij zelf groeide op in het Duitse Wesel. Wel scheepten er heel wat Walen en Vlamingen in op de eerste schepen naar Manhattan; ze leefden in Nederland als armlastige vluchtelingen en konden makkelijk worden
geronseld met de belofte van land in ruil voor een aantal dienstjaren
voor de West-Indië Compagnie. De stichting van Nieuw-Nederland
was van meet af aan een multi-etnische onderneming, met Hollanders, Friezen, Duitsers, Vlamingen, Walen, Fransen, Zweden en Zwit-
sers; maar kapitaal en leiding kwamen uit Amsterdam.

In een mum van tijd groeide het stadje uit tot 'een van de meest

multiculturele plaatsen op aarde', zoals Russell Shorto in zijn levendige boek over Nieuw-Amsterdam heeft opgemerkt. Daarin week het
opmerkelijk af van de jonge Engelse kolonies. Ook de Nederlandse
Provinciën zelf waren in die vroege zeventiende eeuw een toevluchtsoord voor vreemdelingen, 'de melting pot van Europa'. De Hollanders
exporteerden die mengelmoes en de verdraagzaamheid die ermee gepaard ging, naar hun Amerikaanse ankerplaats. Niet alleen uit naas-
tenliefde of solidariteit met verdrukte geloofsgenoten of nog minder
omdat ze diversiteit zo hoog in het vaandel droegen. Om kunnen gaan
met anderen, merkt Shorto droogjes op, was gewoon 'goed voor het
zaken doen'.

Dat zaken doen draaide aanvankelijk om de handel in bevervel-
len, een nering waarvoor goeie relaties met de indianen in de buurt
van het grootste belang waren: zij leverden de huiden, de Nederlanders kochten ze. Her en der langs de Hudson en de Delaware werden
handelsposten opgericht voor de uitwisseling van goederen. Daar
groeiden geleidelijk dorpjes en landerijen rond. Vanaf 1630 begonnen
Amsterdamse investeerders in het binnenland met wat je privékolo-
nies zou mogen noemen: patroonschappen zoals Rensselaerswyck
(nu Albany) waar de WIC de kolonisatie nagenoeg uitbesteedde aan
grootgrondbezitters. Op die manier groeiden de Nederlandse steun-
punten voor de pelzenhandel geleidelijk uit tot echte kolonistendor-
pen en Nieuw-Amsterdam kreeg steeds meer de allures van een stad,
als ankerplaats en draaischijf voor de internationale scheepvaart op
Amerika.

De relaties met de indianen schommelden tussen zakelijke ver-
standhouding en regelrechte, bloedige confrontaties. Geïsoleerde
Hollandse boerengezinnen waren een makkelijk doelwit voor roof-
moorden door indianen. Omgekeerd draaiden Nederlandse strafexpe-
dities meermaals uit op brutale massamoorden. Leven in het Nieuw-
Nederlandse achterland was geen vakantie en de WIC had dan ook de
grootste moeite om de kolonies met nieuwkomers te bevolken. De
autoritaire gouverneur Peter Stuyvesant wist vanaf 1647 enige orde
en rust te brengen in het binnenland, maar intussen kwamen zich
steeds meer Engelse kolonisten, vanuit het noorden en het zuiden,
nestelen op Nieuw-Nederlands grondgebied. Vanuit Brits perspectief
zaten de Nederlanders in de weg. Stuyvesant had niet de mensen en
middelen om die Engelse druk te weerstaan. In 1664 dreigden Engelse troepen, in dienst van de hertog van York, Nieuw-Amsterdam ge-

wapenderhand in te nemen en grondig te plunderen. Stuyvesant kon niet anders dan capituleren en de stad uit handen geven; Nieuw-Amsterdam werd New York. De Nederlanders lieten hun sporen na, in het stratenplan op de zuidpunt van Manhattan (Wall Street is waar hun houten stadsmuur stond) of in tal van plaatsnamen zoals Brooklyn (Breukelen), the Bowery (Bouwerij of Boerderij) of Harlem (Haarlem).

Nieuw-Nederland mocht dan al een relatief kort leven zijn beschoren, Nieuw-Zweden verdween nog sneller van de kaart. Onder leiding van Peter Minuit, die eerder door de WIC aan de dijk was gezet en nu zijn gram kwam halen, streken in 1638 Zweedse, Finse en Nederlandse soldaten en handelaars neer op de oever van de Delaware, precies waar nu de stad Wilmington ligt. De plek viel binnen het grondgebied dat Nederland voor zichzelf had omcirkeld; Minuit en zijn Zweedse broodheren provoceerden. Zestien jaar lang wisten de Zweden hun minikolonie te handhaven en zelfs uit te breiden in de vallei. Uiteindelijk stuurde Peter Stuyvesant zeven schepen op hen af en dwong hen tot overgave. Toch zouden er, ook na de opheffing van hun kolonie, nog heel wat Zweden naar Delaware afzakken. Als de eerste lutheranen in Amerika versterkten zij op hun beurt de religieuze diversiteit van het continent.

Profiel van de bevolking

De Amerikaanse immigratiehistoricus Roger Daniels schat dat er in de koloniale periode, dus voor de Revolutie van 1776, ongeveer zeshonderdduizend Europeanen naar de Amerikaanse kolonies verhuisden. Dat is een aanzienlijke groep als je bedenkt hoe lang en onaangenaam de oversteek was in die tijd, maar afgezet tegen het totale aantal immigranten naar Amerika, voor en na de Revolutie, gaat het niet eens om 2%. Die groep was voornamelijk Brits, maar niet exclusief en Brits betekende niet noodzakelijk Engels.

De eerste kolonisten aan de oostkust werden niet alleen aangetrokken door de kansen van Amerika, ze werden ook gemotiveerd door de ellende in hun eigen land. In modern migratiejargon noem je dat *pull-* en *push*-factoren. Migreren was in die tijd geen uitzondering in Groot-Brittannië. Veel mensen verhuisden van het platteland naar de steden en tweehonderdduizend Schotten trokken in de zeventiende

eeuw naar Noord-Ierland: de Scotch-Irish. Amerika was gewoon een
andere, zij het verder gelegen bestemming.

Kolonisten werden geronseld als schuldslaven. Een planter of een
investeringsmaatschappij betaalde hun overtocht; in ruil moesten ze
vier tot zeven jaar werken. Daarna kregen ze de vrijheid en meestal
ook een lapje grond en materiaal om zelfstandig te beginnen. Engeland stuurde ook veroordeelde misdadigers en zelfs straatkinderen
uit de Britse steden naar Amerika, om de kolonies van arbeidskrachten te voorzien. In de puriteinse nederzettingen van New England
streek een wat welvarender groep neer. Daar waren het doorgaans
boeren of ambachtslui die zich vestigden, vaak met hun gezin. In het
decennium van 1630 kwamen er meer dan twintigduizend. In een
aantal geschreven verslagen is er sprake van een *oath of allegiance*,
een eed van loyaliteit die de migranten al moesten uitspreken eenmaal ingescheept in de Engelse haven: een ver voorproefje op de eed
van trouw die nieuwe Amerikanen nu declameren als ze hun burgerschap verwerven.

De gewoonte om gevangenen manu militari naar Amerika te sturen resulteerde ook in de gedwongen verhuizing van niet-Engelse
Britten. De Engelse dictator Oliver Cromwell heeft duizenden Schotse en Ierse opstandelingen op de boot laten zetten. Vanaf 1700 vertrokken ze ook uit eigen beweging, moe van de religieuze conflicten in
Engeland of van de economische ellende en aangetrokken door de
godsdienstvrijheid of de beschikbaarheid van land in de kolonies. Dat
laatste was vooral voor de Ieren een reden om de sprong te wagen.
Katholieke Ieren (en de meerderheid in Ierland was katholiek) hadden in eigen land de grootste moeite om grond te verwerven. Ook
Schotten uit de Hooglanden migreerden om economische motieven;
vanaf 1760 gebeurde dat in grote, georganiseerde groepen. In een zo'n
volksverhuizing trokken vijfduizend inwoners van het Schotse eiland
Skye naar Cape Fear in Noord-Carolina.

De Schotse immigranten behoorden vaak tot de presbyteriaanse
kerk, een protestantse afscheuring die in Engeland lange tijd ternau-
wernood getolereerd werd. Dat was een bijkomende reden voor migratie. Voor de Scotch-Irish, de gemeenschap die in de zeventiende
eeuw al van Schotland naar Ulster was verhuisd, speelden beide motieven. Want ook zij leden in Ierland onder de feodale landpolitiek
van de Engelse Lords en als presbyterianen snakten ze naar vrijere
ademruimte. Naar schatting honderdduizend Scotch-Irish trokken in

de achttiende eeuw al naar Amerika, voornamelijk naar Pennsylvania. Zij verwierven een reputatie als dappere pioniers of *frontiermen*, steeds verder naar het westen trekkend, tot de uithoeken van de Carolina's en diep in West-Virginia.

Nieuwe etnische of regionale invloeden gingen op die manier gepaard met nieuwe religieuze schakeringen. Vanuit Wales verhuisde eerst een baptistische groep naar Massachusetts; later stuurde Wales ook quakers. Het waren vooral de Duitse immigranten in Pennsylvania die als geen ander illustreerden hoe etnische en religieuze identiteit konden samenvallen en hoe het Amerikaanse mozaïek tegelijkertijd werd bijgekleurd met nieuwe taal- en godsdienstaccenten. De eerste Duitse nederzetting, Germantown, ontstond in 1683 en bestond uit een handvol families van quakers en mennonieten uit Krefeld. Later volgden er lutheranen en gereformeerden en ook voor de piëtistische volgelingen van Jakob Amman – de amish – werd Pennsylvania een vrijhaven. Naar schatting honderdduizend etnische Duitsers hebben zich daar gevestigd nog voor het eerste schot gelost werd in de Amerikaanse Revolutie. Lange tijd was Duits in menig dorpje de voertaal. De term *deutch* verbasterde tot *dutch*, wat het misverstand deed ontstaan dat de Pennsylvania Dutch van Nederlandse herkomst waren.

Hoe apart hun levenswandel en gemeenschapsgevoel ook mag geweest zijn, zelfs de amish en mennonieten waren loten aan de rijk woekerende protestantse boom, net als de Schotse presbyterianen of de Engelse puriteinen. Dat protestantisme was toch een soort grootste gemene deler. Katholieken bleven in koloniaal Amerika, numeriek en sociaal, onmiskenbaar een minderheid. Alleen onder de arme Ieren zaten er veel katholieken, maar bij gebrek aan parochiekerken en priesters sloten velen van hen bij protestantse groepen aan. Ook in Maryland bleek de verankering van een katholieke kolonie niet echt te lukken. Anders gezegd: het jonge, koloniale Amerika ontwikkelde geleidelijk, impliciet of expliciet, een protestants zelfbeeld. De katholieke uitzonderingen waren te weinig talrijk of te pover georganiseerd om dat in vraag te stellen. Op die manier werd de basis gelegd voor de latere nativistische reflexen (een eigen volk eerst-ideologie) in de negentiende eeuw, die een flagrant antikatholiek karakter zouden aannemen.

Nog sporadischer en geruislozer was de joodse aanwezigheid in het jonge Amerika. De eerste groep joodse immigranten kwam niet

uit Europa, maar uit Brazilië. Het waren Sefardische joden die in Re-
cife hun koffers moesten pakken toen de Portugezen daar de Nederlanders hadden verjaagd. In de achttiende eeuw maakten Asjkenazi-
sche joden uit Duitsland de overtocht. De eerste synagoge op Noord-
Amerikaanse bodem kwam er in 1729, in New York. Toch telde de
joodse gemeenschap in 1776 nog geen tweeduizend zielen, een onoog-
lijk aantal in het licht van hun latere groei en betekenis.

Latijnse invloeden

Intussen spreidde de katholieke invloed zich ongemerkt uit over het
zuidwesten, ver buiten het blikveld van de Engelse kolonies. Spaanse franciscanen stampten aan de westkust een lint van eenentwintig
missieposten uit de grond die de ijkpunten zouden worden van de
kaart van Californië: van San Diego tot San Francisco. Die laatste
nederzetting zag het levenslicht in hetzelfde jaar (1776) waarin de
Amerikaanse kolonisten aan de oostkust zich van het Britse moederland los scheurden.

Een apart katholiek verhaal is dat van de Franse *acadiens* of *cajuns* die neerstreken in Louisiana: gering in aantal, maar belangrijk
in de culturele sporen die ze trokken in de omstreken van New Orleans. Afkomstig uit Normandië en Bretagne vestigden ze zich eerst
in het zuidoosten van Canada, een land dat ze *Acadië* doopten. In
1713 werd die regio door de Engelsen ingepikt, als een van de pas-
muntjes die werden uitgewisseld in het complexe Verdrag van
Utrecht. Een tijdlang lieten de Britten de Franse boeren ongemoeid,
maar halfweg de achttiende eeuw werden ze van huis en haard verdreven en op transport gezet naar andere oorden. In Louisiana bleken
ze uitermate welkom, eerst onder Frans en daarna onder Spaans bestuur. In de moerassige *bayous* van West-Louisiana groeiden ze uit
tot een aparte taal- en cultuurgemeenschap. Door hun kroostrijke
gezinnen en door huwelijkspartners van buiten de eigen groep aan te
trekken, breidden ze hun aantal uit van een paar duizend bij het begin tot ruim een kwart miljoen rond 1880. De cajuns kruidden en
peperden – letterlijk – de culinaire, muzikale en linguïstische cultuur
van Louisiana en boden daarmee een unieke bijdrage aan de Amerikaanse mozaïek.

Politiek was de Franse rol in Amerika omstreeks 1760 overigens uitgespeeld. Het samenvallen van de Zevenjarige Oorlog in Europa en de *French and Indian War* in Amerika was de Franse krachten te boven gegaan. In de Vrede van Parijs van 1763 moesten de Fransen alle land ten oosten van de Mississippi aan de Engelsen afstaan. Engeland nam bovendien Florida over van Spanje en Spanje kreeg dan weer het Franse New Orleans. In theorie behield Frankrijk de voogdij over een gigantisch gebied in het binnenland ten westen van de Mississippi, van Minnesota in het noorden tot Arkansas in het zuiden. De Franse aanwezigheid daar was echter uitermate beperkt en de aanspraken bleven grotendeels virtueel. In 1803 liet Napoleon de laatste hoop op een Amerikaans imperium varen toen hij het Franse territorium voor een bedrag van vijftien miljoen dollar verkocht aan de jonge Verenigde Staten: de *Louisiana Purchase*. De Verenigde Staten verdubbelden daarmee zowat hun grondgebied en voor Napoleon was het een fijne gedachte om de Engelsen een pad in de korf te zetten.

De amechtige Franse avonturen in het diepe binnenland van Amerika leven enkel nog voort in plaatsnamen als Louisville (Kentucky), Des Moines (Iowa) of Prairie du Chien (Wisconsin). In Louisiana is de invloed dieper verankerd: de bestuurlijke districten worden daar parochies genoemd in plaats van *counties* en het wetboek van de staat is gebaseerd op de Code Napoléon.

Afrika

Intussen waren er in de zuidelijke kolonies nog heel wat andere talen te horen dan Frans, Spaans, Nederlands of Engels. Op de plantages van Virginia of Zuid-Carolina klonken Afrikaanse klanken, afkomstig uit de Nigerdelta, het stroombekken van de Gambia of de kust van Angola. Omstreeks 1800 waren naar schatting al driehonderdvijftigduizend Afrikaanse slaven in Noord-Amerika aan land gezet. In totaal telde het gebied toen driekwart miljoen zwarte bewoners, slaven die geboren en gekidnapt waren in Afrika of hun nakomelingen.

De eerste Afrikanen in de Britse kolonies van Noord-Amerika kwamen min of meer toevallig aan wal, in 1619. Nederlandse kapers hadden twintig slaven buitgemaakt op een schip uit Portugal, maar bij het gevecht had hun eigen vaartuig averij opgelopen. De kapers gingen voor de kust van Virginia voor anker om hun boot te herstel-

len en verkochten de slaven aan de planters. Ook in het prille Nieuw-
Amsterdam kwamen piraten bevrijde slaven verkopen. In oude do-
cumenten uit Manhattan duiken namen op als Jan Negro of Antony
Congo.

Die eerste zwarte arbeidskrachten in Noord-Amerika waren nog
geen slaven in de strikt juridische betekenis. In feite deelden ze het
lot van de talrijke schuldslaven uit Europa die getekend hadden om
jarenlang te werken voor de planters of de kolonie en daarna hun vrijheid en wat grond verwierven. Ook zwarte schuldslaven kochten met
hun arbeid hun vrijheid af. Volgens Russell Shorto waren er in Nieuw
Amsterdam zwarte kappers, timmermannen en vrije boeren aan het
werk. In het licht van de latere geschiedenis is dat een opmerkelijke
en charmante vaststelling.

De degradatie van de zwarte schuldslaven tot slaven – tot arbeidskrachten die geheel en al het bezit waren van hun eigenaars, zonder
perspectief op een vrij bestaan – gebeurde geleidelijk. Wanneer schuldslaven wegliepen vooraleer ze hun contract hadden uitgediend en bij
de kraag werden gevat, kwam hun dat duur te staan: behalve een
aantal zweepslagen kregen ze extra dienstjaren aangesmeerd. Allengs
werden die straffen voor zwarten strenger dan voor blanken. Geholpen door de rechtbanken dwongen planters hun Afrikaanse arbeiders
steeds langer voor hen te werken. Er groeide op die manier een informele praktijk van slavernij die pas later, ver in de tweede helft van
de zeventiende eeuw, in wetten werd gegoten.

Daar waren economische motieven mee gemoeid en angst voor
sociale onrust. Aanvankelijk hadden de kolonisten het niet erg begrepen op slavernij. Het systeem was nochtans al stevig ingeplant in
de Britse Caraïben; daar werden rond 1650 al tienduizenden Afrikaanse slaven aan het werk gezet op de suikerplantages. De planters
op de Caraïben waren echter rijke grootgrondbezitters die met hun
exportlandbouw snel geld wilden verdienen om dan terug te keren.
Zij hadden geen nieuw Engeland-in-de-tropen op het oog. De kolonisten van Virginia of de Carolina's daarentegen zagen hun nederzettingen als permanente steden, als gemeenschappen die wortel zouden
schieten in Amerika; daar wilden ze geen Afrikanen bij. Decennialang
gaven ze daarom de voorkeur aan het schuldslaafstelsel waarbij arbeidskrachten werden geronseld in Engeland en Ierland.

Het probleem was dat die schuldslaven recht hadden op grond van
zodra ze zich vrij hadden gewerkt. Dat was in het begin geen probleem

geweest omdat er grond in overvloed was. Naarmate de tabaksexport explodeerde, groeide ook de behoefte van de planters om hun eigen plantages uit te breiden en om de best gelegen stukken in te pikken, ten koste van de nieuwe vrije boeren. De schuldslaven en boeren kregen steeds minder wat ze verwacht en waarvoor ze gezwoegd hadden; het contractstelsel kwam onder druk te staan. In 1673 kwam het in Virginia tot een confrontatie toen blanke en zwarte boeren en schuldslaven, onder leiding van Nathaniel Bacon, gewapend naar Jamestown oprukten en de gouverneur op de vlucht joegen. Hun opstand werd uiteindelijk de kop ingedrukt, maar de rijke en regerende plantersfamilies hadden de schrik te pakken.

Het kan dan ook moeilijk een toeval zijn geweest dat in het laatste kwart van de zeventiende eeuw het aantal Afrikaanse slaven in Virginia spectaculair begon te stijgen. Dat had te maken met twee overwegingen. Ten eerste hoefde voor zwarte slaven later geen land te worden vrijgemaakt. Ten tweede was het logisch en makkelijker om slaven te verbieden wapens te bezitten, waardoor ook het risico op rebellie werd beperkt. De tijd van een semitolerante schemerzone was voorbij: in de zuidelijke kolonies werden zwarten meedogenloos tot slavernij veroordeeld. Ook mulatten – meestal de kinderen van de slavenhouders – groeiden als slaaf op in het slavenverblijf. Op die manier groeide de breed verspreide en diep verankerde culturele perceptie van de *one drop rule*: wie in Amerika ook maar een beetje zwart is, is zwart.

Alles bij elkaar zijn, gespreid over twee eeuwen, naar schatting vierhonderddertigduizend slaven vanuit Afrika naar de huidige Verenigde Staten gebracht. Dat cijfer kan je op twee manieren bekijken. In verhouding tot de tien miljoen die in totaal uit Afrika zijn weggehaald, is het een kleine groep. Het suikereilandje Barbados alleen al ontving er bijna evenveel. Zonder daar misplaatste ethische conclusies aan te verbinden, kan je vaststellen dat slaven in Noord-Amerika langer leefden en een rijker nageslacht nalieten dan hun lotgenoten op de Caraïben of in Zuid-Amerika. In verhouding tot de totale bevolking van koloniaal Noord-Amerika was het nochtans een behoorlijk grote groep. Bij de eerste census of volkstelling in 1790 werden er een kleine vier miljoen Amerikanen geteld; bijna een op de vijf was zwart. In sommige kolonies, zoals Zuid-Carolina, waren de slaven in de meerderheid.

Het is natuurlijk een grove vereenvoudiging om alle ingevoerde

slaven onder die ene noemer van Afrikanen te vatten. In feite golden
er tal van taalkundige, culturele en religieuze verschillen. Er kwamen
slaven uit Angola en slaven uit Senegal; velen deelden zogenaamd
animistische geloofsopvattingen, een aantal kwam als moslim. Tot
op zekere hoogte zag je concentraties: in Virginia kwamen voornamelijk Ibo uit Nigeria terecht, in Zuid-Carolina waren het doorgaans
Mandinka uit Gambia. De West-Afrikaanse sporen zijn overduidelijk
herkenbaar in de zwart-Amerikaanse muziek, taal, liturgie en literatuur. Vandaar zijn ze doorgesijpeld naar de *mainstream* van de vs: in
feite is Amerika nog nauwelijks voorstelbaar zonder die zwarte onderstroom.

De jonge natie groeit

Toen de dertien kolonies in 1776 de historische stap zetten om hun
onafhankelijkheid uit te roepen, had de Amerikaanse natie – cultureel, religieus en politiek – al een duidelijk eigen karakter verworven.
Amerika was iets totaal nieuws, een land en een volk dat zich onmiskenbaar van de Europese naties onderscheidde. De overwegende
grondtonen waren blank, Brits en protestants, maar ook toen al werden die bijgekleurd met Duitse, Nederlandse, Scandinavische, Latijnse en vooral Afrikaanse schakeringen. Ook de kiemen van een breed
verspreide joodse en katholieke religiositeit waren gezaaid. Door de
grondwettelijke keuze voor godsdienstvrijheid in het *First Amendment* werd diversiteit trouwens verankerd als een grondbeginsel.

Toch was de natie in 1776 nog lang niet af en aan het begin van
de eenentwintigste eeuw is ze dat evenmin. In de negentiende eeuw
kwam een massale immigratie op gang die de prille Amerikaanse
identiteit zou bevragen, veranderen en versterken. Die volkstoeloop
ging gepaard met de heroïsche trek naar het westen, waar land en
kansen lagen. De opkomst van de stoomschepen maakte een snellere Atlantische overtocht mogelijk. De verstedelijking, plattelands-
vlucht en industrialisatie, tezamen met de woelige revoluties en
oorlogen, dreven miljoenen verarmde Europeanen naar de belofte van
Amerika.

Tussen 1820 en 1924 zijn zesendertig miljoen mensen in Amerika
ingeweken. Dat enorme aantal zou de indruk kunnen wekken dat de
natives – zij die in Amerika geboren waren – overspoeld werden door

een gigantische volksverhuizing. In feite is het percentage van de buitenlanders of *foreign-borns* echter nooit boven 15% uitgestegen. Die piek werd bereikt rond 1910. Het praktisch-juridische onderscheid tussen de twee categorieën was overigens niet altijd zo scherp. Het staatsburgerschap was wel omschreven in de Naturalisatiewet van 1790, maar in de praktijk was het vaak een koud kunstje om door een rechtbank als burger te worden ingeschreven. Om het in hedendaagse termen te zeggen: de naturalisatieprocedure verliep soepel, vlotjes en warrig. In sommige staten in het westen was burgerschap niet eens vereist als voorwaarde om te stemmen of om een openbare functie uit te oefenen. Pas na de Burgeroorlog werd dat allemaal strikter vastgelegd en federaal gestroomlijnd.

Daarmee is niet gezegd dat immigranten met open armen ontvangen werden. In de lokale context van steden en buurten kwam het geregeld tot botsingen en rellen tussen geboren en getogen Amerikanen en vers aangespoelde migranten. Vooral wanneer die migranten met velen tegelijk kwamen en uit dezelfde herkomstlanden, liepen de spanningen hoog op.

De Verenigde Staten waren in 1776 ook territoriaal nog niet af. Met de hierboven al vermelde *Louisiana Purchase* breidden ze hun grondgebied spectaculair uit. Later volgde nog de *Florida Purchase*. Na de Amerikaanse Revolutie en de Engelse nederlaag had Spanje Florida weer in handen gekregen, maar in 1819 deed Madrid het schiereiland voor vijf miljoen dollar van de hand. In 1845 werd Texas geannexeerd, een onafhankelijke republiek die zich negen jaar eerder van Mexico had losgeworsteld. Dat bracht op zijn beurt de Mexicaans-Amerikaanse oorlog aan het rollen. Uiteindelijk eindigde die oorlog desastreus voor Mexico; het verloor ongeveer de helft van zijn grondgebied. De huidige staten Californië, Nevada, Utah en delen van Colorado, Arizona en New Mexico werden Amerikaans territorium. De *Yankee* kolonisten en avonturiers die in de Mexicaanse provincies geïnfiltreerd waren, zagen en verkochten dat toentertijd als een bevrijding en een beschavingsproject en tegelijk als een bewijs van de superioriteit van het Angelsaksische protestantisme op het despotische Spaans katholicisme. Toch hoeft het geen betoog dat die gigantische uitbreiding naar het Spaanse zuiden – van Florida over Texas tot Californië – het aangezicht van de Verenigde Staten mettertijd fundamenteel zou veranderen.

Tenslotte moet nog de aankoop van Alaska worden vermeld in

1867 en de annexatie van de Hawaï-eilanden in 1898. Die verafgelegen gebieden brachten op hun beurt weer nieuwe culturele toetsen aan: Polynesisch, inuit en Russisch-orthodox.

Het Ierse stadsproletariaat

Het valt onmogelijk na te tellen hoeveel Ieren er precies in de Verenigde Staten kwamen wonen in de loop van de negentiende eeuw. Niet alleen omdat sommigen van hen terugkeerden naar Ierland, maar ook omdat een behoorlijk aantal een omwegje maakte via Groot-Brittannië (en dus als Brit werd geregistreerd) of via Canada. Die Canadese connectie is interessant omdat ze schitterend illustreert hoe migranten de plannen van de plannenmakers in de wind slaan en hun eigen wegen banen.

In de vroege negentiende eeuw ronselden de Engelsen in Ierland arbeidskrachten voor de Canadese houtindustrie. Daarom maakten ze de overtocht naar Canada goedkoper dan die naar New York. De Verenigde Staten oogden evenwel aantrekkelijker en de Ierse houtvesters zakten letterlijk, per boot of helemaal te voet, uit Canada af naar New England. Het verklaart waarom Boston zo'n Ierse stad is geworden. Ook voor grote infrastructuurprojecten werden Ieren geronseld; het Erie-kanaal tussen Albany en Buffalo werd door duizenden Ierse arbeiders gegraven.

De Ierse migratie was nu in hoofdzaak een katholieke migratie. Tot 1845 ging het meestal om mannen alleen of vrouwen alleen. De vrouwen werden in de steden aangeworven als huisbediende, als verre voorlopers van de Poolse poetsvrouw. Pas toen Ierland getroffen werd door de beruchte aardappelrot en de oogsten jaar na jaar mislukten, kwam een heuse volksverhuizing in familiaal verband op gang. De cijfers en verhoudingen zijn nauwelijks te bevatten: tussen 1845 en 1855 hebben twee miljoen Ieren hun land verlaten, een kwart van de totale Ierse bevolking. Zeker driekwart van die emigranten of anderhalf miljoen, belandde in de Verenigde Staten. De meerderheid bleef hangen aan de oostkust, in de snel groeiende steden en vormde daar een soort sub-proletariaat. Lange tijd konden Ieren alleen de laagst betaalde jobs te pakken krijgen en zelfs daarvoor moesten ze opboksen tegen goedkope zwarte arbeidskrachten.

Na 1860 en na de rampzalige hongerjaren, veranderde de Ierse migratie opnieuw van karakter. Opnieuw kwamen jonge mannen en vrouwen individueel naar Amerika. Door economische en culturele omstandigheden (onder meer de weinig vrouwvriendelijke traditie van de bruidsschat) bleven veel jonge vrouwen in Ierland ongehuwd. Dat zogenaamde vrouwenoverschot was een bijkomende push-factor voor migratie naar Amerika. Bovendien zorgden de Ieren die al enige tijd in Amerika gevestigd waren vaak voor contacten, jobs en huisvesting voor de nieuwkomers. Tegenwoordig noemen we dat kettingmigratie. De Ieren in het negentiende-eeuwse Amerika waren er uitermate bedreven in. Ze wonnen aan invloed in de vakbonden en de politiek; de beruchte *machines* van de Democratische Partij werden geolied en gevoed met Ierse stemmen. De snelle groei van de steden vereiste een inhaalbeweging in de uitbouw van het overheidsapparaat en de Ieren waren beschikbaar op het juiste moment. Politie- en brandweerkorpsen vulden hun rangen met Ierse migranten. Nu nog zal je bij de New Yorkse hulpdiensten opvallend veel Ierse namen vinden.

Al met al zijn er in honderd jaar tijd een kleine vijf miljoen Ieren in Amerika ingeweken. Samen met de tweede en derde generaties die in Amerika geboren werden, groeiden zij uit tot een gigantische gemeenschap. Toch was het niet zozeer hun aantal dat in het oog sprong, maar hun eigenheid: de Ieren waren katholiek. Net omdat ze zo talrijk waren, werd dat katholieke anders-zijn ervaren als bedreigend. Veel Amerikanen koesterden een beeld van hun land als een protestantse natie, maar omstreeks 1850 al was de rooms-katholieke kerk uitgegroeid tot de grootste afzonderlijke geloofsgemeenschap in Amerika, groter dan de methodistische, episcopaalse of baptistische denominaties. Daar waren de Ieren op dat moment verantwoordelijk voor. Ook de katholieke hiërarchie werd van hoog tot laag door Ierse geestelijken gedomineerd.

Duitsers en Scandinaven

Het verhaal van de Duitse migratie naar de Midwest en naar de noordelijke staten van de vs is bij Europeanen doorgaans veel minder bekend. Wellicht speelt de fixatie op de oostkust daarin een rol en de vertrouwde filmdecors van New York of Boston. Toch waren de Duitse Amerikavaarders in de negentiende eeuw nog talrijker dan hun

Ierse lotgenoten: tussen 1820 en 1924 zouden vijf miljoen zeshonderdduizend Duitstaligen de oversteek hebben gewaagd. Zij kwamen
bijna altijd in gezinsverband en vaak via de havens in de Golf van
Mexico. Vandaar volgden ze de Mississippi naar het noorden waar
een Duitse driehoek ontstond tussen Milwaukee, Cincinatti en Saint-
Louis. De Duitse migranten vonden doorgaans werk in de landbouw
of in geschoolde jobs en ambachten. Duitsers waren ook sterk vertegenwoordigd in de kleinhandel en nijverheid, zoals de brouwerijen.
Anheuser-Busch, de brouwer van Amerika's bekendste bier *Budwei-
ser*, was een creatie van Duitse immigranten.

Duits is uiteraard een verzamelnaam. Tot aan de Duitse eenmaking van 1871 was het natiegevoel onder de migranten nog weinig
ontwikkeld en waren er grote verschillen tussen Saksen en Rijnlan-
ders, Beieren en Pruisen, in dialect of godsdienst. Toch deelden ze
een gemeenschappelijke Duitse taal en in staten als Pennsylvania en
Ohio werd er vroeg in de negentiende eeuw al Duitstalig onderwijs
gegeven. Meer zelfs, in die periode was Duits een populaire tweede
taal, ook voor Engelse Amerikanen. Onder de migranten zat ook een
hoog opgeleide toplaag en Duitse kranten, tijdschriften en culturele
verenigingen kenden een opmerkelijke bloei. Die sterke cohesie en
culturele trots deden sommigen dromen van een Duitse staat binnen
de federatie. Met de Eerste Wereldoorlog kwam er bruusk een einde
aan dat zelfbewustzijn: Duits-zijn werd verdacht en Duitsers hielden
zich gedeisd.

De immigratie vanuit Scandinavië was, in absolute aantallen,
kleiner dan die vanuit Ierland, Duitsland of (later) Italië. Slechts twee
miljoen Denen, Zweden en Noren trokken naar Amerika, maar relatief bekeken – vanuit het standpunt van de landen van vertrek – was
de uittocht enorm. Dat mag blijken uit de Zweedse invasie in Chicago. Rond 1900 was dat de tweede Zweedse stad ter wereld. De
Zweedse migratie kwam pas goed op gang in de tweede helft van de
negentiende eeuw en net als in Ierland was het een langdurige hongersnood die tienduizenden hun land uitdreef. Ze belandden doorgaans in de zogenaamde graangordel van de Midwest en later ook in
de staat Washington.

De Noren nestelden zich in grote aantallen in Wisconsin, Minnesota en North Dakota. Zij gingen over het algemeen in de landbouw
aan de slag. Van de Denen is bekend dat ze erg jong migreerden en
individueel. Zoveel Deense jonge mannen kozen voor Amerika dat

er tijdelijk een tekort aan huwelijkspartners werd gesignaleerd voor Deense meisjes. Overigens had een vroege Deense kolonist – twee eeuwen eerder al – zijn naam geschonken aan een van de beroemdste buurten van Amerika. Jonas Bronck kocht in Nieuw Amsterdam een stuk land ten noorden en ten oosten van Manhattan. Het werd later berucht onder de naam de Bronx.

Nederlanders en Belgen

Ook het negentiende-eeuwse Nederland stuurde landverhuizers naar de VS, al werden die bij hun vertrek soms uitgejouwd voor landverraders. Typerend was de rol van dominees en priesters die tientallen gezinnen ronselden voor de stichting van nieuwe, Nederlandse leefgemeenschappen in Amerika.

Dat had gedeeltelijk te maken met de oprichting van de Christelijk Afgescheiden Kerk in 1834 – een afscheuring van de Gereformeerde Kerk. Die theologische twist wekte blijkbaar zoveel haat en spanningen op dat de afgescheidenen hunkerden naar levensruimte, net zoals puriteinen en pelgrims twee eeuwen eerder hadden gedaan. In 1847 voerde dominee Albertus C. Van Raalte een groep aan naar het uiterste westen van Michigan en stichtte daar het stadje Holland. De plek die hij uitkoos was vergeven van malaria en nauwelijks geschikt voor landbouw, maar Van Raalte vond er wat hij zocht: isolement. Het kostte tientallen mannen en vrouwen het leven, maar de eenzame Hollandse kolonie werd uit de grond gestampt. Ongeveer tezelfdertijd wist dominee Hendrik P. Scholte bijna achthonderd volgelingen mee te tronen naar Baltimore en vandaar verder tot in Iowa. Op kaal en bar prairieland bouwden ze het stadje Pella. Pella en Holland werden aantrekkingspolen voor nog meer nieuwkomers uit Nederland en zo schoten er in Michigan en Iowa tal van dorpjes uit de grond met namen als Zeeland, Overisel of Orange City.

In Wisconsin streken ook katholieke Brabanders neer, niet zelden in het zog van paters. Vanaf 1860 werd Wisconsin een trekpleister voor Friese boeren. Volgens journalist Lucas Ligtenberg bleef de Friese taal in sommige van hun Amerikaanse dorpjes 'tot ver in de twintigste eeuw bewaard'. Alles samen telt hij om en bij honderdvijfentwintigduizend Nederlanders die in de negentiende eeuw de sprong naar Amerika hebben gemaakt.

Wat opvalt voor de Belgische migratie naar de vs, is de betrokkenheid van de jonge Belgische regering. Die zag in de export van werklozen een oplossing voor het armoedeprobleem in eigen land. Rond
1850 liet de regering drie Belgische kolonies oprichten: New Flanders
en New Brabant in Pennsylvania en nog een in Kansas, telkens met
een vijftigtal emigranten. Brussel subsidieerde de onderneming, maar
elk van die nederzettingen viel al na enkele jaren uit elkaar en de regering besloot van het actieve migratiebeleid af te zien. Overigens
had de regering ook landlopers naar Amerika gestuurd om ervan af
te zijn, wat de verontwaardiging wekte van kranten in New York.

De Belgische emigranten vonden daarna hun eigen weg. Tot 1880
waren het vooral Waalse landbouwers die vertrokken; Wisconsin was
niet zelden hun bestemming. Daarna werd Vlaanderen de motor van
de emigratie en vertrokken er meer ambachtslui en arbeiders. Die
konden in de groeiende industriestad Detroit aan de slag. Alles samen
vertrokken er in de negentiende eeuw ongeveer honderdduizend Belgen naar Amerika.

Oosterse invloed op de westkust

Als jonge lezer was ik altijd verbaasd om in de strips van Lucky Luke
Chinezen, doorgaans getooid met een lange vlecht, te zien opduiken.
Ik kon die oosterlingen niet rijmen met het beeld van de *Far West*.
Toch waren Chinezen daar geen zeldzaamheid: in de tweede helft van
de negentiende eeuw zijn er tenminste driehonderdduizend Chinezen
in de vs neergestreken.

Hun eerste bestemming was Californië, waar in 1848 goud werd
ontdekt en waar in enkele jaren tijd honderdduizenden gelukzoekers
kwamen toegestroomd vanuit de oostelijke staten, Australië, Hawaï,
Mexico en Latijns-Amerika. Het nieuws bereikte ook China. In het
Chinese karakterschrift staat Californië trouwens ook voor 'gouden
berg'. Vanuit de zuidelijke provincie Kanton vertrokken al gauw duizenden mannen naar de Amerikaanse westkust. Het mag verbazing
wekken dat die eerste Chinezen als zelfstandige goudzoekers kwamen
en niet als *koelies* of ingehuurde (en uitgebuite) arbeidskrachten, zoals dat in de Caraïben vaak gebeurde. Ze staken zichzelf diep in de
schulden om hun overtocht te betalen. Later, toen de *goldrush* wat
tot bedaren was gekomen, werden er tienduizend Chinese migranten

geronseld voor de aanleg van de *Central Pacific Railroad*. Daarnaast ging een grote groep Chinezen aan de slag als kleine zelfstandigen in de dienstensector: wasserijen, schoenmakers, huisbedienden.

De Chinese immigratie aan de westkust was bijna uitsluitend een mannenzaak; voor elke zeldzame vrouw die immigreerde, waren er zeker twintig mannen. Ze waren goed georganiseerd, langs lijnen van verwantschap en regionale herkomst. De zelforganisaties hielpen de nieuwkomers aan jobs en huisvesting en ze regelden de repatriëring van de overledenen naar China, om daar in voorouderlijke grond te worden begraven.

In de nieuwe steden van Californië leefden ze in gesloten getto's bijeen, ongeacht hun inkomen of sociale status. De bekendste *Chinatown* is allicht die van San Francisco; de Chinese gemeenschap woont daar al honderdvijftig jaar. Ondanks hun geslotenheid, zelfredzaamheid en discretie (of misschien juist daarom) wekten ze heel wat wantrouwen, racisme en agressie op. Toen het Congres in 1870 de voorwaarden stroomlijnde voor het verwerven van het Amerikaanse staatsburgerschap, bleken Aziaten daar niet voor in aanmerking te komen. Twaalf jaar later werd die uitsluiting nog verscherpt met de *Chinese Exclusion Act*. Voortaan werden er geen nieuwe Chinese immigranten meer toegelaten. Dit was de eerste immigratiebeperkende maatregel in de vs op nationaal niveau. Het racistische karakter daarvan valt moeilijk te ontkennen. De toekomst van de Chinese gemeenschap in Amerika, met zoveel vrijgezellen en zo weinig vrouwen, hing daarmee aan een zijden draadje. Omdat de wetten zoals altijd ook omzeild werden en omdat er later een versoepeling kwam, hebben de Chinatowns die immigratiestop overleefd.

Ook Japan stuurde zijn zonen uit naar Amerika. De eerste groep Japanse arbeiders streek neer op Hawaï, nog voor de Amerikanen die eilandengroep annexeerden. Ze werkten daar op grote landbouwplantages. Vanaf 1900, na de annexatie, konden ze doorreizen naar de westkust. Tegen die tijd kwamen veel van hun landgenoten al rechtstreeks naar Amerika; ze gingen aan land in Seattle of San Francisco. De Japanse mannelijke immigranten gingen doorgaans aan de slag in de Californische landbouw, eerst als ingehuurde krachten, maar geleidelijk ook als zelfstandige boeren. Sommigen van hen stampten er reusachtige agrobedrijven uit de grond. Hoewel ook de Japanse groep meer mannen dan vrouwen telde, kon dat onevenwicht later worden weggewerkt. Vanaf 1907 kwamen de vs met Japan overeen – in het zogenaamde *Gentlemen's Agreement* – dat er geen nieuwe migranten meer zouden komen, behalve voor gezinshereniging. In de volgende vijftien jaar liet de Japanse gemeenschap in de vs zo'n twintigduizend bruiden overkomen, al dan niet van tevoren bekend bij hun aanstaande bruidegom. De Japanse kinderen deden het doorgaans prima op school en overtroefden zelfs na een generatie al hun Amerikaanse leeftijdsgenoten.

De Chinese en Japanse nieuwkomers brachten ook nieuwe, onbekende rituelen en geloofsopvattingen mee: boeddhisme en confucianisme, shintoïsme en taoïsme. Ze openden tempels en gebedscentra en hielden er hun eigen feesten en kalender op na. Daarmee werd ook de religieuze diversiteit van de vs nog verder opgerekt. De nieuwe godsdiensten behoorden niet eens meer tot het vertrouwde gamma aan christelijke kerken; deze keer kregen niet-Europese, oosterse stromingen een voet aan de grond. Tezamen met het Spaans katholicisme en de Russisch-orthodoxe kerk die in Alaska al was ingeplant, maakten zij een protestantse overheersing totaal onmogelijk. Voor sommige auteurs is het westen van Amerika daarin van meet af aan een unieke regio geweest. 'Voor mensen in Boston of Philadelphia of Charleston of Nashville kunnen de noties van een protestants rijk of een christelijk Amerika misschien wel voortleven, maar de culturele en religieuze diversiteit van het westen hebben zulke concepten altijd ernstig op de proef gesteld. (...) Het verdwijnen van een herkenbare protestantse norm, was in het westen de norm zelf geworden.'

Creatief met godsdienst

Dat die miljoenen Europese en Aziatische immigranten allemaal een plaats vonden, had uiteraard te maken met de beschikbaarheid van land en met de geleidelijke verkenning en annexatie van het weidse, onmetelijke binnenland. In de Europees-Amerikaanse ervaring, vanuit een oostkustperspectief, was dat een tocht naar het verre westen; maar voor de Aziaten die in Californië ontscheepten, was het een tocht naar het noorden of zuiden of oosten. De Far West staat in ons collectief bewustzijn gegrift als een verzameling stoffige stadjes met ruige cowboys en vervaarlijke indianen. Vrouwen zijn niet te bespeuren, behalve als hoertjes in de *saloons*. De cowboys kauwen op een gemeen soort Engels, op een enkele verdwaalde Mexicaan na.

Toch zijn er ook honderdduizenden gezinnen westwaarts getrokken, met de spreekwoordelijke huifkarren en dieren en met vrouwen en kinderen. In een staat als Noord-Dakota waren daar tienduizenden Noren bij, in Texas streken grote groepen Duitsers neer, zoals blijkt uit plaatsnamen als Berlin, New Ulm of Millheim. Elke nieuw ontgonnen regio werd na verloop van tijd een staat en opgenomen in de federatie; de grens week steeds verder terug. De VS groeiden tegen een razend tempo in grondgebied en bevolking. Die opmars werd alleen gestuit door indiaanse tegenstand. De pioniers vonden telkens nieuwe volkeren en talen op hun weg en het verzet van sommige stammen – zoals de Sioux of de Apache – kon pas na veel bloedvergieten gebroken worden.

In woelige en gevaarlijke tijden en in een onbekende en chaotische omgeving biedt godsdienst een houvast. Omstandigheden en ideologie creëerden een vruchtbare voedingsbodem voor godsdienstige herbronning. Aan de ene kant had de grondwettelijke keuze voor een radicale scheiding tussen kerk en staat een geweldige ruimte opengegooid voor nieuwe godsdienstige inspiratie en religieus voluntarisme. Aan de andere kant noopte de afwezigheid van gevestigde kerkgebouwen en -gemeenten in het grensgebied tot creativiteit. Liturgische improvisatie was noodzakelijk en tijdens de zogenaamde *Second Great Awakening*, omstreeks 1820, lokten grote bijeenkomsten in openlucht duizenden zoekende gelovigen. Dagenlang kampeerden ze om naar sermoenen te luisteren, om te bidden en hymnes te zingen; die *camp meetings* werden van tevoren gepland en aangekondigd en kunnen beschouwd worden als verre voorlopers van onze zomerfestivals.

De Awakenings zijn een weerkerend fenomeen in de Amerikaanse geschiedenis. Geregeld was er sprake van een breed verspreide religieuze opstoot of *revival*. Dat gebeurde voor het eerst rond 1740 en een tweede keer tussen 1810 en 1830. De derde uitbarsting, kortstondiger nu, volgde rond 1858, toen de natie bitter verdeeld was over de slavernij en de Burgeroorlog zijn schaduw reeds vooruitwierp. In die verhitte atmosfeer wisten de bestaande denominaties hun aanhang gevoelig uit te breiden, maar tegelijk zagen nieuwe kerken het licht. Elke nieuwe stroming bracht een nieuw accent aan op het religieuze en culturele kleurenpalet. Sommige boden slechts een zachte nuance, maar andere mikten op een radicaal verschil. Het is dus tijd voor een snel overzicht.

Eind achttiende eeuw had de methodistische kerk zich al losge-
scheurd van de anglicaanse kerk; de methodisten legden een grotere
nadruk op persoonlijke spiritualiteit. De anglicaanse kerk zelf her-
doopte zich tot episcopaalse kerk. Liturgie en theologie bleven angli-
caans, maar de banden met de Britse kroon werden doorgeknipt. Baptisten en presbyterianen vulden hun rangen in snel tempo aan, zeker
in het zuiden; al vroeg in de negentiende eeuw waren de zuidelijke
staten een *Bible Belt* in de dop. In New England daarentegen bleven
de congregationalistische kerken overeind, streng en strak. Intellec-
tualistische uitlopers daarvan waren de universalistische en de uni-
taristische kerken, stromingen waar ook *founding fathers* als Thomas
Jefferson en zelfs George Washington bij aanleunden. '*I am of a sect
by myself as far as I know,*' schreef Thomas Jefferson uitdagend. Op
die manier verwoordde hij de radicale consequenties van de Amerikaanse godsdienstvrijheid en zijn eigen geloof in de individuele en
intellectuele benadering van elke theologie. Dezelfde visie op religieuze vrijheid leidde evenwel ook tot het platste populisme en tot rare
pretenties van would-be profeten.

Wat te denken van John Humphrey Noyes, die rond 1847 in Onei-
da, New York, een gemeenschap stichtte waar polygamie verplicht
en volgens principes van de eugenetica aangestuurd werd. Of de *sha-
kers*, overgewaaid uit Engeland en in Amerika surfend op de golven
van de revival: ze bezaten alles gemeenschappelijk (zoals de eerste
christenen), ze schokten en schudden in hevige vervoering tijdens
hun gebedsbijeenkomsten (vandaar hun naam) en ze onthielden zich
radicaal van alle seksualiteit, waardoor ze hun eigen voortbestaan
fataal hebben ondergraven. Minder spectaculair maar ook gedreven
door het verlangen om terug te keren naar een oorspronkelijke kerk,
was de nieuwe gemeenschap van de Christian Church of de Disciples
of Christ. Gesticht in 1833, tellen ze nu bijna zevenhonderdduizend
leden.

Het verhitte religieuze klimaat leidde ook tot hooggespannen verwachtingen; volgens velen was de terugkeer van Christus nabij. Na
berekeningen op basis van Bijbelteksten prikte profeet William Mil-
ler 1844 als het cruciale jaar waarin dat zou gebeuren. Toen de terugkeer van Christus uitbleef, was de ontgoocheling onder zijn aanhangers groot, maar een nieuwe profetes, Ellen G. White, blies de apocalyptische verwachting nieuw leven in met de oprichting van de Se-
venth Day Adventists. 'Elke dag sta ik op met het idee dat dit de

laatste kan zijn,' zei me ooit een zachtmoedige volgeling van deze kerk. De adventisten onderscheiden zich van de andere godsdiensten door niet op zondag, maar op zaterdag (de zevende dag of sabbat) gebedsbijeenkomsten te houden en vaak ook door hun gezonde leef- en voedingsgewoonten. W.K. Kellogg, de stichter van het *corn flakes*-imperium, was een adventist.

De fascinatie voor de eindtijd kreeg nog meer Amerikanen in zijn greep. Rond 1872 wierp een kleine studiegroep, onder leiding van Charles Taze Russell, zich op alle Bijbelpassages die ernaar konden verwijzen. Twintig jaar later waren de Getuigen van Jehova op nationale schaal georganiseerd en begonnen ze aan hun missionering in de rest van de wereld.

De ziekelijke Mary Baker Eddy doorliep zowel een religieuze zoektocht als een zoektocht naar genezing. Ze meende uiteindelijk een antwoord te vinden op beide vragen in haar *Christian Science*-geloof. Overtuigd van haar waarheid richtte ze de Church of Christ, Scientist, op: een beweging die een sterke nadruk legt op mentale controle en metafysische inzichten. Meer dan met hun kerkgebouwen springen de Christian Science-groepen in de Amerikaanse steden in het oog met hun *reading rooms*, boekenwinkels met eigen publicaties waar ook cursussen en voordrachten worden gehouden. En de Christian Science Monitor is uitgegroeid tot een kwaliteitskrant met een ruime interesse voor wereld en maatschappij.

De negentiende eeuw zag ook de opkomst van theosofische stromingen en van een opstoot aan spiritistische belangstelling; *first lady* Mary Lincoln bijvoorbeeld was erg in séances geïnteresseerd. Voor het diversiteitsverhaal is vooral nog één nieuwe kerk van belang, een gemeenschap die radicaal anders wou zijn en tegelijk Amerikaanser was dan alle andere: de Church of Jesus Christ of Latter-day Saints, beter bekend als de mormonen. De stichter van de kerk, Joseph Smith, beweerde rond 1820 al dat de engel Moroni in een visioen aan hem verschenen was en hem had aangespoord om de authentieke kerk van Jezus Christus in ere te herstellen. Smith zette zijn openbaringen op schrift in het Boek van Mormon. Opvallend was niet alleen dat hij daarmee een vervolg durfde te breien aan het Oude en Nieuwe Testament – voor christenen een haast godslasterlijke pretentie – bovendien was er in dat boek een speciale plaats weggelegd voor Amerika als het nieuwe Beloofde Land. De mormonen onderscheidden zich ook radicaal van hun omgeving door hun polygame levensstijl en hun gemeenschappelijk bezit van goederen. Daardoor wekten ze argwaan en vijandigheid op en moesten ze voortdurend verder uitwijken; van Fayette in New York via Ohio en Missouri tot in Illinois. In Nauvoo hielden ze het een zestal jaren vol en bouwden ze een eigen, autonome gemeenschap uit, strak geleid door Joseph Smith, maar in 1844 werd Smith gearresteerd. De gevangenis werd door een woedende menigte bestormd en Smith en zijn broer werden gelyncht.

Dat was het signaal voor de mormoonse kerk om nog verder weg te trekken, westwaarts en weg van de Amerikaanse samenleving. Hun lange tocht, van Illinois tot aan het Salt Lake Basin in Utah, aangevoerd door hun nieuwe leider Brigham Young, werd hun eigen heroïsche exodusverhaal. Tegelijk werd het ook de ultieme religieuze versie van de trek naar de Far West en in die zin de perfecte godsdienstige weerspiegeling van de Amerikaanse ervaring in de negentiende eeuw. In en om Salt Lake City stichtten ze een leefgemeenschap die een tijd lang de allures had van een onafhankelijk landje. Washington aarzelde trouwens om het gebied te laten aansluiten bij de federatie; pas in 1896 en nadat de mormoonse kerk de polygamie had afgeschaft, mocht Utah toetreden.

Tot vandaag zijn twee op de drie inwoners van Utah overtuigde volgelingen van Joseph Smith. De kerk domineert en kleurt er op een unieke wijze het maatschappelijke leven. Mormonen zijn allang geen zonderlingen meer. Voor de Republikeinse voorverkiezingen van 2012 dienen zich twee mormoonse kandidaten aan: Mitt Romney en John Huntsman. De eerste is gouverneur geweest in Massachusetts, de tweede in Utah.

Interne volksverhuizingen

Toen in 1861 de Burgeroorlog uitbrak, was Amerika dus al pluralistisch en multicultureel *avant la lettre*. Het zelfbeeld bleef voornamelijk Brits en protestants, de realiteit was veel rijker en complexer. Uiteraard zorgde dat voor spanningen en conflicten. In zekere zin was de omgang met diversiteit de bron van de oorlog: de zuidelijke staten wilden het omstreden slavernijstelsel behouden en uitbreiden naar nieuwe staten, de noordelijke Yankees vonden de tijd rijp om het systeem een halt toe te roepen en de zwarte landgenoten vrijheid en burgerschap te gunnen.

Het zou ons te ver voeren om de inzet en het verloop van de Burgeroorlog te schetsen, maar de effecten ervan zijn voor dit overzicht wel van belang. Allereerst leidde de zege van de noordelijke staten tot de afschaffing van de slavernij over het hele grondgebied van de vs. Dat werd grondwettelijk vastgelegd in het Dertiende Amendement (1865). Daarmee werd een definitieve streep getrokken onder een beschamend verleden. Wat voor de toekomst echter nog veel bepalender zou worden, was het Veertiende Amendement (1868): al wie in de vs geboren werd, ongeacht huidskleur, religie, taal of land van herkomst van de ouders, kreeg vanzelf en voor altijd het Amerikaanse staatsburgerschap. Daarmee werden de laatste dubbelzinnigheden en twijfels over burgerschap en ras van tafel geveegd: ook zwarte, Japanse, Chinese en Mexicaanse baby's werden voortaan als Amerikaan geboren met – theoretisch dan toch – dezelfde politieke rechten. Enkel indiaanse kindjes werden van dat *birthright citizenship* uitgesloten, omdat zij alsnog gerekend werden tot vreemde indiaanse 'naties'.

De Burgeroorlog leidde bovendien tot een gigantische zwarte volksverhuizing, van zuid naar noord. Nog voor het conflict uitbarstte vluchtten er jaarlijks al honderden slaven naar noordelijke staten, waar de slavernij kort na de Amerikaanse Revolutie was afgeschaft. Ze konden daarbij rekenen op hulp en onderduikadressen van de legendarische *underground railroad*, een netwerk van antislavernij-activisten. Tijdens de Burgeroorlog zwol die stroom aan; slaven die heelhuids de linies van de noordelijke troepen konden bereiken, waren vrij. Naar schatting een half miljoen slaven is op die manier gevlucht.

Toch kwam de grootste beweging pas na de oorlog op gang en eigenlijk nog later, na de grote desillusie van de vrijheid. De zuidelijke staten hadden het onderspit gedolven en de slavernij was door de federale regering afgeschaft; de zwarte slaven waren bij wet geëmancipeerd, uitgeroepen tot vrije burgers. In de praktijk bleef die vrijheid vaak dode letter, omdat de voormalige slaven nu landarbeiders werden of pachters die met handen en voeten gebonden bleven aan de landeigenaar. De zuidelijke elites herwonnen geleidelijk ook hun politieke macht en stemden tal van wetten die blank en zwart gescheiden moesten houden, de zogenaamde *Jim Crow*-wetten. Kortom, het zuiden bleef, ook na de Burgeroorlog, op racistische leest geschoeid.

Pas omstreeks de eeuwwisseling kwam een massale reactie op gang. Tienduizenden zwarten lieten dorp en veld achter zich en trokken naar groeiende industriesteden als Detroit, Cleveland, Chicago en New York. Volledige plantages liepen leeg of enkel de ouderen bleven er achter. Toen in 1914 de Eerste Wereldoorlog uitbrak, viel de immigratiestroom uit Europa droog; de zwarte zuiderlingen sprongen in dat gat. Tegen 1930 waren twee miljoen zwarten vanuit het zuiden naar het noorden gemigreerd. Niet dat ze op gejuich werden onthaald: gealarmeerd door die plotselinge toevloed probeerden huiseigenaars de rangen te sluiten en niet te verhuren aan *negroes*. Het kwam ook tot gewelddadige botsingen, zoals in Chicago in de zomer van 1919. De gang van de geschiedenis was echter niet te stuiten; de South Side van Chicago en Harlem in New York werden zwarte buurten en de zwarte aanwezigheid bleef niet langer beperkt tot het zuidoosten van Amerika.

Er vond nog een andere interne volksverhuizing plaats in de negentiende eeuw, al moeten we hier eerder in het meervoud spreken. Verschillende indianengroepen werden gedwongen om hun voorvaderlijke grond te verlaten en naar ver gelegen reservaten uit te wijken. De sequentie van de actie was vaak dezelfde: blanke kolonisten vestigden zich druppelsgewijs in hun gebied, indianen reageerden, confrontaties volgden. Uiteindelijk werden de indiaanse leiders door de autoriteiten tot een keuze gedwongen die nauwelijks een keuze was. Ofwel hun gemeenschappelijke grond opgeven en de indiaanse gezinnen met individuele eigendomstitels laten boeren tussen de blanke boeren – uiteraard onder Amerikaans gezag. Dat kwam neer op het laten verdwijnen van het indiaanse volk, hun cultuur en taal. Ofwel konden ze inpakken en opkrassen: met al hun hebben en houden wegtrekken naar nieuwe oorden. Op die manier verlieten de Choctaws Mississippi (1831) en werden de Cherokee uit Georgia verdreven (1838), telkens in een lange mars waarbij duizenden omkwamen van kou, ziekte en uitputting. Op dezelfde wijze herinneren de Navajo zich hun *Long Walk* van Arizona naar het zuidoosten van New Mexico (1864) en moesten de Pawnee Nebraska inruilen voor een reservaat in Kansas (1873). Vooral Oklahoma werd, als *Indian Territory*, het gedwongen toevluchtsoord voor indiaanse volkeren of wat daarvan overbleef. Nu nog telt die staat een twintigtal reservaten en haast evenveel indianenclans – van Sioux uit het noorden, Seminole uit Florida, tot Apache uit het zuidwesten. In de loop van de negentiende eeuw werd de indiaanse invloed in Amerika koudweg uit de weg geruimd of klinisch ingekapseld.

Italianen en Grieken

Terwijl de oudere spelers in het Amerikaanse diversiteitsspel – zwarten en indianen – zich verspreidden of juist bijeen werden gedreven, bleven er nieuwe neerstrijken.

Italianen hadden we al eerder hun neus aan het Amerikaanse venster zien steken. Cristoforo Colombo, maar ook Amerigo Vespucci – die zijn naam schonk aan Amerika – hadden de eerste contouren van het continent in kaart gebracht, al hebben ze nooit het gebied bereikt dat nu tot de vs behoort. Giovanni Caboto kwam in de buurt toen hij Newfoundland ontdekte en misschien is hij wel tot Maine gevaren. Maar van Giovanni da Verrazzano weten we met zekerheid dat hij als eerste Italiaan de haven van New York is binnengevaren. Ruim drie eeuwen later, tussen 1880 en 1920, zouden zo'n vier miljoen landgenoten hem dat nadoen. 'Geen enkele andere etnische groep in de Amerikaanse geschiedenis stuurde zoveel immigranten in zo'n korte periode,' schrijft historicus Roger Daniels met enige verbijstering.

De grote Italiaanse volksverhuizing naar de vs kwam pas op gang na de Burgeroorlog. De Italianen waren toen al vertrouwd met migratie; grote groepen waren naar Frankrijk getrokken, naar Noord-Afrika en de plas over naar Argentinië en Brazilië. In de jonge Amerikaanse republiek was eerder al een kleine groep ambachtslui zijn goede diensten komen aanbieden; het eerste en het tweede (huidige) Capitool werden door vaardige Italiaanse handen met fresco's versierd. Italië stuurde ook muzikanten, beeldhouwers en gespecialiseerde bouwvakkers. Na 1850, toen Italië zijn *Risorgimento* beleefde – de woelige strijd voor de politieke eenmaking – kwamen heel wat activisten in Amerika aanwaaien. Zelfs Giuseppe Garibaldi leefde een tijdlang in New York. Toch ging het alles bij elkaar om niet meer dan enkele duizenden Italianen. Behalve in New York waren ze geconcentreerd in New Orleans en San Francisco.

Dat veranderde spectaculair vanaf 1880, toen de migratiestroom van Italië naar Noord-Amerika exponentieel begon te groeien. Driehonderdduizend in de jaren 1880, zeshonderdduizend in het decennium 1890 en twee miljoen tussen 1900 en 1910. De drijfveren voor die Italiaanse migranten waren dezelfde als voor andere groepen: industrialisatie, tekort aan landbouwgrond, sociale en politieke onrust (de pushfactoren) en de vraag naar goedkope arbeidskrachten in Amerika (de pull-factor). De stoomschepen versnelden de overtocht, maar de Italianen werden vooral meesters in het organiseren van de migratiestroom. Doorgedreven kettingmigratie lokte neven en nichten, buren en verwanten uit hetzelfde Siciliaanse dorp naar eenzelfde stratenblok in Chicago of New York. Zogenaamde *padroni* ontfermden zich over de nieuwkomers en ritselden – tegen dure betaling – baantjes en huisvesting. Zelfs kinderen werden doelbewust naar Amerika gehaald en daar als krantenjongen of schoenpoetser, fruitverkoper of muzikant de straat op gestuurd.

Het gros van die Italianen kwam in de grootsteden terecht en in laag betaalde banen. Naarmate de Ieren opklommen op de professionele ladder, namen de Italianen de onderste trapjes in als bouwvakkers, dokwerkers en confectiearbeiders. Met hun taal, winkeltjes, eetcultuur en feesten kleurden ze het leven in hun wijk. De band met het moederland bleef intens en een verrassend hoog aantal is na verloop van tijd ook teruggekeerd: tussen 30 en 50% zou de boot terug naar huis hebben genomen. Velen migreerden een tweede en derde keer, maar juist die klaarblijkelijke twijfel bewijst hoezeer ze nog met een been in Italië stonden. Dat bleek ook uit hun karige interesse voor de Amerikaanse politiek en hun relatief trage doorstroming naar de politieke top. Ook in de rooms-katholieke kerk duurde het decennialang vooraleer Italianen hoge functies bekleedden in de hiërarchie, zelfs al versterkten zij op hun beurt de machtspositie van de kerk in Amerika.

New York, New Jersey en Chicago waren de belangrijkste aantrekkingspolen voor de Italianen. Het merendeel van die stedelijke immigranten kwam uit de *Mezzogiorno*, het verarmde Zuid-Italië. In Californië was het patroon verschillend; daar streken vooral Noord-Italiaanse boeren en wijnbouwers neer. Met de hulp van Italiaans-Amerikaanse bankiers wisten sommigen gigantische wijn- en fruitbedrijven uit te bouwen.

De Griekse immigratie in Amerika is op verschillende vlakken vergelijkbaar met de Italiaanse. Ook vanuit Griekenland kwam de grote stroom pas na 1890 op gang. Ook de Grieken zochten de steden op en vonden vooral laag betaalde baantjes. Ook de Grieken werden geronseld en gestuurd door padroni; die specialiseerden zich trouwens in het schoenen poetsen op straat. En ook Griekse immigranten lanceerden, met veel optimisme en weinig kapitaal, tal van Griekse winkeltjes, kapsalons en eethuisjes. Opvallend was hun betrokkenheid bij het prille bioscoopcircuit. Tenslotte deelden de Grieken met de Italianen een krachtige aandrang om terug te keren; volgens sommige berekeningen heeft zelfs meer dan de helft rechtsomkeert gemaakt.

Op andere vlakken daarentegen was de Griekse toestroom verschillend. Om te beginnen waren de Grieken veel minder talrijk dan de Italianen: alles bij elkaar kwamen er na 1880 hooguit zevenhonderdduizend naar Amerika, de etnische Grieken uit de Balkan en Turkije (het Ottomaanse Rijk) meegerekend. Ze verspreidden zich bovendien over meer steden en staten dan hun Italiaanse lotgenoten en ze hielden er hun eigen godsdienst op na die het brede religieuze palet van Amerika nog maar eens aanvulde: de Grieks-orthodoxe ritus.

Oost-Europeanen

De kaart van Oost-Europa zag er in de negentiende eeuw helemaal anders uit dan nu. De vele naties en landen van vandaag werden nog opgeslokt en versluierd door de grote Rijken van toen: het Ottomaanse Rijk, Rusland en de Oostenrijks-Hongaarse dubbelmonarchie. Uit alle hoeken van Oost-Europa zijn er immigranten naar Amerika gekomen, maar koppen tellen per nationaliteit of taalgroep is niet altijd eenvoudig.

De Polen illustreren dat. Zij leefden in de negentiende eeuw verspreid over de Duitse vorstendommen, Oostenrijk en Rusland. De Duitse Polen waren de eersten om de sprong te wagen. Rond 1850 al namen ze deel aan de trek naar het westen en stichtten ze Poolse stadjes in Texas. Rond de eeuwwisseling volgden hun taalgenoten uit Oostenrijks Galicië – naar schatting achthonderdduizend mensen. Nog later kwam ook een Poolse uittocht op gang vanuit Rusland. In totaal zouden er meer dan twee miljoen etnische Polen in de vs geïmmigreerd zijn, maar net als bij de Italianen is een groot aantal – tot 30% – naar Europa teruggekeerd. In elk geval waren ze talrijk genoeg en voldoende gehecht aan hun taal, cultuur en katholieke geloof, om als een aparte groep in het oog te springen. Dat was zeker zo in Chicago, de Poolse stad bij uitstek, maar ook in andere groeiende industriesteden als Pittsburgh of Buffalo.

Het Poolse etnische zelfbewustzijn bleek duidelijk uit hun verzet tegen de katholieke hiërarchie. Die was, naar de smaak van Poolse priesters, veel te Iers. In 1904 kwam het zelfs tot een scheuring, toen Polen in Pennsylvania hun eigen Polish National Catholic Church oprichtten. Die kerk bestaat nog steeds, al telt ze naar eigen zeggen nog slechts vijfentwintigduizend leden, een fractie van het totale aantal Amerikanen met Poolse wortels. Pools-Amerikaanse kinderen gingen lange tijd massaal naar Poolse parochiescholen, waar de lessen in het Pools werden gegeven. Poolse zelforganisaties schoten als paddenstoelen uit de grond; er waren er duizenden. Politiek bleven de Poolse immigranten meer op Europa gericht dan op Amerika. Ze lobbyden vurig bij de Amerikaanse overheid voor steun voor een onafhankelijke Poolse staat en met de hulp van president Wilson, in 1918, kregen ze die ook.

In grosso modo dezelfde periode migreerden bijna een half miljoen Hongaren naar Amerika; Cleveland in Ohio werd een van hun belangrijkste pleisterplaatsen. Vanuit het Ottomaanse Rijk kwamen naar schatting honderdduizend Armeniërs; velen ontvluchtten hun geboortegrond om te ontsnappen aan de vervolging en de moordpartijen door Turkse troepen. Zij brachten hun eigen christelijke ritus mee: de Armeens Apostolische Kerk.

De joodse exodus: van shtetl tot Brooklyn

Er moet nog één verhaal verteld worden uit de periode van de massaimmigratie in Amerika: het relaas van de joodse volksverhuizing uit Rusland en Oost-Europa naar de *slums* van New York. In dit geval is het een hachelijke onderneming om aantallen te noemen; joods was geen nationaliteit en werd dus bij volkstellingen niet geregistreerd. Wat wel geregistreerd werd, was de moedertaal. In 1910 gaven meer dan een miljoen migranten (van de eerste generatie, dus in het buitenland geboren) daarvoor Jiddisch op. In werkelijkheid lag het aantal joodse migranten ongetwijfeld hoger, want veel joden kunnen net zo goed Pools of Russisch of Duits als moedertaal hebben aangevinkt. Bovendien is bijna elke ingeweken jood in de vs gebleven: slechts een luttele 3% koos ervoor om terug te keren. Bij de Italianen en Polen waren dat er, zoals hierboven vermeld, tenminste tien keer zoveel. Kortom, als we de joodse Oost-Europeanen als een aparte etnisch-religieuze groep bekijken, dan gaat het om een van de belangrijkste, meest massieve cultuurstromingen die in de vs een bedding hebben gezocht.

De aanleiding voor de uittocht was vergelijkbaar met wat de Armeniërs hun dorpen uitdreef: vervolging en pogroms. Vanaf 1880 kregen de joden in Rusland alsmaar strengere beperkingen opgelegd. Ze werden gaandeweg uitgesloten uit steeds meer buurten, steden, scholen en beroepen. Daarbovenop kwamen met pijnlijke regelmaat uitbarstingen van haat en geweld tegen de joden. In die context wenkte Amerika als het nieuwe Beloofde Land. Met honderdduizenden verlieten ze hun *shtetls* of joodse dorpsgemeenschappen en zetten ze koers naar Hamburg, Antwerpen of Rotterdam om daar in te schepen op de stoomboten van de Hamburg America Line, de Red Star Line of de Holland America Line. Als Antwerpen vandaag een grote joodse gemeenschap herbergt, heeft dat gedeeltelijk te maken met de massale doortocht van tienduizenden Oost-Europese joden, op weg naar Amerika.

De eindbestemming was bijna altijd New York en meer bepaald de Lower East Side. In die buurt in het zuiden van Manhattan woonden in 1905 al een half miljoen joden. Ze woonden dermate geconcentreerd in dezelfde huurkazernes, straten en buurten, dat het leek alsof de shtetls simpelweg overgeplant waren naar Amerika. Jiddisch was de voertaal en via *landsmanschaftn* of zelforganisaties onderhielden de immigranten de relaties uit het moederdorp.

Het was een opmerkelijke speling van de geschiedenis dat de joodse volksverhuizing naar New York samenviel met een nieuwe industriële ontwikkeling: de *boom* van de confectie-industrie. De dringende nood aan uniformen voor de federale troepen in de Burgeroorlog noopte de kleermakers tot een snelle massaproductie; de uitvinding en verspreiding van de Singer trapnaaimachine maakte die confectie-aanpak mogelijk. Duitse joden, die al enkele generaties langer in New York woonden, hadden confectiebedrijfjes uit de grond gestampt. Hun Oost-Europese geloofsgenoten vormden nu een onuitputtelijk reservoir aan arbeidskrachten. 'Samen hebben ze de manier waarop kleren gemaakt werden en wat Amerikanen droegen, revolutionair veranderd,' schrijft Ronald Takaki.

Drie op de vier werknemers in de New Yorkse kledingindustrie was joods en daar waren opvallend veel jonge vrouwen bij. Van hun zestiende tot aan hun huwelijk zwoegden joodse meisjes in de *sweatshops*; eenmaal getrouwd bleven ze meestal thuis, zoals dat ook in Europa de gewoonte was geweest. Met hun karige salaris of stukloon wisten de meisjes het gezinsbudget aan te vullen, zodat hun broers sneller de kans kregen om voort te studeren. Het paradoxale is dat de joodse buurten van New York tot de meest exotische getto's van de grootstad behoorden, maar dat de Oost-Europese joden niettemin het snelst en het gretigst de Engelse taal leerden en kozen voor scholing en hoger onderwijs. Misschien had de lage terugkeergraad daarmee te maken; de joodse nieuwkomers keken nauwelijks nog achterom. Soms leken ze hun eigen herkomst en identiteit zelfs te verdoezelen of bewust af te zweren. Tienduizenden veranderden hun naam, van Levinsky naar Levin, van Moishe naar Morris, van Jacobson naar Jackson. Twee beroemde componisten illustreren dat: Israel Baline werd in Amerika Irving Berlin en Israel Gershowitz ging verder door het leven als Ira Gershwin. Het joodse enthousiasme om erbij te horen bleek verder uit hun grote betrokkenheid bij vakbonden en politiek.

Een kenmerk bleef de joodse gemeenschap scherp onderscheiden van de bredere samenleving: het joodse geloof. In 1907 werden er in de Lower East Side al meer dan driehonderd synagoges geteld. Aanvankelijk waren die sterk langs lijnen van verwantschap en herkomst georganiseerd. Geleidelijk namen theologische breuklijnen de overhand. Sommige rabbi's reageerden verontrust op de snelheid waarmee veel joden zich assimileerden aan de Amerikaanse mainstreamcultuur; zij benadrukten de orthodoxe leer en levenswandel. De modernisten verdedigden echter de ingebouwde soepelheid van het joodse geloof en pleitten voor hervormingen, aangepast aan de nieuwe context en omgeving; dat was het *reform*-judaïsme. Een derde stroming, het conservatieve jodendom, zocht een middenweg. Op die manier droegen ook de joodse immigranten al gauw hun steentje bij aan de complexe religieuze diversiteit van Amerika, ook binnen hun eigen geloofsblok.

Weinig etnische groepen zijn zo sterk in een regio van de vs blijven hangen. Grosso modo leven nog steeds twee op de vijf joodse Amerikanen in New York en omgeving. De joods getinte buurten zijn na enkele generaties wel opgeschoven, van de Lower East Side naar Brooklyn en de Bronx, waar joodse aannemers en makelaars nieuwe woonbuurten verkavelden.

De deuren gaan dicht

In de eerste jaren na de millenniumwisseling klonk in Nederland geregeld de kreet: Nederland is vol. Honderd jaar eerder had een soortgelijk alarm de ronde gedaan in de vs. De frontier was opgerekt tot aan de kust van de Stille Oceaan; het hele continent was in kaart gebracht en stond onder het gezag van de vs. De grote groepen immigranten uit Italië, Oost-Europa of Ierland trokken nog zelden het binnenland in, maar bleven hangen in de grootsteden aan de oostkust of de industriële gordel van de Midwest. Daar concurreerden ze met elkaar, maar ook met zwarte Amerikanen, om laag betaalde banen in de industrie, de bouw en de huishoudelijke dienstensector. Politici begonnen hun bezorgdheid te uiten: hoe lang nog kon Amerika die massa's haveloze gelukzoekers blijven verwelkomen? Al vanaf 1890 pleitten sommigen voor strengere selectienormen. Druppelsgewijs werden er regels en beperkingen goedgekeurd. Misdadigers en geestelijk gestoorden werden uitdrukkelijk ongewenst verklaard. Ellis Island werd ingericht als registratie- en selectiecentrum, waar de migranten aan een rudimentaire gezondheids- en identiteitscontrole werden onderworpen; duizenden zieken werden ongenadig teruggestuurd. Toch golden er al bij al nauwelijks specifieke criteria en stonden de deuren van Amerika nog wijd open. Alleen voor de Chinezen was er al een immigratiestop afgekondigd en voor de Japanners volgde een dergelijke maatregel in 1907.

Na de Eerste Wereldoorlog haalden de tegenstanders van de onbeperkte immigratie hun slag thuis. Vanaf 1920 werden er quota ingesteld, waardoor het aantal migranten per herkomstland beperkt werd. Hoe meer migranten uit een bepaald land al verbleven in de vs, hoe groter het aantal dat zou worden toegelaten. In 1924 werd die wet nog verstrengd: het *national origins*-principe bleef overeind, maar het plafond werd nog verlaagd. Voortaan werd het maximum per herkomstland vastgelegd op 2% van het totaal aantal migranten uit dat land, dat in 1890 reeds in de vs geteld was. Het referentiejaar 1890 was niet toevallig: op dat moment waren er nog niet zoveel Italianen en Oost-Europese joden in Amerika aangekomen. Daardoor vielen de toegelaten quota voor Italië, Polen of Rusland bijzonder laag uit. Zonder die groepen openlijk te brandmerken, kon het Congres op die manier toch hun immigratiestroom indijken. Duitsers echter konden relatief meer mensen blijven sturen, omdat hun aantal in 1890 al veel hoger lag. Kortom, er zat een gunstregime in het systeem ingebakken voor Britse en Noord-Europese nieuwkomers, ten nadele van mediterrane en Oost-Europese migranten. En zo werkte het ook. Na 1925 daalde het totale aantal immigranten met 50%, tot nog geen driehonderdduizend per jaar. Een op de vier Europese migranten kwam uit Duitsland, terwijl de Italiaanse stroom in snel tempo opdroogde. In feite luidde 1924 voorgoed het einde in van een tijdperk: de massale Europese volksverhuizing naar Amerika was voorbij. De quota wierpen een eerste dam op tegen de toestroom, maar vooral de Grote Depressie van de jaren 1930 bracht de immigratie tot stilstand: Amerika was plots geen land van belofte meer. Van 1932 tot 1935 waren er jaarlijks meer Amerikanen die uit hun land vertrokken dan dat er nieuwe inweken. Daarna kwam de oorlog, waardoor emigreren misschien opnieuw aantrekkelijk werd voor Europeanen, maar praktisch nagenoeg onhaalbaar.

Mexicanen en Canadezen: immigratie uit de buurlanden

Het quotasysteem dat in de nieuwe wet van 1924 zat ingebakken, gold vreemd genoeg niet voor migranten uit de westelijke hemisfeer. Canadezen, Mexicanen of gelukzoekers uit andere Amerikaanse landen bleven in principe welkom en sprongen in het gat. Meteen na de afkondiging van de quotawetten steeg hun aandeel in de totale immigratiestatistieken: tot 1930 werden er elk jaar honderdduizend Canadese immigranten geteld en vijftigduizend Mexicanen. Ook vanuit een logistiek gezichtspunt was er een nieuw tijdperk aangebroken: de rederijen brachten steeds minder volk naar New York. Een op de drie migranten stak nu gewoon de grens over te voet, per kar of met de trein.

De Engelstalige Canadezen verdwenen min of meer in de mainstream van de vs. Het loont de moeite om hier even de Franstalige Québecquois te vernemen, juist omdat zij generaties lang een zichtbaar aparte gemeenschap zijn gebleven. Ze verlieten Québecq om dezelfde redenen als veel van hun lotgenoten uit Europa: te weinig vruchtbare landbouwgrond in eigen streek en kansen op werk in het land van bestemming. In hun geval lag het bestemmingsland vlakbij, in de bosrijke staten van New England. Daar waren tal van textielfabriekjes actief rond de stroompjes en rivieren; die zaten verlegen om arbeiders. Vanaf 1860 zijn er honderdduizenden Québecquois naar New England verhuisd, vaak met de trein. Juist omdat ze zo dicht bij hun heimat woonden en relatief makkelijk op en neer konden reizen, verliep hun integratie in de Angelsaksisch-Amerikaanse cultuur bijzonder langzaam. Generaties lang zochten ze voornamelijk huwelijkspartners in de eigen groep. Ze liepen school in Franstalige parochiescholen en lieten hun eigen priesters komen uit Québecq. In vergelijking met andere groepen waren ze veel minder gebrand op het Amerikaanse staatsburgerschap; in 1930 was nog niet eens de helft van de (eerste generatie) Franse Canadezen genaturaliseerd.

Die Frans-Canadese immigratie biedt daarmee een interessante pendant voor het Mexicaanse verhaal. Want in de vs krijgen vooral Mexicanen tegenwoordig het verwijt dat ze met een been in hun thuisland blijven hangen en dat ze, door hun dubbele loyaliteit, hun eigen integratie belemmeren. In feite zijn er meerdere soorten Mexicanen. Een groot aantal woonde al in de vs zonder ooit gemigreerd te zijn: nazaten van de Spaans-Mexicaanse kolonisten in het zuidwesten, waarvan het gebied halfwege de negentiende eeuw door de Yankees was ingepikt. Zij kunnen met recht en reden zeggen: *we didn't cross the border, the border crossed us.* Natuurlijk moeten daar tussen 1850 en 1900 heel wat Mexicanen bijgekomen zijn, die wel de Rio Grande overstaken, maar cijfers daarover zijn weinig precies en van een massale beweging was er zeker nog geen sprake.

De aantallen begonnen pas aan te zwellen na 1900, toen er een trein begon te rijden tussen Durango in Mexico en de grensstad Eagle Pass; dat maakte de reis naar *El Norte* veel makkelijker. Het oproer van de Mexicaanse Revolutie (1910) dreef bovendien duizenden Mexicanen op de vlucht, terwijl de snel groeiende agro-industrie van Californië intussen om arbeiders verlegen zat. Tussen 1900 en 1930 groeide de Mexicaans-Amerikaanse gemeenschap spectaculair: van een kleine vierhonderdduizend tot bijna drie keer zoveel. Vrouwen gingen aan de slag in conserven- en textielfabrieken, mannen werkten op het land, in de bouw en in de mijnen. Omdat er voor hen geen quotum gold, konden ze komen en gaan, de jobs achterna.

Toen volgde een uitzonderlijke en weinig bekende episode uit de Amerikaanse migratiegeschiedenis. De Grote Depressie overspoelde de natie en werk werd schaars. Allerlei hulporganisaties lokten werkloze Mexicaanse immigranten met tijdelijke voedselhulp, op voorwaarde dat ze daarna zouden terugkeren naar hun eigen land. In een grootschalige repatriëringsoperatie werden honderdduizenden Mexicanen met zachte dwang op de trein gezet, niet alleen migranten, maar ook kinderen die in de vs geboren waren.

De Tweede Wereldoorlog zorgde dan weer voor een omgekeerde dynamiek. Door de massale mobilisatie voor de strijdkrachten was er opnieuw een tekort ontstaan aan arbeidskrachten in de landbouw. Om dat gat te vullen werden tienduizenden gastarbeiders uit Mexico gehaald: de zogenaamde *braceros* – een term afgeleid van het Spaanse woord *brazos* of armen. Zij stelden hun armen of spierkracht voor een welbepaalde periode ten dienste van boeren en agrobedrijven en werden daarna terug naar Mexico gevoerd. Tussen 1942 en 1947 kwamen op die manier in een uniek gereguleerd verband tweehonderdduizend Mexicanen naar de vs; ze werden ingezet in eenentwintig staten.

De Tweede Wereldoorlog

De oorlog had nog veel ingrijpender gevolgen voor de Amerikaanse diversiteit en voor de krachtsverhoudingen tussen de verschillende groepen. De Japanse Amerikanen werden zonder meer de dupe van het internationale conflict. Omdat de vs vanaf eind 1941 in oorlog waren met Japan, werden honderdtwintigduizend Japanners van de westkust als zogenaamde potentiële vijanden voor de duur van de oorlog in een tiental kampen geïnterneerd, ongeacht of het om Amerikaanse staatsburgers ging of niet. Hun volksgenoten op de Hawaï-eilanden ontsnapten aan die vernederende gevangenschap; zij waren onontbeerlijk voor de Hawaïaanse economie. Ruim veertig jaar later zou president Reagan namens de regering verontschuldigingen en een schadevergoeding aanbieden.

Toch werden er tijdens de oorlog ook meer dan dertigduizend Japanners ingelijfd in de Amerikaanse strijdkrachten. Zelfs in de interneringskampen werd daarvoor gerekruteerd. De Japans-Amerikaanse rekruten hadden kostbare talenkennis te bieden, nuttig voor de militaire inlichtingendienst; duizenden *Nisei soldiers* vochten aan het front in Noord-Afrika en Italië.

Voor de legerleiding boden de Japans-Amerikaanse GI's een gelegenheid om de Japanse propaganda te counteren, als zou het om een oorlog gaan tussen Azië en het blanke ras. Om dezelfde reden werden ruim dertienduizend Chinese Amerikanen gerekruteerd. Als blijk van goede wil tegenover de Chinese bondgenoot werd – in de woorden van Roosevelt – de historische vergissing van de Chinese Exclusion Act nog tijdens de oorlog rechtgetrokken: voortaan waren Chinese immigranten weer welkom. Er kwam een quotum voor Chinese immigranten, maar veel belangrijker was dat vanaf 1946 gezinshereniging werd toegelaten voor Chinees-Amerikanen. In acht jaar tijd konden er meer dan tienduizend Chinese bruiden naar de vs komen en de vrijgezellensfeer van de Chinatowns maakte geleidelijk plaats voor klassieke gezinspatronen.

De nood aan soldaten was zo urgent dat er soldaten werden geronseld en opgeroepen uit alle minderheden. De Navajo-indianen – die al decennia weggestopt waren in reservaten – hadden plots iets te bieden van onschatbare waarde: hun taal. Vierhonderdtwintig Navajo's werkten aan het Pacific front als radioverbindingsman, waarbij ze een codetaal hanteerden met Navajo-woorden, ondoorgrondelijk voor de vijand. Zoals Takaki een beetje bevlogen opmerkt, 'demonstreerden de Navajo's de waarde van Amerika's culturele diversiteit'.

Er trokken ook negenhonderdduizend zwarte soldaten en een half miljoen latino's met het Amerikaanse leger op. Voor de zwarten was dat lang niet vanzelfsprekend, want de strijdkrachten kenden nog een strikte en vernederende segregatie. Zwarte activisten stelden openlijk de vraag wat de zin was van een oorlog voor democratie en tegen racisme in het verre buitenland, als de vs zelf intussen door raciale ongelijkheid getekend bleven. Een zwarte jongeman die werd opgeroepen, dicteerde alvast zijn grafschrift: 'Hier ligt een zwarte man, gesneuveld toen hij vocht tegen een gele man, voor de bescherming van een witte man.' De zwarte beweging Nation of Islam riep zelfs op tot verzet tegen de dienstplicht.

De oorlog dwong Amerika om geleidelijk raciale barrières neer te halen. Bij aanvang van het conflict liet de luchtmacht nog geen zwarte piloten toe, maar onder druk van de kritiek kwam er een opleiding voor zwarte gevechtspiloten op de basis van Tuskegee in Alabama. Een zwart tankbataljon nam deel aan de *Battle of the Bulge* in de Ardennen en een groot deel van de transporteenheden in Europa werd door zwarten bemand. Die onloochenbare inzet gaf nieuwe munitie aan de pleitbezorgers van gelijkberechtiging. Drie jaar na de oorlog maakte president Truman eindelijk een einde aan de segregatie in het leger.

Op het thuisfront werden intussen nog andere muren gesloopt. Het klinkt ongelooflijk, maar tot 1941 was ook de defensie-industrie een bastion waar enkel blanken werden toegelaten. De druk van zwarte organisaties, maar meer nog de onstilbare vraag naar nieuwe en bijkomende arbeidskrachten in de wapenfabrieken, bracht daar verandering in. Plots kregen zwarten, Aziaten en latino's jobs te pakken die decennialang buiten hun bereik hadden gelegen: op scheepswerven, in wapen- en vliegtuigfabrieken.

Bovendien waren veel van die nieuwelingen vrouwen. Onder het zwarte personeel in de defensiesector waren de vrouwen zelfs in de meerderheid, maar ook Chinese en Mexicaanse dames werden opgeleid tot lasser of bandwerker. Dat fenomeen bleef uiteraard niet beperkt tot de minderheden. Ook veel blanke vrouwen namen een baan tijdens de oorlog, om vrijgekomen plaatsen in te vullen of om het gezin te onderhouden terwijl manlief in het leger zat. *Rosie the riveter* of Rosie de klinknagelklopster werd een symbool van die vrouwelijke arbeidsdrift. Posters als de *We can do it*-affiche (jonge vrouw rolt mouw op en toont spierballen) mikten op dat nieuwe zelfbewustzijn. De oorlog haalde miljoenen vrouwen weg van huis en haard, leerde hun nieuwe vaardigheden, bood een ervaring van zelfstandigheid en – voor wie eraan mocht twijfelen – het bewijs van hun talenten en mogelijkheden. De aanval op het glazen plafond was ingezet. Hoewel de diversiteit in sekse al dateerde van Adam en Eva, dwong het feminisme – in milde of radicalere vorm – de Amerikaanse samenleving om na te denken over de omgang met die diversiteit en de gelijkberechtiging van de geslachten.

Voor de joodse gemeenschap tenslotte had de oorlog het effect van een alarmklok. Tot 1935 was de belangstelling voor zionisme en een joods thuisland eerder gering in Amerika, maar na de holocaust nam het lidmaatschap van zionistische organisaties in snel tempo toe. Dat zou een bepalende invloed hebben op het Amerikaans buitenlands beleid. Israël, gesticht in 1948, zou voortaan op fervente pleitbezorgers in de vs kunnen rekenen. Mettertijd zouden vooral orthodoxe joden de banden met Israël nauw aanhalen, bijna alsof het om hun land van herkomst ging.

Nieuw religieus landschap

Intussen was, in 1942, een belangrijke stap gezet in de reorganisatie van het Amerikaanse religieuze landschap. Toen werd de National Association of Evangelicals (NAE) opgericht, een federatie van protestantse kerken die de oude theologische disputen oversteeg. Bij de beweging sloten zowel presbyterianen als baptisten aan, methodisten en congregationalisten. Wat telt is de gemeenschappelijke nadruk op een persoonlijke bekering en op de plicht van de gelovige om te getuigen van zijn geloof, om de samenleving te evangeliseren.

Die evangelische stroming had al langer zitten sluimeren in de Amerikaanse samenleving. De spectaculaire bekeringsliturgie die veel evangelische kerken kenmerkt, had ook al de kop opgestoken tijdens de verschillende revivalgolven. Aan het eind van de negentiende eeuw kwam er weer zo'n opstoot. Die resulteerde in alweer een handvol nieuwe kerkgenootschappen: *Holiness*kerken en Pinkstergemeenten. Ze stonden garant voor een enthousiaste en broeierige liturgie, met spreken in tongen, boete- en soms genezingsrituelen. De belangrijkste denominaties die daaruit voortkwamen, zijn de Church of God in Christ – een voornamelijk zwarte kerk – en de Assemblies of God. Veel evangelische kerken, ook als het niet om charismatische gemeenten gaat, hebben hun liturgie trouwens verlevendigd met orkestjes, koormuziek en showelementen.

Het tweede element – de plicht tot evangelisatie – werd een nog belangrijkere factor. Want de kerken van de NAE vonden elkaar in hun groeiende afkeer van het seculiere Amerika en in de overtuiging dat een christelijk tegenoffensief geboden was. De evangelische beweging heeft, samen met doelgerichte en professioneel aangestuurde actiegroepen, een enorme slagkracht ontwikkeld en veel debatten over geloof en samenleving aangezwengeld en beïnvloed. Zoals verder zal blijken is hieruit een van de diepste breuklijnen gegroeid in het moderne Amerika: de kloof tussen enerzijds gelovigen die hun land per definitie beschouwen als een christelijke natie en anderzijds de voorstanders van een pluralistische publieke ruimte, met strikte scheiding van kerk en staat. Wie wil spreken over de knelpunten rond diversiteit in Amerika kan die krachtmeting moeilijk negeren.

Overigens werd het in de loop van de twintigste eeuw steeds moeilijker vol te houden dat geloof in Amerika synoniem was met christendom. Want behalve de Chinese en Japanse godsdiensten die zich aan de westkust hadden genesteld, kende Amerika nu ook het Indiase hindoeïsme. Dat was te danken aan het missioneringswerk van enkele vooraanstaande Swami's of leermeesters. Nog voor de Tweede Wereldoorlog hadden ze vijfendertigduizend volgelingen in Amerika. Een aparte loot aan die hindoeboom werd de Hare Krishna, een oosterse beweging die in 1966 boven de doopvont werd gehouden in... New York. Bij het begin van het nieuwe millennium telde Amerika al meer dan een miljoen hindoes.

Nog uit Brits India – meer bepaald Punjab – kwamen de Sikhs. In de jaren 1910 migreerden een goeie zesduizend Sikhs naar Californië waar ze als landarbeiders werden ingezet. Het was een mannengemeenschap, want de aangescherpte migratiewetten verhinderden hen om vrouwen te laten overkomen. Daardoor zijn opvallend veel Sikhs getrouwd met Mexicaanse meisjes, wat een unieke *blend* voortbracht tussen Punjabi Sikh-tradities en Mexicaans katholicisme.

Omstreeks de Tweede Wereldoorlog had ook de islam al wortel geschoten in de vs. Zoals al vermeld waren er moslims bij de ingevoerde slaven, maar of die ooit op Amerikaanse bodem comfortabel hun geloof hebben kunnen belijden, is niet zo duidelijk. Toch wordt graag naar het verleden van de moslimslaven verwezen door aanhangers van de zwarte separatistische beweging Nation of Islam. Die groep werd opgericht in 1930 en ontwikkelde een aparte – en autochtoon Amerikaanse – mengversie van islam en zwart activisme.

Daarnaast brachten immigranten uit het Midden-Oosten ook een allochtone islam mee naar Amerika. Al vanaf het begin van de twintigste eeuw werden twee steden, New York en Detroit, aantrekkingspolen voor Arabische migranten. In vergelijking met de Europese massa's ging het aanvankelijk om kleine aantallen. Bovendien waren lang niet alle Arabieren moslims; ook de diverse christelijke stromingen uit Libanon en Mesopotamië waren van meet af aan vertegenwoordigd. Er doen in Detroit verhalen de ronde over een doelbewuste rekrutering van Arabische (met name Jemenitische) arbeiders door automagnaat Henry Ford. Soms wordt zelfs een verband gezocht met zijn vermeende antisemitisme, maar het lijkt waarschijnlijker dat er gewoon kettingmigratie heeft plaatsgevonden: ooms die neven lieten overkomen en neven hun zussen, zoals bij zoveel andere etnische migrantengroepen.

In elk geval ademt Dearborn bij Detroit nu een opmerkelijk Arabische sfeer, haast uniek in Amerika. Veel winkeliers, artsen of makelaars zijn Libanese christenen, maar de talrijke hoofddoeken en de nagelnieuwe moskeeën verraden een stevige aanwezigheid van de islam. In de Californische stad Fremont is een vergelijkbare moslim-buurt gegroeid – Little Kabul – na de komst van zo'n zestigduizend vluchtelingen uit Afghanistan. In totaal vonden tijdens de jongste drie decennia bijna een kwart miljoen Afghanen hun weg naar Amerika. Met bijna vijf miljoen moslims zit de islam de joodse godsdienst nu op de hielen, om de tweede religie van Amerika te worden.

Kettingmigratie en professionals

De quota-wet van 1924, gevolgd door de Grote Depressie en de Tweede Wereldoorlog, maakten tijdelijk een einde aan de massale immigratie naar de vs. Dat valt af te lezen uit de statistieken die het aantal en percentage aangeven van de *foreign borns*: de inwoners die in het buitenland geboren zijn – ook bekend als eerstegeneratie-immigranten. In 1910 was dat bijna 15%. Dat cijfer zakte tot 11,6% in 1930 en nog geen 7% in 1950. Het dieptepunt werd genoteerd in 1970, toen slechts 4,7% van de bewoners van Amerika in een ander land geboren was. Vanaf dan zie je echter opnieuw een forse klim, tot 10,4% in 2000 en bijna 13% in 2010. De redenen voor die nieuwe immigratiedynamiek in de jongste drie decennia zijn velerlei. De Amerikanen sleutelden aan hun wetgeving, zodat familiehereniging makkelijker werd en ook migranten met specifieke vaardigheden vlotter konden overkomen. Ze openden ook ruimhartiger de deuren voor oorlogs- en politieke vluchtelingen. Soms waren het gewoon de verbeterde transportlijnen die een handje hielpen. Tenslotte bleken de vs niet in staat om een groeiende stroom van ongevraagde en clandestiene immigranten in te dijken.

De juridische finesses van dat alles komen verder nog aan bod. Het volstaat te vermelden dat het oude quotasysteem van 1924 (dat de noordelijke Europeanen begunstigd had) op de schop werd gedaan. Met de nieuwe *Immigration Act* van 1965 golden er voortaan quota per hemisfeer, met een maximum van twintigduizend personen per land. Veel belangrijker nog waren de uitzonderingen die werden voorzien en de ruimte die werd gecreëerd voor non-quotamigranten: immigranten die niet zouden meegeteld worden in het quotum van het herkomstland. Die sloegen vooral op een ruim begrepen familiehereniging (waarbij genaturaliseerde migranten bijvoorbeeld ook broers en zussen mochten laten overkomen) en op migranten met specifieke professionele vaardigheden *(skilled workers)* of met een uitzonderlijk wetenschappelijk of artistiek talent. Die uitzonderingen leidden – onvoorzien – tot de komst van miljoenen nieuwkomers. Vooral de Chinese en Koreaanse gemeenschap hebben de kleine lettertjes van die legaal ondersteunde kettingmigratie uitgeput.

De Chinese gemeenschap – vooral op de westkust – werd bovendien aangevuld met tienduizenden studenten. Die wisten na hun studies vaak een baan te versieren en een permanente verblijfsvergunning op grond van specifieke vaardigheden. Eenmaal dat geregeld was, konden ze familieleden laten overkomen die op hun beurt datzelfde pad konden bewandelen. Volgens de laatste gegevens zijn de Chinezen nu met voorsprong de grootste Aziatische gemeenschap in de vs; hun aantal loopt ver boven de drie miljoen.

De Japanse migratie na de oorlog was voor bijna het volle pond een vrouwenzaak; veertigduizend soldatenliefjes konden als huwelijkspartner het land binnenkomen. Na 1960 stuurde Japan – dat zich in snel tempo economisch ontwikkelde – nog weinig migranten. Soldatenvrouwen kwamen ook uit Korea, net als een hoog aantal adoptiekinderen, studenten en quota-immigranten. Via kettingmigratie konden de Koreanen hun aantal in de vs uitbreiden tot anderhalf miljoen. Ze wonen vooral aan de westkust, met een opvallende concentratie in Los Angeles.

Andere Aziatische groepen bespeelden volop de kansen van de professionele niches die in de nieuwe immigratiewet voorzien waren. Als er in de vs te weinig kandidaten waren voor specifieke beroepen konden die uit het buitenland komen. Voor uitzonderlijk talent kon een verblijfsvergunning worden gevraagd. De Filippijnen stuurden op die manier tienduizenden verpleegsters en ander ziekenhuispersoneel. Ook de us Navy heeft massaal *Filipinos* aangeworven. Voeg daarbij de oude Filippijnse aanwezigheid op Hawaï en de effecten van de gezinshereniging en de Filippijnse gemeenschap in de vs telt al twee en een half miljoen zielen.

Recenter hebben ook de Indiërs de weg naar Amerika ontdekt; de Indiaas-Amerikaanse gemeenschap (niet te verwarren met de indiaans-Amerikaanse) is een van de snelst groeiende minderheden in de vs. Ook bij hen zijn er tienduizenden artsen, maar vooral de Indiase computerexperts springen in het oog. Gezien hun scholingsgraad, hun relatief hoge inkomens, hun machtige herkomstland India en vooral hun aantal (bijna drie miljoen) wijst alles er op dat deze groep een steeds prominentere rol zal spelen in de Amerikaanse samenleving.

Vluchtelingen

Tot het aanbreken van de Tweede Wereldoorlog hadden de vs nooit een aparte notie gehanteerd van politieke of humanitaire vluchtelingen; de deur stond tot 1924 behoorlijk wijd open voor immigranten, ongeacht hun persoonlijke motieven. Het concept kreeg pas voet aan de grond met de jodenvervolging in Duitsland, toen een aantal joodse organisaties en een handvol politici pleitten voor opvangprogramma's voor Europese joden. Haast al die voorstellen sneuvelden in het Congres of in het *Oval Office* van president Roosevelt. Het trieste verhaal van het schip de Saint Louis illustreert die houding; met een duizendtal joden aan boord werd het uit Miami geweerd en naar Europa teruggestuurd.

Pas na de oorlog werd een heus vluchtelingenprogramma op het getouw gezet, bedoeld voor dakloze en noodlijdende Europeanen. In totaal konden daarmee vierhonderdvijftigduizend mensen overkomen als zogenaamde verplaatste personen, bovenop het toen nog geldende quotasysteem. Al vrij vlug sloop er een Koude Oorlogslogica in de selectie van de begunstigden. Etnische Duitsers uit Russische gebieden, Italianen uit Slovenië en Tsjechen waren goed vertegenwoordigd. Ook honderden nazi's werden – soms met opzet en op aangeven van de CIA – als verplaatst persoon opgenomen.

Vanaf 1953 werden specifieke wetten goedgekeurd om vluchtelingen op te vangen van achter het IJzeren Gordijn. Zo kwamen er, na de mislukte opstand in Boedapest van 1956, vijfendertigduizend Hongaren naar de vs. In de nieuwe grote immigratiewet van 1965 werd zelfs een aparte categorie voorzien voor vluchtelingen uit de communistische wereld. In 1980 volgde een *Refugee Act* die een breed raamwerk creëerde voor de toelating van vluchtelingen en asielzoekers. Toch waren het eerder de feiten die de wetten dicteerden dan omgekeerd. De turbulente gebeurtenissen op het wereldtoneel en vooral het wapengekletter waarbij de vs zelf betrokken waren, stuurden golf na golf van immigranten naar de kusten van Amerika.

Cuba lag niet ver weg. Nog voor Fidel Castro de macht had kunnen grijpen, begonnen heel wat Cubanen hun koffers te pakken. Miami, aan de overkant van de zeestraat van Florida, was een voor de hand liggende bestemming. Na de zege van de revolutie, op 1 januari 1959, werd de uittocht massaler. De details van de opeenvolgende migratiegolven en vluchtelingenstromen komen verder nog aan bod (in hoofdstuk vier). Belangrijk is dat de Cubanen decennialang welkom waren in Amerika. Ze werden beschouwd als politieke vluchtelingen die aan een communistisch regime wilden ontsnappen. Tot 1994 werd hun weinig in de weg gelegd. Het resultaat was een doorgedreven cubanisering en hispanisering van Zuid-Florida. De bijna twee miljoen Cubanen in de VS behoren tot de ruimere latinogemeenschap, maar tegelijk verschillen ze van hun taalgenoten. De gemiddelde Cubaan is rijker en conservatiever. Veel Cubanen hebben zich lange tijd gekoesterd in de rol van banneling, eerder dan zichzelf als immigrant te willen zien. Daar komt verandering in, nu de jongere generaties steeds minder in Cuba geïnteresseerd zijn.

Ook de Vietnamezen kwamen naar Amerika in grote, onvoorziene golven. De eerste golf kwam in 1975: een massa van honderddertigduizend berooide vluchtelingen, die in paniek en inderhaast op de loop waren gegaan toen de Vietcong de macht grepen en Saigon veroverden. Ze waren over het algemeen geschoold en de helft was christelijk. Er zaten ook veel militairen bij uit het Zuid-Vietnamese leger. De Amerikanen, die tot hun nek in de Vietnamese oorlog betrokken waren geraakt, voelden zich verantwoordelijk voor hun evacuatie. Via de Filippijnen werden ze naar de VS gebracht.

De tweede golf vormde zich vanaf 1977: de bootvluchtelingen. Zij ontvluchtten de werkkampen en het nieuwe communistische bewind en kwamen – soms letterlijk – op eigen houtje. In gammele bootjes en roestige schepen trotseerden ze de zee en de piraten om Thailand te bereiken. Na een verblijf in Thaise vluchtelingenkampen konden velen naar het Westen doorreizen; honderdduizenden belandden zo in Amerika. Die tweede golf telde veel meer laag- of ongeschoolden en 40% van hen waren etnische Chinezen.

Intussen is het aantal Vietnamezen in de VS gestegen tot ruim anderhalf miljoen. Ze wonen sterk geconcentreerd in Californië; in San José en in Westminster zijn uitgebreide Little Saigons ontstaan. Toch kan je ook elders in de VS plots op een *strip mall* stoten waar nagenoeg alle winkels en eethuisjes in Vietnamese opschriften afficheren.

Een tip: wie in het Amerikaanse binnenland even genoeg heeft van Wendy's en Burger King kan uitkijken naar de lokale Vietnamees; voor weinig geld zet die doorgaans een voortreffelijk bord op tafel. Nog andere etnische groepen – kleiner in omvang, maar lokaal soms opvallend aanwezig – verraden politieke motieven in het Amerikaanse toelatingsbeleid. Zo telt Washington DC opvallend veel Ethiopiërs. Die hebben in de jaren 1980 en 1990 een erkenning als vluchteling gekregen. Ook andere Afrikaanse landen gingen in die periode gebukt onder staatsterreur en ellende, maar de Ethiopiërs leden onder marxistische staatsterreur en hadden daarmee een voetje voor.

Een ander voorbeeld van politiek ondersteunde ruimhartigheid was de opvang van zeker honderdduizend joden uit de Sovjet-Unie, toen die omstreeks 1990 in elkaar klapte. Her en der stak in de Russische republieken opnieuw een rauw antisemitisme de kop op; tegelijk versoepelden de Russische autoriteiten de emigratieprocedures. Dat alles leidde tot het vertrek van tenminste een half miljoen joden uit de Sovjetstaten. Die vestigden zich in Israël, Europa en de vs. In Brooklyn, waar de joodse gemeenschap al zestig jaar stevig verankerd was, werden ze een minderheid binnen de minderheid. De wijk Brighton Beach werd door de New Yorkers tot *Odessa on the Atlantic* herdoopt. Het lijkt wel zeker dat lang niet alle nieuwkomers in hun thuisland hadden af te rekenen met religieuze vervolging of pesterijen; toch werden ze door de vs lankmoedig als vluchteling erkend. De politieke slagkracht van de joodse gemeenschap in Amerika was daar niet vreemd aan.

Tot vandaag blijven de Amerikanen druppelsgewijs vluchtelingen opnemen. In Manchester, New Hampshire, bezocht ik ooit een schooltje waar de kinderen Verenigde Naties leken te spelen: in één klas zaten ukjes uit Burundi en Mexico, Somalië en Albanië, bijna allemaal uit vluchtelingenfamilies. De juffen blaakten van enthousiasme en straalden van liefde voor de kleintjes; wat gastvrijheid betreft hoefde niemand deze Amerikanen een lesje te leren. Toch zaten er in het vluchtelingenbeleid van de jongste decennia ook een paar beurse plekken. De tienduizenden die op de loop gingen voor de burgeroorlogen in Centraal-Amerika zijn nooit op humanitaire of politieke gronden toegelaten. De Haïtiaanse bootvluchtelingen die in de jaren 1980 Florida probeerden te bereiken – net zoals de Cubanen dat hadden gedaan – werden vaak door de kustwacht gepraaid en naar Haïti teruggesleept. Wie aan de kustwacht ontsnapte en het vasteland bereikte, stond langdurige opsluiting te wachten in een speciaal detentiecentrum in Miami. Daar konden ze wachten en hopen tot een of andere amnestiemaatregel hun de vrijheid zou schenken. De Haïtianen hadden de pech dat ze een rechtse dictatuur ontvluchtten. 'Als de Duvaliers en hun opvolgers marxisten waren geweest, dan hadden de Haïtianen een hartelijker ontvangst gekregen,' schrijft Roger Daniels.

Illegalen

Natuurlijk konden meer kapitaalkrachtige Haïtianen ook het vliegtuig nemen en met een toeristen- of zakenvisum het land binnenkomen. Naarmate vliegen goedkoper en algemener is geworden, hebben steeds meer immigranten die sluipweg ook genomen.

Om te beginnen kunnen we hier de Puerto Ricanen vermelden die vanaf de jaren 1940 en met de introductie van goedkope lijnvluchten tussen San Juan en New York, naar de vs begonnen te verhuizen. Puerto Rico is strikt genomen geen buitenland; het eiland is een geassocieerde vrijstaat en de Puerto Ricanen zijn Amerikaanse staatsburgers. Zij kunnen zich vrij vestigen op het Amerikaanse vasteland. Immigreren is eigenlijk een verkeerde term in dit verband. Toch zou het wat al te formalistisch zijn om hen daarom buiten beeld te houden in dit overzicht.

Sinds *West Side Story* weten we dat er heel wat Puerto Ricanen in New York gingen wonen. De schone Maria was een donkere blanke, in de film gespeeld door Natalie Woods, maar eigenlijk zijn veel Puerto Ricanen zwart, in variërende gradaties. Daarmee behoren ze in Amerika in feite tot twee minderheden tegelijk: de hispanics en de zwarten. Terzelfder tijd verschillen ze van elk van beide hoofdgroepen, waardoor ze nog maar eens in de verf zetten hoe beweeglijk diversiteit is.

De Haïtianen of Dominicanen, de Brazilianen of Colombianen die naar de vs vliegen hebben wel een visum nodig: als toerist, zakenman, artiest of atleet – er zijn een heleboel rubrieken. Veel Latijns-Amerikaanse bezoekers zijn de voorbije decennia blijven hangen; ze hebben hun visa *overstayed*, zoals dat heet. Daarmee waren – en zijn ze misschien nog steeds – illegaal in het land. Natuurlijk zijn niet alleen latino's zo binnengeslopen. Van de gewezen filmster en gouverneur van Californië, Arnold Schwarzenegger, staat het zo goed als vast dat hij de duur van zijn visum overschreed. Aan het eind van de vorige eeuw zijn zelfs meer dan honderdduizend Ieren naar de vs gevlogen en niet meer teruggekeerd. Een groot aantal kon zich later, dankzij een gunstige toewijzing van *green cards* (permanente verblijfsvergunningen), legaliseren.

Maar als er vandaag naar schatting twaalf miljoen mensen illegaal in de vs verblijven, dan heeft dat onmiskenbaar te maken met de onophoudelijke stroom gelukzoekers uit Midden- en Zuid-Amerika. Zij komen per vliegtuig met een visum en vergeten terug te vliegen. Of ze steken – al dan niet clandestien – de zuidelijke grens over. Met name de Mexicanen zijn na 1990 massaal binnengeglipt, ondanks aangescherpte grenscontroles, de bouw van een hek en af en toe een klopjacht door de immigratiediensten. Mexicaanse arbeiders werken in de bouw of de landbouw, van Californische fruitvelden tot varkensbedrijven in Nebraska. Ze bemannen ontelbare keukens van restaurants en poetsen hotelkamers en kantoren. Ze wekken argwaan en angst op bij Amerikaanse actiegroepen tegen immigratie, die waarschuwen voor een Mexicaanse *reconquista*. Ze drijven het aandeel van de latino's in de Amerikaanse bevolkingscijfers langzaam maar zeker op, tot voorbij 16% intussen. De latino's zijn daarmee met voorsprong de grootste minderheid geworden van de vs.

Diverse diversiteit

De veelkleurigheid van Amerika staat buiten kijf. Zoals uit voorgaand overzicht wel duidelijk mag zijn, is die veelkleurigheid telkens opnieuw gevoed door nieuwe groepen immigranten: buitenlanders. Alsof dat nog geen diversiteit genoeg was – al die talen, tradities, culturen en keukens – bedachten de Amerikanen nog tal van varianten op hun christelijke geloofsbeleving, zodat de vs ook religieus versnipperden. Zowel de etnisch-culturele breuklijnen als de godsdienstige verschillen veroorzaken spanningen in de samenleving: blank Angelsaksisch tegen hispanic of evangelisch tegen seculier.

Daarbovenop – en daar doorheen – zijn er nieuwe krachtvelden gegroeid. In 1969 werd Amerika opgeschrikt door de *Stonewall Riots*. Een politieraid op een homobar in Greenwich Village in New York leidde tot rellen en protestacties. De holebibeweging organiseerde

zich – vooral in San Francisco – en trad steeds openlijker en zelfverze-
kerder naar buiten.

De Amerikaanse bevolking bleef intussen indrukwekkend groei-
en en niet enkel als gevolg van immigratie. De verbeterde medische
zorgen deden de levensverwachting stijgen. Grijzende en grijze Amerikanen bleven steeds langer actief, koopkrachtig en assertief. Er werden *gated communities* uit de grond gestampt: dure en stevig bewaak-
te bejaardenbuurten. Die grijze getto's blijven uiteraard een uitzondering, maar ze accentueren de groeiende diversiteit van leeftijdsgroepen. Nu de babyboomgeneratie met pensioen gaat, zullen de scherpe
kanten van die verschillen steeds meer naar boven komen. Amerika
telt nu veertig miljoen vijfenzestigplussers: een gigantische groep met
enorm veel stemmen, geld en tijd. Ook de vergrijzing kleurt het samenleven.

Niet alle kleuren van Amerika zijn in dezelfde mate uitgevloeid
over alle hoeken en kanten. De oostkust verschilt beduidend van de
westkust en de cultuur in de kuststeden staat soms mijlenver af van
het *small town*-leven in het binnenland. Ook die geografische diversiteit is alleen maar gegroeid, in die mate dat invloedrijke denkers al
hebben gewaarschuwd voor het uiteenvallen van het land. Bovendien
mag het klassenbewustzijn in Amerika dan misschien nooit populair
zijn geweest, de feitelijke klassen- en cultuurverschillen tussen blau-
weboorden- en witteboordenwerkers zijn springlevend. Dat bleek
tijdens de Amerikaanse verkiezingscampagne van 2008, toen Barack
Obama – de lieveling van grootstedelijke studenten, leraren en be-
dienden – er lange tijd niet in slaagde aansluiting te vinden bij de *blue
collars* van de industriestaten in de Midwest. Het blijkt ook uit de
populistische opstoot van de Tea Party-beweging die het politieke
debat in de vs al jarenlang gegijzeld houdt.

De Amerikaanse diversiteit – en de diversiteit in de diversiteit – is
verbluffend, maar niet langer uniek. Ook Europa verkleurt en vergrijst
en worstelt met het spanningsveld tussen godsdienstvrijheid en de
seculiere staat. De vs zijn lang geen modelstaat als het om diversiteit
gaat, maar de Amerikanen zijn intussen wel ervaringsdeskundigen:
al tweehonderd jaar experimenteren zij met inburgering en integratie,
oefenen ze zich in verdraagzaamheid en openheid. Met vallen en opstaan, zoals dat ook in Europa gebeurt. Het loont de moeite om nog
een hoofdstuk lang in die schat aan historische ervaringen te grasduinen.

2

Niets nieuws onder de zon

Gee, Officer Krupke, we're very upset
We never had the love that every child ought to get
We ain't no delinquents
We're misunderstood
Deep down inside us there is good!

WEST SIDE STORY

De moderne immigratiegeschiedenis van Europa begon na de Tweede Wereldoorlog. Al was er ook voorheen al sprake van migratiegolven en seizoensarbeid – vaak tussen buurlanden – de massale rekrutering van goedkope arbeidskrachten voor de West-Europese mijnen,
textielsector of zware industrie kwam pas goed op gang in de jaren
1950 en daarna. Het duurde even voor het doordrong wat daarvan de
ongewilde neveneffecten waren: een nieuwe culturele inkleuring van
oude stadswijken, een onrustige tweede generatie, de inplanting van
een vreemde godsdienst. Dat alles lokte onwennige en angstige reacties uit, racistische opstootjes en xenofobe politieke partijen.

Veel van die problemen en spanningen zijn in de Amerikaanse
migratiegeschiedenis te herkennen. Het is uiteraard voorbarig om te
beweren dat de VS nu helemaal in het reine zijn met immigratie en
diversiteit; de angstgevoelens voor een Mexicaanse *reconquista* geven
aan dat nieuwe migratiegolven telkens nieuwe wrevel en onrust oproepen. Toch heeft Amerika etnische spanningen ook al zien weg-
deemsteren. Soms werden problemen opgelost of geregeld, meestal

zijn ze vanzelf verdampt. Thema's die in de negentiende of vroege twintigste eeuw prangende kwesties waren, zijn nu volledig van de radar verdwenen. In dit hoofdstuk vergelijken we, grosso modo, de knelpunten van de naoorlogse migratie in Europa met de ervaringen van Amerika tot net voor de Tweede Wereldoorlog. Al zijn er een aantal belangrijke verschillen, de gelijkenissen overheersen.

Drang of dwang

Een van de populaire gemeenplaatsen over Amerika zegt dat het een land is van onbegrensde mogelijkheden, een land dat op eigen kracht miljoenen getalenteerde mensen wist aan te trekken die simpelweg niet konden weerstaan aan die mythische lokroep van vrijheid en vooruitgang. Europa daarentegen zou voornamelijk armoezaaiers hebben opgevangen die noodgedwongen huis en haard achter zich lieten. Europa kreeg de migranten die wegvluchtten van ellende – een zuiver negatieve keuze, een gedwongen migratie – de vs zogen avontuurlijke en nijvere elementen aan die de positieve drang voelden opborrelen om deel uit te maken van het Amerikaanse avontuur.

Dat is, op zijn zachtst gezegd, een grove vereenvoudiging. Het is waar dat het Amerikaanse continent, voor de Revolutie, heel wat individuen en groepen aantrok voor wie de ruime beschikbaarheid van land of de vrijheid van godsdienst een specifieke motivatie vormden voor de overtocht; geen enkele Europese bestemming (en wellicht zelfs geen enkele bestemming, waar dan ook ter wereld) bood in die tijd dezelfde kansen. Ook na 1776 bleven Europeanen en later ook Aziaten, nieuwsgierig naar die nieuwerwetse samenleving waar dromen schijnbaar makkelijk te realiseren waren.

Het gros van de immigranten die tussen 1850 en 1920 van de boot stapten, werden echter net zozeer door armoede, chaos en vervolging voortgedreven als hun latere lotgenoten die naar Europa afzakten. Anders gezegd: de *push*-factoren voor de migratiestroom waren niet erg verschillend. De katholieke Ieren vluchtten voor de hongersnood en de structurele armoede op het Ierse platteland en voor de Engelse en protestantse overheersing. De Oost-Europese joden werden verjaagd door racisme en pogroms en, na 1881, door een steeds scherpere repressie onder het regime van de tsaar. De miljoenen Zuid-Italianen en Sicilianen die inscheepten voor New York werden hun dorpen

uitgedreven door een semifeodale en compleet gestagneerde landbouweconomie. Er is heus niet zoveel verschil met de drijfveren die
speelden voor de miljoenen Turken en Marokkanen die naar Duitsland of de Benelux migreerden of de Pakistaanse Kashmiri die zich
in de Engelse textielsteden nestelden. Integendeel, alle historische
proporties in acht genomen, mogen we veronderstellen dat de negentiende-eeuwse armoede van de Ieren en Italianen nog schrijnender
was.

Dat mag ook blijken uit de beeldvorming in die tijd. In de jaren
1880 schreef de joodse dichteres Emma Lazarus een gedicht dat bol
stond van paternalistisch medeleven met de massaal toestromende
migranten. *'Give me your tired, your poor, your huddled masses
yearning to be free, the wretched refuse of your teeming shore'.* De
verzen werden later in het voetstuk van het Vrijheidsbeeld gegrift om
de nobele gastvrijheid van Amerika nog sterker in de verf te zetten.
De migranten worden hier haast herleid tot willoze, hulpeloze slachtoffers. Geen sprake van dappere en initiatiefrijke avonturiers. Ook
de immigranten zelf hebben heel wat getuigenissen, verzen en liede-
ren nagelaten waarin ze hun reis beschreven als een gedwongen ballingschap: *'The hills and the valleys so dear to my heart; it grieves
me to think that from them I must part; compelled to emigrate far,
far over the sea.'*

Tenslotte zitten er opmerkelijke parallellen tussen toen en nu en
tussen de vs en Europa, in de perceptie van de landen van herkomst.
De implosie van het Sovjetblok heeft in Europa tot een massale volksverhuizing geleid van oost naar west. De Oost-Europese en Russische
nieuwkomers wekten (en wekken nog steeds) wrevel op, maar tegelijk begreep haast iedereen waar ze vandaan kwamen en waarom: ze
ontvluchtten een verbrokkelend en chaotisch rijk in verval. Op dezelfde manier werd er eind negentiende eeuw naar China en de Chinezen in Amerika gekeken. Want 'de chaos van de oorlogen was bekend genoeg om over China te kunnen denken als een krakende en
achterlijke natie'.

Het punt is dat Amerika, oneerbiedig gesteld, ontstellend veel
menselijk wrakhout heeft opgenomen. Dat er alleen gemotiveerde,
doelgerichte en creatieve immigranten aan land zijn gestapt, is een
sprookje. In die tijd leek de massale instroom op een onhandelbare
overrompeling. Vandaag heeft het er de schijn van dat het toch nog
min of meer is goed gekomen.

Volksverhuizingen en kettingmigratie

De motieven voor de migratie waren vergelijkbaar, maar in aanpak en parcours zaten er een paar belangrijke verschillen. Zoals eerder vermeld was migratie naar de vs vaak een collectieve onderneming van religieuze groeperingen of van complete dorpsgemeenschappen. Nog voor de Revolutie zag je dat patroon bij Schotten, Scotch-Irish en Duitsers. In de negentiende eeuw waagden ook Nederlanders en Scandinaviërs zich aan een dergelijke volksverhuizing. Die collectieve migratievorm was alleen maar mogelijk door de beschikbaarheid van land en droeg bij aan de ontsluiting van het westen. In zekere zin integreerden die nieuwkomers niet, maar liepen ze (letterlijk) de Amerikaanse samenleving voorbij, om aan de verste randen nieuwe dorpen en stadjes te stichten. Van dat soort groepsmigraties naar plattelandsgebieden zijn me in de naoorlogse geschiedenis van Europa geen voorbeelden bekend. Soms wordt beweerd dat die spreiding van de migranten over de onmetelijke lege landvlaktes de integratie van de nieuwkomers vergemakkelijkt heeft. Dat is een beetje te rooskleurig voorgesteld. In eerste instantie bleven botsingen en spanningen uit; logisch als verschillende groepen geïsoleerd van elkaar kunnen leven. Op langere termijn echter bleek de integratie juist veel trager te verlopen dan in de steden. In de eenzame stadjes op de prairie of in Texas konden taal en tradities langer overleven.

Wat de migratie naar de steden betreft, springen vooral de gelijkenissen in het oog. Zo zag je in Amerika, net als in Europa honderd jaar later, een groot aantal mannen neerstrijken zonder gezin: ofwel waren ze vrijgezel, ofwel hadden ze vrouw en kroost thuisgelaten. Dat gold zeker voor de Italianen, de Denen en de Chinezen. Ook de Ieren kwamen doorgaans individueel, behalve in de periode van de aardappelrot; Ierland zag ook veel jonge vrouwen vertrekken. Pas na verloop van tijd lieten die immigranten hun vrouw en kinderen overkomen of een kersverse bruid. Net als in Europa vandaag was ook toen het onderscheid tussen gezinshereniging en gezinsvorming niet altijd duidelijk, maar omdat migranten nog welkom waren, werd daar weinig belang aan gehecht.

De familiehereniging was een eerste, zachte vorm van kettingmigratie. Een dappere verkenner effende het pad en in zijn (of haar) zog kwamen partners, kinderen, broers of zussen, neven of nichten. Dat netwerk kon zich uitbreiden tot het dorp van herkomst, de vallei of de streek. Veel harde of lepe rekruteringstechnieken kwamen daar niet aan te pas. Doorgaans volstonden de brieven van de emigranten – met al dan niet oprechte beschrijvingen van de zegeningen van Amerika – om de thuisblijvers jaloers te maken en op hun beurt tot de overtocht aan te sporen. Ook hun reisjes over en weer droegen daartoe bij, want op bezoek in zijn geboortestreek probeerde de migrant zijn nieuw verworven status zo sterk mogelijk in de verf te zetten. In zijn ontroerend mooie boek *Christus kwam niet verder dan Eboli* heeft Carlo Levi de huizen van de *Americani* beschreven in het Zuid-Italiaanse dorpje Gagliano, in 1935. Ze waren herkenbaar aan hun verdieping, balkon of gelakte deuren met koperbeslag. Van de Italianen zijn er uiteindelijk heel wat geremigreerd en meer dan andere groepen zijn de Italianen en Sicilianen lang met een been in hun thuisland blijven hangen. Wat opvalt is de gelijkenis met de Marokkaanse of Turkse eerstegeneratie-immigrant in Brussel, Amsterdam of Kopenhagen die eveneens in zijn geboortedorp een huis liet optrekken.

Soms kreeg kettingmigratie een geraffineerder karakter. Duitse, joodse of Chinese zelforganisaties assisteerden nieuwkomers bij hun overtocht en hun eerste stapjes in de Amerikaanse maatschappij door het transport te regelen, huisvesting of banen te zoeken. Vaak was dat een kwestie van solidariteit of zelfs pure liefdadigheid, maar in een aantal gevallen werd die logistieke steun en bemiddeling een aparte en winstgevende business. Vooral de Italiaanse *padroni* werden bedreven in dat systeem. Ze waren tegelijk reisagent en koppelbaas. Nog voor een Siciliaanse of Calabrische immigrant kakelvers van de boot was gestapt, was er voor hem al een baantje geritseld op een bouwwerf of bij de spoorwegen. Zoals er recent in West-Europa Bulgaarse of Roemeense netwerken actief waren die kinderen ronselden en de straat op stuurden om te bedelen (of erger), zo lieten Italiaanse padroni jonge schoenpoetsertjes overkomen. In New York en Chicago ontpopten heel wat ervaren immigranten zich tot schaamteloze huisjesmelkers. In de ongezonde huurkazernes stapelden ze tientallen hulpeloze nieuwkomers op elkaar en rekenden daarvoor buitensporige huurkosten aan. Een van de effecten van dat alles was een concentratie van dorps- en streekgenoten, families en clans in eenzelfde buurt of stratenblok in Amerika. Het klinkt allemaal vertrouwd in de oren voor wie de recente migratie naar de Europese grootsteden een beetje kent. Er is werkelijk niets nieuws onder de zon.

Gettovorming

Aan het begin van de twintigste eeuw hadden haast alle grote steden van de vs hun eigen etnische enclaves. De Lower East Side van Manhattan was nog steeds sterk joods en Jiddisch gekleurd, al hadden Napolitanen intussen een stratenblok rond Mulbery Street ingepalmd. De Sicilianen trokken naar East-Harlem en ook in Brooklyn begon een *Little Italy* uit te deinen. De Ieren vond je aan de West Side van Manhattan, in de buurt die fijnzinnig *Hell's Kitchen* was genoemd.

Chicago ging prat op zijn *Swede Town*, maar net zo goed waren er Ierse, Poolse, Siciliaanse en joodse getto's gegroeid. Voor Duitse bierkelders moest je in Cincinatti of Saint-Louis zijn en voor Chinese sferen in San Francisco. In Boston had de Iers-katholieke bevolking intussen de lokale Amerikanen overvleugeld: Boston was een Ierse stad geworden.

Voor elk van die wijken kan een kleurrijke sociaal-geografische geschiedenis worden geschreven. De status van de buurt bleef generaties lang dezelfde, maar naarmate de bewoners opklommen op de sociale ladder ruilden zij hun rommelige getto's in voor nieuwe en betere enclaves en streken er in hun zog weer andere migrantengroepen neer. Swede Town in Chicago werd *Little Sicily*. Little Italy in Manhattan ruimde plaats voor *Chinatown* (met een miniem stukje nep-Italië als toeristische attractie). De New Yorkse Italianen trokken naar de Bronx, New Jersey en Long Island, de joden naar Brooklyn. In Harlem namen zwarte Amerikanen en Puerto Ricanen hun intrek. In sommige buurten, zoals de Bronx, gaat die etnische estafette nog altijd voort: hispanics hebben daar nu zwarten en Italianen afgelost. Elders, zoals in de New Yorkse West Side en delen van Harlem, zie je een milde vorm van *gentrification*: een aarzelende instroom van blanke of zwarte meerverdieners die het sjofele imago van de buurt hip of charmant vinden.

In elk geval blijkt uit die evolutie dat de oude etnische minderheden, die de goegemeente rond 1900 nog angst aanjoegen en zorgen baarden, zich gaandeweg van dat harde gettoleven hebben losgemaakt om uiteindelijk te verdwijnen in een typisch Amerikaans en uniform *suburbia*. Getto's hebben een slechte reputatie, maar volgens heel wat sociologen en historici hebben de etnische concentratiewijken in Amerika de sociale promotie en integratie eerder bevorderd dan belemmerd. Ze functioneerden voor de migrant als een tussenstation van waaruit hij verkennende stappen kon zetten in de nieuwe en vreemde omgeving, maar waarbinnen hij toch steeds de geborgenheid vond van een vertrouwde taal en cultuur. De volks- en lotgenoten in het getto konden de weg wijzen naar werk, contacten en huisvesting. Getto's versterkten natuurlijk het groepsgevoel en de afzondering, maar tegelijk waren ze een springplank, nuttig om de nieuwkomer te lanceren in een sociaal-economische carrière.

Overigens heeft Roger Daniels er op gewezen dat Italiaanse, Duitse of joodse getto's zelden zo etnisch gekleurd waren als mensen dachten. De perceptie werd vertekend door de etnische winkels en eethuisjes en de uithangborden in een vreemde taal die de wijk een apart karakter gaven. 'Enkel raciaal gesegregeerde buurten, voornamelijk voor zwarten en Chinezen, kwamen in de buurt van een volledige uniformiteit.' Misschien geldt die bedenking ook voor Arabische en Pakistaanse buurten in Europa: ze zien er exotischer uit dan ze in werkelijkheid soms zijn.

Werk

Wanneer een grote groep buitenlanders in eenzelfde buurt gaat wonen en er specifieke behoeften, tradities of wensen op nahoudt, dan duurt het niet lang vooraleer slimme en ondernemende leden van de groep een handeltje opstarten om daaraan tegemoet te komen. Joodse families willen koosjere voeding, moslims willen halal vlees. Zo waren Italianen in Amerika ook erg gesteld op hun olijfolie, groenten en wijn. Duitsers verlangden naar Duits bier en dito bierkelders. Chinezen in San Francisco openden eethuisjes bij de vleet, maar ze regelden ook de repatriëring en begrafenis van hun volksgenoten. Tegenwoordig noemen we dat alles, met een duur woord, etnisch ondernemerschap. Hoe groter de etnische gemeenschap, hoe meer werk er in dat etnische segment te versieren valt. Omdat de migranten in Amerika met tienduizenden tegelijk toestroomden, was dat van meet af aan een belangrijke bron van jobs en inkomens. Wat begon als dienstverlening aan de eigen groep groeide vaak genoeg uit tot een populaire formule voor alle Amerikanen: de Ierse pubs, de Chinese restaurants, de Italiaanse pizzeria's. Net zoals in Groot-Brittannië de *Indian curry* tot de nationale keuken is doorgedrongen.

Dat soort kleinhandel kon meestal worden opgestart met relatief

weinig kapitaal en in familiaal verband. Hetzelfde gold voor wasserijen, kapsalons en schoenpoetsers: diensten die van meet af aan op
een breder cliënteel mikten en waarvoor weinig taalkennis was vereist. De Chinezen, Italianen en Grieken werden er bedreven in. Straatverkoop was dan weer een nering die met joodse en Arabische immigranten werd geassocieerd, zoals we nu in Europa vertrouwd zijn met
de Afrikaanse leurders in lederwaren.

De etnische middenstand kon uiteraard slechts een beperkt aantal
banen creëren. Het gros van de immigranten moest aan de slag als
loonarbeider of stukwerker. Meer nog dan Europa na 1950 schoof het
negentiende-eeuwse Amerika vooral het vuilste, zwaarste en gevaar-
lijkste werk af op de rug van de nieuwkomers. Kanalen, spoorwegen
en de metro van New York werden aangelegd met Ierse, Italiaanse en
Chinese spierkracht. Bij de spoorwegen, die toen een verbluffende
expansie kenden, was het gebruikelijk om de arbeiders in etnische
ploegen op te delen en tegen elkaar uit te spelen. Bij stakingen en oproer werden geregeld Chinese arbeiders, die voor de gelegenheid lof
kregen toegezwaaid voor hun buitengewone werkkracht en gehoor-
zaamheid, ingezet als stakingbrekers. Ook de zwarte Amerikanen,
die na de afschaffing van de slavernij massaal naar de noordelijke industriesteden trokken, overspoelden de arbeidsmarkt. Dat alles zorgde voor spanningen en vijandigheid tussen Ieren en zwarten, Italianen
en Polen, blanken en Chinezen. Nog tijdens de Burgeroorlog kwam
het tot zware rassenrellen in New York: Ierse knokploegen maakten
jacht op zwarte stadsgenoten en in het geweld kwamen honderdenvijf
mensen om het leven. Aanleiding was een nieuwe wet op de dienstplicht: duizenden Iers-Amerikanen werden opgeroepen om te vechten
voor de troepen van Lincoln en de Unie, tegen de slavernij. De Ieren
vreesden – niet zonder reden – dat de vrijgemaakte slaven hun werk
zouden inpikken.

Dat soort explosieve concurrentie om jobs tussen verschillende
migrantengroepen heeft Europa in zijn recente migratiegeschiedenis
nooit gezien en zeker niet op die schaal. Het jobaanbod schommelde
uiteraard op het ritme van de economische conjunctuur, maar bijna
altijd was de hulp vereist van de eigen groep: een tip, een beetje voor-
spraak, een dienst tegen betaling van een koppelbaas. De etnische
netwerken waren de uitzendkantoren van hun tijd.

Als er een handboek bestond voor dat soort arbeidsbemiddeling,
dan hadden Ieren het geschreven. De Ierse massamigratie viel samen

met de exponentiële groei van de steden; de stadsbesturen hadden brandweerlui, politiemannen en straatvegers nodig. Zoals al aangestipt werd in het vorige hoofdstuk vulden de Ieren gretig de rangen van de openbare diensten. In ruil voor hun baantje schonken ze hun stem aan een lokale politicus: op die manier groeide de Ierse invloed in het politieke apparaat – de zogenaamde *machines* – van de Democratische Partij. Ook dat was een typisch Amerikaans fenomeen dat in Europa zijn gelijke niet kent. Het kon alleen maar functioneren omdat de Ieren – en later ook andere etnische minderheden – in buurten of getto's geconcentreerd waren en zo bij verkiezingen de doorslag konden geven. Ondanks de zweem van corruptie die rond de politieke machines hing, moet je vaststellen dat het stemrecht een hefboom is geweest voor sociale promotie. Continentaal Europa heeft langer geaarzeld om immigranten aan te werven in de openbare sector. Enkel het Verenigd Koninkrijk rekruteerde al snel buschauffeurs of verpleegsters uit de oud-kolonies van het Commonwealth.

Geleidelijk zouden de Ierse Amerikanen een paar treden klimmen op de professionele en maatschappelijke ladder. De laagste en zwaarste banen werden overgenomen door Italianen en Slavische immigranten of door zwarte werkzoekenden. Net zoals in de getto's was er ook op de arbeidsmarkt sprake van een doorstroming van opeenvolgende minderheden.

De joodse immigranten vonden een eigen niche: de confectie-industrie. Velen van hen waren in Oost-Europa al kleermaker geweest; het was een van de huisambachten die ze in de beslotenheid van de *shtetls* konden beoefenen. In New York werkten ze verspreid over duizenden fabriekjes en naaiateliers. Nagenoeg de hele sector, van fabrikant tot hulpje, was in joodse handen waardoor ook hier de rekrutering langs de informele lijnen van verwantschap liep. Het terrein was geëffend door Duitse joden die aan het eind van de negentiende eeuw al behoorlijk welstellend en kapitaalkrachtig waren. Zij rekruteerden massaal de Jiddische nieuwkomers uit Oost-Europa. Bovendien hielp de nieuwe Singer trapnaaimachine de productiviteit op te drijven. Toch wekt het verhaal van de joodse kledingindustrie in New York verbazing en verwondering op: hier waren honderdduizenden immigranten aan de slag die, collectief en op eigen kracht en zonder enige hulp van de overheid, hun eigen werk hadden gecreëerd in een vreemd land. In de immigratiegeschiedenis van Europa zie ik weinig parallellen, tenzij misschien – kleinschaliger – de joodse diamantnijverheid in Antwerpen.

In de confectie-industrie van New York werden bijzonder veel vrouwen ingezet. Joodse meisjes bleven er doorgaans werken tot aan hun huwelijk, maar de fabriekjes wierven ook, in kleinere aantallen, Italiaanse en Ierse vrouwen aan. In de *mills* van de textielstadjes van New England waren de vrouwen vaak in de meerderheid; ze kwamen uit Ierland of Canada.

Voor Ierse vrouwen die alleen naar Amerika migreerden was meestal een baan als meid weggelegd. Al vanaf 1820 raakte New York vertrouwd met dat fenomeen en halfweg de negentiende eeuw waren acht op de tien vrouwelijke huisbedienden van Ierse afkomst. De meiden woonden meestal in bij de New Yorkse burgers; dat beperkte hun vrije tijd, maar bracht hen anderzijds voortdurend en van dichtbij in contact met de Amerikaanse *way of life*. Hun mannelijke landgenoten, die vaak in etnische ploegen werkten in fabrieken of bij de spoorwegen, kregen veel minder die kans. Dat heeft ongetwijfeld bijgedragen tot de snelle integratie en sociale promotie van heel wat Ierse vrouwen. In de tweede en derde generatie gingen Iers-Amerikaanse meisjes veel minder als huisbediende aan de slag, maar wel als secretaresse en onderwijzeres. Het doet je denken aan de voorsprong die sommige migrantendochters in Europa verwerven op hun broers.

De doorstroming van de migranten naar de hogere sporten van de professionele en maatschappelijke ladder verliep natuurlijk niet gelijkmatig. Er waren grote verschillen tussen individuen en tussen groepen. Bij de Duitsers leek het sneller te lukken dan bij de Ieren en in de joods-Jiddische gemeenschap was de tweede generatie succesvoller dan in de Italiaanse. In Californië klommen Japanse migrantenkinderen sneller hogerop dan hun Mexicaanse leeftijdgenoten. Dat alles kon te maken hebben met het startkapitaal, in geld of vaardigheden, dat de immigranten meebrachten naar Amerika: de Duitsers waren vaak geschoolde arbeiders of ambachtslui, net als de joodse kleermakers. De Ieren hadden dan weer het voordeel van de taal, de meesten spraken Engels.

Toch speelden er nog twee andere factoren. Van levensgroot belang was de opstelling van de familie en de bredere etnische gemeenschap: koos die ervoor om ondubbelzinnig te mikken op een toekomst in Amerika of bleef die halfhartig met het idee van een terugkeer spelen? Daarmee verweven was er een tweede element dat een verschil kon maken: de manier waarop de migranten en hun kinderen aanvaard werden door de samenleving waar ze terechtkwamen. Niet elke immigrant werd even hartelijk of even grimmig bejegend; blonde Duitsers hadden het nu eenmaal makkelijker dan donkere Sicilianen. Die twee factoren – de eigen culturele keuze en de reactie van de anderen – beïnvloedden en versterkten elkaar, net zoals dat nu in Europa gebeurt. Het is niet altijd makkelijk om uit te maken wat aanleiding en wat gevolg is.

Racisme

Het staat in elk geval vast dat ook het immigrantenland Amerika al heel vroeg blijk gaf van racisme en vreemdelingenhaat. Het racisme tegenover indianen en Afrikaanse slaven staat natuurlijk buiten kijf en vormt een verhaal apart. De neerbuigende behandeling en uitbuiting van Mexicanen komt in een later hoofdstuk aan bod. In dit stukje staan we stil bij de xenofobie van blank tegen blank. De termen 'autochtoon' en 'allochtoon' hebben in een Amerikaanse context weinig zin: iedereen stamt af van buitenlanders. Niettemin zag je in de negentiende eeuw een sterke nativistische stroming de kop opsteken, waarbij Amerikanen die in de vs geboren waren zich kantten tegen de nieuwkomers uit Europa.

Al in de achttiende eeuw was er her en der wrevel voelbaar over de Duitsers. In Pennsylvania, waar toen reeds een derde van de bevolking Duitse wortels had, werkten ze de verlichte denker Benjamin Franklin danig op de zenuwen. Hij schreef een venijnig pamflet waarin hij tekeerging tegen de verduitsing: 'Waarom zou Pennsylvania, gesticht door de Engelsen, een kolonie van vreemden moeten worden?' Wantrouwen tegenover Duits en de Duitsers zou nog geregeld de kop opsteken. We komen er verder nog op terug.

Het was evenwel pas de Ierse immigratie in de negentiende eeuw die een georganiseerde racistische en xenofobe beweging uitlokte. Vanaf de jaren 1830 werden er *Native Americans*-partijen gesticht, die zich verzetten tegen (actief en passief) stemrecht voor vreemdelingen. Zoals te lezen in het boek van Herbert Asbury en te zien in Martin Scorceses film *Gangs of New York*, kreeg de nativistische partij van New York ook de steun van heuse knokploegen. De oorlog tussen stadsbendes kreeg daarmee ontegensprekelijk een etnisch-racistisch karakter, van nativisten tegen Ieren. Omstreeks 1850 culmineerde de beweging in de nationale partij van de Know Nothings, die ijverde voor strengere voorwaarden voor de toekenning van het staatsburgerschap. Door de Burgeroorlog verdween het thema naar de achtergrond. De tegenstelling tussen het noorden en het zuiden leek nu urgenter dan die tussen oude en nieuwe Amerikanen. Bovendien bleken Ierse nieuwkomers plots hun nut te bewijzen: je kon ze, recht van de boot, ronselen en betalen om je plaats in te nemen in het leger. In Lincolns Unietroepen vochten aanzienlijke aantallen Ieren en Duitsers mee.

Het dagelijks leven was doordrongen van racisme en vooroordelen. Ieren werden beschreven als vuil, achterlijk, onbetrouwbaar en ruw en geassocieerd met misdaad en dronkenschap. Soortgelijke stereotypen werden generaties later aan de Jiddische immigranten toegeschreven en aan de Polen en Italianen. Voor elke minderheid waren er scheldwoorden voorradig: de Ieren werden paddies genoemd, maar soms ook *white niggers*. De Polen stonden bekend als *polaks* en de Chinezen als *chinks*. De Italianen werden met meerdere namen vereerd. De term *dago* is de oudste en minst kwalijke; verder had je *guappo* of *wop* en – de grofste benaming – *guinea*. Daarbovenop stonden alle nieuwkomers geboekstaafd als *greenhorns* of *grinoni*: groentjes.

In een poging om hun eigen status hoog te houden, zetten de blanke etnische minderheden zich graag af tegen elkaar en allemaal samen tegen de zwarten. Gecombineerd met de al eerder vermelde concurrentie op de arbeidsmarkt leidde dat af en toe tot bloedige confrontaties. In de zomer van 1919 vielen er in Chicago achtendertig doden en meer dan vijfhonderd gewonden bij zware rellen tussen blanken (voornamelijk Ieren) en zwarten. In 1935 gingen zwarten met Italianen in de clinch in Harlem.

Ook de Chinezen aan de westkust werden het mikpunt van blanke haat en agressie en ook daar namen de Ieren, bang om hun werk te verliezen, soms het initiatief. Om te beginnen probeerden de blanke goudzoekers – die zelf van heinde en ver waren gekomen – de Chinese toeloop af te remmen door speciale vergunningen en belastingen, enkel voor Chinezen, af te dwingen. Later nam het parlement van Californië diverse wetten aan die onverbloemd anti-Chinees waren: de *Laundry Ordinance* legde de Chinese wasserijen hogere belastingen op, de *Queue Ordinance* maakte het mogelijk om bij Chinese gevangenen hun lange vlecht af te knippen. Op federaal niveau sloot de *Naturalization Act* van 1870 Aziatische immigranten uitdrukkelijk uit van het recht op naturalisatie en twaalf jaar later werd de Chinese immigratie zelf verboden. Bovenop dat institutionele racisme kwam het geregeld tot uitbarstingen van anti-Chinese volkswoede. Cynisch genoeg werd de Workingmen's Party of California gesticht en geleid door de Ier Denis Kearny, die zelf naar Amerika was gemigreerd. In San Francisco was hij de aanstoker van dagenlange rellen waarbij Chinese huizen en winkels in brand werden gestoken en meerdere Chinezen het leven lieten.

Angst voor een vreemd geloof

Een van de opmerkelijkste parallellen tussen de xenofobe reacties van Amerika in de negentiende eeuw en die van Europa na 1950 (en preciezer nog: na 1980), is de gelijkenis tussen de Europese angst voor de islam en de Amerikaanse vrees voor de katholieke kerk. Op het eerste gezicht mag dat een gebruuskeerde vergelijking lijken, maar als je nagaat welke specifieke twistpunten en zorgen er aan de orde waren, dan springen de overeenkomsten in het oog.

Verschillende kolonies aan de oostkust waren gesticht en uitgebouwd door puriteinen, presbyterianen, quakers en lutheranen die de Atlantische Oceaan waren overgestoken om aan de greep van kerk en paus te ontkomen. Sommigen zochten in Amerika de totale religieuze vrijheid (zoals de quakers), anderen wilden juist een zuivere en streng protestantse gemeenschap in het leven roepen. Dat protestantse ideaalbeeld, in al zijn theologische varianten, had stevig postgevat in het denken van de Amerikaanse elite. Expliciet of impliciet gingen gezagsdragers, journalisten, kerkleiders en zakenlui ervan uit dat de vs een Angelsaksische en protestantse natie was.

In de negentiende eeuw werd dat ideaalbeeld plots bedreigd. Door de massale immigratie van de Ieren en daarbovenop een groot aantal katholieke Duitsers, leek het alsof de katholieke kerk de protestanten tot in Amerika kwam najagen en alsnog kwam overheersen. Dat was in elk geval het alarmerende verhaal dat de ronde begon te doen: het Vaticaan spreidt zijn tentakels uit.

De gemoederen werden opgehitst door kranten en predikanten. In spotprenten werden bisschoppen voorgesteld als krokodillen die aan land kropen; in populaire sensatieromans werden vermeende onthullingen gepubliceerd van nonnetjes die in de kloosters vreselijk misbruikt waren; en priesters werden beschimpt en bedreigd. Het bleef niet bij verbale agressie: in 1834 werd in Boston een nonnenklooster platgebrand. De jaren daarna zou menige katholieke kerk het mikpunt worden van vandalisme en brandstichting. Uiteraard boden de aanvallen op de katholieke kerk een uitlaatklep voor de haat tegen de Ierse migranten als zodanig. Het ene werd vereenzelvigd met het andere, zoals in Europa de kritiek op Maghrebijnse immigranten ook geregeld in religieuze termen wordt verpakt, als een kritiek op de islam. Omgekeerd was het katholieke geloof voor de migranten een belangrijk aspect van hun identiteit en zelfbeeld. Naarmate de vijandigheid oploopt tussen groepen, groeit ook het belang van de eigen identiteit: een uitvergroot vijandsbeeld leidt tot een aangedikt zelfbeeld. Dat was toen zo tussen Amerikanen en katholieken en dat is nu zo in Europa met de moslimmigranten.

De parallel gaat nog verder. Net zoals de islam in Europa na 1980 een breed net van structuren, moskeeën, koranschooltjes en vrouwengroepen heeft uitgebouwd, zo was ook de katholieke kerk in de negentiende eeuw begonnen aan een stevige inplanting van parochies, kloosters en scholen. Daarmee leek ze – tenminste in de ogen van haar tegenstanders – een eigen, apart netwerk te vestigen buiten de Amerikaanse samenleving. Bovendien maken stenen aanspraak op macht. Frans Verhagen heeft een prachtige verwijzing gemaakt naar de bouw van de St. Patrick's Cathedral in New York, in 1858. Honderdduizend katholieken, vooral Ieren, woonden de eerste steenlegging bij. De toespraak van aartsbisschop John Hughes zou lichtjes provocerend zijn geweest: de kathedraal die hier verrijst, is een zinnebeeld van onze macht – tot spijt van wie 't benijdt. De protestantse pers en elite kreunden van woede.

De vergelijking met de onrust over de grote moskee van Rotterdam of minaretten in Zwitserland ligt voor de hand. Vandaag is St. Patrick's Cathedral nochtans een van de toeristische trekpleisters van Manhattan en in de stad New York is het antikatholieke ressentiment helemaal weggeëbd. De latere golven van katholieke immigranten – uit Italië en Polen – hebben de demografische en politieke macht van katholieken versterkt, zodat het in steden als Boston en New York voor politici steeds onverstandiger werd om een antikatholiek discours te lanceren. Enkel in het zuiden van de vs zou de Ku Klux Klan de haat tegen de kerk nog even nieuw leven inblazen. In de *Bible Belt* blijft het paapse geloof voor heel wat protestanten tot vandaag een moeilijk punt.

Het belangrijkste element in de pacificatie was de vaststelling dat ook katholieken, ondanks hun particuliere geloof, rasechte Amerikanen werden. In het dagelijkse leven kan je een katholieke Texaan of New Yorker niet van een protestant onderscheiden; je kan het alleen vermoeden, op basis van naam of etnische afkomst. Het Amerikaanse maatschappijmodel bleek ook voor katholieken onweerstaanbaar. Ze namen hetzelfde protestantse arbeidsethos over, ze consumeren en wonen hetzelfde en planten in hun voortuintje dezelfde vlag.

Angst voor vreemde heersers en ideeën

De gehechtheid aan de *stars and stripes* is in Amerika geen detail. Wat ook de etnische afkomst mag zijn, er wordt een duidelijke loyaliteit verwacht aan vlag en grondwet. Ook op dat punt werden katholieken lange tijd gewantrouwd. Eiste de paus in Rome – zeker in de context van de negentiende eeuw – geen wereldlijk gezag op over zijn gelovigen? De vrees dat immigranten het Amerikaanse politieke bestel ondermijnden en liever aan buitenlandse machten gehoorzaamden, heeft geregeld de kop opgestoken in Amerika. Sommige landen hebben daar trouwens aanleiding toe gegeven. Het kan verder moeilijk worden ontkend dat etnische gemeenschappen de politieke ruzies die ze in hun vaderland hadden gevoerd nog ijverig voortzetten op Amerikaanse bodem. Dat soort diaspora-activisme komt vandaag ook in Europa voor, denk maar aan de spanningen tussen Koerden en Turken in een stad als Brussel.

In Amerika bleken vooral de Polen en de Grieken intern overhoop te liggen. In beide gemeenschappen had je een breuk tussen conservatieven en liberalen, met stevige politieke verenigingen die meer met Polen en Griekenland begaan leken dan met hun nieuwe Amerikaanse land van aankomst. De Polen lobbyden actief bij president en Congres om, na de Eerste Wereldoorlog, een onafhankelijk Polen te laten erkennen. Toch gingen die organisaties gaandeweg ook over assimilatie en integratie discuteren en over de mate waarin hun leden zich op Amerika moesten richten. Dus zelfs al waren ze gestoeld op buitenlandse belangen en twistgesprekken, ze brachten tegelijk de ervaringen van de migranten zelf ter sprake.

In de Iers-Amerikaanse buurten heeft er altijd een levendige belangstelling bestaan voor de nationalistische strijd van het thuisfront

tegen de Britten, zeker na de oprichting van Sinn Féin en de Paas-
opstand van 1916. Ieren in de vs stuurden geld naar het thuisland ter
ondersteuning van het republikeins verzet. De eerste premier van de
Ierse republiek, Eamon de Valera, was trouwens in New York geboren
en als ukje van twee door zijn moeder naar Ierland meegenomen.
Toch stond dat engagement voor de Ierse politiek hun betrokkenheid
op de Amerikaanse samenleving allerminst in de weg. De Ieren wisten de twee op een unieke manier te combineren. Ik ken geen ander
voorbeeld van zulke geslaagde en algemeen aanvaarde dubbele groeps-
loyaliteit, tenzij misschien na de Tweede Wereldoorlog de dubbele
loyaliteit van joodse Amerikanen aan de vs en Israël.

Onder de Italiaanse immigranten was de politieke interesse voor
het thuisland eerder beperkt. Dat had te maken met de lauwe identificatie van Sicilianen, Campaniërs en Calabriërs met Rome en de Italiaanse staat. Omgekeerd toonde de jonge natie wel belangstelling
voor de migranten in Amerika. Toen in 1891 een volksmeute in New
Orleans een gevangenis bestormde en een tiental Siciliaanse gevangenen lynchte, drong dat verhaal door tot in het Romeinse parlement.
Daar klonken zelfs verhitte oproepen voor een strafexpeditie tegen
de vs. Uiteindelijk moest de federale regering in Washington het
brandje blussen en schadevergoeding uitbetalen aan de families van
enkele vermoorde gevangenen. Italië liet ook rapporten opstellen over
de werkomstandigheden van Italiaanse spoorarbeiders en stuurde
daarvoor inspecteurs uit tot diep in het Amerikaanse binnenland.

De Italiaanse regering bleef de emigranten lange tijd beschouwen
als volwaardige landgenoten; een beetje zoals de Turkse regering dat
doet met de Turken in West-Europa. In 1915 probeerden de consuls
in de vs de migranten te overhalen om terug te keren en dienst te
nemen in het Italiaanse leger; weinigen gaven daaraan gehoor. Na de
beurscrash van 1929 trokken propagandisten van Mussolini naar
Amerika, met mooie beloften dat er in Italië werk en kansen en geld
zouden zijn. Volgens Carlo Levi zat Calabrië in de jaren 1930 vol met
verbitterde remigranten die zich door die praatjes in de luren hadden
laten leggen. Er waren zelfs Italiaans-Amerikaanse jongens die gingen
vechten in Ethiopië voor een leger van een land dat ze amper nog
kenden.

Een onschuldig, ontroerend en tegelijk potsierlijk voorbeeld van
de diasporasolidariteit met het Italiaanse fascisme was de koperen-
plaatjesactie. Na de inval in Ethiopië legde de Volkerenbond sancties

op aan Italië, ondermeer een embargo op grondstoffen. Om dat te omzeilen stuurden migranten in Amerika massaal koperen ansichtkaartjes met gegraveerde groeten naar hun familie in Italië: alles samen goed voor tweehonderd ton koper. Zo bekeken mag het verbazing wekken dat de Italianen tijdens de Tweede Wereldoorlog – toen de vs uiteindelijk met Italië in oorlog waren – niet scherper in de gaten werden gehouden als een verdachte vijfde colonne. Daar staat tegenover dat heel wat Italiaans-Amerikanen ook meevochten met *Uncle Sam* en dat hun gemeenschap intussen belangrijke politieke invloed had verworven in een aantal Amerikaanse steden.

Tijdens de Eerste Wereldoorlog waren de Duitsers in de vs nog sterker gewantrouwd. Duitsers en Oost-Europeanen werden echter niet zozeer geassocieerd met vreemde mogendheden die ze zouden dienen, dan wel met vreemde ideeën en radicale idealen. Recent hebben verschillende auteurs een interessante vergelijking gemaakt tussen de angst voor de anarchistische terreur rond 1900 en de beheptheid met de islamterreur honderd jaar later. In beide gevallen dreigden volledige etnische gemeenschappen te worden gestigmatiseerd. In Amerika veroorzaakte de moord op president William McKinley in 1901 een ware schokgolf; de dader was de 28-jarige Leon Czolgosz, een zelfverklaard anarchist en zoon van een Pruisische immigrant in Cleveland. Ook al waren er vragen over de mentale gezondheid van de schutter, de politie maakte er een samenzwering van en pakte Duitse anarchisten op in Chicago. De zaak leidde tot een aangescherpte immigratiewet: voortaan werden anarchisten – samen met bedelaars, epileptici en vrouwenhandelaars – geweerd van Amerikaanse bodem. Rond 1920 raakte het land in de ban van een eerste golf van *red scare*. De Russische Revolutie en de radenrepublieken in Duitsland voedden de angst voor het communisme. Politieke tegenstellingen, xenofobie en racisme versterkten elkaar en met de *National Origins Act* van 1924 gooide Amerika de deuren dicht.

Het politieke activisme van migranten heeft zeker bijgedragen tot de aangezwollen vreemdelingenhaat en de strengere wetgeving. Amerikanen houden in principe niet van een verdeelde loyaliteit en tegenwoordig wrijven ze dat graag onder de neus van de Mexicanen. Het Ierse voorbeeld bewijst dat het met dat principe zo'n vaart niet moet lopen. Als migranten voldoende belangstelling opbrengen voor de taal, normen en samenleving van Amerika zelf, dan lijkt het niet onoverkomelijk dat ze intussen ook nog culturele of politieke banden onderhouden met hun land van herkomst.

Immigranten en misdaad

Vreemdelingen wekken wrevel en wantrouwen op omwille van hun verschillende godsdienst, hun ideeën of hun vermeende politieke agenda. Of omdat ze de schaarse jobs inpikken op een competitieve arbeidsmarkt. Dat is al tweehonderd jaar zo in Amerika en tenminste zestig jaar in Europa. Bovendien is het bijna vaste prik om vreemdelingen te associëren met criminaliteit. Ook al is dat doorgaans een grove en racistische veralgemening, sommige etnische gemeenschappen hebben inderdaad een grotere rol gespeeld in de georganiseerde misdaad van de vs dan andere. De moeilijkheid is om te ontrafelen hoe dat kwam: waren het culturele factoren, eigen aan de groep, die hen in die richting stuurden of was het gewoon het gevolg van armoede en sociale uitsluiting?

Om te beginnen hebben nieuw ingestroomde migranten niet altijd meteen in de gaten wat de courante en sociaal aanvaarde gedragspatronen zijn in hun nieuwe gastland. De Duitsers stonden al gauw bekend als drinkebroers omdat ze – zelfs op zondag – graag en veel bier dronken. De actiegroepen die decennialang geijverd hebben voor een *prohibition* of totaal verbod op de productie en consumptie van alcoholische dranken, staken niet toevallig de kop op in de periode van de massale immigratiegolven. In de uitdijende steden, met tienduizenden Duitse en Ierse gelukzoekers, groeide ook het aantal kroegen; vooral de methodistische protestanten vonden dat een teken van verderf. Toen de anti-Duitse gevoelens tijdens de Eerste Wereldoorlog als het ware gelegitimeerd raakten, gaf dat de prohibitionisten de wind in de zeilen. 'Het feit dat de meeste bierbrouwers van het land van Duitse afkomst waren, gaf de bars en cafés een extra dreigend tintje,' schrijft Thomas Reppetto. In 1919 haalden de drankhaters hun slag thuis en werd de drooglegging goedgekeurd.

Het ging hier niet eens om misdadige activiteiten, maar in de ogen van een burgerlijke, protestantse beweging was het drinkgedrag dat door de nieuwe stedelingen werd tentoongespreid van een ruwheid en balorigheid die onaanvaardbaar leek. In moderne termen kan je spreken over een perceptie van overlast of – in Britse bewoordingen – *anti-social behaviour*.

Natuurlijk telden grootsteden als New York of Boston duizenden bedelaars, gauwdieven en straatboefjes. We hoeven heus niet ons hoofd te breken over de oorzaken daarvan: net als in de grote, uit hun voegen barstende derdewereldsteden vandaag, was het ook toen de armoede en werkloosheid en de totale afwezigheid van sociale bescherming die kinderen en jongeren die richting uit dreef. In de film *Once upon a time in America* is zo'n kinderbende te zien, in dit geval van joodse komaf. Ook de Ierse en Italiaanse gemeenschappen kenden het fenomeen: de straatratten die aan de kost kwamen als schoenpoetser, bedelaar of krantenjongen, maar die net zo bedreven waren in zakkenrollen of inbreken. Dat verschijnsel is zo universeel en was in Amerika ook zo breed verspreid over haast alle etnische groepen, dat je hier bezwaarlijk culturele factoren kan inroepen. Tenzij je de materiële wooncultuur van opeengepakte huurkazernes met veel te weinig leefruimte als een verklaring zou beschouwen voor het rondstruinen op straat. Je zou parallellen kunnen zien tussen de snel opgetrokken appartementsblokken in de Lower East Side rond 1900 en de betonnen flatgebouwen van de Parijse *banlieues* honderd jaar later.

Net zoals veel immigrantenzonen een weg zochten in een schemerland tussen straatverkoop en misdaad, zo verzeilden de dochters vaak in de gedoogzone van de prostitutie. Het mag verbazing wekken dat de allereerste opdracht voor de FBI – het Federal Bureau of Investigation – de strijd tegen de vrouwenhandel was. Met de *Mann Act* van 1910 werd het reizen van vrouwen tussen verschillende staten, met het oog op prostitutie-activiteiten, verboden; de FBI kreeg federale jurisdictie op dat domein. In het Victoriaanse Engeland en in Amerika had het thema van de blanke slavinnen pers en publieke opinie in zijn greep gekregen: het denkbeeld dat weerloze blanke meisjes, vaak nog piepjong, gekidnapt werden en in de klauwen vielen van misdadige pooiersbendes. In de VS werden die pooiers vaak bij de buitenlanders gerekend. Aan de westkust en in het ruige binnenland van de Far West viel de verdenking op Chinese criminelen. In Illinois beweerde aanklager Sims dat een internationale smokkelbende de hoertjes helemaal in Europa ging halen en in bordelen plaatste in Chicago. Net als in de strijd tegen alcohol speelden hier oprechte sociale motieven mee, maar tegelijk ook een fors puriteins ethisch réveil. De verhalen over kidnapping en internationale circuits waren naar alle waarschijnlijkheid overdreven; de armoede in de grootsteden volstond om de bordelen te bevoorraden.

Toch kan niet worden ontkend dat immigranten een vooraanstaande rol hebben gespeeld in de organisatie van de prostitutie. In

Chicago groeide de Calabrische immigrant Jim Colosimo uit tot de koning van de bordelen en gokhuizen. De prostitutie was voor hem de basis van een machtig misdaadimperium dat later werd voortgezet en uitgebreid door Johny Torrio en Al Capone. Voor Capone was de drooglegging een buitenkans: nu drank illegaal was, werd de drankhandel een goudmijn. In Chicago waren ook Ierse bendes op dat terrein actief, zoals die van Bugs Moran die door Capones handlangers nagenoeg werd uitgemoord. In Detroit opereerde een joodse groep, de *Purples*; ze stonden ook wel bekend als de *Jewish Navy* omdat ze met boten drank aanvoerden over de Grote Meren vanuit Canada. Toch valt het op hoe, vanaf de jaren 1920, voortdurend Italiaanse namen opduiken in bijna alle grote misdaadorganisaties in de Amerikaanse grootsteden. Vooral in New York kwamen Italianen aan het hoofd te staan van de misdaadpiramide. Zij verdeelden onderling de stadsbuurten, besteedden sommige activiteiten uit aan zwarte bendes (zoals de kansspelen in Harlem), deelden de buit met joodse gangsters, maar trokken gaandeweg aan steeds meer touwtjes. De vraag dringt zich op of dat toeval was of een soort culturele voorbestemming. Was de maffia het product van de omstandigheden in Amerika of een importartikel uit Zuid-Italië?

Aan het begin van de twintigste eeuw werden er in de Italiaanse buurten van New York geregeld dreigbrieven gevonden aan het adres van winkels en ondernemers die werden aangemaand om geld te betalen. Wie dat weigerde zag zijn zaak in vlammen opgaan, kreeg een bom binnengegooid of werd in elkaar geslagen. De brieven werden, in een dramatische geheimzinnigheid, ondertekend met 'de Zwarte Hand'. De Amerikaanse pers begon te speculeren of daar een buitenlandse, Italiaanse of Siciliaanse centraal geleide groep achter zat: de maffia. Volgens specialist ter zake Thomas Reppetto was daar geen sprake van. Hij legt de verantwoordelijkheid voor dat soort afpersingszaakjes bij een amalgaam van kleine bendes die van elkaar de methode afkeken. Volgens Reppetto was enkel de naam 'Zwarte Hand' uit Europa overgewaaid; anarchisten in Andalusië zouden hem als eerste hebben aangewend. Afpersing was in feite goed ingeburgerd in Zuid-Europa, met name in Sicilië en Campanië. De precieze ontstaansgeschiedenis van de maffia op Sicilië *(Cosa Nostra)* of de *camorra* in Napels blijft nog altijd voorwerp van veel discussies. Het staat wel vast dat in beide regio's bescherming door gewapende groepen tot een instituut was uitgegroeid. Het hoeft dan ook niet te verbazen dat die vorm van misdaad tot de culturele bagage behoorde die de Italiaanse immigranten in Amerika met zich meenamen.

Een meer concrete en aanwijsbare factor in de italianisering van het Amerikaanse misdaadmilieu, was de vlucht uit Italië van een groot aantal lokale maffiafiguren. Er waren altijd al criminelen, voor wie het in eigen land te heet onder de voeten werd, meegeglipt met de grote immigratiegolven naar Amerika. Na de fascistische machtsovername in Italië nam hun aantal snel toe. Mussolini had gezworen schoon schip te maken met de maffia in het zuiden; op Sicilië belastte hij de ijzeren prefect Cesare Mori met dat karwei. Maffiosi werden ongenadig nagejaagd, gevangengezet en gefolterd. Het resultaat was dat heel wat kopstukken de benen namen naar New York. Mannen als Salvatore Maranzano of Joe Bonanno vonden daar al snel hun weg in het bestaande criminele circuit en versterkten dat nog. Volgens Reppetto liep er in de jaren 1930 een culturele breuklijn door het maffiawereldje van New York: aan de ene kant de leiders die in Amerika waren geboren of er van kindsbeen waren opgegroeid, zoals Lucky Luciano of Frank Costello; aan de andere kant een oude garde uit Sicilië of Napels. De eerste groep had een steeds zakelijker aanpak ontwikkeld, leefde op grote voet en verkeerde graag in het gezelschap van politici en artiesten. De tweede groep dacht traditioneler, in termen van familie en verwantschap, schuwde contacten buitenshuis en koesterde de Siciliaanse keuken. Het zou een fraai studiethema zijn voor een doctoraalstudent antropologie: assimilatie en cultuurbehoud bij Italiaans-Amerikaanse maffiosi.

In hoofdstuk zeven komen we nog terug op de associatie tussen Italianen en misdaad in Amerika – ook al omdat het thema intussen sterk gecommercialiseerd is en haast is uitgegroeid tot een embleem van de Italiaanse gemeenschap. Het staat in elk geval vast dat Italiaanse immigranten (en hun nakomelingen) de misdaad in de vs op een aparte manier gekleurd en zelfs gestuurd hebben. Na de Tweede Wereldoorlog ontstonden er operationele banden tussen de bendes in Amerika en die in Italië, met name in de drugshandel. Daarmee is niet gezegd dat de Italiaanse immigranten de criminaliteit veroorzaakt hebben: als zij zich niet op de gokhuizen, bordelen, kansspelen, drankhandel en drugshandel hadden gestort, dan hadden andere bendes dat gedaan. Bovendien hebben de Italiaanse kopstukken langdurig samengewerkt met joodse topgangsters als Arnold Rothstein, Meyer Lansky en Bugsy Siegel. Zaken zijn zaken en zaken primeerden op etnische verwantschap. Tenslotte mag ook een keer worden vermeld dat heel wat grote en kleine maffiajagers in Amerika eveneens van Italiaanse afkomst waren: van undercoveragent Frank Dimaio, die herhaaldelijk zijn leven op het spel zette toen hij infiltreerde in misdaadbendes, tot Rudy Giuliani, die als openbaar aanklager de strijd aanbond met de fameuze *five families* van New York. In 1909 werd de Amerikaanse politie-inspecteur Joe Petrosino vermoord in Palermo, waar hij in opdracht van de vs op onderzoek was.

Kiezen voor Amerika

Amerikaanse maffiosi reisden op en neer tussen de vs en Italië, maar daarin waren ze geen uitzondering. Italiaanse emigranten waren klaarblijkelijk grote twijfelaars: blijven of terugkeren? Volgens historicus Roger Daniels hield tenminste 30% het in Amerika na een tijdje voor bekeken. Een aantal van hen migreerde en remigreerde meerdere keren. Ook bij de Grieken, de Polen en Roemenen lag het terugkeerpercentage erg hoog. Bij de Ieren lag dat veel lager; negen op de tien van hen bleven in Amerika. De hardnekkigste blijvers waren de joodse immigranten uit Oost-Europa; het sudderende en later openlijke antisemitisme in Centraal-Europa smoorde blijkbaar elk verlangen naar een terugkeer in de kiem.

Daarmee zijn we terug bij de eerder vermelde vraag: in welke mate kozen de immigranten voor een toekomst in Amerika? Uit de cijfers blijken grote verschillen tussen de diverse etnische groepen. Je ziet ook een duidelijke correlatie met hun politieke participatie: hun belangstelling om te stemmen of om zelf aan politiek te doen. De Ieren waren er van meet af aan op gebrand om in het politieke spel mee te spelen. Zoals gezegd sleepten ze daarmee tal van baantjes bij de overheid in de wacht. Het duurde dan ook niet lang voor er Ierse wijkbestuurders en burgemeesters werden verkozen. De Italianen waren veel minder enthousiast en hun klim naar de politieke top liet veel langer op zich wachten.

Een andere graadmeter was de naturalisatietrend. De Ierse en joodse eerstegeneratie-immigranten kozen massaler voor het staatsburgerschap dan de Italianen, Grieken of Mexicanen. De joodse gretigheid om aan te sluiten bij Amerika bleek verder uit hun bereidheid om hun naam te herschrijven: de Slavische namen werden verengelst.

Bovendien bleken de joodse immigranten uitzonderlijk snel door te stoten tot het hoger onderwijs. Een vergelijkbare belangstelling voor scholing en studie was er bij de Japanners aan de westkust. De vraag rijst nu of die culturele basiskeuze voor Amerika geholpen heeft bij de integratie in Amerika of integendeel het gevolg was van een relatief succesvol parcours. Hogere studies kosten veel geld; migranten met een behoorlijk salaris hadden vanzelfsprekend meer kansen om hun kinderen naar de universiteit te sturen dan hun werkloze lotgenoten. In die zin gaat economisch succes vooraf aan scholing, doorstroming en integratie. Toch kan je een salaris op meer manieren gebruiken: je kunt het investeren in Amerika of opsturen naar het thuisland. Etnische groepen die met een been in hun land van herkomst bleven hangen, stuurden meer geld naar familieleden en toonden minder belangstelling voor Amerikaans onderwijs. Daardoor duurde het langer om hogerop te komen. Zo bekeken bepaalt de culturele keuze de mate van succes.

In werkelijkheid ging het om een wisselwerking: een actieve belangstelling voor Amerika bevorderde de integratie, maar een geslaagde integratie versterkte de belangstelling. Het inburgeringstraject verliep soms met horten en stoten en de wantrouwige reactie van de samenleving maakte het niet altijd gemakkelijk. Aan de ene kant hield Amerika niet van vreemde, niet-geïntegreerde immigranten met een ander soort taal en manieren, maar aan de andere kant leidde juist de succesvolle klim op de maatschappelijke ladder tot naijver, wrevel en racisme. Dat ondervonden de joodse studenten in de vroege jaren 1920. Zelfs een eerbiedwaardige instelling als Harvard begon het aantal joodse studenten te beperken. Voor de jongeren in kwestie moet dat een uiterst verwarrende vaststelling zijn geweest: Amerika vroeg om amerikanisering, maar versperde tegelijkertijd de weg daartoe.

Het klinkt allemaal bijzonder vertrouwd. Ook in Europa krijgen de kinderen en kleinkinderen van migranten soms het deksel op de neus. Een aantal geeft het op en plooit terug op de eigen groep. Elk immigrantenkind moet zijn weg vinden in dat krachtenveld: laverend tussen de culturele basiskeuze van de etnische gemeenschap, het economisch klimaat en het racisme van de samenleving.

Taalkwesties

Sommige immigrantengroepen hebben lange tijd een tussenweg bewandeld: ze kozen voor scholing en economische integratie en richtten zich in die zin op een toekomst in Amerika. Door het onderwijs
te organiseren in hun eigen taal onderhielden ze intussen de culturele banden met het moederland en lieten ze de deur op een kier voor
een eventuele terugkeer. Duitsers, Polen en Nederlanders hebben
met dat soort anderstalige scholen geëxperimenteerd.

Vooral het wijdverbreide gebruik van het Duits wekt nu verbazing.
Al in de vroege negentiende eeuw werden er parochiescholen geopend,
van lutherse of katholieke signatuur, waar kinderen van Duitse herkomst in het Duits les volgden. Omstreeks het midden van de eeuw
rukte het Duits ook op in het openbaar onderwijs. In Ohio werden
zelfs exclusief Duitse publieke scholen toegelaten als daar vanwege
de ouders vraag naar was. Op sommige plaatsen leidde die soepelheid
van de publieke scholen, verrassend misschien, tot een versnelde integratie: met hun tweetalig aanbod wisten ze de leerlingen weg te
lokken van de parochiale gettoscholen. Geleidelijk bleek de vraag
naar Duits onderwijs in het publieke net vanzelf te verdwijnen.

Intussen zorgde de populariteit van het Duits elders tot wrevel en
tegenreacties. In Wisconsin keurde het parlement in 1890 een wet
goed die een minimaal aantal lessen in het Engels verplicht maakte,
zelfs in de Duitse parochiescholen. In Texas – nochtans ook een staat
waar veel Duitsers waren neergestreken – werd het Engels in de publieke scholen de enige toegelaten voertaal. Die maatregelen waren
duidelijk bedoeld om paal en perk te stellen aan de opmars van het
Duits en aan de Duitse zelfgekozen afzondering. Tot aan de Eerste
Wereldoorlog bleef Duits in elk geval de populairste tweede taal in
het middelbaar onderwijs, frequenter onderwezen dan het Frans of
Spaans. Toen de natie na 1915 in de greep kwam van een algemene
sfeer van verdachtmaking tegenover Duitse ingezetenen, moesten
ook Duitstalige klassen en cursussen Duits er aan geloven. Volgens
Daniels was dat, meer algemeen, een klap voor het onderwijs in alle
vreemde talen – een euvel van Amerika dat nog altijd niet is recht-
gezet.

Bij de Polen viel aanhankelijkheid aan de taal samen met loyaliteit aan de katholieke kerk. De Poolse immigranten kozen massaal
en langdurig voor eigen parochiescholen waar alle lessen in het Pools

werden gegeven. De Zweden richtten hun eigen lutherse scholen in en stichtten zelfs twee universiteiten.

Al die initiatieven getuigen van een spontane drang om de etnische groep bij elkaar te houden en om de eigen cultuur te laten voortbestaan. Toch kan je niet alles over een kam scheren. In sommige verafgelegen pioniersgebieden, waar Duitsers, Zweden of Nederlanders in groep waren neergestreken, restte hen doorgaans geen andere optie dan zelf het onderwijs aan te bieden in de eigen omgangstaal. In de stadsgetto's van Chicago of Buffalo lag dat anders; de keuze van de Polen voor Poolse scholen illustreerde een hardnekkige, conservatieve gehechtheid aan hun tradities en geloof. Zelfs de goed geïntegreerde Ieren begonnen met aparte taallessen, in de oude Keltische taal van het *Gaelic*. Bij hen was dat geen symptoom van isolement of een gebrek aan integratie, maar juist een poging om de amerikanisering wat te milderen. Ierse organisaties wilden via de taal een revival van het Ierse etnische bewustzijn realiseren. Ook dat kan een motief zijn voor anderstalig onderwijs, zoals ook in Europa later nog zou blijken. In de vs is de taalkwestie in het onderwijs weer razend actueel nu er miljoenen kinderen naar school gaan die thuis in het Spaans worden grootgebracht. Lokale overheden in Texas en Arizona breken zich vandaag het hoofd over de pro's en contra's van Spaanse klasjes, net zoals gemeenten en schoolbesturen in Wisconsin of South-Dakota aan het eind van de negentiende eeuw hun tanden stukbeten op het Duits.

Tweetaligheid in het openbaar bestuur is tegenwoordig eveneens een punt van discussie. In feite waren veel steden in Amerika al heel vroeg tweetalig: in Pennsylvania waren Duitse opschriften, nog voor de Revolutie, wijd verspreid. In 1795 zou het jonge Congres zelfs gediscuteerd hebben over een voorstel om alle federale wetten van de nieuwe republiek in twee talen te publiceren: het Engels en het Duits. Het idee werd weggestemd, maar het voorval bewijst hoe stevig het Duits voet aan de grond had gekregen. Naarmate de immigratie aanzwol, zouden er telkens nieuwe talen buurten en steden overspoelen: Chinees, Italiaans, Jiddisch, Pools, Spaans. Zelfs het Latijnse alfabet kreeg gaandeweg concurrentie van Chinese, Vietnamese en Arabische karakters. Tenslotte speelde taal ook een rol in de organisatie van het religieuze leven. Het hoeft geen verbazing te wekken dat mensen de mis of de zondagsdienst in hun eigen, begrijpelijke taal wilden horen. Op die manier bleef Duits, Nederlands of Zweeds lang de voertaal in menige gelovige gemeente. We vermeldden al de afscheuring van de Pools-Amerikaanse katholieken en de oprichting van hun Polish National Catholic Church, als gevolg van de Poolse rancune over de Ierse almacht in de katholieke hiërarchie.

Nog verbazender in zijn herkenbaarheid was de controverse over de rekrutering van priesters in de herkomstlanden van de migranten. De Frans-Canadese katholieken in New England waren erg gesteld op hun eigen priesters uit Québecq: die spraken Frans, kenden hun cultuur en konden makkelijk overkomen vanuit het nabijgelegen buurland. Iers-Amerikaanse priesters waren in de Frans-Canadese parochies niet welkom. De kwestie leidde tot scheuringen en conflicten met de bisschoppen, die de Canadezen in de pas wilden doen lopen en hen in de Amerikaanse kerk (en samenleving) hoopten te integreren. In Europa wordt nu en dan een vergelijkbaar debat gevoerd, omdat moskeeën imams laten overkomen uit hun herkomstland. Die kennen doorgaans de taal van het gastland niet en zijn veel minder vertrouwd met Europese gewoonten en cultuur. Overheden zouden liever zien dat er in Europa zelf imams worden opgeleid die in het Frans, Engels of Nederlands kunnen preken. Oudere moslims voelen zich prettiger bij predikanten die eenzelfde tongval hanteren.

Zelforganisaties en inburgering

Een moedertaal is meer dan communicatie. Een migrant kan zich verstaanbaar leren maken in een andere taal en daar zelfs erg bedreven in raken. Toch heeft hij het moeilijk om de eigen taal helemaal los te laten of vast te moeten stellen dat zijn kinderen die taal verhaspelen of verleren. Taal is immers ook een vorm van identiteit en die laat niemand graag uit handen glippen.

Als een groot aantal migranten zich min of meer bewust wordt van een verlies aan identiteit, starten ze clubs en verenigingen op om de cultuur levendig te houden. Als je in de Amerikaanse geschiedenis duikt, sta je versteld van het indrukwekkende aantal initiatieven op dat vlak. De negentiende eeuw bruiste van de etnische culturele energie: toneelkringen, muziekorkesten, dansgroepen, koren, bibliotheken, kranten en tijdschriften werden met schijnbaar gemak in het leven geroepen door zowat elke etnische gemeenschap in haast elke grote stad. Opnieuw namen de Duitsers het initiatief, ook al omdat

er onder de Duitse immigranten relatief meer geschoolde en welvarende mensen zaten met veel culturele bagage. Duitse muzikanten
en dirigenten waren erg belangrijk voor de ontwikkeling van grote
symfonieorkesten. De Duitsers lieten trouwens ook sporen na in de
populaire cultuur. In de Texaanse *tex-mex* is de polka te horen, begeleid op een trekharmonica of accordeon: allemaal Duitse import. De
Amerikaanse keuken en *fast food*-industrie is heel wat verschuldigd
aan een Hamburgse traditie van vleesbereiding.

We mogen niet uit het oog verliezen dat de verenigingen niet enkel een cultureel doel dienden. Heel wat organisaties probeerden de
nieuwkomers uit de eigen etnische groep te ondersteunen en te begeleiden. Zo hebben Duitse joden in eerste instantie financiële en
politieke steun verleend toen de joodse exodus vanuit Oost-Europa
op gang kwam. Later ontstonden er in de Jiddische gemeenschap van
New York honderden *landsmanschaften*, meestal gebaseerd op regionale verwantschap. Ze fungeerden als een mutualiteit en spaarcoö-
peratie: ze bemiddelden in de zoektocht naar werk, verstrekten leningen, betaalden een uitkering bij ziekte of overlijden of regelden een
begrafenis. Ook de Chinezen aan de westkust kenden zulke netwerken van onderlinge ondersteuning.

Tegenwoordig zouden we dat zelforganisaties noemen. In het huidige integratiedebat in Europa heeft die term intussen wat van zijn
modieuze glans verloren, omdat er een connotatie aan vast hangt van
afzondering, terugplooien en soms zelfs afwijzing van de omringende
samenleving. In die zin zouden ze integratie eerder bemoeilijken dan
bevorderen. Misschien hebben sommige groepen in het negentiende-
eeuwse Amerika eveneens zulke afwerende houding aangenomen.
Toch blijft de indruk hangen dat veel etnische organisaties in die periode behoorlijk knap werk hebben verricht. Door tienduizenden
migranten te helpen in hun aarzelende verkenning van de Amerikaanse samenleving en in hun concrete behoeften aan werk en inkomen, hebben zij hun aansluiting bij Amerika vergemakkelijkt en
versneld. Simpel gezegd: ze hebben elkaar ingeburgerd.

Dat gebeurde uiteraard niet van de ene dag op de andere en voor
veel Amerikanen duurde het allemaal te lang. Na 1900 stak er paniek
de kop op over de aanrollende immigratiegolven, vooral omdat de
laatste lichtingen van Italianen, Polen en Oost-Europese joden te arm,
te onherkenbaar en te vreemd leken. Een aantal zakenlui en burgers
lanceerden inburgeringsinitiatieven en een campagne voor amerika-

nisering, om de haveloze nieuwkomers in ijltempo in te passen in de
Amerikaanse samenleving. In de grootsteden werden Engelse taallessen ingericht voor de immigranten. Om de inburgering een officieel
karakter te geven, werden er her en der ceremoniële plechtigheden
opgezet rond de naturalisatie van immigranten. De sociologe Frances
Kellor was het boegbeeld van die campagne, maar haar beweging
hinkte op twee benen. Aan de ene kant aanvaardde ze de komst van
de immigranten en ijverde ze actief voor verbetering van hun woon-
en arbeidsomstandigheden. Aan de andere kant ging ze steeds sterker
de nadruk leggen op Amerikaanse waarden en gevoelens van patriottisme, die van meet af aan bij de immigranten dienden te worden
ingeprent. Kortom, het was een sterk paternalistische benadering van
integratie, die haaks stond op het idee van de zelforganisaties. Kellor
en haar medestanders wilden migranten vanboven uit integreren,
alsof het passieve, cultuurloze en programmeerbare eenheden waren.
Haar pleidooi voor amerikanisering viel samen met het puriteinse
activisme tegen drank en prostitutie, met de verscherpte vijandigheid
tegenover Duitsland en de Duitsers en tenslotte met de eerste vlaag
van communistenhaat. Dat alles leverde een geladen cocktail op van
Amerikaans nationalisme dat zich naar binnen en naar buiten keerde. De ontvangst van migranten gebeurde niet langer van harte; maar
als ze dan toch waren gekomen, moesten ze zo snel mogelijk opgaan
in de massa, uitgevlakt en aangepast.

Ook in Europa worden af en toe stoere, paniekerige en in wezen
naïeve voorstellen gelanceerd om er inburgering bij de nieuwkomers
in te rammen. Natuurlijk zijn taallessen en inburgeringstrajecten
belangrijk en noodzakelijk en hebben overheden daarin een rol te
spelen. Zolang immigranten echter niet actief gaan participeren aan
de echte samenleving buiten de inburgeringsklasjes, dreigt die opleiding een even oppervlakkige indruk na te laten als een spoedcursus
Spaans voor wie in Benidorm met vakantie gaat.

Voorlopige conclusies

Het waren dus niet de inburgeringsklassen die de meeste immigranten in Amerika op het pad naar integratie hebben gezet. Niet alles is
verklaarbaar en aanwijsbaar, maar de geschiedenis van de Amerikaanse immigratie in de negentiende eeuw en tot de Tweede Wereldoorlog,
laat toch een aantal voorzichtige vaststellingen toe.

Een eerste conclusie is dat integratie tijd vergt en geduld. In dit hoofdstuk hebben we problemen en controverses aangestipt die toen de gemoederen beroerden en onoplosbaar leken: Ierse straatbendes, Italiaanse kinderarbeid, joodse *sweatshops*, Poolse segregatie, racistisch geweld of een antisemitisch onderwijsbeleid. Geleidelijk zijn die een na een, nagenoeg volledig, van de radar verdwenen. Natuurlijk zijn die problemen in nieuwe vormen weer opgedoken bij nieuwe etnische groepen; maar de oude minderheden zijn de moeilijkheden schijnbaar grotendeels te boven gekomen.

Ten tweede heeft bijna elke immigrant in Amerika vroeg of laat iets om handen gehad. Werk was voor miljoenen buitenlanders de snelweg naar integratie. Voor velen ging het om werk dat ze zelf ontdekt en gecreëerd hadden: het aandeel zelfstandige ondernemers in de migrantenbevolking heeft in de vs altijd veel hoger gelegen dan in Europa. Natuurlijk horen daar nuances bij. Ook Amerika kende crisisperioden, zoals de jaren 1930, toen honderdduizenden migranten naar hun land van herkomst zijn teruggekeerd (en in sommige gevallen teruggestuurd). Mannen die in etnisch ingedeelde ploegen werkten, deden er langer over om de taal en gewoonten te leren, een les die nuttig kan zijn voor andere migratiesituaties. De hoge activiteitsgraad van immigranten in Amerika en van hun kinderen, steekt echter opvallend gunstig af tegen de uitzichtloze werkloosheid van miljoenen allochtonen in Europa.

Ten derde heeft de overheid wel degelijk een handje moeten helpen. Vanaf de late negentiende eeuw hebben stadsbesturen, staten en de federale overheid gespecialiseerde inspectiediensten opgericht, die moesten waken over de woonconditities en arbeidsomstandigheden van immigranten. De overheid stuurde toezichters uit om in de migrantenslums familiaal geweld of kinderarbeid op te sporen. Gespecialiseerde politiecellen en recherchediensten gingen inzoomen op welbepaalde etnische misdaadnetwerken. Kortom, de overheid speelde haar rol als wetshandhaver. In grootsteden als New York of Chicago vergde dat tijd en politieke strijd: het corrupte partij-apparaat van de toenmalige Democratische partij kneep liever een oogje dicht. Onder druk van de protestantse hervormers en later ook van vakbonden, de katholieke kerk en de opkomende vrouwenbeweging, begonnen regeringen evenwel steeds meer de hand te houden aan wetten en regels. Inburgeringsprogramma's mikken op normen en waarden, op een inleving in een cultuur; dat is zowel vaag als veeleisend. Wetshandhavers kijken naar regels en wetten: die zijn strikt en bevattelijk en voor iedereen gelijk.

Wat ook de verklaring mag zijn geweest, de geschiedenis van de Europese immigratie in de vs kan worden beschouwd als een dramatisch en spannend verhaal met als uitkomst een gemoedelijk happy end. In zekere zin hebben al die probleemgroepen van de negentiende eeuw – de Ieren, de Italianen, de Jiddische joden – beter gepresteerd dan twee minderheden die al veel langer in Amerika zaten: de indianen of *Native Americans* en de zwarten of *African-Americans*. De zwarte Amerikanen hebben de voorbije vijftig jaar een lange weg afgelegd. Ze hebben respect, rechten en kansen moeten afdwingen en zijn daar grotendeels in geslaagd. Het beste bewijs daarvan is de verkiezing van Barack Obama tot president. Toch heeft die zwarte minderheid nog steeds een behoorlijke achterstand in te lopen; hun scores voor onderwijs en inkomen liggen te laag, die voor eenoudergezinnen en celstraffen beangstigend hoog. In de volgende vijf hoofdstukken gaan we het rijtje af van de minderheden in het hedendaagse Amerika. De zwarte Amerikanen bijten de spits af.

3

Zwart Amerika

I wish I could share
All the love that's in my heart
Remove all the bars
That keep us apart
And I wish you could know
What it means to be me
Then you'd see and agree
Every man should be free

NINA SIMONE

Atlanta

De leden van het mannenkoor swingen met een ouderwets soort waardigheid. Strak in een donker pak, met paarse das op een wit hemd, staan ze trapsgewijs opgesteld achter de predikanten. Ze zijn met een dertigtal en het zouden allemaal jonge opa's kunnen zijn. Misschien bewaren ze nog persoonlijke herinneringen aan Martin Luther King Jr., die in deze kerkgemeente van de Ebenezer Baptist Church in Atlanta (Georgia) is opgegroeid en er zijn eerste preken hield. Het kerkje van weleer is inmiddels een museum geworden en ingeruild voor een groter gebouw aan de overkant van de straat, maar de stijl en strekking van de gebedsdiensten blijven trouw aan de traditie: een zwarte kerk met een zwarte liturgie, maar zonder charismatische uitzinnigheid. Zeker de vroege zondagsdienst verloopt relatief klassiek en sober. De kerkgangers op dit uur zijn overwegend ouder, het jonge volk wordt later verwacht. De inhoud van de gebeden, teksten en preken is politiek geladen met een achteloze vanzelfsprekendheid; er gaat geen zondag voorbij of het woord burgerrechten valt.

De voorlezer leest: 'We staan hier om onze voorouders te gedenken en tegelijk ook onze vaders, die Gods roep om gerechtigheid hebben beantwoord.'

De kerk antwoordt: 'We erkennen bovendien dat meer dan vijfhonderdtachtigduizend zwarte mannen vandaag in de gevangenis zitten. Onze strijd voor vrijheid is nog niet afgelopen. We erkennen dat de oorlog tegen drugs politieagenten en arrestatieteams in onze gekleurde woonwijken jaagt. Onze strijd voor vrijheid is nog niet voorbij.' De dienst is nog geen tien minuten aan de gang en de verzamelde gemeente dreunt al een voorbede op als een politiek manifest.

In de kerk zit een klein aantal blanken, maar het lijken voornamelijk bezoekers en buitenstaanders, zoals ikzelf. Ze zijn afgekomen op de historische naam en reputatie van de Ebenezer Baptist Church. Een predikant vraagt ons om even op te staan en heet ons allemaal hartelijk welkom. Er worden handen geschud en knuffels uitgewisseld, terwijl de koorleden heupwiegend een *gospel* zingen.

Dan is het de beurt aan dominee Raphael Gamaliel Warnock, de *senior pastor* van de kerk. Hij leest een passage uit het Boek Rechters, over Gideon die door God wordt opgedragen om op te rukken tegen de Midjanieten en die allerlei bezwaren opwerpt: angst, twijfels, ongeloof en een miezerig zelfbeeld. Dominee Warnock begint zijn preek rustig en bedaard en leest de woorden af van een papier. Geleidelijk komt hij op dreef, legt ritme in zijn woorden, herhalingen en vuur. De kerk begint meer en meer te antwoorden, aan te vullen en af en toe te klappen. Zo doen zwarte predikanten dat. Hun preek wordt een performance, een meeslepend optreden waarvan de gelovigen na afloop zullen zeggen: wat was de dominee weer goed vandaag.

Toch maakt niet alleen de stijl indruk, ook de boodschap is interessant. Warnock vergelijkt het opwellend gevoel van machteloosheid van Gideon met dat van de *African-Americans*. 'Als ik het zeggen mag, Heer: indien Jahwe met ons is, waarom is ons dit alles dan overkomen?' Die woorden van Gideon krijgen een eigentijdse vertaling. 'Als God met ons is, waarom hebben we dan nog altijd te maken met zoveel racisme? Als God met ons is, waarom dan zoveel werkloos-

heid? Als God met ons is, waarom nog zoveel lijden nadat we de burgerrechten toch dachten verworven te hebben? Als God met ons is,
waarom hielden mensen een Tea Party en waren wij niet uitgenodigd?' Bij dat laatste lachen de kerkgangers, maar Warnock zet door.
Want Gideon moest, ondanks zijn schamele toestand, de Midjanieten
de wacht aanzeggen. Hij moest er het beste van maken en dat kennen wij zwarten, zegt de dominee. 'Ze gaven ons de blues en daar
maakten wij muziek van. We vonden geen job en creëerden onze eigen jobs.' De kerk mompelt haar bijval, want hiermee raakt Warnock
doelbewust een snaar: de snaar van de fierheid in het lijden en de trots
van de weerstand.

Nog is het niet gedaan, de preek duurt tenminste een half uur. De
externe of maatschappelijke vijand is aan bod gekomen, maar ook de
innerlijke vijanden moeten worden aangepakt. De valse afgoden, de
relationele problemen, de ruzies thuis en in de familie: de gelovigen
lijken het allemaal voor zichzelf te kunnen invullen. *'We've got some
con-tra-dic-tions in our con-sti-tu-tion'*: met die woorden, ritmisch
geaccentueerd, krijgt Warnock de aanwezigen telkens weer enthousiast. Dat is de inwaartse blik van de zwarte geloofsgemeenschap,
een doorvoeld soort zelfonderzoek dat in sommige Amerikaanse kerken haast extatische vormen aanneemt, met tranen van schuldbesef,
ontlading en verlossing. Hier houdt dominee Warnock dat in evenwicht: de persoonlijke zielestrijd gaat hand in hand met de maatschappelijke en politieke strijd van de gemeenschap.

In een vroege zondagsdienst krijg ik haast alle ingrediënten aan-
gereikt van de hedendaagse leefervaring van de zwarte Amerikanen:
de nog steeds overduidelijke segregatie, de frustraties en rancune tegenover de buitenwereld, opgeblazen trots en een gebrek aan zelfvertrouwen, drugs en criminaliteit en gevangenis, verzet en discipline,
zelfredzaamheid en machteloosheid, muziek en taal en ritme en een
historisch bewustzijn dat tegelijk verlamt en inspireert.

Buiten, op een boogscheut van de kerk, staat de graftombe van
Martin Luther King en zijn echtgenote Coretta Scott. Het hele stratenblok is herdoopt tot een historische site, met een burgerrechtenmu-
seum en zelfs een 'vredespark'. Het park werd evenwel een trekpleister voor drugs, bendes en geweld. De buurt van de *Old Fourth Ward*
of *Sweet Auburn*, die volgens mijn reisgids ooit het levendige hart
was van Atlanta's zwarte middenstand en jazzcircuit, is een troosteloos stuk binnenstad geworden, overduidelijk niet in staat om de

bezoekers van kerk en monumenten gezellig te verwelkomen en een uurtje ter plaatse te houden. Het museum biedt een mooie en ontroerende terugblik op het leven en werk van Dr. King en de *civil rights*-beweging. Cynisch genoeg hoef je geen stratenblok verder te lopen of je voelt al de vermoeide armoede van een verkommerende buurt. 'Waarom nog zoveel lijden terwijl we toch dachten de burgerrechten verworven te hebben,' vroeg dominee Warnock. Ik reis door het zuiden van Amerika om hierop een antwoord te zoeken.

In het diepe zuiden of de *Deep South* – meestal omschreven als de staten Georgia, Alabama, Mississippi, Louisiana en South-Carolina – is de strijd voor gelijke burgerrechten het bloedigst verlopen. De door blanken gedomineerde staatsparlementen en stadsbesturen hadden na de Burgeroorlog verregaande apartheidswetten ingesteld – ook bekend als de zogenaamde Jim Crow-wetten – waardoor zwarten naar afzonderlijke scholen, transport en publieke voorzieningen werden verwezen. In theorie waren de diensten 'separate but equal,' gescheiden maar gelijk. In werkelijkheid werden de zwarte Amerikanen in het zuiden tweederangsburgers met minderwaardig onderwijs en een ongelijke toegang tot de arbeidsmarkt. Het kiesrecht werd hun in de praktijk ontnomen met slinkse trucs zoals leesvaardigheidstests of simpelweg met brutale intimidatie en geweld. In de jaren 1950 begonnen zwarten zich steeds meer te verzetten tegen die gedwongen segregatie. Onder leiding van predikanten als Martin Luther King Jr. en zijn Southern Christian Leadership Conference (SCLC) begonnen ze doelbewust en openlijk de regels te overtreden, door in groep kantines te bezoeken die alleen voor blanken waren bedoeld of door met een gemengd zwart-blank gezelschap de bus te nemen. Gesteund door het Hooggerechtshof stuurden ze zwarte scholieren en studenten naar blanke scholen en universiteiten. Keer op keer lokten ze haat en geweld uit bij de blanke zuiderlingen, maar zelf hielden ze vast aan de door Gandhi geïnspireerde methode van geweldloos verzet. De beelden gingen het land rond en schokten de natie: zwarte studenten (en hun blanke medestanders) die in lunchkantines met voedsel werden besmeurd en dat lijdzaam ondergingen; politiemannen die met de brandspuit protesterende schoolkinderen omver bliezen en er honden op af stuurden; reizigers die bij het verlaten van de bus door een woedende menigte in elkaar werden geslagen. Er vielen doden in de strijd, maar het tij begon te keren. De publieke opinie in de rest van Amerika kantte zich vol afgrijzen tegen de blanke brutaliteit. De federale overheid kwam tussenbeide en in het Congres raakten de zuidelijke afgevaardigden geïsoleerd. In 1964 werd de *Civil Rights Act* goedgekeurd die op papier een einde maakte aan alle vormen van segregatie en discriminatie. In 1965 volgde de *Voting Rights Act* die het kiesrecht moest vrijwaren.

Daarmee waren de wettelijke barrières geslecht en de civil rights verworven, maar de wijd verspreide armoede bleef. Martin Luther King breidde zijn actieterrein uit naar het noorden en vernieuwde zijn doelstellingen; voortaan zou hij ook de economische ongelijkheid te lijf gaan en de grote kloof tussen arm en rijk. Die campagne heeft hij niet lang kunnen doorzetten. Op 4 april 1968 werd King vermoord toen hij op het balkon stond van een motel in Memphis. Het nieuws leidde tot zware rellen in meer dan honderd steden. De hoogdagen van het geweldloos verzet en van de burgerrechtenbeweging waren definitief voorbij.

Montgomery

In het bezoekerscentrum van Montgomery, de hoofdstad van Alabama, krijg ik uitleg van een oudere blanke dame over de bezienswaardigheden van de stad. Met haar typisch zuidelijke tongval vertelt ze mij over de burgerrechtenroute die ik kan lopen, langs plaatsen en gebouwen die met de heroïsche strijd van de jaren 1950 en 1960 verbonden blijven, zoals de kerk waar Martin Luther King het startsein gaf voor een langgerekte busboycot. Vijftig jaar na de brutale repressie tegen de zwarte activisten is de burgerrechtenstrijd een toeristische troef geworden, aangeprezen door een bejaarde blanke vrijwilligster.

Gek genoeg wordt tegelijk het belang van Montgomery in de Burgeroorlog onderstreept, want het was in deze stad dat Jefferson Davis – de president van de afgescheurde Confederatie – zich aanvankelijk vestigde; je kunt er nog het 'eerste Witte Huis van de Confederatie' gaan bezoeken. Davis vocht voor het behoud van de slavernij, King vocht tegen de racistische restanten ervan. Beide episodes worden aan de bezoekers van Montgomery gepresenteerd onder de gemeenschappelijke noemer van het uitzonderlijk historisch belang. Dat is een knap staaltje van politiek neutrale marketing: zelfs blanke zuiderlingen met nostalgie naar de Confederatie kunnen hier hun gading vinden. De oude tegenstellingen zijn nog niet opgeheven, maar worden handig toegedekt.

Een van de attracties op de route is het monument voor de burgerrechten en daar heb ik vroeg afgesproken. Ik sta er al een tijdje te drentelen als een veiligheidsagent op me toe komt gestapt. Hij informeert of ik op zoek ben naar iemand, alsof hij om een wachtwoord vraagt. Als ik de naam noem van Lecia Brooks begeleidt hij me vriendelijk naar binnen. Het is acht uur in de ochtend en het Civil Rights Memorial Center in Montgomery is nog gesloten. De agent doet keurig zijn werk: bewaken en checken. Binnen zie ik dat er een metaaldetector staat opgesteld – voor de gewone museumbezoekers die vanaf negen uur zullen binnensijpelen. 'We moeten voorzichtig zijn,' zegt Lecia Brooks. 'Ons eerste kantoor is door een bomaanslag getroffen, in 1983. Dat was het werk van leden van de Ku Klux Klan. Nog altijd lopen er bedreigingen binnen tegen het centrum of zijn medewerkers.'

Het kleine museum, vlak bij het sobere maar mooie monument, is een onderdeel van het Southern Poverty Law Center (SPLC), wellicht de belangrijkste waakhond in het zuiden van de VS als het om racisme en discriminatie gaat. Toen de strijd om de burgerrechten eind jaren 1960 gestreden en gewonnen leek, stampten enkele blanke burgerrechtenactivisten uit Alabama een kantoortje voor rechtsbijstand uit de grond. 'Ze wisten dat de overheid hier nooit zomaar zou meegaan met de nieuwe wetgeving,' legt Brooks uit. 'Mensen zouden hun rechten moeten afdwingen en daar wou het centrum bij helpen.' De oprichters en boegbeelden van het SPLC riepen daarmee de woede over zich af van racistische en radicale blanke groepen. Na de bomaanslag van 1983 volgden er nieuwe terreurcomplotten en moordplannen. In totaal werden al een dertigtal mensen veroordeeld voor bedreigingen en samenzweringen tegen het centrum. Ik begin te begrijpen waarom Lecia eerst de veiligheidsman naar buiten stuurde.

'Ons actieterrein is geleidelijk uitgebreid. We richten ons op het zuidoosten van de VS, omdat hier nog minder belangengroepen voor minderheden actief zijn. We spannen burgerlijke rechtszaken aan in situaties waar we een racistische vooringenomenheid vermoeden en we verdedigen niet alleen meer zwarte Amerikanen, maar ook latino's of andere immigranten. Het kan om werksituaties gaan of om misbruiken op school. Zo is er een school waar het veiligheidspersoneel pepperspray gebruikt tegen de leerlingen; dat vinden we ontoelaatbaar en klagen we aan.' Behalve rechtsbijstand biedt het SPLC ook lesprogramma's aan met de bedoeling de leerlingen verdraagzaamheid bij te brengen. Het centrum is uitgegroeid tot een gereputeerd kenniscentrum over racisme en haatgroepen – van de traditionele Klans tot buitenissige milities en moderne *Patriot*-verenigingen. Vier keer per jaar schrijft een onderzoekscel een tijdschrift vol met alarmerende profielen: het *Intelligence Report*.

Het lijkt me op het eerste gezicht een beetje overdreven. Zijn veel van die haatgroepen geen marginale clubjes van excentrieke nostalgici die je maar beter kan doodzwijgen? Lecia Brooks gelooft in elk geval dat het oude rabiate racisme van het zuiden nog altijd voortsluimert. Ook onder jonge mensen steekt het de kop op. 'De burgerrechtenwetgeving is 46 jaar oud; dat is helemaal niet zo lang geleden. Mensen die toen opgroeiden in de overtuiging dat de blanken beter waren zijn nog altijd in leven. Zij kunnen die ideeën nog doorgeven aan de jongere generaties.'

Toch legt Lecia de oorzaak vooral bij de segregatie in het onderwijs, die in het zuiden nooit echt doorbroken is. 'Nadat het Hooggerechtshof de integratie van het publieke onderwijs verplicht had, met het vonnis *Brown vs. Board of Education* in 1954, begonnen veel steden en districten in het zuiden private scholen op te richten. In Montgomery bijvoorbeeld heb je ongeveer evenveel blanke als zwarte leerlingen. Toch zal je in de openbare scholen haast uitsluitend zwarten zien; de grote meerderheid van de blanke kinderen zit in privéscholen. De jongeren groeien nog altijd gescheiden op, soms meer dan toen er een wettelijke segregatie bestond. De blanke zuiderlingen hebben altijd een manier gevonden om hun kinderen in eigen scholen te houden.'

Dat gebrek aan integratie zou niet eens zo dramatisch hoeven te zijn, als de scholen over evenveel mensen en middelen konden beschikken. In Amerika wordt het onderwijs echter grotendeels gefinancierd met de opbrengst van een eigendomstaks op de woning. Dat systeem bestendigt de sociale ongelijkheid tussen klassen en stadsdelen en heeft zo'n ingrijpende impact dat we het later in dit boek nog een paar keer moeten vermelden. Ook voor de toenadering tussen blank en zwart werkt het averechts. Omdat de zwarte scholen bijna altijd in armere buurten staan met minderwaardige huizen vloeit daar minder belastinggeld heen. 'En de eigendomstaks is hier in Alabama al belachelijk laag,' schimpt Lecia. 'De publieke scholen heb-

ben op die manier veel te weinig geld. Dat treft alleen de zwarte jongeren, want hun blanke leeftijdsgenoten zitten in private instituten.'
De blanke politici in Alabama voelen geen enkele aandrang om de
eigendomstaks te verhogen. Waarom zouden ze, als de opbrengst enkel naar publieke scholen gaat waarop ze zelf geen beroep meer doen?
Je hoeft geen diploma sociologie op zak te hebben om te begrijpen
hoe armlastige scholen slechter onderwijs zullen aanbieden en hoe
belabberd onderwijs zal leiden tot poverdere resultaten en een hoger
aantal schoolverlaters. Die problematiek blijft trouwens niet beperkt
tot het zuiden. Over de hele vs zal je procentueel bijna dubbel zoveel
zwarte drop-outs vinden (jongeren tussen zestien en vierentwintig
die geen middelbaar diploma hebben behaald en niet meer naar school
gaan) als blanke schoolverlaters. De cijfers variëren van jaar tot jaar,
maar schommelen voor blanken rond 5% en voor zwarte jongeren
rond 9,5%. Alleen de latino's doen het nog slechter. Het spreekt vanzelf dat een gebrek aan scholing en diploma's ook niet helpt om een
plekje te vinden op de arbeidsmarkt.

Om de groeiende kwaliteitskloof tussen publieke scholen en private scholen te dichten, worden er in Amerika al een tijdje tussenwegen bewandeld. *Charterschools* worden privaat gerund maar met
publiek geld gefinancierd, hetzij door de staat, hetzij door de schooldistricten. Vaak nemen oudercomités of leraren het initiatief. Ze krijgen dan de vrijheid om het onderwijs te organiseren volgens hun eigen
pedagogische filosofie, los van allerlei voorschriften of reglementen
die in de publieke scholen van kracht zijn. Ze zijn wel verplicht om
resultaten te halen die van tevoren worden vastgelegd in een charter.
In een aantal steden, zoals New York, zijn charterscholen succesvol
gebleken: de schoolresultaten van de leerlingen gingen er beduidend
op vooruit. Met name zwarte kinderen en latino's bleken er voordeel
uit te halen. Na de verwoestingen door de orkaan Katrina werden in
New Orleans vrijwel alle publieke scholen omgevormd tot charterscholen, met positieve effecten. Toch kantten zwarte actiegroepen
zoals de National Association for the Advancement of Colored People (NAACP) zich tegen de charterscholen. In Harlem spande de NAACP
zelfs een rechtszaak in om te beletten dat er charterscholen van start
zouden gaan. De tegenstanders houden vast aan het principiële standpunt dat elk kind hoogstaand onderwijs verdient en niet enkel de
selecte groep die in de charterscholen wordt toegelaten of – zoals het
vaak gebeurt – door loting een plaats kan bemachtigen. Ze vrezen

bovendien dat charterscholen een alibi worden voor de overheid om het publieke onderwijsnet verder te laten doodbloeden. Ook tegenover magneetscholen leeft er in zwarte kringen achterdocht. Magneetscholen zijn publieke scholen die doelbewust naar raciale integratie streven, maar die hun leerlingen meestal wel selecteren op basis van specifieke vaardigheden. Dat kunnen ook artistieke of technische talenten zijn; de school biedt dan een aangepast lesprogramma aan om die verder te ontwikkelen. In magneetscholen is het evenwicht tussen zwart en blank veel groter en toch is Lecia Brooks weinig enthousiast. 'Die scholen zijn goed voor progressieve blanken. Als ze hun kinderen op privéscholen zouden inschrijven voelden ze zich waarschijnlijk schuldig. Nu kunnen ze voor het publieke net blijven kiezen, maar het is een elitaire aanpak: waarom kunnen niet alle scholen het niveau halen van de magneetscholen?'

Tja. Op die laatste vraag kan geen zinnig mens een zinvol antwoord geven, want elke leerling verdient inderdaad het beste onderwijs. Met dat extreem principiële standpunt zetten de tegenstanders nochtans weinig zoden aan de dijk. In feite kanten ze zich tegen de vorming van een kopgroep, een voorhoede die een pad kan banen en de rest van de gemeenschap daarna kan meetrekken. Hun standpunt is bovendien inconsequent, omdat de vorming van een zwarte elite al sinds honderdtwintig jaar de doelstelling is van notoire zwarte leiders en denkers. Sinds Booker T. Washington heeft de zwarte gemeenschap eigen scholen en universiteiten opgericht met de uitdrukkelijke bedoeling een elite te kneden.

Tuskegee

Het is bloedheet, zomer en vakantie op de Tuskegee-universiteit in Alabama. De campus ligt uitgespreid over lage heuveltjes, waardoor je ver kan uitkijken over het terrein. Het academiejaar is voorbij, maar er zijn zomercursussen aan de gang. Her en der slenteren jongens en meisjes, met lome tred, over de stenen paden die de keurige grasperken doorkruisen. Een auto tuft traag voorbij, uit de open ramen dreunt luide R&B die de stilte van de siësta aan stukken scheurt. Ik betrap mezelf op een kleine racistische associatie: gettogedrag op de campus? De studenten, het onderhoudspersoneel en de professoren zijn allemaal zwart. Tuskegee is opgericht door en voor zwarte Amerikanen.

Ondanks de hitte geeft Samuel Morris, ambassadeur van de universiteit, een korte rondleiding. Hij toont mij het allereerste gebouw, aan het einde van de negentiende eeuw door de studenten zelf opgetrokken; zelfs de bakstenen werden door hen gebakken. Booker T. Washington wou met opzet een school starten waar zwarte jongeren ook praktische en technische vaardigheden onder de knie zouden krijgen, eerder dan meteen te mikken op de hogere academische diploma's. Intussen is de school een universiteit geworden met een eerbiedwaardige reputatie. 'Onze afgestudeerde studenten hebben geen enkel probleem om werk te vinden,' zegt Samuel. 'Nog tijdens hun studies trekken bedrijven hen aan de mouw. De universiteit wordt hoog ingeschat.'

Hoewel Tuskegee met drieduizend studenten slechts een kleine universiteit is gebleven, heeft het instituut een belangrijke rol gespeeld in de emancipatie van de zwarten. De naam kreeg nog meer weerklank toen de school betrokken werd bij de opleiding van de *Tuskegee Airmen*, de allereerste zwarte gevechtspiloten in de Tweede Wereldoorlog. Toch was de opzet van Booker T. Washington niet onomstreden. Hij koos uitdrukkelijk voor een gesegregeerd zwart instituut, waar zwarte studenten onder leiding van zwarte professoren stap voor stap, geduldig en bescheiden zouden opklimmen tot een hoger scholingsniveau. Dat leverde hem het verwijt op dat hij de segregatie bestendigde en dat hij instemde met een ondergeschikte tweederangsrol voor de vrijgemaakte zwarten. Zijn bedoeling was nochtans een zwarte elite af te leveren die vroeg of laat op eigen benen kon staan en met de blanken kon concurreren. Booker T. Washington benadrukte het belang van zelfhulp, gemeenschapsgevoel en onderlinge solidariteit – en dat had onvermijdelijk trekjes van een soort zelfsegregatie. Er zijn in het zuiden van de VS wel meer zulke zwarte hogescholen opgericht, vaak met filantropisch geld en missionaire steun van blanke noorderlingen. Howard University in Washington DC en Morehouse College in Atlanta zijn bekende voorbeelden daarvan en in totaal werden meer dan honderd *historically black colleges and universities* (HBCU's) uit de grond gestampt. Sommige zijn intussen al lang raciaal gemengd, andere blijven in de eerste plaats trekpleisters voor zwarte studenten. Hun betekenis voor de emancipatie van de zwarte minderheid kan nauwelijks worden overschat, maar vanuit het oogmerk van de raciale integratie kan je de wenkbrauwen fronsen: alweer een kans gemist om blanke en zwarte jon-

geren met elkaar in contact te brengen. Dat ze ten tijde van de segregatie werden opgericht, valt uiteraard goed te begrijpen; het waren
doorgaans de enige instellingen waar zwarten werden toegelaten. Dat
sommige zichzelf nu nog altijd als zwarte scholen of universiteiten
profileren, kan je betreuren.

Het spoor van zelfsegregatie loopt tot vandaag doorheen de zwarte strijd om erkenning. Je vindt het in zekere zin al terug in de periode van de slavernij, toen weggelopen slaven zich in bossen of moe-
rasgebied verscholen en daar hun eigen zelfstandige gemeenschappen
vormden. Dat fenomeen van de zogenaamde *maroons* kwam in de
vs niet zo vaak voor als in Brazilië of Suriname, maar in staten als
Zuid-Carolina, Virginia en Louisiana hebben er wel degelijk zulke
autonome dorpen bestaan. Na de afschaffing van de slavernij was het
Booker T. Washington die als eerste een milde vorm van zwarte autonomie voorstond. Daarna volgde W.E.B. Dubois, die aanvankelijk
nochtans kritisch was geweest voor Washington. Geleidelijk begon
hij te dwepen met een panafrikanistische ideologie die alle mensen
met Afrikaanse wortels, waar ze ook beland waren in de wereld, wou
verenigen tegen de Euro-Amerikaanse heerschappij. Die ideeën werden nog verder doorgedreven door de Jamaicaanse immigrant Marcus
Garvey. Garvey mag dan op handen worden gedragen door fans van
reggae en rastafari, in feite vertegenwoordigde hij een opgeblazen en
zonder meer racistisch gedachtegoed. Zwarten waren volgens hem
superieur en raciale vermenging was uit den boze. Hij bepleitte en
organiseerde de oprichting van zwarte ondernemingen, met zwart
kapitaal, zodat de zwarte gemeenschap en buurten economisch zelfstandig konden worden. Op zich was dat laatste een nobele doelstelling, maar met de oprichting van de Black Star Line zeilde het plan
weer een fantasierijke kant op. De zwarte rederij moest vanuit de vs
naar de Caraïben en Afrika varen en zwarten de kans bieden om naar
hun voorouderlijke continent terug te keren. Het project ging na enkele jaren over de kop. Garvey werd aangeklaagd en veroordeeld voor
fraude en de vs uitgezet.

De fakkel werd overgenomen door een wat vreemde profeet uit
Detroit, W.D. Fahd en zijn opvolger Elijah Muhammed. Die kwamen
op de proppen met een eigen versie van het islamitische geloof: de
Nation of Islam. Volgens die beweging behoorden zwarten tot de
'oorspronkelijke stam van Shabazz' en waren ze voorbestemd om de
heerschappij over de wereld over te nemen. Net als Garvey spoorden

ze de zwarten aan om hun eigen bedrijven op te starten en bij elkaar te kopen. Elijah Muhammed schreef zijn volgelingen ook een strakke discipline voor. Dat kan een reden geweest zijn waarom een jonge delinquent uit Nebraska, Malcolm Little, in de gevangenis belangstelling opvatte voor de beweging. Na zijn vrijlating werd hij de leider van de Nation of Islam in New York, onder de naam Malcolm X. Wat volgde is bekend: Malcolm X groeide uit tot het boegbeeld van een radicaler soort burgerrechtenstrijd en retoriek dan die van Martin Luther King. Na een ruzie met Muhammed ging hij zijn eigen weg en richtte een nieuwe organisatie op, Muslim Mosque Inc. Zijn ideeen werden milder en hij nam afstand van zijn vroegere leermeesters. Begin 1965 werd hij in Manhattan door drie mannen vermoord; alledrie waren ze lid van de Nation of Islam.

Louis Farrakhan, de rijzende ster in de Nation, had vooraf nog geschreven dat Malcolm X de dood verdiende; veel later zou hij zich voor die woorden excuseren en ontkennen dat hij bij het moordcomplot betrokken was geweest. In de jaren 1970 viel de beweging opnieuw ten prooi aan ruzies en scheuringen, maar het was Farrakhan die claimde de echte Nation of Islam-traditie voort te zetten en die de meeste macht verwierf. Een tijdlang leek hij te genieten van provocaties, opruiende uitspraken en vooral antisemitische uithalen. Een van zijn bekendste beschuldigingen aan het adres van blank Amerika was het verhaal dat het aidsvirus doelbewust in een laboratorium was ontwikkeld om het in zwarte getto's te verspreiden en zo de zwarte bevolkingsgroep te decimeren. Dat soort haatpraatjes stoorde en schokte veel blanke en zwarte Amerikanen. De nadruk die Farrakhan legde op persoonlijke discipline en zelfhulp wekte echter enige sympathie. In oktober 1995 wist hij honderdduizenden zwarte mannen te verzamelen in Washington DC voor de *Million Man March*. Dat was niet zozeer een protestmanifestatie, dan wel een *statement*: hier zijn wij, zwarte huisvaders en jonge mannen en wij nemen zelf onze verantwoordelijkheid om onze problemen aan te pakken. De mars moest de stereotype beelden van de ontspoorde jongeren en de gebroken gezinnen uit de getto's ontkrachten.

De laatste jaren is Farrakhan wat milder en minder controversieel geworden. Af en toe schopt hij nog eens stevig tegen de politieke consensus, door bijvoorbeeld kolonel Khadaffi te verdedigen als de NAVO Libië bombardeert. Al bij al boezemt de 78-jarige spirituele leider nog weinig angst in en lijkt hij nauwelijks nog te provoceren. Ooit

botste ik in New York op een soort gebedsbijeenkomst van de Nation vlak bij het gebouw van de Verenigde Naties, toen Farrakhan
daar op bezoek mocht. Tientallen zwarte mannen stonden in een
soort slagorde, in dure en iets te ruime pakken en allemaal met een
strikje om de hals. Ik probeerde een praatje te maken en te informeren naar hun bedoelingen, maar alles wat ik kon vernemen was dat
ze daar waren om hun leider te steunen. De hiërarchische lijnen bij
de Nation liggen klaar en duidelijk vast; de stilzwijgende discipline
straalt zelfrespect uit, maar ook een wat stroeve en neerbuigende geslotenheid.

Die maatpakkenstijl van zelfrespect vind je ook bij een aantal
zwarte kerken terug. Er is niets mis mee dat gelovigen de zondagsdienst graag bijwonen op hun paasbest, maar sommige zwarte predikanten lijken hun devotie te willen uitdrukken aan de hand van
het prijskaartje van hun kostuums en horloges. In elk geval bewijzen
de kerkdiensten dat zwarte Amerikanen nog steeds een diepe neiging
voelen om onder elkaar samen te komen, zonder blanken of latino's.
Nergens is de segregatie zo sterk als 's zondags in de kerk, zegt het
cliché. In sommige kerkgemeenten klinkt ook een militant discours
met politieke trekjes, zoals hierboven al duidelijk werd in de Ebenezer Baptist Church van Atlanta. In de kerk in Chicago waarmee Barack Obama jarenlang verbonden was, de Trinity United Church of
Christ, ging dat discours soms een radicalere toer op. Predikant Jere-
miah Wright liet zich inspireren door een zwarte bevrijdingstheologie.
De aanslagen van 11 september omschreef hij als een signaal dat
'America's chickens are coming home to roost,' wat zoveel betekent
als: je zaait wat je geoogst hebt. Volgens Wright hadden de vs de terreur over zichzelf afgeroepen met hun imperialistisch buitenlandbeleid. Zoals bekend moest Obama nadrukkelijk afstand nemen van
Wright om zijn kansen op de Democratische nominatie gaaf te houden. Intussen was wel gebleken dat er ook christelijke kerken zijn
waar ideeën circuleren die je eerder van de segregationistische Nation of Islam zou verwachten.

Wat al die bewegingen gemeen hebben, is een verbeten voornemen
om op eigen kracht aan de vooruitgang te werken en een meer of
minder uitgesproken afwijzing van de dominante blank Amerikaanse samenleving. In de jaren 1960 was de strijdkreet die dat gevoel
moest ondersteunen Black Power. De slogan zou gelanceerd zijn door
Stokely Carmichael van het Student Nonviolent Coordinating Com-

mittee (SNCC), een van de steunpilaren van de burgerrechtenstrijd. Wat later zagen ook de Black Panthers het licht, meer precies de Black Panther Party for Self-Defense, die de doelstelling van zelfhulp nog radicaliseerde tot zelf-verdediging: ze stuurde gewapende patrouilles op pad in de zwarte wijken, om de bewoners te beschermen tegen potentieel politiegeweld. Daarnaast zette ze heel wat sociale programma's op in de getto's en haar aanhang groeide. De Panthers maakten waarschijnlijk net zo sterk deel uit van een radicale tegencultuur van de sixties als van de veel oudere traditie van zwarte zelfaffirmatie. Ze brachten zichzelf in diskrediet door hun gedweep met vuurwapens, door brutaliteiten tegen eigen groepsleden en door intern geruzie. Anders dan de Nation of Islam of de burgerrechtenbeweging hebben ze geen erfgenamen meer; voor radicaal-revolutionaire ideologieën is Amerika niet de beste voedingsbodem.

De indruk bestaat dat de meest uitgesproken vormen van de Black Power-ideologie en de militante zelfsegregatie wat uitgedoofd zijn. In plaats daarvan is misschien een soort gettotegencultuur ontstaan, met hiphop en *gangstarap*; daar komen we verder nog op terug. In een zachtere vorm leeft het ideeëngoed van de zwarte zelfaffirmatie nog voort in culturele kringen. Schrijvers, kunstenaars en sommige politici tonen een grote belangstelling voor wat ze nog steeds beschouwen als de bakermat van hun identiteit: Afrika. Zoals in elke etnische revival worden symbolen en iconen van die identiteit kunstmatig gecreëerd – of tenminste geretoucheerd – en wordt de waarheid geweld aangedaan.

In Detroit kan je het Charles H. Wright Museum of African American History bezoeken. Het brengt een verdienstelijk overzicht van de geschiedenis en voorgeschiedenis van de zwarte Amerikanen: van Afrika over de slavenhandel tot de slavernij, de Burgeroorlog, de segregatie en de burgerrechtenstrijd. Sommige etappes in de museumtour zijn als een soort *re-enactment* opgevat, zoals het slavenschip waarin je gekreun en geweeklaag hoort; de slaven zijn levensgrote poppen, dicht opeengestapeld in het ruim. Hoewel het allemaal een beetje naïef oogt, geeft het museum schoolkinderen (zwart en blank) ongetwijfeld wat inzicht in de geschiedenis en dat is goed. De pseudowetenschappelijke voorstelling van een Afrikaanse 'oermoeder' is daarentegen een beetje ergerlijk. Bovendien rept het museum met geen woord over de rol van Afrikaanse volkeren of heersers in de slavenhandel; alleen de blanken worden als slechteriken voorgesteld.

De boodschap primeert op de accuraatheid en dat is voor een museum altijd een hellend vlak. Het afrocentrisme is een van de paden die zwarte Amerikanen bewandelen om hun zwarte identiteit te definiëren. Zo was het even mode onder zwarte intellectuelen om zichzelf een Afrikaanse naam aan te meten. Je kan je afvragen waarom die behoefte steeds weer blijft opflakkeren. Zwarte Amerikanen zijn in tal van opzichten door en door Amerikaans: ze eten en drinken Amerikaans, winkelen en consumeren Amerikaans, wonen Amerikaans. Ze praten ook Amerikaans en in het zuiden viel het mij op hoezeer ze met de zuidelijke blanken het zuidelijke taaltje delen.

Toch zullen ze, in hun onderlinge communicatie, vaak uitdrukkingen en vervoegingen gebruiken die van het gangbare Amerikaans-Engels afwijken. Ze houden er ook typische vormen van lachen op na, van debatteren en zich boos maken. Zwarte Amerikanen luisteren bij voorkeur naar zwarte muziekgenres op zwarte radiostations en kijken massaal naar sitcoms over zwarte families op zwarte tv-zenders als BET *(Black Entertainment Television)*. In heel veel steden maken en lezen ze hun eigen kranten *(The Chicago Defender, The Atlanta Tribune, The Los Angeles Sentinel)*, ze verslinden hun eigen lifestyle-tijdschriften *(Ebony)*, ze hebben eigen stand-upcomedians en – zoals al aangestipt – hun eigen kerken en kerkelijke denominaties.

Of het nu ideologisch onderbouwd is of niet, de sociale en culturele segregatie is nog altijd een feit. De voorlopige conclusie is dat zwarte Amerikanen erin slagen om door en door Amerikaans te zijn. Alleen zijn ze Amerikaans op een geheel aparte wijze.

Birmingham

Sinds Randy Newman kennen we Birmingham als *'the biggest city in Alabam'*. Voorheen werd de stad wereldberoemd als een bolwerk van rabiaat blank racisme, waar burgerrechtenactivisten genadeloos in elkaar werden geslagen, waar Martin Luther King gevangen zat en waar dodelijke bomaanslagen werden gepleegd op zwarte kerken. Birmingham werd door zwarten *Bombingham* genoemd en groeide uit tot een frontlinie in de burgerrechtenstrijd. Vijftig jaar later heeft de stad een zwarte burgemeester en een *civil rights heritage trail*, een uitgestippelde route langs de plaatsen met historische betekenis.

Ik ben uitgenodigd om te lunchen met een achttal vrijwilligers uit de sociale projecten van de kerken. Stan heeft lekkere rijst met bonen gekookt, er zijn chips en frisdrankjes en ik denk: dit wordt een hartelijke samenkomst. Zelden heb ik een gezelschap echter zo snel zo bitter zien doen over de eigen stad en omgeving.

'In Alabama is het racisme nog altijd zo diep ingeprent, zo institutioneel bijna, zo systemisch, dat je het werkelijk op elk terrein en in elk aspect van het dagelijkse leven zal terugvinden,' vertelt William Boyd – en die was met stip de monterste man van de aanwezigen. 'Ik werk met daklozen en zelfs bij hen zie je racisme. Blanke daklozen staan samen in de rij aan te schuiven met zwarte lotgenoten en toch voelen zij zich beter. Blanken kunnen bovendien makkelijker een beroep doen op hulpverlening dan zwarten. Dat zie je zowel bij openbare als private hulporganisaties en je ziet het zelfs gebeuren als de hulpverleners zwart zijn.'

Mary Jones treedt hem bij. 'Ik heb ook in Chicago gewoond en gewerkt en daar kan je als zwarte veel makkelijker dingen geregeld krijgen. Hier is dat bijna onmogelijk. Hier bots je nog altijd op muren, enkel en alleen omwille van je huidskleur.'

Stormie Boddie is eenentwintig. Ondanks die jonge leeftijd kan ook zij al vergelijken met andere plaatsen. Ze betreurt vooral hoe gesegregeerd Alabama nog is. 'Ik ben in Atlanta geboren; daar gingen zwarten met blanken om in gemengd gezelschap. In Buffalo ook, maar hier zit ik op een nagenoeg volledig zwarte school, ik woon in een zwarte buurt en ik zie gewoon geen blanken meer, geen Puerto Ricanen of Mexicanen. Ik zie alleen nog zwarten! Dat weegt op je persoonlijkheid.'

De verhalen zijn soms vaag, toevallig en verward, altijd persoonlijk en overwegend zuur. Ze wekken vooral de indruk dat er iets grondig mis is met de mentaliteit van Alabama. Ik wil weten of dat racisme ook nog geschraagd wordt door lokale wetgeving. Allemaal verwijzen ze naar de ontslagwet van de staat: een werkgever kan een werknemer zonder opgave van reden op staande voet aan de deur zetten. Die zogenaamde *at will*-wet bestaat in meerdere staten, maar in het diepe zuiden is het volgens mijn zwarte gesprekspartners een vrijgeleide voor ongeremd racisme. Net omdat de werkgever geen enkele reden voor het ontslag moet aanvoeren, valt er nauwelijks iets tegen te beginnen. 'Ik heb het zelf ook meegemaakt,' vertelt Lashon, een vrouw van vijfenveertig. 'Ik heb geprobeerd een advocaat in te schakelen, maar niemand wou daaraan beginnen. Je moet zelf kunnen bewijzen dat er racisme mee gemoeid is.' Lashon begint zich meer en meer op te winden. 'Wat racisme betreft zit Alabama *in rock bottom's basement*, in het diepste putje van de kelder. Ik vertel mijn dochtertjes nu al: maak dat je weg komt uit Alabama!' Lashon staat op en bijt me toe, half voor de grap en half gemeend: 'Jakkes, je hebt me behoorlijk kwaad gekregen met je vragen!'

William eindigt met een relativerende noot. 'Weet je, het racisme hier is tenminste openlijk. In het noorden is het meer achterbaks en subtiel. *Here it's overt, there it's covert.*' Het is een uitspraak die ik vaker zal horen in het zuiden.

De vrijwilligers die ik ontmoet in Birmingham maken deel uit van een netwerk met vertakkingen over de hele staat. AlabamaArise telt honderdvijftig afdelingen en wil druk uitoefenen op het staatsparlement en de regering om het beleid socialer te maken. In Alabama krijgt een dergelijk debat altijd een raciale ondertoon. Directeur Kimble Forrister geeft een voorbeeld. 'Neem nu een wetsvoorstel om het openbaar vervoer extra geld toe te schuiven. Dan vragen blanke senatoren van buiten de stad meteen: waarom zouden wij een wet steunen die uitsluitend iets opbrengt voor zwarten in de stad?' De uitgesproken racistische wetten zijn intussen geschrapt, maar een groot deel van de wetgeving die in het parlement in Montgomery wordt afgehamerd is volgens Forrister dermate toegesneden op het blanke middenklasse-electoraat, dat de armen de facto uit de boot vallen. De lage eigendomstaks waarvan eerder sprake staat een gezonde financiering van de scholen in de weg. De bepaling dat accijnzen op benzine enkel voor het wegennet mogen worden gebruikt en niet voor openbaar transport, betekent in de praktijk dat de staat Alabama geen geld vrijmaakt voor busvervoer. Alle bussen die er rijden worden door de steden en districten *(counties)* betaald. Omdat de zwarte bevolking naar verhouding armer is dan de blanke en meer in de steden woont, worden zwarten buitensporig hard getroffen door dat beleid. 'Met de Tea Party die ook in Alabama voet aan de grond heeft gekregen is het alleen maar erger geworden. Veel parlementsleden wijzen nu principieel alles af wat publieke dienstverlening is.'

De neiging van Amerikaanse politici om te besparen op overheidsprogramma's is uiteraard niet nieuw. De Nederlandse historicus Chris Quispel ziet in het conservatieve beleid van Ronald Reagan in de jaren 1980 impliciet racistische trekjes. Reagan snoeide zwaar in de sociale uitkeringen en subsidies, terwijl hij tegelijk de belastingen verlaagde. Dat laatste kwam vooral rijkere blanken ten goede, het eerste trof de armen – en dus in hogere mate de zwarte Amerikanen. Toch kon president Reagan rekenen op brede steun onder de bevolking. Niet alleen de rijkere klassen applaudisseerden, ook blanke arbeiders uit kwijnende industriesteden konden zich vinden in zijn aanpak. Uit opiniepeilingen bleek hun verbittering over de manier waarop zwarten, in hun visie, te lang gepamperd en bevoorrecht waren. 'Voorkeursbehandeling van zwarten is in hun ogen de voornaamste reden voor hun eigen gebrek aan maatschappelijke vooruitgang.' Ze keerden de Democratische partij massaal de rug toe en gaven hun stem aan Ronald Reagan – de zogenaamde *Reagan Democrats*. Nog geen twintig jaar na de goedkeuring van de Civil Rights Act werd een beleid ontplooid dat de verdere emancipatie van de zwarten zou bemoeilijken en dat electoraal gedragen werd door blanke rancune.

Het sloopwerk van de verzorgingsstaat is sindsdien nooit helemaal stilgevallen. Onder de Democratische president Bill Clinton werd het stelsel van uitkeringen grondig herzien en nog verder teruggeschroefd, mede onder druk van het radicaal-conservatieve Huis van Afgevaardigden onder leiding van Newt Gingrich. Bij veel blanke middenklassekiezers had de overtuiging postgevat dat uitkeringstrekkers per definitie profiteerden van belastinggeld. In de populaire beeldvorming waren uitkeringstrekkers meestal zwart en woonden ze in stedelijke getto's, al werd dat niet zo vaak hardop gezegd. Je kan de lijn doortrekken naar het *compassionate conservatism* van George W. Bush, die de zorg voor de arme en achtergestelde groepen liever aan privé-instellingen overliet dan aan de overheid. De Tea Party en haar Republikeinse vertegenwoordigers in het huidige Congres vormen de recentste – en misschien wel radicaalste – emanatie van die visie. De beweging zal zelden uitgesproken racistisch uit de hoek komen en telt ook zwarte en Indiase boegbeelden, maar met haar rabiate afwijzing van ongeveer alle overheidsprogramma's verwerpt ze de gedachte dat achtergestelde groepen nu en dan een duwtje in de rug moeten krijgen. Zeker in zuidelijke staten als Alabama en Mississippi krijgt dat beleid een raciale – om niet te zeggen racistische – dimensie.

Oxford

Oxford in Mississippi is een verrassend charmant stadje. Volgens mijn reisgids ademt het een vaag Europese sfeer en dat is waar. Het centrale plein rond het witte gerechtsgebouw is omzoomd door mooie huizen in de zuidelijke bouwstijl, met hoge balkons op smalle zuiltjes en schaduwrijke arcades. Ze herbergen winkels, cafés en eethuizen die het stadscentrum een gezellige maar lome drukte geven.

Ik ben op goed geluk een restaurant binnengestapt en dat blijkt een uitstekende keuze. Er komt *cornbread* of maïsbrood op tafel als appetiser en de gerechten smaken heerlijk naar de pittige *southern cuisine*. Het restaurant is bovendien smaakvol ingericht, met houten vloeren en bakstenen muren en zit bijna tot de laatste tafel vol. Dit moet het Amerikaanse equivalent van Toscane zijn: stijlvolle antieke charme, een zwoele avondlucht en een culinair genoegen. Oxford blijkt een verademing, een oase in het braakland van de talloze zielloze stadjes van Amerika's binnenland.

Dan kijk ik wat beter om me heen en dringt het tot me door: hier zitten uitsluitend blanke klanten. Hoewel een op de drie inwoners van Mississippi zwart is en in de stad Oxford nog een op de vijf, is de enige zwarte in dit eethuis een jong meisje dat wordt opgeleid om de gasten naar de tafels te begeleiden. Ook buiten op straat zijn er nauwelijks zwarten te zien. Dit is een blanke enclave in de *black belt*: een sikkelvormige strook in het zuiden die gekenmerkt werd door een dikke, zwarte en vruchtbare bodemsoort en juist daarom ook door commerciële plantagelandbouw. Het *black* sloeg eerst op de grond, later op de honderdduizenden zwarte slaven die er in de katoenvelden aan het werk werden gezet. In het gezellige eethuis valt daar niets van te merken.

De volgende dag laat Maurice Hobson me de omgeving zien. De jonge zwarte professor doceert geschiedenis en Afrikaans-Amerikaanse studies aan de universiteit van Oxford. Hij is half academicus, een kwart journalist en een kwart antropoloog; een vat vol wetenswaardigheden met een brede interesse voor de historische, politieke en culturele achtergronden van elke situatie. Hij neemt me mee naar de wijk waar hij woont. Ze kreeg de naam Grand Oaks, in een verwijzing naar de iconische film *Gone with the Wind* over het zuidelijke plantageleven. Er staan aantrekkelijke en dure woningen, met grote graspartijen en tuinen voor en achter de huizen, ingeplant op zacht glooiende heuveltjes. 'Ik ben de enige zwarte die hier woont,' vertelt professor Hobson. 'Verder zijn het allemaal blanken: advocaten, zakenlui, profs van de universiteit. Kijk, daar heb je de countryclub die ze net hebben opgestart, met golfterrein. Behoorlijk exclusief inderdaad. Ik woon er nog niet zo lang en mijn buren doen of ze me niet kennen. Ze zeggen geen woord tegen mij.'

Als zwarte assistent-professor hoort Hobson bij de nieuwerwetse, voorzichtig progressieve stroming die in de universiteit voet aan de grond heeft gekregen, maar die door veel blanke omwonenden en werknemers argwanend bekeken wordt. De naam Oxford is niet toevallig. Toen Mississippi in de eerste helft van de negentiende eeuw plannen maakte voor de oprichting van een universiteit, stichtte de blanke planterselite in het noordoosten van de staat een nieuwe stad. Ze kozen doelbewust voor de naam van het lichtende voorbeeld uit Engeland, in de hoop op die manier de universiteit te kunnen lokken. Dat lukte en Mississippi kon voortaan, in haar eigen afgeschermde Oxford, de blanke jongemannen van de regio opleiden volgens zuidelijke waarden en inzichten.

'De bijnaam van de universiteit is *Ole Miss*,' vertelt Maurice Hobson. 'Maar ik hou niet van die benaming en zal hem nooit gebruiken. Want Ole Miss verwijst naar de zwarte nanny op de plantages, de vrouw die meestal haar eigen kinderen niet kon opvoeden omdat ze de hele tijd zorg moest dragen voor de kinderen van de blanke eigenaars. Het is een neerbuigende, racistische term. Ik heb het liever over de universiteit van Mississippi.' Niettemin kan Hobson er niet omheen: 'olemiss.edu' is het suffix van zijn academische emailadres. De zuidelijke nostalgie is digitaal verankerd en komt hem dagelijks onder ogen. Er is trouwens nog meer blijven hangen van dat blankzuidelijke gedachtegoed. De *footballclub* van de universiteit luistert naar de naam *The Rebels*, refererend aan de Burgeroorlog en de zuidelijke opstandelingen. Tot niet eens zo lang geleden ging elke wedstrijd van het team gepaard met het hijsen van de *Confederate Battle Flag* en het spelen van *From Dixie with Love*, het officieuze volkslied van de zuidelijke Confederatie. Daar is intussen door de universiteit komaf mee gemaakt, maar niet zonder verhitte debatten waarbij de gemoederen telkens hoog oplaaiden. De lokale afdeling van de Ku Klux Klan organiseerde in 2009 zelfs een betoging op de campus, uit protest tegen het afvoeren van de Dixie-song. Het was veelzeggend dat de studenten onmiddellijk een tegenbetoging op touw zetten, met

T-shirts met het opschrift *'Turn your back on hate'*. Het was een kortstondige openlijke opflakkering van een ideologische krachtmeting die meestal onder de oppervlakte blijft sluimeren.

'Eigenlijk zijn het tegenwoordig twee verschillende dingen,' analyseert Hobson. 'Je hebt de universiteit als academische instelling die zich behoorlijk progressief is gaan opstellen. Wellicht is dit hier de progressiefste universiteit van het hele zuidoosten geworden. Dat zie je ook aan de pogingen om studenten te rekruteren onder minderheden of in het buitenland. Maar daarnaast heb je nog steeds de universiteitsomgeving als een soort cultureel bastion van het zuiden, vooral gebouwd rond sport en Ole Miss en al die iconen.'

Na twee keer een zijweg te hebben ingeslagen rijden we door een sjofele buurt van trailers en caravans. Daarna stoppen we bij een zwarte verkaveling die gebouwd is als een sociaal woningcomplex: gele bakstenen gebouwen in motelstijl, waar tal van gezinnen op elkaars lip wonen. Hobson keert de auto snel, hij wil er niet te lang blijven hangen. 'Zie je hoe die wijk is weggestopt? Ik ken die buurt zelf nog maar net. Ik verwacht heus niet dat de vs een raciaal paradijs worden, maar het is toch wel interessant om te zien hoe de cultuur van deze stad en universiteit altijd expliciet blank is geweest; de zwarte bevolking werd verborgen gehouden.'

Het charmante stadje Oxford blijkt dus een akelige traditie van apartheid te herbergen. Dat woonwijken zijn opgedeeld en gestileerd op basis van inkomen is geen verrassing en valt moeilijk te vermijden. Zoals Hobson zelf kan ervaren zit daar in Oxford ook een ouderwets racistische kant aan. Zelfs een veelbelovende en welstellende professor geschiedenis is niet welkom in de blanke villawijk.

Ras en stamboom

Naar Europese maatstaven zijn de woorden ras, raciaal en racisme in dit hoofdstuk al opvallend vaak gevallen. In Europa praten we liever over etnische en culturele verschillen dan over het onderscheid tussen rassen. In Amerika is *race* een aanvaard begrip dat zelfs in de volkstelling of census wordt gebruikt. Daarin is er ook sprake van Aziaten en indianen als raciale categorie, maar in de praktijk slaat de term race in Amerika vooral op het verschil tussen blanke en zwarte Amerikanen.

Dat onderscheid is overigens opmerkelijk strak. Anders dan in landen als Brazilië of Zuid-Afrika bestaan er in de vs geen echte overgangscategorieën. Amerikanen noemen dat de *one drop rule:* één druppel zwart bloed maakt een mens onloochenbaar zwart. Die visie zou terug te voeren zijn tot de slaventijd. De onwettige kinderen die de blanke slaveneigenaar bij zijn vrouwelijke slaven verwekte, werden steevast in het slavenhuis opgevoed. In de puriteinse cultuur van Amerika was het vrijwel ondenkbaar dat de eigenaar die kinderen zou erkennen, laat staan bij hem in huis nemen. Ze behoorden dus, sociaal en cultureel, tot de wereld van de slaven en het zwarte Amerika. De zwarte gemeenschap heeft die benadering overgenomen en voortgezet, ook na de afschaffing van de slavernij. Een beetje zwart was zwart genoeg; mulatten en hun nazaten werden in de armen gesloten. Met dat ruime criterium tel je nu tweeënveertig miljoen zwarten in de vs.

In het diepe zuiden kwam daar nog bij dat er in de blanke gemeenschap weinig of geen etnische verschillen bestonden, tenzij misschien in New Orleans en Louisiana. Dat versterkte de tweedeling en volgens professor Hobson zie je dat nog altijd doorwerken. 'In een stad als Chicago kent het begrip 'blank' veel meer schakeringen. Je bent niet zomaar blank, maar Iers-Amerikaans, Italiaans-Amerikaans of Pools-Amerikaans. In het zuiden is het simpel: je bent zwart of blank, meer is er niet.' Zelfs nu loop je in Alabama of Mississippi nog weinig latino's tegen het lijf. Het valt me op dat zwarte vrouwen aan de slag zijn als hotelpersoneel en zwarte bouwvakkers de werven bemannen; elders in de vs zijn die jobs grotendeels door latino's ingepikt.

Toch spelen, op een dieper en grotendeels verborgen niveau, de kleurschakeringen binnen de categorie zwart wel degelijk een rol. 'Historisch bekeken stonden de zwarte kinderen van de slaveneigenaars wel degelijk een trapje hoger,' vertelt Hobson. 'Zij waren het die in eerste instantie terechtkwamen op die nieuwe zwarte scholen en hogescholen, vooral in Atlanta. Hun voorsprong in het onderwijs konden ze omzetten in economische vooruitgang en later ook in politieke macht. In het katholieke Louisiana, waar er veel meer ruimte was voor interraciale relaties, zag je een creoolse elite ontstaan van gemengde blank-zwarte afkomst.' Volgens Hobson hadden vier van de vijf laatste burgemeesters van Atlanta – die alle vijf zwart waren – banden met die creoolse elite. Wellicht is het niet zozeer hun lichtere huid die hen omhoog heeft gestuwd, dan wel de opleiding, macht en invloed die ze via hun stamboom hebben meegekregen. In Alabama hoorde ik een soortgelijk verhaal van een oudere vrouw met een opvallend donkere kleur. 'In sommige zwarte kerken worden heel donkere mensen buiten gekeken,' vertelde ze. 'Lichter gekleurde zwarten liggen er een schuifje hoger. Nu ben ik zelf toevallig het donkerste schaap in onze familie. Toch werd ik toegelaten in de New Hope Baptist Church, omdat de mensen mijn grootmoeder nog kenden. Die was heel licht van kleur; in haar familie was er blank en indiaans bloed geslopen.'

Het belang van *lineages* en het gewicht van blank voorouderlijk bloed is weinig bestudeerd en wordt niet vaak besproken in Amerika. In Brazilië bestaat een soort vloeiende hiërarchie: hoe lichter de huid, hoe groter de kans dat je bovenaan de sociale piramide zit. Ook in Caraïbische en Afrikaanse landen was een gemengde afkomst vaak een opstapje naar macht en succes; in Haïti en Angola wisten elites van mulatten zich in economische en politieke topfuncties te nestelen. Volgens Hobson is dat de facto ook in de vs gebeurd, maar de one drop rule maakt het moeilijker om dat te erkennen en te reconstrueren. Bovendien zullen zwarte activisten niet graag toegeven dat er ook in hun eigen gemeenschap sprake is van gedragspatronen en gevoeligheden die je racistisch zou kunnen noemen. Het hele discours over racisme en de emancipatie van de zwarten zit gekneld in een politiek-correct denkkader en vocabularium. Het valt me ook op dat er in het zuiden, sterker dan in de noordelijke steden, voortdurend nog gepraat wordt in termen van burgerrechten.

Professor Hobson beaamt en betreurt dat. 'Martin Luther King was een geweldig sterke figuur, maar het jongste historisch onderzoek toont aan dat de burgerrechtenstrijd niet pas in 1954 begon, maar al langer aan de gang was. Bovendien was die beweging niet enkel in het zuiden van de vs gebaseerd, maar ging het om een nationaal en zelfs internationaal fenomeen. Als mensen dat gaan inzien zullen ze wel wat kariger omspringen met die noties van de burgerrechtenstrijd. Hier in het zuiden zijn ze nog niet zo ver. Het klinkt hier allemaal een beetje oubollig en voorbijgestreefd, maar tegelijk is dat misschien wel symptomatisch voor de raciale verhoudingen in deze regio.' Toch wil Hobson niet enkel de zuidelijke zwarten op de korrel nemen. De hele zwarte gemeenschap, van Chicago tot New Orleans en van Los Angeles tot Miami, mag best wel wat oogkleppen afleggen, vindt hij.

'De zwarte Amerikanen moeten begrijpen dat ze de hand moeten uitsteken naar de latinogemeenschap. Als ze iets willen bereiken zullen ze dat samen met de latino's moeten doen, want hun strijd en ervaringen op dit moment zijn dezelfde als die de zwarten hebben doorgemaakt. We moeten van het idee af dat het enkel en alleen om een zwart-blanke tegenstelling draait. Zelfs de discriminatie van homo's en lesbiennes is vergelijkbaar of de discriminatie van vrouwen. Telkens loopt daar een rode draad doorheen van verdrukking en daar gaat het om. Het grootste probleem van Amerika is: ras is altijd weer de hoeksteen van hoe de Amerikanen situaties bekijken.'

Onverwerkt verleden

Charles Tucker is een reusachtige en donkere man met een baard, het soort opgeschoten figuur waarvan de afmetingen eerder een goedige dan afschrikwekkende indruk maken. Dat valt mee, want Tucker trekt er vaak op uit om mensen die met elkaar overhoop liggen dichter bij elkaar te brengen. Hij is communicatieverantwoordelijke en sociaal directeur van het William Winter Institute voor Raciale Verzoening, gevestigd op de campus van Oxford. Die organisatie probeert in Mississippi te bemiddelen tussen groepen – meestal blank en zwart dus – op plaatsen waar er spanningen zijn. 'Verschillende instanties doen een beroep op ons, overheden of lokale gemeenschappen. Ze moeten wel zelf naar ons toestappen, we gaan er niet zomaar op af als crisismanagers. We gaan er ook niet op in als slechts een persoon zegt dat er een probleem is of een van de betrokken groepen. We willen pas van start gaan als er genoeg mensen van elke groep willen meedoen. Mensen moeten eerst beseffen en erkennen dat ze met problemen zitten, anders werkt het niet.' Tucker geeft het voorbeeld van het stadje Philadelphia (in Mississippi), waar in 1964 drie burgerrechtenactivisten – twee blanken en een zwarte – door de Klan werden vermoord. Dat verhaal is niet onaardig verfilmd in *Mississippi Burning* en bij elke verjaardag van de moorden strijken er journalisten neer aan de rand van Philadelphia, die voor het oog van de camera declameren – en hier begint Tucker hun typische reporterstoontje te parodiëren – 'dat er nog niet veel veranderd is sindsdien.' Waarna ze inpakken en weer wegrijden.'
De mensen van Philadelphia waren het zat dat de pers hun stad

in een kwaad daglicht bleef stellen en nooit te veel moeite nam om met de bewoners zelf te praten. Ze wilden iets doen en een boodschap kenbaar maken. Daar waren ze het al gauw over eens, maar over het hoe en het wat liepen de meningen uiteen. De zwarten wilden een gezamenlijke mars als teken van verzoening, maar dat joeg de blanken de stuipen op het lijf. 'Dan halen jullie Jesse Jackson hierheen en worden wij blanken weer allemaal als racisten voorgesteld, geen sprake van!' De blanken wilden een resolutie opstellen, maar dat vonden de zwarten waardeloze woorden op papier. De gesprekken leverden aanvankelijk weinig op, maar werden met de hulp van het Winters Institute voortgezet.

Tucker staat nog steeds te kijken van het resultaat. 'Weet je wat we achterhaalden? Dat er mensen waren die hun hele leven in Philadelphia hadden gewoond, veertigers en vijftigers, die nooit iets vernomen hadden over die moorden, zowel bij de zwarten als de blanken. En weet je waarom? Omdat mensen al die tijd gezwegen hadden, uit angst. Angst voor de Ku Klux Klan! Ook blanke families waren als de dood voor de Klan, want die bedreigde net zo goed blanken uit de stad. Dat was iets wat de zwarten nooit geweten hadden. Dus toen ze met elkaar gingen praten, begonnen ze te beseffen dat iedereen bang was geweest. Het bleek dat ze iets gemeenschappelijks hadden.'

Je zou het onverwerkt verleden kunnen noemen. Bijna een eeuw lang heeft er in het zuiden een conflict gesluimerd tussen blanken en zwarten, met lynchpartijen en geweld, uitmondend in de burgerrechtenstrijd. 'Als je te maken hebt met raciale relaties bots je ook op de geschiedenis, op wrok en oude herinneringen. Kijk, als mensen in je gemeenschap jou kwaad hebben berokkend en ze verontschuldigen zich, dan kan je daaroverheen stappen. Als ze daarentegen niet het gevoel hebben dat ze excuses moeten aanbieden of zelfs maar dat ze een beetje voorzichtig moeten omspringen met die gevoeligheden, dan zal dat bij jou alleen maar de wrok doen toenemen. Dus bij zwarten zie je natuurlijk heel veel rancune tegenover blanken, maar op dezelfde manier heb je blanken die zich verongelijkt voelen. Want zij hebben het gevoel dat zwarten hen haten en veroordelen voor dingen waarmee ze nooit iets te maken hebben gehad.'

Op die manier komt het, onder begeleiding van het Winters Institute, tot een soort deconstructie van vooroordelen, angsten en gevoelens. De deelnemers aan de gesprekken moeten duidelijke regels naleven: niet onderbreken, luisteren, pas later antwoorden. 'Als mensen met elkaar problemen bespreken zitten ze meestal de helft van de tijd hun eigen verdediging en tegenargumenten te bedenken. Daar moeten ze van los komen.'

Als ik Tucker de gedachte voorleg dat er misschien te veel politiek sluipt in het praten over raciale relaties in Amerika, zucht hij oprecht: 'Ooh man, dat is het understatement van de eeuw.'

De Delta

De Mississippi Delta is saaier dan zijn naam zou doen vermoeden. Rijdend over is-highway 61 valt er weinig te beleven. Uitgestrekte groene velden langs weerszijden, met soja, maïs en misschien een beetje rijst – gewassen die de katoenteelt intussen naar de kroon steken. Er scheren gele vliegtuigjes laag over het land. Ze duiken, sproeien en klimmen, maken een scherpe bocht in de lucht en beginnen van voren af aan. Veel oude plantages van weleer zijn opgekocht door agrobedrijven.

Alleen de borden en wegwijzers die verwijzen naar markante locaties in de muziekgeschiedenis herinneren aan het cultuurhistorisch belang van de Delta. Dit is de streek waar legendarische zwarte zangers en gitaristen de blues ontwikkelden: Robert Johnson, Charlie Patton en Son House. Zij zongen een rauwe, rurale, haast etnische versie van de blues die makkelijk kan worden teruggevoerd tot West-Afrikaanse tradities. Ook Muddy Waters, John Lee Hooker en B.B. King groeiden op in de Delta. Zij namen de blues mee naar het noorden, stroomopwaarts met de Mississippi tot in Memphis en Chicago en maakten er elektrische stadsmuziek van: de *rhythm and blues*.

In het stadje Clarksdale wil ik het Delta Blues Museum bezoeken. De invalsweg vanuit het oosten heet New Africa Road en die naam lijkt bedoeld als een cynische knipoog. Mocht je hier in de auto plots uit een diepe slaap ontwaken zou je inderdaad kunnen denken dat het Afrika was. Een wegdek in belabberde staat, groezelige bedrijfjes en supermarktjes, gedeukte auto's en te veel volk dat schijnbaar doelloos rondhangt voor gevels en winkels. Charles Tucker in Oxford had me reeds gewaarschuwd: het is de Delta die alle statistieken naar beneden drukt en van Mississippi de armste staat van de vs maakt. In Coahoma County, het district rond Clarksdale, leeft bijna 40% van de bevolking onder de armoedegrens. Driekwart van de bewoners is zwart. Dit is een vergeetput van Amerika, een stukje derde wereld dat op de kaart van de vs is beland. Zelfs de elektriciteitsdraden langs de baan zien er aftands en ouderwets uit, net als in de films. Het land is hier generaties lang in handen geweest van een klein aantal plantages. Daardoor is er nauwelijks geïnvesteerd in publieke voorzieningen, wegen, onderwijs of gezondheidszorg. Het ziet er niet naar uit dat iemand die achterstand alsnog wil goedmaken.

Downtown Clarksdale is al even troosteloos. Een aantal van de speciaalzaken die volgens mijn reisgids de bluesliefhebbers zullen charmeren, blijken gesloten of opgedoekt. Lege etalages, weinig voetgangers, weinig beweging. Het museum daarentegen is verrassend fris en sympathiek. Gitaren, partituren, kostuums en parafernalia van lokale muziekgrootheden en dat rijtje is lang: Sam Cooke, John Lee Hooker en Ike Turner zijn alledrie in Clarksdale geboren. De bluesmuzikanten uit de Delta zijn niet te tellen. Er staat een nagebouwde blokhut, als model voor het huis waarin Muddy Waters zou zijn opgegroeid; op een scherm is een korte documentaire te zien. Allemaal charmant, maar er zijn nauwelijks bezoekers en de didactische en cultuurhistorische waarde van het museum valt mager uit.

De bakermat van de blues blijkt niet bij machte om dat muzikale erfgoed te verzilveren. Natuurlijk zijn er bluesclubs in de Delta en af en toe een festival, waarvoor de bejaarde artiesten naar hun geboortestreek terugkeren en waar de fans verzamelen. Er zijn ook nog steeds cafés – de zogenaamde *juke joints* – in afgelegen dorpen, waar amateur-muzikanten de bluestraditie in ere houden, maar om dat spoor te volgen als reiziger moet je uit ruiger hout gesneden zijn. Voor de economische ontwikkeling van dit verpauperde stukje Amerika levert het bluestoerisme schijnbaar weinig op. Bluesfanaten zullen dat toejuichen: zo blijft de authenticiteit van het genre gevrijwaard. Dat is waar, maar misschien zegt het ook iets over de grenzen van de blanke belangstelling voor zwarte muziek.

Als de zwarte Amerikanen op een vlak succesvol zijn gebleken, dan is het in de bestuiving van de Amerikaanse cultuur. We kunnen ons nog nauwelijks muziek uit de vs voorstellen die niet aan de zwarte ritmes en genres schatplichtig is. In hoofdstuk zeven, over blank Amerika, komen we daar nog op terug. Iedereen weet intussen dat *ragtime* en jazz grotendeels door zwarte orkesten en componisten zijn ontwikkeld. De rhythm and blues van Memphis beïnvloedde Elvis Presley – ook een zoon van Mississippi – die er een blanke draai aan gaf en zo een blank publiek kon lokken. In dezelfde jaren 1950 kreeg de Amerikaanse luisteraar artiesten te horen als Bill Haley of Jerry Lee Lewis. Zij maakten van de zwarte ritmes het nieuwe genre *rock and roll* of het nog blankere *rockabilly*; maar de zwarte grondtonen bleven onmiskenbaar. Toch waren er Britse artiesten voor nodig, buitenstaanders dus, om de oervorm van de rhythm and blues in ere te herstellen. Het waren de Rolling Stones en Eric Clapton die Muddy Waters bij een groot en internationaal publiek bekendmaakten. Voor het gros van de blanke Amerikanen, in de *happy days* van de jaren 1950, was de elektrische gitaarblues blijkbaar een graadje te donker. Misschien verklaart dat ook de beperkte belangstelling voor de Mississippi Blues Trail en al zijn bezienswaardigheden.

De zuidelijke *soul* van Otis Redding of Aretha Franklin, gebaseerd op de gospels uit de zwarte kerken, kon op meer bijval rekenen. Het was echter de noordelijke versie ervan, de Motown-sound uit de *motor-town* Detroit, die commercieel zou aanslaan. Dat label werd opgericht en geleid door de zwarte producer Berry Gordy, een zeldzaamheid in die tijd. Wie niet te beroerd is om tussen volslagen vreemden de swingende danspasjes na te bootsen van The Four Tops of The Supremes moet een bezoek wagen aan het Motown-Museum in Detroit. Je staat er in de echte studio waar Marvin Gaye, Smokey Robinson en de piepjonge Stevie Wonder opnames hebben ingeblikt; maar de guitige gids die je rondleidt verwacht van de bezoekers het nodige inlevingsvermogen en een actieve participatie.

The Jackson Five, met Michael Jackson, begonnen hun carrière bij Motown. Zij maakten de zwarte soul en pop nog verteerbaarder voor een breed publiek. De jaren 1970 brachten het discogenre, in blankere en zwartere variaties, maar altijd gestoeld op zwarte sjablonen. Vanaf de jaren 1980 komen nieuwe muzikale invloeden aangewaaid: de hispanics doen hun duit in het zakje met salsa uit Miami en New York en ook de Caraïbische reggae wordt opgepikt. Natuurlijk zijn ook daarin de zwarte ritmes hoorbaar en dominant. Via funk, rap en hiphop en de soms wat melige maar uiterst commerciële r&b of *urban pop* van artiesten als Beyoncé of Alicia Keys, zijn zwarte muzikanten prominent aanwezig gebleven in de Amerikaanse popmuziek.

Het is waar dat niet alle zwarte muziekgenres even vlot een brug leggen naar blanke luisteraars. Het omgekeerde is waarschijnlijk nog meer het geval: zwarte jongeren hebben geen boodschap aan *grunge* of *indierock*, aan de alternatieve rockgroepjes uit blanke voorsteden of universiteitsstadjes. Je zou zelfs kunnen concluderen dat, sinds de jaren 1980, de blanke en zwarte muzieksmaak weer uit elkaar zijn gegroeid: segregatie in de popmuziek! Dat neemt niet weg dat zowat elke rock- of popband, elke stijl en elk nummer voortborduren op de zwarte ritmes die voor het eerst in de Delta te horen waren.

Chicago

Tussen Clarksdale en Chicago liggen duizend kilometers, maar voor veel zwarte Amerikanen is de afstand niet zo groot. Volgens Maurice Hobson, de professor uit Oxford, heeft 90% van de zwarte bevolking in Chicago voorouders in Mississippi. De Grote Migratie van zwarte zuiderlingen naar het noorden, tussen 1900 en 1930, volgde strakke en herkenbare routes. De mensen van Mississippi en Arkansas volgden de rivier naar Chicago. Hun lotgenoten uit Georgia en de Carolina's kwamen in New York terecht. De zwarten uit Alabama streken neer in Detroit en vanuit Texas en Oklahoma trokken ze naar Los Angeles en de westkust.

Opmerkelijk genoeg is er nu sprake van een omgekeerde beweging: de zwarten keren terug naar het zuiden. Dat is al een paar decennia voorzichtig aan de gang, maar de laatste jaren nog versneld. Ze vestigen zich vooral – maar niet uitsluitend – in de nieuwe metropolen van het zuiden, zoals Atlanta in Georgia of Charlotte in Noord-Carolina. Uit de census 2010 blijkt dat 55% van de zwarte Amerikanen weer in het zuiden woont. Dat niveau is het hoogste sinds 1960. New York blijft nog altijd het grootste zwarte stadsgebied, maar in de top drie werd Chicago voorbijgestoken door Atlanta. 'Tja,' zei Hobson me, 'het zuiden is toch nog altijd een beetje het voorouderlijke vaderland voor de zwarten in Amerika.'

Nochtans is het meestal geen heimwee of zuidelijke nostalgie die de aanzet geeft tot die interne remigratie. Het noorden is simpelweg duurder, zeker wat woningprijzen en eigendomstaksen betreft. Bovendien bleken de Midwest of New York niet het beloofde land van melk en honing. Voeg daar verder maar de recente economische crisis aan toe, die lelijk huis hield in de oude industriesteden.

In de vroege ochtend loop ik door de stille straten van de zwarte buurt Brownsville, een deel van Chicago's South Side; ik ben in het

verkeerde metrostation uitgestapt en moet nu een paar huizenblok-
ken goedmaken. De straten en huizen zien er niet onaardig uit; ruim
en hoog, mooie gevels, trapjes en voorportalen. Alleen blijkt menig
huis te zijn dichtgespijkerd met gele triplexplaten. Vuilnis in de voortuintjes en bordjes *for sale*: in deze buurt is *foreclosure* – het huis dat
door de bank wordt aangeslagen – een ingeburgerd begrip. De recessie
mag dan officieel voorbij zijn, de littekens zijn nog zichtbaar in het
straatbeeld. Wat vooral opvalt en bevreemdt, is het totaal gebrek aan
winkels in de straat. Zelfs op South King Drive, de centrale verkeers-
as van de buurt, zie je nauwelijks een handelszaak.

'Het is hier een *food desert*,' zegt Sokoni Karanja. Hij is de 71-ja-
rige stichter en directeur van het buurtcentrum Centers for New
Horizons. 'Je kunt hier letterlijk mijlen lopen en slechts één supermarktje tegenkomen. En als er winkels zijn, laat de kwaliteit zwaar
te wensen over.' Voor Karanja is het niets minder dan een triomf dat
er onlangs toch een nieuwe supermarkt haar deuren heeft geopend.
Die verruimt het aanbod voor de bewoners, brengt leven in de buurt
en levert bovendien een handvol banen op. Karanja is blij met elke
job die in de wijk gecreëerd wordt. 'We hebben nagetrokken waar de
meeste buurtbewoners uit werken gaan, als ze al werk hebben. Bijna
al die banen liggen kilometers van hier, in het stadscentrum of aan
de universiteit. In Brownsville zelf valt er nauwelijks een baantje te
versieren. Nu er gesnoeid wordt in de kinderopvang krijgen jonge
moeders het nog lastiger om buitenshuis te werken.' Het lijkt onwe-
zenlijk, maar in Brownsville is een supermarkt een teken van vooruitgang.

Dat het zo moeizaam gaat om winkels aan te trekken wijt Karanja aan de slechte reputatie van de buurt: buitenstaanders aarzelen om
hier te investeren, uit angst voor criminaliteit of omdat marktonder-
zoek van tevoren uitwijst dat de koopkracht van de bewoners zal te-
genvallen. Nochtans is Brownsville zeker niet het ergste getto van
Chicago. De stilaan bejaarde Karanja kan terugblikken en vergelijken.
'Ooit was dit een raciaal gemengde middenklassenbuurt, daarna werd
ze steeds zwarter. Binnen die zwarte gemeenschap zag je een grote
sociale verscheidenheid: dokters woonden naast arbeiders of werklozen. Die sociale mix hield de wijk levendig en gezond. Het is vooral
in de jaren 1970, toen het stadsbestuur besloot om hier sociale woon-
blokken neer te poten – maar liefst elfduizend flats! – dat het evenwicht verstoord raakte. De beterverdieners trokken naar andere buur-

ten en Brownsville takelde af. Tot er zich, vijftien jaar geleden, weer schuchter een ommekeer aandiende. De sociale woonprojecten werden gesloopt, zwarte middenklassers keerden druppelsgewijs terug en investeerden opnieuw in de wijk. Aan de South King Drive werden gevels en portieken opgeknapt, maar toen kwam de recessie en viel alles weer stil.'

De recessie is de recentste oorzaak van de verarming, maar de haast cynische stadsplanning, waarbij duizenden sociaal zwakkeren in een al kwetsbare wijk werden gedumpt, heeft Brownsville wellicht voor decennia getekend. Chicago wordt vaak de meest gesegregeerde stad van de vs genoemd. Ook blanken hebben er lange tijd in etnisch homogene buurten gewoond: Ieren bij Ieren, Polen met Polen. De grote zwarte gemeenschap van de stad kwam aan de zuidkant en de westkant terecht, vaak in arbeidersbuurten waar de blanken hun koffers pakten. De doelbewuste concentratie van zwarte probleemgezinnen in een zwarte wijk lag in de lijn van die traditie. Om de segregatie van Chicago te begrijpen kan je grafieken of ingekleurde kaartjes lezen, maar je kan ook de L-stadstrein nemen, vanuit het centrum naar het zuiden. Met elk station neemt het aantal blanke reizigers zienderogen af, tot er alleen nog zwarten in de treinstellen zitten.

Toch is die doorgedreven segregatie nog geen verklaring voor de afwezigheid van winkels. Het gebrek aan ondernemerschap is werkelijk een van de raadsels van het hedendaagse zwarte getto in Amerika. Vaak zijn kapsalons en drankwinkels de enige handelszaken die je in zo'n wijk zal tegenkomen. In vergelijkbare buurten met een andere etnische of raciale samenstelling – armere latinobuurten, Arabische of Chinese getto's – zijn er, ondanks de lage inkomens en koopkracht, doorgaans meer winkels gevestigd. Sterker nog: in Brooklyn is de bevolking van de Caraïbische wijk North Crown Heights eveneens zwart en daar barst het van de winkeltjes. Die zijn pover en sjofel, maar doen dapper door. Waarom kunnen de Jamaicaanse immigranten – met de moed der wanhoop – wat de zwarte Amerikanen niet lijkt te lukken? Wat belet zwarten om een zaak te beginnen?

Soms wordt gewezen op de historische erfenis van de Jim Crow-wetten in het zuiden. Daar werd een succesvolle zwarte ondernemer of handelaar door de blanken meestal als een bedreiging gezien voor de sociale orde en actief tegengewerkt. Racisme zou ook een rol spelen en verder een ingebakken argwaan bij de banken om aan zwarten geld te lenen. Ik hoorde in Amerika bovendien verhalen over blanke kruideniers die in zulke buurten hardnekkig hun monopoliepositie bewaakten en potentiële concurrenten omkochten. Dat zou vroeger vaak zijn voorgekomen, maar nu lijkt dat nauwelijks nog aannemelijk als verklaring. Overtuigender is het argument dat zwarten, in vergelijking met andere etnische minderheden, weinig specifieks te bieden hebben. De andere minderheden werken binnen een etnische niche, met eigen voedingswaren, kleren of huisraad die ze vanuit hun thuisland aanvoeren en verhandelen. In die etnische speciaalzaken hoeven zij niet te concurreren met kapitaalkrachtiger Amerikaanse ondernemers. Zwarte Amerikanen daarentegen eten of consumeren geen andere producten dan die uit de supermarkt. Ze zijn, in zekere zin, te gewoon Amerikaans om een niche te veroveren, te weinig etnisch voor etnisch ondernemerschap.

In 2007 telde het Census Bureau bijna twee miljoen bedrijven die door een zwarte zaakvoerder geleid werden. Dat cijfer stemde optimistisch, want het ging om een toename met 60% in vijf jaar tijd. Toch valt het op dat amper honderdduizend van die ondernemingen een betaalde werkkracht in dienst hadden: haast altijd ging het om eenmans- of eenvrouwszaken. Je mag denken aan schoonmakers, begrafenisondernemers, klusjesmannen, wasserijen en andere betrekkingen in de dienstensector. Het cijfer dateert bovendien van voor de recessie; ongetwijfeld zijn veel van die bedrijfjes over de kop gegaan.

Daar stond tegenover dat veertienduizend bedrijven inkomsten noteerden van meer dan een miljoen dollar. Zowat elke grote stad in Amerika telt tegenwoordig een *black* of *African-American* Kamer van Koophandel – en daar zijn vermoedelijk weinig kappers of begrafenisondernemers bij. Dat geeft dan weer aan dat een kleine elite van zwarte bedrijfsleiders wel degelijk succesvol is. Alleen rijst het vermoeden dat ze weinig in zwarte buurten investeren.

Die vaststelling is misschien niet erg vleiend voor de zwarte elite van Amerika, maar daarom niet minder pertinent. Voor een verklaring moeten we, vrees ik, de psychologische toer op. In haar biografie over *first lady* Michelle Robinson Obama heeft Liza Mundy dat ook gedaan en haar opmerkingen zijn interessant. Volgens Mundy was Michelle in haar tiener- en studententijd een typisch voorbeeld van het begaafde zwarte middenklassenmeisje dat heen en weer werd geslingerd tussen verantwoordelijkheidsbesef en schuldgevoel. Aan de ene kant had zij het idee dat ze moest slagen in een carrière om de achtergestelde zwarte gemeenschap van Chicago vooruit te kunnen helpen. Aan de andere kant bekropen haar twijfels en gevoelens als-of ze, precies door haar succes, haar zwarte lotgenoten in de steek zou laten of de rug zou toekeren. Aan de universiteit van Princeton maakte ze van haar eigen worsteling zelfs het onderwerp van haar scriptie: *Princeton-Educated Blacks and the Black Community*. Ze verweet zichzelf dat ze doordrongen was geraakt van 'conservatieve waarden' en dat ze blanke doelstellingen najoeg: 'een prestigieuze vervolgopleiding of een goedbetaalde baan bij een succesvol bedrijf'. Michelle Robinson was, met andere woorden, bang om te slagen en carrière te maken, zoals slimme leerlingen soms bang zijn om goede punten te behalen als de rest van de klas dat kwezelig vindt.

Het is uiteindelijk nog goed gekomen met Michelle. Ze koos voor de goed betaalde banen, maar liefst in maatschappelijk relevante sec-toren. In de campagne van Barack Obama heeft ze haar zwarte toe-hoorders keer op keer voorgehouden dat ze niet bang mogen zijn voor ambitie en succes, maar dat succes ook de verplichting met zich meebrengt om iets terug te doen. Volgens Mundy was het Michelle die de slogan *Yes we can!* doordrukte, nog tijdens Obama's campagne voor de senaatszetel van Illinois. Voor haar had de slagzin een raci-ale ondertoon: wij zwarten kunnen het ook. Zelfs al heeft Obama dat zelf nooit zo bedoeld, miljoenen zwarte Amerikanen hebben het tij-dens de latere presidentiële campagne wel degelijk zo aangevoeld.

Het voorbeeld van Michelle toont aan hoe zwaar de psychologi-sche en sociale druk kan zijn op talentvolle zwarte jongeren uit arme-re zwarte buurten. Het waren niet alleen de blanken in het zuiden die wrok koesterden tegen succesvolle zwarten; ook zwarte Ameri-kanen zelf hebben veel te vaak de neiging om succes als *whitey* te brandmerken. De manier waarop zangers, acteurs, sportlui en politi-ci getaxeerd worden op hun zwarte authenticiteit en afgebrand wor-den als ze ook bij blanken of andere bevolkingsgroepen in de smaak vallen, is soms ronduit belachelijk. Ongetwijfeld spelen er meer fac-toren een rol om te verklaren waarom de middenstand in zwarte wij-ken zo moeilijk uit de startblokken raakt. Toch is het best mogelijk dat die negatieve groepsdruk, de diep ingesleten overtuiging dat zwar-ten niet kunnen en niet mogen slagen, ertoe bijdraagt dat succesvol-le zwarte ondernemers het getto verlaten en elders investeren.

Zwart en oranje

In zijn meest doorgeschoten gedaante wordt die sluimerende rancune tegenover carrière en succes een echte tegencultuur. Het mechanisme is bij sociologen en antropologen alom bekend: minderheden die geen succes boeken volgens de normen en waarden van de dominante samenleving creëren uiteindelijk hun eigen normen en waarden. Liever dan telkens onderaan de ladder te belanden stellen ze zelf een pikorde in. De pikorde van het zwarte getto berust op misdaad, wapenbezit, angst en intimidatie. Carrière maak je niet op school, maar op straathoeken en in de gevangenis.

Het beeld van zwarte *gangs* en gettogeweld dat we kennen van film en televisie is niet uit de lucht gegrepen. Langetermijnstatistieken bevestigen dat drugs- en wapengeweld voornamelijk aan zwarten zijn toe te schrijven. In de drie decennia tussen 1976 en 2005 werd meer dan de helft van de moorden door een zwarte dader gepleegd, hoewel de zwarte minderheid nog geen 14% van de bevolking uitmaakt. Een gelijkaardige wanverhouding – 47% – zag je bij de slachtoffers. Het meeste geweld in Amerika blijft inderdaad binnen de eigen raciale groep. Meestal hadden de moorden van en op zwarten te maken met drugs. Tot voor kort liep een zwarte Amerikaan zes keer meer kans om vermoord te worden dan een blanke landgenoot. Voor zwarte jongemannen tussen vijftien en vierendertig is moord nog steeds met stip de belangrijkste doodsoorzaak. Er is echter geen snellere weg om te begrijpen hoe diep de zwarten als groep in misdaad en geweld verstrikt zijn geraakt, dan door een blik te werpen op de gevangenisbevolking.

Eind 2009 zaten er twee miljoen driehonderdduizend Amerikanen achter de tralies. Dit boek zou een apart hoofdstuk kunnen wijden aan die gedetineerden onder de noemer oranje: een onvoorstelbaar omvangrijke groep mannen en vrouwen in oranje *jumpsuits*. Er valt heel veel te zeggen over het Amerikaanse rechtssysteem en de overtrokken neiging om kleine misdadigers of drugsdealers tot jaren celstraf te veroordelen. Veel staten hanteren bijvoorbeeld het *three strikes*-principe: na een derde misdrijf is de rechtbank verplicht een forse gevangenisstraf op te leggen. In Californië wordt die wet het onverbiddelijkst toegepast; daar kan ook een kleine winkeldiefstal als *felony* of misdaad worden aangerekend en leiden tot langdurige (en soms levenslange) celstraffen. Het hoeft dan ook niet te verbazen dat de gevangenissen overvol zitten. De wantoestanden werden zo dramatisch dat het Hooggerechtshof in de lente van 2011 de staat Californië verplichtte om in te grijpen. Binnen een termijn van twee jaar moet het aantal gedetineerden met dertigduizend naar beneden. Volgens het Hof waren de leefomstandigheden een vorm van wrede en ongebruikelijke bestraffing en als dusdanig ongrondwettelijk.

Wie wat beter naar de gedetineerden kijkt, ziet voornamelijk zwarte hoofden uit de oranje pakken te voorschijn komen. Bijna vier op de tien gevangenen zijn zwart, twee op de tien zijn latino. Misschien hoeft dat niet te verbazen als je bedenkt dat zwarten ook vaak bij moord en geweld betrokken zijn, maar toch is dat niet de enige verklaring voor hun massale aanwezigheid. Zwarte verdachten hebben doorgaans minder middelen om een goede advocaat of borgsom te betalen. Rechters en aanklagers van hun kant tonen zich graag *tough on crime*, want in de vs worden lokale magistraten verkozen door de burgers. Er gelden strengere gevangenisstraffen voor de zwarte gettodrug *crack* dan voor de blanke cocaïne. Bovendien beweren burgerrechtengroepen dat de politie ook intensiever op zoek gaat naar drugsdelinquenten in zwarte wijken dan in de betere blanke buurten.

Jammer genoeg staat een celstraf in de vs zelden gelijk met een verbeteringstraject. De bendecultuur van de straat loopt door tot in de gevangenis. Wie nog niet bij een bende zat toen hij binnenkwam, is er wellicht lid van als hij buitengaat. Waarmee we terug zijn bij het culturele aspect van de problematiek: de verheerlijking van het getto en een groezelig soort zwart machismo.

Baltimore

'If it's done smoothly
Silencers on the Uzi
Stash in the hooptie
My alibi, any cutie
With a booty that don't fuck the Pop
Head spinning, reminiscing bout my man C-Rock

Somebody's gotta die
If I got, you gotta go
Somebody's gotta die

Let the gunshots blow
Somebody's gotta die
Nobody gotta know
That I killed yo ass in the mist, kid'.

Bovenstaande fijnzinnige tekst komt uit een nummer van Notorious
B.I.G., een zwarte rapper uit Brooklyn. Het lijkt me nodig noch wen-
selijk om de verzen te vertalen, maar de lezer begrijpt dat het over
een afrekening gaat, over wapens, auto's, vrouwen en moord. Dat zijn
de vaste ingrediënten van het gettoleven of tenminste van het beeld
dat daarvan in rap en hiphop wordt opgehangen. Beide muziekgenres,
die dicht bij elkaar liggen, ontstonden in de late jaren 1970 en 1980.
Het subgenre van *gangstarap* ging het verst in de cultivering van wapengeweld en gevaar. Daarin wordt de sfeer haast zelfdestructief en
suïcidaal. '*Somebody's gotta die,*' zong Notorious B.I.G. en korte tijd
later werd hij zelf doodgeschoten in zijn wagen bij een stoplicht in
Los Angeles. Tupac Shakur werd vermoord in Las Vegas. 50Cent kreeg
in Queens negen kogels door zijn lichaam, maar overleefde het. De
rappers mochten dan miljoenen platen verkopen, ze bleven de gewelddadige sfeer van het getto achter zich aan slepen.

In de jaren 1990 lokte de gangstarap geregeld verontwaardigde reacties uit van blank Amerika, zeker als het over de vijandige relatie
met de politie ging. Af en toe werden platen en artiesten geboycot.
Ook feministen hebben zich, terecht, geërgerd aan de manier waarop
in teksten en videoclips zwarte meisjes herleid werden tot willoze
seksspeeltjes van de met gouden kettingen behangen machozangers.
Dat de teksten ook stijf stonden van het geweld tussen zwarte jongeren onderling leek minder ophef te maken.

Bij sommige rappers sluipt er een sociaal-politieke boodschap in
hun nummers, anderen gaan zelfs de spirituele toer op. In het algemeen evoceert de gangstarap evenwel een nihilistische en agressieve
levensstijl en als zodanig een radicale tegencultuur. De gangstarap
esthetiseert in zekere zin het rauwe, harde en misdadige gettobestaan,
zoals de Italiaanse maffia ook mooier werd in de *Godfather*-films dan
in het echt. Het is bijna cynisch dat die voorstellingswijze ook aanslaat bij een blank Amerikaans publiek. Regisseur Spike Lee noemde
dat ooit de '*minstrel show* van de eenentwintigste eeuw,' waarmee
hij bedoelde dat zwarten zichzelf opvoeren zoals blanken hen graag
stereotyperen: als gewelddadig, gevaarlijk en crimineel.

De jongste jaren is het genre de ergste uitwassen een beetje ont-
groeid. Er is zelfs, heel voorzichtig, sprake van een kentering in het
misdadige gettobestaan. In vrijwel alle grote steden is het aantal mis-
daden gedaald. In tijden van recessie is dat opmerkelijk. Neem nu
Baltimore, een grotendeels zwarte stad met hardnekkige drugs- en
criminaliteitsproblemen. Daar werd in 2010 een spectaculaire daling
van het aantal moorden genoteerd: van eenendertig naar twintig, een
daling met 35% tegenover het jaar voordien. Die ommekeer was al
een tijdje aan de gang.

'We hebben op veel fronten tegelijk gewerkt,' vertelt commissaris
Frederick Bealefeld van Baltimore als hij me in zijn kantoor ontvangt.
'We hebben ingezien dat het niet genoeg was om er zomaar op los te
arresteren.' De commissaris heeft gekozen voor een aanpak die het
puur repressieve overstijgt. 'Als we iets willen doen aan de misdaad
in Amerika zullen we heel wat problemen tegelijk moeten aanpakken en niet enkel extra politieagenten aanwerven of gevangenissen
bijbouwen.'

Bealefeld noemt twee sporen die volgens hem een verschil kunnen maken. 'We kunnen onze resultaten optimaliseren door te focus-
sen op de jonge kinderen, de zes- tot twaalfjarigen, de leeftijd waarin
ze nog niet in een bende verstrikt raken. Daarvoor moeten we de
juiste mensen inzetten. Voor de politie hebben we agenten nodig die
niet enkel de orde willen handhaven, maar die zich ook betrokken
voelen bij de buurt waar ze werken. Dus het helpt als we mensen
kunnen rekruteren die zelf uit die moeilijke wijken afkomstig zijn.'
Agenten met *street credibility* dus, om de kinderen op het rechte pad
te houden voor het te laat is. Toch is 'meer blauw op straat' volgens
de commissaris nog niet genoeg. 'We moeten ook voormalige gedetineerden de buurten in sturen, zodat die de kinderen kunnen vertellen wat de gevolgen zijn als je met wapens speelt.' De politie van
Baltimore volgt een gedurfde strategie: ze gaat in zee met zware jongens die tot inkeer zijn gekomen.

Leon Faruq is zo'n ex-gedetineerde. 'We proberen de kinderen af
te helpen van dat stoere beeld en dat rolmodel van de drugdealer. Ik
stel vast dat veel van die kereltjes, van tien of elf jaar of zo, rond ons
komen hangen. We beginnen onze eigen bende te vormen, we worden
zelf een beetje een rolmodel.' Voor Leon is het duidelijk waarom het
zo vaak misloopt met jongens in het getto. De problemen worden
doorgegeven van generatie op generatie. 'Je moet je voorstellen dat je

als tienermeisje een baby krijgt. Vijftien jaar later ben je volwassen en heb je misschien al vijf of zes kinderen, maar een man of vader in het huishouden is er niet meer, die zit opgesloten of is ervandoor. Dus die baby is intussen vijftien en je slaagt er niet in om die in de gaten te houden.'

Leon Faruq legt me uit dat hij meer doet dan preekjes houden voor rondhangende tieners. Als bezieler van *Safe Streets* is hij tegelijk een soort vredesgezant, in een buurt waar een ruzie al snel uitgroeit tot een schietpartij. Telkens als er een gewelddadig incident is geweest, probeert Safe Streets de bewoners te mobiliseren om samen een signaal uit te sturen dat nieuw geweld geen oplossing is. In een specifieke probleembuurt werd bemiddeld in een vijftigtal conflicten, gespreid over een vijftiental maanden. Het valt moeilijk haarscherp te becijferen hoeveel schietpartijen of moorden daarmee voorkomen werden, maar in elk geval is er in die periode geen enkele dode gevallen.

(Tijdens de ontmoeting op het politiekantoor kom ik niet te weten wat Faruq precies op zijn kerfstok heeft. Later verneem ik meer details, jammer genoeg in een artikel uit *The Baltimore Sun* over zijn overlijden. Faruq was een carrière als jeugddelinquent gestart vanaf zijn dertiende. Hij reeg de inbraken, roofovervallen en periodes in de jeugdgevangenis aaneen. Uiteindelijk werd hij veroordeeld in een moordzaak, maar na zevenentwintig jaar raakte de rechtbank toch nog overtuigd van zijn onschuld en kwam hij vrij. In de cel was hij beginnen te lezen en studeren als een bezetene. Toen hij in 2000 de gevangenis verliet, had hij drie diploma's op zak. Hij stierf negen jaar later aan een nierziekte, op 58-jarige leeftijd.)

Werken met mensen uit de gemeenschap, zelfs al hebben ze tot aan hun knieën in de misdaad gezeten, is voor commissaris Bealefeld van Baltimore een doelbewuste keuze. Een ander spoor dat voor hem prioriteit heeft, is de harde aanpak van wapenbezit. 'Van alle mensen die we voor de rechter brengen voor moord is de helft voordien al eens veroordeeld voor inbreuken op de wapenwet. Als we heel stevig en hard kunnen reageren op dat soort misdrijven, dan verminderen we de kans op geweld.' Het lijkt een vanzelfsprekende gemeenplaats, maar in de vs is dat jammer genoeg niet het geval. De voorbije jaren is het wapenbezit in heel wat staten eerder versoepeld dan aan banden gelegd. Wie een voorstel lanceert om de wapenverkoop strikter te controleren, mag een storm van protest verwachten en maakt zich weinig populair. Voor Amerikaanse rechters, burgemeesters of volksvertegenwoordigers is het politieke zelfmoord om daarvoor te pleiten. Ook president Obama heeft het thema tot nu toe angstvallig vermeden.

Manassas

Het is de laatste toespraak van Barack Obama op de laatste dag voor de verkiezingsdag. Het podium kijkt uit over een licht naar boven golvend terrein, zodat de mensenzee te zien is tot de laatste rijen achteraan. Vanavond zijn er in Manassas, in Virginia, tachtig- tot honderdduizend mensen samengestroomd. Het wordt tien uur en later, maar dat deert de mensen niet. Ze wachten geduldig. Er hangt iets in de lucht, een kietelende opwinding. Als journalist ben je bevoorrecht en maak je af en toe geschiedenis mee, maar dit is nog een andere en zeldzamere gewaarwording: een voorgevoel van geschiedenis. Morgen verandert Amerika. Morgen wordt de eerste zwarte president van de vs verkozen. Geen twijfel meer mogelijk, morgen gebeurt het.

De massa begroet Obama alsof hij al verkozen is. De kandidaat oogt opgelucht vermoeid, ontspannen en zelfverzekerd. Hij draagt een vlot jasje boven een hemd, geen das, geen plichtplegingen meer. Zelfs het weer zit mee vanavond. *'We are less than one day away from bringing about change in America,'* roept Obama en de menigte juicht als op een popfestival.

'It's a done deal,' zegt een man als we de wei verlaten. 'Het wordt een prachtige dag morgen,' zegt een vrouw. 'Het zal echt historisch zijn,' beklemtoont een andere. De grote meerderheid van de toehoorders is zwart en hoewel ze allemaal ontkennen dat ze op Obama stemmen omdat hij zwart is, straalt de trots en blijdschap van hun gelaat. 'Zijn kleur speelt geen rol, wat telt is dat we verandering nodig hebben in dit land, *we need change in this country* en hij is de man daarvoor. Ik vind het opwindend dat we allemaal samenkomen nu als een verenigde natie.'

De jonge vrouw slaat de nagel op de kop. Barack Obama kon alleen verkozen worden tot president omdat hij boven de kleurbarrière uitsteeg. Aanvankelijk botste hij zelfs op heel wat weerstand bij de zwarte gemeenschap omdat hij niet zwart genoeg was. Als zoon van een blanke moeder uit Kansas en een Afrikaanse vader uit Kenia miste hij tweemaal de aansluiting bij de zwarte tradities van de vs. Hij mocht dan voor de helft African zijn en voor de andere helft American, hij was geen African-American. Pas gaandeweg tijdens zijn campagne kon hij dat wantrouwen overwinnen, alsof de zwarte kiezer zich plots weer de one drop rule kon herinneren en hem toch nog als een van hen adopteerde. Wellicht heeft het beeld van Obama met zijn jonge zwarte gezin, met een vrouw die uit de South Side van Chicago kwam, daarbij geholpen. Hoe verder hij vorderde in de voorverkiezingen, hoe groter het vertrouwen werd bij de zwarten: *yes he can!* Zodra de zwarte kiezers begrepen hadden dat dit een historische kans was om een zwarte president naar het Witte Huis te sturen – een kans die zich misschien generaties lang niet meer zou aandienen – sloten ze de rangen.

Natuurlijk speelden ook zijn overtuigingen een rol, zijn pleidooi voor een rechtvaardiger Amerika en zijn verzet tegen de oorlogen van Bush, maar de raciale factor heeft wel degelijk een rol gespeeld. Dat is op een swingende campagnebijeenkomst als die in Manassas overduidelijk. Het zal nog duidelijker worden als hij in januari de eed aflegt en Washington DC volstroomt met zwarte families en vriendenclubs die van heinde en ver zijn gekomen om het mee te maken: vrouwen in hun mooiste winterjassen, mannen in pak, kinderen en studenten. *The first black president in the White House.*

De eerste zwarte president raakte verkozen omdat hij het prototypische beeld van de zwarte politicus achter zich kon laten. De zwarte dominee Jesse Jackson verbaasde Amerika toen hij in 1988 de Democratische voorverkiezingen kon winnen in elf staten; dat was meer dan veel waarnemers ooit hadden durven te voorspellen. In bijna al die staten vormden zwarte kiezers een aanzienlijke groep onder de Democratische achterban. Jackson bleef te zeer het gezicht van de zwarte burgerrechtenbeweging, te sterk de spreekbuis van zwarte frustraties en een zwarte agenda om voldoende blanke Democraten te overtuigen. Een zwarte politicus die zich met zijn zwarte kiezersvolk identificeert – en alleen met hen – maakt in de vs geen enkele kans op het presidentschap en nauwelijks op een gouverneurschap of senaatszetel.

Zwarten maken nu 13,6% van de bevolking uit: slechts een op de acht Amerikanen is African American. De latino's (16,3%) hebben hen als grootste minderheid voorbijgestoken. Als reiziger kan je de indruk krijgen dat het aandeel van de zwarte groep veel groter is, omdat je vooral de steden bezoekt. Zeker in Washington DC, Atlanta, delen van New York, Chicago, Detroit of New Orleans heb je forse concentraties van zwarte Amerikanen en zijn zwarten opvallend aanwezig in het straatbeeld. Dat beeld is dus bedrieglijk: het numerieke gewicht van de zwarte minderheid, op nationaal niveau, is gering en neemt nog verder af.

Het is veelzeggend dat het 112de Congres (2011-2012) geen enkele zwarte senator telt. Senatoren worden verkozen op het niveau van een staat; elke staat mag twee senatoren naar Washington sturen. De laatste zwarte die als senator verkozen raakte was Barack Obama, in Illinois en hij was pas de derde die dat klaarspeelde (of de vijfde, als je de twee senatoren meetelt die in de negentiende eeuw in Mississipi werden verkozen na de afschaffing van de slavernij en nog voor de segregatiewetten). Voor zwarten lijkt het moeilijk om, in de geografische kieskring van een staat, voldoende brede steun te vergaren om een senaatszetel te bemachtigen.

Datzelfde geldt voor het ambt van gouverneur: de hoogste uitvoerende functie op staatsniveau. Het duurde tot 1989 vooraleer er een zwarte gouverneur verkozen werd. Dat gebeurde in de eerder conservatieve staat Virginia, aan de noordkant van het zuiden. Douglas Wilder kon rekenen op de steun van een zwarte minderheid van een kleine 20%. Dat was een belangrijk segment, maar als basis lang niet stevig genoeg om te winnen. Hij voerde intensief campagne in de landelijke uithoeken van Virginia, in blanke dorpen en steden. In feite deed hij er alles aan om het imago van een zwart politicus te vermijden. Patrick Deval sleepte de zege in de wacht in Massachusetts in 2006 en werd daar herverkozen in 2010. Deval wordt vaak vergeleken met Obama en toeval of niet, hij kon rekenen op dezelfde briljante campagnestrateeg als Obama, David Axelrod. New York kreeg in 2008 een zwarte (en blinde) gouverneur, David Paterson, maar Paterson sprong in voor Eliot Spitzer, die als gouverneur moest aftreden na een seksschandaal. Paterson is dus niet verkozen en mag niet worden meegeteld in het korte rijtje van zwarte gouverneurs die een mandaat van de kiezer hadden. Enkel Wilder en Deval hebben dat voor elkaar gekregen.

In het Huis van Afgevaardigden zijn er vierhonderdvijfendertig zitjes te begeven, goed voor evenveel lokaal omschreven kiesdistric-

ten. Dat systeem maakt het al heel wat makkelijker voor vertegenwoordigers van minderheden om politiek succes te boeken. Omdat
minderheden meestal in dezelfde buurten wonen, kunnen ze op lokaal niveau hun numerieke macht verzilveren. Daar komt nog bij
dat kiesdistricten geregeld hertekend worden op basis van de census
of tienjaarlijkse volkstelling. De staten waar de bevolking in tien jaar
tijd sterk gegroeid is, krijgen extra volksvertegenwoordigers in het
Huis. De staten waarvan het relatieve aandeel is geslonken, moeten
zetels inleveren. In al die staten moeten de districten hertekend worden en dat is traditioneel goed voor een koehandeltje tussen Democraten en Republikeinen. Ze tekenen de grenzen liefst op zo'n manier
dat er binnen elk district een duidelijke politieke meerderheid is:
rechts of links, Republikeins of Democratisch. Op die manier worden
ook zwarte wooncentraties zorgvuldig omlijnd om in hetzelfde
district te vallen. De uitkomst van de verkiezingen in zo'n district
ligt voor jaren of decennia vast: enkel een zwarte Democraat kan daar
de zege pakken. De voorverkiezingen binnen de Democratische partij zijn dan belangrijker dan de eigenlijke verkiezing.

Met dat systeem is de aanwezigheid van zwarte politici in het
Huis verzekerd en verankerd. Sinds de laatste stembusslag van 2010
zijn er eenenveertig zwarte volksvertegenwoordigers, wat ongeveer
in verhouding staat tot hun grootte als minderheid. Op een na zijn
het allemaal Democraten.

Het nadeel ligt voor de hand: om verkozen en herverkozen te raken moeten de volksvertegenwoordigers de blik strak op de eigen
zwarte achterban gericht houden. Juist daarom zijn zwarte politici
in Amerika vaak heel voorspelbaar en weinig creatief; juist daarom
staat hun discours stijf van de kritiek op blank Amerika en van waar-
schuwingen over racisme en inbreuken op de burgerrechten. Zoals
politici wereldwijd zeggen ze wat hun kiezers willen horen. In hun
geval hebben ze maar één type kiezer en wil die meestal hetzelfde
horen. Op dat soort van *ethnic politics* heeft de zwarte gemeenschap
in de vs allerminst een monopolie; het systeem werkt net zo goed
voor latino's, Aziaten en joden en vroeger werkte het op dezelfde manier voor Italianen en Ieren. Toch is er in het Huis van Afgevaardigden geen enkel ander etnisch netwerk dat de rangen zo gesloten houdt
als de *Black Caucus*. Je kan je afvragen of de nadelen daarvan niet
opwegen tegen de voordelen en wanneer Amerika met die etnisch-
raciale verkaveling van de politiek komaf zal maken.

Detroit

Voor zwarte kandidaat-burgemeesters kunnen beide strategische modellen lonen. In een stad met een grote zwarte minderheid, zoals Chicago, kan de Obama-strategie de juiste zijn: mikken op een bredere coalitie dan enkel het zwarte stemmenreservoir. Barack Obama, een inwoner van Chicago, heeft die aanpak tot op zekere hoogte al kunnen afkijken van Harold Washington, die er in 1983 de eerste zwarte burgemeester werd. Washington wekte een enorm enthousiasme op onder zwarte kiezers en flink wat tegenstand bij recalcitrante blanke inwoners, ook binnen zijn eigen Democratische partij. Hij slaagde er echter in de progressievere blanke wijken te overtuigen en zo de sjerp te veroveren. In een stad met een grote zwarte meerderheid, zoals Detroit, is het niet nodig om te streven naar een veelkleurencoalitie.

Detroit is met voorsprong de meest troosteloze plek die ik ken in de vs. Zodra je vanuit de buitenwijken de stad nadert, zie je lege pakhuizen en vervallen fabrieksgebouwen. De putten in het wegdek en het vuilnis langs de afritten doen eerder aan Napels dan aan Amerika denken. Rijdend door de woonwijken zie je dichtgespijkerde ramen in wat ooit mooie huizen zijn geweest. Meubels en rommel op veranda's, autowrakken in de voortuintjes. Hoog opgeschoten gras en onkruid op verwilderde percelen. Opnieuw lange kale hoofdstraten met te weinig winkels en te veel rondlummelende jongeren. Dit is het soort buurt waar je opluchting voelt als het licht weer op groen springt. Stevie Wonder groeide op in Detroit; ik zie wat hij niet kon zien, maar wel beschreef in *Village ghetto land*.

De statistieken liegen er evenmin om: in Detroit leeft ruim een derde onder de armoedegrens en de helft daarvan leeft onder de helft van de armoedegrens. Tussen de census van 2000 en 2010 trok een kwart van de bevolking weg uit Detroit. Enkel New Orleans kende in diezelfde periode een nog dramatischer leegloop – maar New Orleans werd getroffen door de orkaan Katrina. Voor Canadezen kan Detroit de toegangspoort tot de vs zijn; je vraagt je af hoe ze daar in Amerika niet mee verveeld zitten.

In Detroit zijn acht op de tien bewoners zwart. De stad wordt al bijna veertig jaar bestuurd door zwarte burgemeesters. Een van de laatste, de jonge Kwame Kilpatrick, werd tot een gevangenisstraf veroordeeld voor corruptie, meineed en misbruik van zijn ambt. Rond de eerste, Coleman Young, is altijd een zweem van corruptie blijven hangen. De combinatie van zwarte stadsbestuurders en sociale ellende heeft sommigen ertoe verleid een causaal verband te zoeken: zwarten kunnen het niet. Amerika is bovendien ook de fratsen van Marion Barry nog niet vergeten, de zwarte burgemeester van Washington DC, die de vergissing beging om crack te kopen van een undercover FBI-agent.

Het zou dwaas zijn om de persoonlijke verantwoordelijkheid van de corrupte zwarte burgervaders te minimaliseren, maar misschien ligt het oorzakelijk verband wel omgekeerd: enkel steden met een hoop sociale problemen krijgen een zwarte burgemeester. Chris Quispel heeft scherpzinnig opgemerkt dat zwarte Amerikanen zijn doorgestoten naar topfuncties op stedelijk niveau, 'maar wel op een verkeerd moment. Door het wegtrekken van de blanke middenklasse en ook een deel van de zwarte middenklasse, naar voorsteden en buitenwijken met een eigen bestuur zijn de inkomsten van de Amerikaanse steden sterk achteruitgegaan. Zwarte burgemeesters traden vaak aan op het moment dat de economische gevolgen van het verdwijnen van de blanke middenklasse zichtbaar werden.' Detroit biedt een uitstekend voorbeeld van dat proces: de blanke middenklasse verhuisde naar de betere voorsteden en liet de binnenstad aan de armere inkomensgroepen. In de praktijk zijn dat in hoofdzaak zwarte gezinnen en alleenstaanden. Die binnenstad moet financieel op eigen benen staan, terwijl de bewoners weinig aan belastingen kunnen inbrengen. *Motor-town* Detroit heeft ook zwaar te lijden gehad onder de neergang en crisis van de Amerikaanse auto-industrie. Fabrieken verhuisden of sloten de deuren en dat leidde tot een aanhoudend banenverlies. In de lente van 2011 bedroeg de officiële werkloosheidsgraad in de stad Detroit 20% – en werkloosheidscijfers geven in de VS meestal een rooskleuriger beeld dan de werkelijkheid.

De jongste jaren zijn er, ondanks de recessie, tekenen van een lichte verbetering. Een paar stratenblokken in het centrum zijn opgeknapt en heringericht als een beloftevol nieuw *downtown*. Daar zijn plantsoenen aangelegd met fonteintjes en banken. Onderhoudspersoneel en opzichters in felgekleurde uniformen houden alles in de gaten, als de behoeders van een pril stukje beschaving. De rivierkade is aangepakt en vernieuwd, met wandelpaden, winkels en restaurants. Detroit heeft ook drie grote casinohotels aangetrokken, wat de stad geld oplevert en jobs, maar de prijs voor het charmantste idee gaat naar de stadstuinen. Het Garden Resource Program helpt bewoners, scholen en buurtverenigingen om verwilderd braakland om te ploegen tot moestuinen. Ook voedselbanken en gaarkeukens doen mee. Het project slaat meerdere vliegen in een klap. Het verbetert het straatbeeld en maakt van nutteloze percelen een stukje rendabele tuinbouwgrond. Het creëert een aanbod aan gezonde voeding in buurten waar zoiets meestal ver te zoeken is. Het helpt de voedselbanken om zich – gezond – te bevoorraden en het zorgt voor jobs en wat extra inkomen. In een boek over de kleuren van Amerika mocht de *greening of Detroit* niet onvermeld blijven.

Memphis

Ik heb de grootste moeite om de taxichauffeur goed te begrijpen. Hij aan het stuur, ik op de achterbank, schreeuwen we naar elkaar om het geluid van de straat (de raampjes staan open) te overstemmen. De akoestische omstandigheden zijn het ergste nog niet. De chauffeur is een African American, maar dan in de strikte zin van het woord: een heuse Afrikaan in Amerika. Hij behoort tot het Ogonivolk uit de Nigerdelta in Nigeria en praat met een loodzwaar West-Afrikaans accent. Verhuisd van Delta naar Delta, opgenomen in Amerika als politiek vluchteling, intussen gepromoveerd tot staatsburger van de vs. Hij heeft al enkele familieleden laten overkomen en er zitten er nog een paar te wachten in Nigeria.

Onder zwarte Amerikanen leeft er een relatief sterke belangstelling voor de politieke toestand in Afrika. Zwarte politici en pressiegroepen proberen te wegen op het Afrikabeleid of op de actieprogramma's tegen AIDS en HIV. Ook de strijd van het zwarte en christelijke Zuid-Soedan, dat zich afscheurde van het Arabisch-islamitische noorden, heeft decennialang op veel sympathie en solidariteit kunnen rekenen in de vs. Vierduizend jongens die van Soedan naar Kenia en Ethiopië waren gevlucht, zogenaamde *Lost Boys*, kregen in de vs de kans op een nieuw begin. Dave Eggers heeft het verhaal van een van hen schitterend weergegeven in 'Wat is de wat?' Behalve het aangrijpende relaas van de tocht door Zuid-Soedan volgt het boek ook het verhaal van een overval: zwarte Amerikanen breken bij de Soedanese nieuwkomer binnen, beroven en mishandelen hem. In het boek wordt duidelijk wat ik in de taxi van Memphis ervaar: hoe groot de

reële culturele afstand is tussen de Afrikaanse immigranten en de
zwarte stadsbewoners van de vs. Behalve hun huidskleur hebben ze
nauwelijks iets gemeen. Misschien zouden muzikanten van beide
continenten, improviserend in een jamsessie, op elkaars motieven
en ritmes kunnen inpikken. Misschien kunnen kerken charismatische predikanten uitwisselen – en dat gebeurt ook. Wat afrocentristen
ook mogen beweren, African-Americans zijn geen Afrikanen meer.
De roots van hun voorouders lagen in Afrika en daarvan zijn sporen
bewaard in hun taal, kerk en muziek, maar de generaties van vandaag
zijn diep en uitsluitend geworteld in de vs.

Aan het begin van de eenentwintigste eeuw, vier eeuwen nadat
de eerste Afrikaanse slaven in Virginia en New York verzeild raakten,
wordt het tijd voor de zwarte minderheid om zich met Amerika te
verzoenen. Een aantal belangengroepen en politici doen nog altijd
graag alsof ze ongewenst zijn door blank Amerika. Die slachtofferrol
ontslaat hen van een eigen verantwoordelijkheid, waardoor ze nalaten om mee te werken aan constructieve oplossingen voor de problemen van hun gemeenschap. Bovendien is die voorstelling van zaken
totaal ongerijmd. In feite is het tegendeel waar: niemand kan zich
Amerika nog voorstellen zonder zwarten. Een Amerikaanse speelfilm
zonder zwarte acteurs is uitzonderlijk, een sportteam zonder zwarte
spelers haast onbestaande. In de media krioelt het van de zwarte ankers en vedetten en de invloedrijkste tv-presentatrice aller tijden is
de zwarte Oprah Winfrey. We hebben zwarte Oscarwinnaars gezien,
twee zwarte ministers van Buitenlandse Zaken, zwarte rechters in
het Hooggerechtshof en zwarte *Miss America's*. Bovendien zit er nu
een zwarte president in het Witte Huis, met een zwarte first lady en
twee zwarte dochters. Het idee dat het gros van de Amerikanen de
zwarten er niet bij wil, lijkt moeilijk te verdedigen. Zwarte pressiegroepen helpen hun zaak niet vooruit door dogmatisch van leer te
trekken tegen een racistische mentaliteit die bij de meeste blanken
niet meer bestaat.

Dat betekent uiteraard niet dat zwarten de problemen van hun
gemeenschap zelf gecreëerd hebben of in stand houden. Ook zonder
racistische vooringenomenheid kan er sprake zijn van een feitelijke
segregatie en discriminatie. Die is meer gebaseerd op inkomens- en
opleidingsniveau en dus op klassenverschillen, dan op de raciale com-
ponent. Natuurlijk kunnen rassen en klassen samenvallen. Het belangrijkste verwijt dat de zwarte gemeenschap de elites van Amerika

mag maken, is dat het beleid van de voorbije dertig jaar steeds asoci-
aler is geworden. Het sociale vangnet is verrafeld en er zijn doelbewust stukken uit weggeknipt. Beleidskeuzes inzake belastingen, de
organisatie van het onderwijs, justitie of stadsplanning hebben – elk
apart en allemaal samen – de promotiekansen van de lagere inkomensgroepen keer op keer gefnuikt. Net toen de wettelijke hinderpalen voor een volwaardige participatie aan politiek en samenleving
werden opgeruimd, werd het economische speelveld ingeperkt. Of
liever: de regels werden herschreven in het voordeel van de sterksten.
Voor heel veel zwarte Amerikanen is het in die omstandigheden haast
onmogelijk om een historische achterstand weg te werken.

Het is een tropisch hete zomeravond en Beale Street in Memphis
bruist van leven. In het centrum van de straat animeren twaalfjarige
jongetjes het publiek met acrobatische kunstjes. Over een lengte van
dertig meter rijgen ze salto's en schroeven aan elkaar. Hun zwarte en
pezig atletische lichamen verraden dat ze dit vaker doen: misschien
geen broodwinning, dan toch een leuke zakcent. Een mild soort Afrikaanse straattoestand in een Amerikaanse metropool.

De muziekclubs lopen slechts aarzelend vol, want de toeristen
verkiezen de buitenlucht van de terrassen boven de bierlucht van de
bars. Er is veel nep aan deze plek, veel uitgekiend entertainment voor
dagjesmensen. Toch is dit een gezellig soort straatfeest in het teken
van de blues. Op een aantal podia op binnenplaatsjes en patio's zijn
al groepjes aan het spelen. De zangers zijn zwart, maar onder de muzikanten zijn er blanken gesmokkeld. Het blues- en jazzcircuit moet
een van de zeldzame sectoren zijn waarin voor blanke Amerikanen
vooral een dienende rol is weggelegd. Ik struin een soort steeg in tussen twee huizen waar oude rhythm and blues uit rolt: het stevige
soort, niet te verwarren met de nieuwere en gladde R&B. De zanger
(zwart) is corpulent maar energiek en zingt met een natuurlijk gemak.
De gitarist (onduidelijk blank, latino of kleurling) straalt eeuwen oefening en ervaring uit. De zangeres (opnieuw zwart en corpulent)
speelt haar *don't mess with me*-rol met verve.

Het is zwart entertainment volgens het *format*, met een traditionele spelverdeling. Niettemin geniet ik van het optreden en ik ben
niet de enige. In het steegje staan tientallen mensen te luisteren, te
heupwiegen, te dansen. Daar zijn zwarten bij uit Memphis of Mississippi; zij kennen het hele repertoire en slingeren suggesties of grapjes

naar het orkest. Ook bezoekers uit Chicago blijven gefascineerd hangen, net als reizigers uit Engeland of blanke echtparen van gevorderde leeftijd. Ik zie gebeuren wat ik al wist: dat de zwarte blues en soul
een kracht uitstralen die de grenzen van ras en kleur aan flarden
scheurt. Als de taal van de blues niet universeel is, dan is ze in elk
geval universeel Amerikaans. Ze is van de Delta naar de getto's ge-
stroomd, van de getto's naar de stad en van de stad naar de blanke
voorsteden. De zwarte muziek is net zo diep tot het Amerikaanse
erfgoed gaan behoren als hamburgers en baseball.

Vlak voor me staan twee dames zielsgelukkig kringetjes te dansen.
Ze moeten de zestig voorbij zijn maar laten dat niet aan hun hart
komen. Het zijn latina's uit New Mexico, ambassadrices van Amerika's grootste en groeiende minderheid. Als Spaanstalige senioren
uit het zuidwesten zich zo sterk kunnen herkennen in de zwarte
blues uit het zuidoosten, dan moet het wel meevallen met de integratie. De hispanics zijn massaal in Amerika neergestreken. Hun taal
en getalsterkte boezemen angst in en wekken ergernis, maar hun
arbeidsethos lijkt toegesneden op de Amerikaanse droom.

4

Latijnse kleuren en accenten

Caminando, se aprende en la vida.
Caminando, se sabe lo que es.
Caminando, se cura la herida,
Caminando, que deja el ayer.

En Puerto Rico en Panama,
En Colombia o en New York,
El que no vive, no prueba
El sabor que da el amor.

RUBÉN BLADES

De Westfield Westland Shopping Mall in Hialeah bij Miami is een winkelcentrum zoals er in Amerika duizenden zijn. Met een honderdtal boetieks, allemaal op de begane grond, is het een eerder bescheiden winkelcomplex, in lijn met de respectabele maar toch beperkte koopkracht van het publiek. Een doorsnee middenklassen-*mall* aan een doorsnee verbindingsweg in voorstedelijk Amerika, maar er is één opmerkelijk verschil. Loop door de gangen en lanterfant, blijf hangen in de buurt van kassa's en etalages en registreer geluid en dialogen: in Westfield Westland is de voertaal Spaans.

Ik heb de proef op de som genomen en de enige Engelstalige gesprekjes die ik kon onderscheppen werden gevoerd met een Aziatische of een zwarte klant. Verder gebeurde alles in de taal van Cervantes: het geroddel van de jong bejaarde winkelende vrouwen, arm in

arm met geverfde permanents; de verkoopspraatjes van de winkel-
meisjes aan twijfelende klanten; de bestellingen aan de koffiebar en
in de fastfoodhoek. Bij nader inzien blijken ook opschriften en recla-
meslogans Spaanse sporen te vertonen: *descuentos* en *rebajas* – kor-
tingen en koopjes – schreeuwen om aandacht. De reclameborden van
de ketenboetieks daarentegen zijn bijna altijd in het Engels. Aan een
Spaanse versie daarvan is blijkbaar niet gedacht. Nog beter observe-
rend zie ik subtiele verschillen in de uitgestalde koopwaren. In de
boetieks voor herenmode verrast het aanbod aan overhemden: veel
zacht gekleurde hemdjes met borduurwerk langs de knoopsgaten,
losjes op de broek te dragen. Bij de vrouwen een overvloed aan lover-
tjes op T-shirts en bloezen.

   Het publiek van Westfield Westland is voor 98% Spaans-Ameri-
kaans; de uitzonderingen zijn Haïtianen of een rare Europese journalist. Bovendien is de overgrote meerderheid van die 98% van Cubaanse afkomst. Amerika verspaanst en die verspaansing verkleurt het
beeld van de vs. Nergens zie je zo'n gretige, vrijwillige veramerika-
nisering van Spaanstalige migranten als bij de Cubanen van Miami.
Gek genoeg is het gebruik van het Spaans, als dagelijkse omgangstaal
in winkels en kantoren, ook nergens zo vanzelfsprekend ingeburgerd
als in Miami. Het lijkt op een stilzwijgend ruilakkoord: de Cubanen
nemen, snel en enthousiast, de Amerikaanse cultuur in zich op. In
ruil doordrenken ze Miami – en bij uitbreiding Zuid-Florida – van
hun gesproken taal. Meer dan de Mexicanen, Dominicanen of Ecuadoranen bewijst de Cubaanse gemeenschap dat de Amerikaanse *way
of life* ook in een ander idioom dan het Engels kan worden beleefd.
In dat opzicht is de Cubaanse immigratie in Florida een opmerkelijk
succesverhaal en mogelijk ook een voorproefje van een historische
ontwikkeling: de geleidelijke, onomkeerbare evolutie naar een tweetalige natie. Tegelijk is de Cubaanse migratiegeschiedenis uniek en
zijn de Cubaanse immigranten uitzonderlijk in de watten gelegd.

Miami: vergulde migratie

De Cubaanse volksverhuizing naar Miami begon in 1959 met de revolutie van Fidel Castro en Che Guevara. Amerika was op dat moment
geen onbekende natie meer voor de Cubanen. In feite was Havana
uitgegroeid tot een trekpleister voor Amerikaanse toeristen, met een

vleugje verleidelijke zondigheid. Zon, casino's en hoertjes waren er ruim voorradig – in een tropische sfeer van rumba en cocktails. De Amerikaanse maffia had zwaar in de horeca geïnvesteerd en de bewoners van Havana maakten, via dat toerisme, kennis met de blitse Amerikaanse consumptiecultuur. 'Het proces van ultra-amerikanisering,' zo merkt de Puerto Ricaanse auteur Ed Morales op, 'dat blijkbaar pas voet aan de grond kreeg toen Cubanen massaal naar Miami migreerden na de revolutie, was al bijna honderd jaar aan het borrelen toen Castro vanuit zijn schuilplaats in de bergen Havana binnen marcheerde.'

Dat is een interessante observatie: een stedelijke elite in Cuba was al enigszins klaargestoomd voor de overtocht naar de vs. De eersten die hun koffers pakten na de revolutie waren enkele duizenden die het regime van dictator Batista mee in het zadel hadden gehouden. Naarmate Castro zijn communistisch programma doordrukte, vertrokken ook zakenlui, bedrijfsleiders en grootgrondbezitters – tenminste honderdvijftigduizend. De rakettencrisis van 1962 maakte een einde aan het commerciële luchtverkeer en tijdelijk ook aan de exodus. In 1965 mochten dwarsliggers het eiland weer verlaten. Via een luchtbrug werden een kwart miljoen Cubanen die het niet begrepen hadden op Castro's revolutie naar Zuid-Florida overgevlogen. Geheel in de lijn van het Koude-Oorlogsdenken kregen de immigranten zonder veel omhaal het statuut van politiek vluchteling. In 1966 beloofde de *Cuban Refugee Adjustment Act* een permanente verblijfsvergunning aan elke Cubaan die al één jaar in Amerika gevestigd was. Bovendien konden ze een beroep doen op een uitgebreid pakket aan hulpverlening: studiegeld, leningen, opleidingen, kinderopvang en hulp bij huisvesting, allemaal met regeringsgeld. Ook de Cubanen zelf sprongen bij om nieuwkomers op te vangen.

Migratie vergt altijd moed en zin voor avontuur, maar zelden zijn immigranten zo goed op weg geholpen als de Cubanen in Zuid-Florida. Om te beginnen behoorden de immigranten van de jaren 1960 in grote meerderheid tot de elite en de middenklasse. Dat bleek ook uit de raciale samenstelling van de verhuizers; slechts een kleine minderheid van de migranten in die tijd waren zwarte Cubanen. Voeg daarbij de probleemloze toelatingsprocedure en de steunmaatregelen en de indruk ontstaat dat de Cubanen uitzonderlijk gepamperd zijn. Natuurlijk kregen ook zij te maken met wantrouwen en vooroordelen van autochtone Amerikanen. Heel wat hoger opgeleide immigranten moesten genoegen nemen met baantjes onder hun mogelijkheden. De eerste golf vestigde zich in een goedkopere buurt ten westen van het centrum van Miami, die later bekend werd als Little Havana. Daar vind je nu nog Cubaanse restaurants, sigaren- en souvenirwinkels. *Calle Ocho* of de Achtste Straat SouthWest blijft het symbool van de Cubaanse gemeenschap, maar het kloppende hart kan je Little Havana bezwaarlijk nog noemen. De Cubanen zijn intussen ver uitgezwermd over de hele agglomeratie, naar Westchester en Hialeah. Recenter ingeweken latino's uit Centraal-Amerika of Peru nemen hun plaatsen in.

De uittocht uit Cuba van de middenklassemigranten viel stil in 1973, toen er een einde kwam aan de luchtbrug. De stroom die zeven jaar later, totaal onverwacht, op de kusten van Florida aanspoelde, oogde armoediger en chaotischer. Dat waren de *Marielistas*: bootvluchtelingen die in de havenstad Mariel werden opgepikt. Alles was begonnen met een bestorming van de Peruviaanse ambassade in Havana. De tienduizend Cubanen die daar hun toevlucht hadden gezocht, kregen de boodschap dat ze welkom waren in de vs. Uitstekend, zei Castro toen, kom ze maar halen. Iedereen die het land wou verlaten, was vrij om dat te doen – maar diende te worden opgepikt in Mariel. Daarop stuurden Cubaans-Amerikaanse steungroepen een vloot aan vaartuigen naar de havenstad. Meer dan honderdduizend Cubanen kwamen op die manier weg, grotendeels onvoorbereid en zonder veel bestaansmiddelen. Het verhaal wil dat Castro ook criminelen en geesteszieken op de boot liet schuiven, om ervan verlost te zijn. De Mariel-crisis stelde in elk geval de gastvrijheid van Amerika en van Miami op de proef, maar president Carter durfde het nog niet aan om de grenzen dicht te gooien.

In 1994 herhaalde dat drama zich. Ook toen knepen de autoriteiten in Havana een oogje dicht toen duizenden Cubanen het ruime sop kozen, richting Florida. Alleen waren er deze keer geen Amerikaanse vaartuigen om hen te vervoeren. Nu waren het zelfgemaakte vlotten en sloepen, *balsas* genaamd, waarmee ze te water gingen. Tienduizenden *balseros* rekenden op een warme ontvangst in de vs, zoals het altijd was gegaan. Al na een week maakte Bill Clinton een einde aan die droom. Hij beval de kustwacht om de Cubaanse bootvluchtelingen te onderscheppen en op de Amerikaanse basis van Guantanamo onder te brengen. Daar hebben duizenden maanden- of jarenlang in een wachtkamp verbleven. Uiteindelijk zijn de meesten, in groepjes en golven, tot de vs toegelaten. Daarmee verscheen er een eerste scheur in het veilige valnet van Amerika.

Sinds 1995 volgt Washington een ander beleid, bekend als de *wet feet, dry feet-policy*. Cubanen die erin slagen om het vasteland te bereiken (de droge voeten) blijven welkom. Cubanen die tijdens hun overtocht van de golven worden geplukt (met natte voeten) worden teruggestuurd, tenzij ze bewijzen dat ze gevaar lopen in Cuba. Die maatregel – die met Havana is overeengekomen – leidde intussen alweer tot creatieve oplossingen. Elk jaar varen nu duizenden Cubanen naar het schiereiland van Yucatán in Mexico; van daar trekken ze, over land, naar de Amerikaanse grens waar ze wettelijk moeten worden toegelaten. Die laatste groep staat intussen bekend als de *dusty feet*-Cubanen: stoffig van de tocht door de Mexicaanse woestijn.

Het moge duidelijk zijn dat de tijd van de bevoorrechte luxemigratie uit Cuba – de *exilios dorados* of vergulde ballingen – grotendeels voorbij is. Het eiland stuurt nu net zo goed wanhopige gelukzoekers naar Amerika als Haïti, Mexico of Ecuador dat doen. Daarnaast blijven er mensen migreren via gezinshereniging of met een visum. Hoe ze ook komen, berooid of bemiddeld, de nieuwelingen hebben het voordeel dat ze kunnen aansluiten bij een goed boerende gemeenschap. Want naar minderhedenmaatstaven hebben de Cubanen in de vs het opmerkelijk goed gedaan. In Zuid-Florida zijn ze niet alleen doorgestoten tot in het zakenleven en de economie, ze hebben die grotendeels overgenomen.

Ook in de politiek hoeven ze niets meer te bewijzen. Zoals de Ieren en Italianen in de twintigste eeuw wisten ze hun numerieke macht al snel om te zetten in lokale mandaten, steeds hogerop. In 1985 al werd de eerste Cubaanse burgemeester van Miami verkozen en sinds 1996 is de sjerp zonder onderbreking in Cubaanse handen. Intussen hebben al drie Cubaanse Amerikanen een senaatszetel veroverd, waarvan twee in Florida. De jonge belofte Marco Rubio, die in 2010 verkozen werd, geldt als een typische vertegenwoordiger van de succesvolle tweede generatie.

Ballingen of immigranten?

De politici uit de Cubaanse gemeenschap laten al decennialang hun invloed gelden in Washington om het regeringsbeleid op het goede spoor te houden. Ze verwachten dat het Witte Huis en State Department onbuigzaam vasthouden aan het embargo tegen Cuba en alles doen wat mogelijk is om de Cubaanse oppositie te versterken. Mochten die politici wat te slap of onaandachtig worden als pleitbezorgers van de contrarevolutie, dan is er nog altijd de Cuban American National Foundation, ook bekend als *La Fundación*, om hen bij de les te houden.

De CANF is een begrip in Miami en ver daarbuiten. Het is de belangrijkste lobbygroep van de Cubaanse gemeenschap. De stichting is niet zozeer begaan met het welzijn van de Cubanen in Amerika, dan wel met het verzet tegen het Castroregime in het thuisland. Op die manier blijft de CANF het beeld voeden van de Cubanen als ballingen, in plaats van migranten: de blik gericht op een mogelijke terugkeer, op vroeger, op wraak en eerherstel. Naarmate de jaren verstrijken en de generaties elkaar opvolgen, wordt dat een steeds moeilijker vol te houden perspectief.

Ik had voor mijn bezoek nogal wilde verhalen gelezen over de CANF, waaruit een beeld opdoemde van een machtige, arrogante en zelfs wat grimmige organisatie. Ik bereidde me dus voor op moeizame contacten en een kille ontvangst, maar in januari 2011 blijkt het geen enkel probleem om een dag vooraf nog een afspraak te maken. Het hoofdkwartier huist op de vierde verdieping van een onopvallend kantoorgebouw in Miami en oogt kleiner en minder glorieus dan ik verwacht had. Ik word vriendelijk ontvangen door Omar López Montenegro, een kalende zwarte Cubaan die een lichtjes sjofele indruk maakt. Hij is de hoofdverantwoordelijke voor het programma rond mensenrechten en woont sinds de vroege jaren 1990 in Amerika.

Als ik van wal steek met de vraag of president Obama het embargo nog strak genoeg houdt, wappert hij met zijn handen en onderbreekt hij mij. 'Eerst en vooral, ik ken Europa, ik ben er vaak geweest. Daar leven veel misvattingen over de stichting en over de Cubanen in Miami, alsof we hier allemaal fanatiekelingen zijn die met het embargo het Castroregime willen wurgen.' López Montenegro zet een geniepig en gemeen stemmetje op, om het karikaturale van dat idee in de verf te zetten. 'Dat is zeker niet wat wij denken. Het embargo was van meet af aan een vergeldingsmaatregel van de vs, toen er op Cuba Amerikaanse bezittingen in beslag werden genomen. Wij hebben dat nooit gezien als een wapen om het regime ten val te brengen of zelfs niet om de democratie te bevorderen. Dat proberen we op andere manieren te doen, van onderen uit. Het embargo is helemaal niet de hoeksteen van ons werk, maar het kan nuttig zijn als hefboom in onderhandelingen met Havana.'

Dat president Obama al een einde maakte aan alle reisbeperkingen voor Cubaanse Amerikanen, zodat ze hun familie op het eiland kunnen bezoeken zo vaak ze maar willen, juicht de man van de stichting zelfs toe. 'Wij zijn voor uitwisseling, *people to people-exchange*, waarbij Cubaanse Amerikanen naar Cuba kunnen reizen. Zij kunnen daar immers een belangrijke bijdrage leveren aan verandering. Het regime wil de bevolking juist isoleren, afschermen van wat er in de buitenwereld gebeurt.' Wellicht zit mijn gesprekspartner de hele tijd op zijn tong te bijten, want terwijl we zitten te praten op het kantoor in Miami stuurt het Witte Huis een nieuw persbericht uit waarin er nog meer uitzonderingen worden toegestaan op het reisverbod. Voortaan kunnen ook niet-Cubaanse Amerikanen naar Cuba reizen, als dat gebeurt in de vorm van een groepsreis in kerkelijk of studieverband. Toerisme pur sang blijft verboden. Waarschijnlijk was López Montenegro al op de hoogte van die nakende versoepeling, maar voelde hij zich niet geroepen om op de bekendmaking daarvan vooruit te lopen. Terug in mijn hotel merk ik dat de CANF al een uitvoerige reactie heeft gepost op haar website, waarin de nieuwe maatregelen verwelkomd worden.

Sommige Cubaanse politici vinden het maar niks dat Obama de deur weer wat verder op een kier zet, maar bij de CANF waait blijkbaar een nieuwe wind. 'Het belangrijkste dat de vs kunnen doen is de dissidenten helpen. Hen computers en mobiele telefoons schenken, toegang tot het internet. Alles wat een onafhankelijke civiele maatschappij kan versterken: muzikanten, bloggers, jongerengroepen die een eigen festival willen opzetten, dat soort dingen.'

Als ik López Montenegro mag geloven is de stichting nog wel op meer terreinen veranderd. 'Iedereen denkt altijd dat wij allemaal verstokte Republikeinen zijn. Dat klopt niet meer. We hebben hier ook Democraten, dat is veel evenwichtiger dan vroeger.' De stichting heeft haar kantoor in Washington inmiddels gesloten en zelfs het oude radiostation, *La Voz de la Fundación*, traditioneel een megafoon van de contrarevolutie, is het zwijgen opgelegd: opgedoekt wegens te duur.

Of het nu uit geldnood is of uit berekening, de CANF zoekt naar nieuwe actie- en communicatievormen om de oude doelstellingen – de val van Castro en een democratisch bestel op Cuba – te bevorderen. Toch vraag ik me hardop af of de jongere generaties in de Cubaans-Amerikaanse gemeenschap daar nog wel voor warmlopen. Ik denk aan de bar van het Holiday Inn-hotel nabij de luchthaven, waar ik enkele dagen eerder, totaal onverwacht, getuige was van een aandoenlijke dansavond van bejaarde Cubanen. Nog voor het negen uur was, liep de zaal vol met zestigers en zeventigers. Kranig maar houterig, in stil nostalgisch genot, dansten ze op Cubaanse *son*: het klassiekere soort, geen snelle *merengue* of *latin rock*. Hoe lang nog zal dat soort bejaard beschaafd dansvertier, op de zachte klanken van Havana, overleven? Wanneer zal de Miami soundmachine van hun kinderen en kleinkinderen, blitser en Amerikaanser, de oude ritmes definitief overstemmen? En vooral, zal analoog daarmee ook de politieke belangstelling voor het thuisland een stille dood sterven?

López Montenegro denkt van niet. 'Onze stichting heeft in elk geval nog verschillende afdelingen aan universiteiten, met jonge leden dus. In elke Cubaanse familie in Miami blijft de Cubaanse cultuur sterk aanwezig. Daar wordt Spaans gesproken, wees maar zeker. Cubaanse jongeren in Miami praten ook Spaans onder elkaar; enkel als ze in een andere omgeving komen, met niet-Cubanen, zullen ze naar het Engels overschakelen. Ze zijn daar erg soepel in. Toen ik hier zelf twintig jaar geleden aankwam, viel het mij op dat jongeren, die nochtans in Amerika geboren waren, gelijkaardige uitdrukkingen uit het Cubaanse dialect gebruikten als de jeugd op Cuba. Misschien zijn ze niet allemaal even sterk geïnteresseerd in vrijheid en democratie voor het Cubaanse volk, maar dat is op het eiland net hetzelfde. Ook daar is slechts een minderheid politiek actief.'

Ik daag de mensenrechtenman een beetje uit en vraag hem een eerlijke inschatting te maken: stel dat het regime op Cuba uit het zadel wordt getild en dat er een liberale democratie in de plaats komt. Hoeveel Miami-Cubanen zouden dan hun Amerikaanse thuis achter zich laten en terugkeren? '*That's a wild guess.* Niet veel, zou ik denken. Want mensen hebben intussen hun wortels in Miami; ze hebben hier familiale en zakelijke verplichtingen. Voor mezelf zou het een moeilijke beslissing zijn. Ik zou zeker teruggaan als ik kon, al was het maar om het graf van mijn ouders te bezoeken, maar ik heb inmiddels drie kinderen in Miami. Kan ik van hen verwachten dat zij naar Cuba verhuizen?'

López Montenegro heeft het blijkbaar allang aanvaard: de ballingen zijn migranten geworden en succesvolle migranten hebben zelden zin om rechtsomkeert te maken. Wat hij zich wel kan voorstellen is een verregaande samenwerking en vervlechting van Florida en Cuba of van Miami en Havana: volwaardige zustersteden, waartussen veel op en neer wordt gereisd, met massieve investeringen en een intensieve, permanente kruisbestuiving.

De Cubaanse gemeenschap in Zuid-Florida vertoont paradoxale trekjes. Ze blijft fanatiek begaan met de politieke situatie in het thuisland, maar neemt tegelijk enthousiast deel aan debatten en verkiezingen in Amerika. Ze stort zich gretig in de koop- en consumptiecultuur van de vs, maar houdt vast aan het Spaans als omgangstaal. 'Wij zijn er in geslaagd om te integreren, maar tegelijk om ons cultureel erfgoed te bewaren.' De toon van López Montenegro zweeft nu tussen trots en rancune. 'Andere latino's, zoals de Mexicanen, hechten daar minder belang aan. Sommigen van de tweede generatie praten zelfs geen Spaans meer en noemen zichzelf *chicano's*. Wij Cubanen houden vast aan het Spaans, voor ons is dat een must. Juist daarom is Miami zo'n sterk Latijnse stad geworden en een aantrekkingspool voor immigranten uit heel Zuid-Amerika.'

Dat laatste is onmiskenbaar waar. Ook in New York of Los Angeles leven intussen miljoenen *hispanics*, maar Miami is min of meer uitgegroeid tot hun culturele hoofdstad. Alle platenmaatschappijen hebben hun Spaanstalige productie in Miami gevestigd en de tv-zenders *Univisión* en *Telemundo* hebben er hun grootste studio's en filialen. Op die manier straalt Miami een latinocultuur uit van succes en glamour: een soort Hollywood in het Spaans. Voor Latijns-Amerikanen is de stad een makkelijke toegangspoort geworden tot de vs. Overal zie je kantoortjes met het opschrift *immigración*, om te helpen met papierwerk. De Cubanen hebben het pad geëffend en een Latijns-Spaans bruggenhoofd gevestigd in Florida. Intussen zijn honderdduizenden migranten, van Mexico tot Chili, hen gezelschap komen houden.

De Cubaanse gemeenschap in Miami en omstreken biedt waarschijnlijk het beste bewijs van de bijdrage die immigranten kunnen leveren aan de economische groei van een regio of land. Die bijdrage mag als een directe injectie worden begrepen: de migranten liften niet enkel mee op de golven van de groei, ze maken en zijn de groei. Hun massale inwijking en inplanting kan een stadsgebied spectaculair doen uitbreiden, zoals in Miami overduidelijk gebeurd is. Een vergelijkbaar fenomeen zag je de laatste decennia – tot voor de economische recessie – in staten als Arizona en Nevada. Daar waren het in eerste instantie binnenlandse verhuizers (gepensioneerden en zonzoekers) die de regio nieuw leven in kwamen blazen. De dienstensector die daaromheen is gegroeid (van bouwbedrijven tot bejaardenhulp) werd echter grotendeels bemand door latino-immigranten uit Mexico en Centraal-Amerika. Die miljoenen migranten zelf produceren en consumeren eveneens en duwen de lokale groeicijfers de hoogte in.

Volgens de census 2010 leven er intussen ruim vijftig miljoen mensen in de vs met een Spaans-Latijnse achtergrond. Dat is goed voor een aandeel in de bevolking van 16,3%. De hispanics in de vs zijn nu talrijker dan de inwoners van Spanje. Als minderheid hebben ze de zwarte gemeenschap al lang voorbijgestoken. In feite zijn de bijna twee miljoen Cubanen een minderheid binnen de minderheid. Als je een Spaanstalige Amerikaan tegen het lijf loopt, is de kans drie op vijf dat die uit Mexico komt.

San Diego

Het is een klein en onopvallend parkeerterrein waar de auto van Border Angels halt houdt. We kijken over de vangrail een kleine kloof in en zien zes mannen van tussen het struikgewas naar boven klauteren. Het gaat om een groepje Mexicaanse gelukzoekers dat naar we vernemen onder zeiltjes en doeken woont, dieper in de canyon. Zelden zag ik de begrippen 'onderduiken' en 'ondergrondse economie' zo plastisch en concreet tot leven komen. Een kijkje gaan nemen in de schuilplaats van de Mexicanen kan niet. Daarvoor vertrouwen ze de buitenstaanders niet genoeg, vertelt Enrique Morones. Misschien is er ook verlegenheid mee gemoeid: als je als een vos in het struikgewas van een kloof moet kruipen, kan je bezwaarlijk blij zijn met bezoekers.

Elke dag komen deze mannen naar boven om op de vangrail af te wachten of iemand hen nodig heeft voor een karweitje. De mensen van de actiegroep Border Angels kennen dat soort plaatsen en gaan er geregeld water, voedsel en kleren brengen. De Mexicaanse mannen graaien in een zak om te kijken of de oude broeken en trainingsvesten hen bevallen. De grens met Mexico ligt vermoedelijk nog geen tien kilometer hier vandaan, maar voor dit gezelschap maakt dat weinig uit. Ze komen uit Oaxaca, het diepe zuiden van hun land. Volgens Morones stromen er veel Oaxacanen naar San Diego. Daar is geen bijzondere reden voor. Ooit zijn pioniers uit hun streek hen voorgegaan en een lange ketting van neven en verwanten, vrienden en dorpsgenoten is gevolgd. Zo vind je in New York opvallend veel Mexicanen uit Puebla en in Texas komen ze in hoofdzaak uit Guanajuato.

De Oaxacanen op het parkeerterrein geven in elk geval nog niet de indruk dat ze het hier in San Diego aan het maken zijn. Ze zien er getaand uit, een tikkeltje hongerig. Er hangt een bijna tastbare leegte rond het groepje: een ruimte van niets doen en wachten. 'Ik kan allerlei werk aan,' zegt een veertiger. 'Tuinieren, poetsen of in de bouw. In de landbouw valt hier niet veel meer te versieren.' Als er een auto stopt om klusjesmannen te ronselen, beslist de chauffeur welke en hoeveel mannen hij meeneemt. De Mexicanen vragen een uurloon van tien dollar, maar geven toe dat ze soms al voor vijf dollar zwichten. Want veel kansen op werk dienen zich niet aan. Terwijl we met hen praten, daagt er geen enkele werkgever op. Eén kerel vertelt dat hij al vijf jaar op deze plek woont. Hij is af en toe naar huis gegaan, naar Mexico, maar keert hier telkens terug. Van de schamele dollars die hij bijeen zwoegt, stuurt hij een deel naar zijn familie in Oaxaca.

Enrique Morones voert me mee naar een tweede ronselplek, naast de parking van een grote doe-het-zelfzaak. Dat is goed bekeken van de Mexicanen die hier hun diensten aanbieden. Het is zaterdagochtend en weekendklussers gooien hun laadbak vol met planken, verf of zakken cement. Op de uitrit van de parking kunnen ze meteen wat goedkoop werkvolk opladen om de geplande karweien te helpen uitvoeren. Ik zie een auto bruusk stoppen en meteen komt het tot een samenscholing rond het chauffeursraampje. Er ontspint zich een discussie in wederzijds gebroken Engels en Spaans – maar zonder bevredigend resultaat. De auto scheurt weer weg en de mannen blijven mopperend achter. 'Soms zie je dat de opdrachtgevers liever geen mensen aannemen die goed Engels praten,' beweert Enrique. 'Want dat betekent dat ze al wat langer in de vs zijn, dat ze hun rechten kennen en de gebruikelijke salarissen en dat ze meer eisen kunnen stellen.'

Alex is zesendertig en lijkt aan dat profiel te beantwoorden. Hij scharrelt al zestien jaar jobs bijeen in Amerika en zijn Engels wordt gekleurd door een gezellig Mexicaans accent. Hij heeft niet altijd als dagloner gewerkt; soms had hij een tijdlang dezelfde baan, maar dat betaalde slecht. Nu verhuurt hij zijn diensten aan wie ze kan gebruiken en daar genoeg voor wil betalen. Ook Alex geeft toe dat hij heel wat dagen vruchteloos staat te wachten. De recessie is nog nauwelijks voorbij.

Victor is amper vierentwintig, maar praat – in het Spaans – met de ervaring van een oude rot die historische tijdvakken kan vergelijken. 'Vroeger verdiende ik genoeg om elke week tot zevenhonderd dollar naar mijn familie in Mexico City te sturen. Ik hield er dan nog vijf- of zeshonderd over voor mezelf. Dat lukt nu van geen kanten meer. Ik kan nog hooguit vijftig, tachtig of misschien honderd dollar doorsturen, meer niet.' Ik vraag de mannen of ze, met zo weinig kansen en vooruitzichten, niet beter naar huis kunnen terugkeren. 'Daar zitten we vaak aan te denken,' geeft een van hen toe. 'Maar in Mexico is er nog minder werk. Als we terugkeren, nemen we een risico: als we het dan later nog een keer in de vs willen proberen, moeten we de grens weer zien over te steken. Die wordt alsmaar strenger bewaakt en beveiligd.'

De Mexicaanse dagloners in de canyon en aan de doe-het-zelfzaak behoren tot de moeilijk in kaart te brengen groep van *undocumented immigrants*: mensen zonder papieren. In de census worden ze meegeteld, maar niet als aparte categorie afgevinkt. De federale overheid wil niemand afschrikken om zich te melden en doet daarom in de volkstelling geen poging om de legale van illegale bewoners te onderscheiden. Toch mag je veronderstellen dat een aantal illegalen aan de telling ontsnapt en dat het officiële bevolkingscijfer dat in 2010 als resultaat uit de census kwam – driehonderdenacht miljoen – beneden het reële aantal ligt.

Je kunt trouwens de vraag stellen waar je de op-en-neer-reizende dagloners, die bijna pendelen tussen Mexico en de vs, zou moeten thuisbrengen: bij de inwoners van de vs of bij de bezoekers? De census probeert iedereen te vinden die verblijft op een adres en maakt daarbij abstractie van hun burgerschaps- of vreemdelingenstatus. De kans dat het zeiltjeskamp tussen het struikgewas in de canyon als adres is meegerekend, is nochtans niet erg groot. In San Diego of aan de grens met Texas, zie je vaak dat Mexicanen slechts voor een dag of een weekje overkomen, op zoek naar wat betaalde arbeid. Ze slapen dan buiten of bij vrienden. Dat type migrant komt meestal uit de Mexicaanse stadjes en dorpen in de grensstreek of heeft daar tenminste een uitvalsbasis gevestigd. Zij leven haast letterlijk in een spreidstand: met een been in Mexico en met het andere in Amerika.

Het Pew Hispanic Center (een filiaal van het vermaarde Pew Research Center) waagt zich elk jaar aan een schatting van het aantal illegalen. Voor begin 2010 kwam het tot een raming van elf miljoen tweehonderdduizend. De overgrote meerderheid daarvan zijn Latijns-Amerikanen en spreken Spaans. De meeste Spaanstalige illegalen zijn Mexicanen. Ze zijn, recent of lang geleden, de grens overgestoken in een van de staten in het zuidwesten, van Californië over Arizona en New Mexico tot Texas. Als je de staten van de vs rangschikt op basis van het latino-aandeel van de bevolking, staan die vier in het zuidwesten stevig bovenaan. New Mexico is de absolute uitschieter, met een ruime 46%. Daar is bijna een op de twee inwoners latino.

In feite gaat het in die regio niet enkel om immigranten of hun nageslacht. Zeker in New Mexico was de bevolking altijd al, sinds de annexatie door de vs, sterk Spaans-Mexicaans gekleurd. Zoals al aangegeven in het eerste hoofdstuk pikten de Amerikanen het hele zuidwestelijke gebied, tot en met Utah en Colorado, pas omstreeks het midden van de negentiende eeuw in. Daar ging een oorlog met Mexico aan vooraf en een kort intermezzo van Texaanse onafhankelijkheid. Het zuidwesten was de oorlogsbuit die de op de knieën gedwongen Mexicanen aan de vs moesten afstaan. De bevolking was deels indiaans en deels van Spaans-Mexicaanse afkomst, al waren er ook al *yankee*-kolonisten, trappers en goudzoekers neergestreken. Het gevolg is dat veel van de bewoners van New Mexico met Spaanse namen geen immigranten zijn, maar de verre nazaten van de families die er altijd al woonden, zelfs toen het daar nog Nieuw Spanje heette en later Mexico.

Rabiate tegenstanders van de immigratie beschrijven de recente instroom vanuit Mexico als een sluipende *reconquista*. De Mexicanen komen opnieuw bezit nemen van wat hen honderdzestig jaar geleden door de yankees is afgenomen. Die analyse wordt meestal als waarschuwing of alarmkreet geformuleerd, alsof de Amerikaanse beschaving onder de voet wordt gelopen door miljoenen zuiderburen en alsof Californië en Texas weer volledig mexicaniseren. In hun erg- ste nachtmerries zien de doemdenkers de regio vroeg of laat weer aansluiten bij Mexico, zodat de vs uiteenvallen. Latino-actiegroepen doen dat soort analyses meestal af als kwalijke en opruiende retoriek van extreemrechtse xenofoben. Toch merk ik bij Enrique Morones van Border Angels dat hij die voorstelling van zaken ook wel prikke- lend, ja haast flatterend vindt.

'Wat bedoel je, *it used to be Mexican*? Dat is het toch nog altijd?' Als hij de aarzeling leest in mijn reactie, sust hij meteen: 'Ik maak maar een grapje hoor. Dat gepraat over de reconquista is extremisti- sche nonsens. En aan latinokant vind je slechts een handvol idioten die daar zelf ernstig in geloven. Maar de realiteit is wel dat we op- nieuw de meerderheid van de bevolking gaan uitmaken, net zoals dat het geval was vooraleer de Amerikanen in Mexico binnenvielen en de helft van het Mexicaanse grondgebied stalen. De Mexicaanse ge- meenschap wordt andermaal de overheersende groep in dit deel van Amerika, maar daarom gaan we de niet-Mexicanen niet discrimine- ren. We gaan hen niet behandelen zoals we zelf altijd behandeld zijn.' Doorheen de woorden van Morones valt een stille triomf te beluis- teren. Het zoete leedvermaak van de rechtzetting.

Recessie, besparingen en xenofobie

De Mexicaanse inwijking maakt van het zuidwesten een apart stuk Amerika met een eigen culturele kleur. Toch zou het fout zijn om de latino-invloed in de vs tot die zuidwestelijke hoek, plus Florida, te begrenzen. De Mexicanen en hun lotgenoten uit El Salvador, Guate- mala of de Dominicaanse Republiek zijn intussen uitgezwermd over vrijwel het hele grondgebied. In vijfentwintig staten zijn ze inmiddels de grootste minderheidsgroep, groter dan de zwarte gemeenschap of de Aziaten. Daar zijn noordelijke landbouwstaten bij als Wyoming of Idaho of naaldbosrijke streken als Vermont en New Hampshire.

Die geografische spreiding loopt parallel met een verbreding van hun werkveld. De tijd dat Mexicanen enkel in de Californische fruit- pluk werden ingeschakeld is al lang voorbij. Latino's worden massaal gerekruteerd in de bouwsector en in de landbouw; de vrouwen gaan aan de slag als kamermeisjes in hotels of als schoonmaaksters bij particulieren. Doorgaans gaat het om laag betaald of vies werk of allebei. Klaarblijkelijk maken latino-immigranten minder bezwaar tegen zwaar werk voor weinig geld. De illegalen onder hen staan in een kwetsbare positie en kunnen weinig eisen hard maken. De voorbije jaren is de weerstand tegen de Mexicaanse immigratie weer flink opgelaaid. Sommige Tea Party-groepen (niet allemaal) maakten er een speerpunt van. Gek genoeg was daar zelden zo weinig reden toe als sinds het uitbreken van de financiële crisis en de recessie in 2008. Want voor het eerst in twee decennia was er sprake van een daling van de illegale immigratie. Volgens het eerder genoemde Pew Hispanic Center werd het hoogtepunt genoteerd in 2007, toen er twaalf miljoen *unauthorized immigrants* in de vs verbleven. Vanaf 2008 zakte dat cijfer en de jongste twee jaren schommelt het boven elf miljoen. De oorzaak is niet ver te zoeken: de recessie heeft honderdduizenden Mexicanen hun koffers doen pakken. Moe van het vergeefse wachten op werk zijn ze naar huis teruggekeerd, terwijl de instroom is stilgevallen. Zolang de Amerikaanse economie blijft sputteren en haperen, zal dat beeld niet spectaculair veranderen.

Toch werden op diverse niveaus forse maatregelen goedgekeurd tegen illegale immigratie – alsof de vs werden bedreigd en aangevallen en zich in ijltempo moesten pantseren tegen ongewenste indringers. De staat Arizona nam het voortouw met de *Senate Bill 1070*. Die gaf de staatspolitie om te beginnen meer armslag om op zoek te gaan naar illegalen. De agenten moesten voortaan iedereen die ze staande hielden (bijvoorbeeld bij een verkeerscontrole) om verblijfspapieren vragen. Illegaal verblijf werd daarenboven een *misdemeanor* of misdrijf, dat bestraft werd met boetes of een celstraf. In Amerika ligt een identiteitscontrole op straat veel gevoeliger dan in Europa en de bepaling van de senaatswet werd als een vrijgeleide gezien voor de politie om elke latino na te trekken. Daarnaast verbood de wet het inhuren van werkkrachten op de openbare weg, een duidelijke poging om het fenomeen van de dagloners de kop in te drukken. Hulp aan illegalen werd zonder meer als een misdrijf bestempeld.

De wet van Arizona deed heel wat stof opwaaien. Nooit eerder was er een dergelijke harde anti-immigrantenwet goedgekeurd in de vs. Er vloeide heel wat inkt over de grondwettelijkheid en het praktische nut van de bepalingen, want het immigratie- en uitzettingsbeleid is een federale bevoegdheid. Zelfs al zou de staatspolitie van Arizona met de nieuwe wet de illegalen makkelijker en in dichte

drommen bij de kraag kunnen vatten, dan nog zou het aan de federale overheid zijn om die mensen daadwerkelijk het land uit te zetten. De politici in het parlement van Arizona wisten dat maar al te
goed. Met hun harde aanpak hoopten ze echter de Latijns-Amerikaanse illegalen af te schrikken, zodat ze uit eigen beweging zouden vertrekken.

Bij de rechtbanken regende het klachten tegen de wet; zelfs het
federale ministerie van Justitie in Washington probeerde er een stokje voor te steken. Uiteindelijk werd de meest controversiële bepaling
– de verplichte controles op straat – door de rechter opgeschort. Eind
2011 wordt daar nog altijd een juridische strijd over gevoerd en is die
bepaling nog steeds niet van kracht. Toch mag je aannemen dat de
wet al een behoorlijk aantal immigranten heeft weggejaagd. Zelfs nog
voor de wet werd afgehamerd in het staatsparlement was er sprake
van een uittocht van Mexicanen uit Arizona. Het aantal illegalen in
die staat zakte van een half miljoen in 2007 tot vierhonderdduizend
in 2010 – een daling met 20%. Behalve de belabberde economie heeft
de groeiende vijandigheid tegenover latino's daarin ongetwijfeld een
rol gespeeld. De sheriff Joe Arpaio, zelf de zoon van Italiaanse immigranten, verwierf nationale bekendheid toen hij op eigen houtje de
jacht op illegalen opdreef en daar groot mee uitpakte. De Republikeinse gouverneur Jan Brewer deed haar duit in het zakje met uitspraken
als zou de meerderheid van de illegale Mexicanen enkel de grens
oversteken om drugs te verhandelen. De publieke opinie in Arizona
is dermate opgehitst tegen latino's, dat zelfs de respectabele senator
en voormalig presidentskandidaat John McCain in 2011 nogal gratuit
beweerde dat hevige bosbranden vermoedelijk door illegalen waren
aangestoken.

Ondanks de controverse zette Arizona de toon voor soortgelijke
anti-immigrantenwetten in Alabama, Utah, Georgia, Indiana en Zuid-
Carolina. De maatregelen in Alabama gaan nog verder dan in Arizona. Daar moeten de publieke scholen de illegale immigrantenkind-
jes opsporen, tellen en in kaart brengen. In de hogescholen en universiteiten zijn zelfs geen illegalen meer toegelaten. Het is alsof de staten de illegale immigranten willen opjagen en doorschuiven om ervan
af te zijn. Zo'n grimmige reactie in tijden van recessie hoeft niet te
verbazen. De geschiedenis toonde eerder al, ook in Amerika, hoe migranten de zondebok worden als het economisch slechter gaat. Van
zodra de groei weer op kruissnelheid komt, schreeuwen werkgevers

opnieuw om goedkope arbeidskrachten en roept het inhuren van onderbetaalde dagloners weer minder weerstand op. In dit geval komt
er een factor bovenop die de vijandigheid voor langere tijd kan aanwakkeren. Alle staten worden gedwongen tot radicale besparingen
en snoeien genadeloos in hun publieke sector. Hoe meer ze moeten
instaan en betalen voor de dienstverlening aan illegalen en hun families – in hospitalen en onderwijs bijvoorbeeld – hoe korzeliger de reacties zullen zijn. Politici hebben weinig aansporing nodig om in te
spelen op die gevoelens. De publieke opinie en het politieke klimaat
dreigen nog jarenlang in de houdgreep te zitten van een anti-illega-
lensentiment.

Dat klinkt allemaal tamelijk abstract. Het verhaal van Beatrice
maakt duidelijk wat dat klimaat voor een latina in Amerika concreet
kan betekenen: dat je voortdurend gewantrouwd wordt. Beatrice ziet
er zo blank uit als een Britse uit een Engels provinciestadje, maar ze
is de dochter van een Mexicaanse immigrantenvader en een tweede-
generatiemigrantenmoeder. Zelf is ze geboren in New Mexico en op
haar geboortecertificaat staat de vermelding 'hispanic'. Sinds kort
woont ze in Alabama, waar ze vrijwilligerswerk doet voor de eerder
genoemde Birmingham Ministries. 'Met de verhuizing naar Birmingham was ik een aantal officiële papieren kwijtgespeeld. Ik moest een
nieuw rijbewijs aanvragen en toonde mijn geboortecertificaat. Daarin staat zwart op wit dat ik in de vs geboren ben, maar vanwege de
vermelding 'hispanic' vroegen ze mij om extra bewijzen. Ik zei hen
dat ik in New Mexico was geboren, maar dat maakte hen nog wantrouwiger. Ze hoorden alleen maar 'Mexico' en leken niet te begrijpen
dat het om een staat van de vs ging. Als ze hispanic zien staan op officiële stukken, gaan ze er vanzelf vanuit dat je buitenlands bent en
illegaal. Veel latino's veranderen nu die vermelding op hun papieren
en zetten voor het gemak maar *white*. Maar dat weiger ik. Ik ben
Mexicaanse van afkomst, hispanic dus en ik blijf daarvoor uitkomen.'

Niet alleen de echte illegalen voelen de druk toenemen, ook Amerikaanse staatsburgers met een Spaanse naam en Latijnse achtergrond
dreigen in dat opgehitst tumult de zekerheid te verliezen dat ze nog
welkom zijn.

Obama, amnestie en superbaby's

De regering-Obama voerde tot nu toe een tweesporenbeleid inzake illegale immigratie. Aan de ene kant versterkte Obama de bewaking van de grens met Mexico. Hij maakte geld vrij om een duizendtal extra agenten aan te werven bij de Border Patrol en tweehonderdvijftig nieuwe douanebeambten. Bovendien stuurde hij twaalfhonderd manschappen van de National Guard om de politiediensten te ondersteunen. Die kunnen nu ook gebruik maken van *drones* of onbemande vliegtuigjes die over het grensgebied zweven. De president maakte zich niet bepaald populair bij latinogroepen toen bleek dat onder zijn bewind een recordaantal illegalen het land was uitgezet. In zijn eerste twee jaren werden er bijna achthonderdduizend gedeporteerd. Daarnaast worden nu ook werkgevers die illegalen inhuren scherper gecontroleerd en vaker bestraft dan vroeger.

Obama is dus geen watje voor illegalen. Voor Washington gaat het daarbij tegelijk om de beveiliging van het grensgebied tegen drugstrafikanten en misdaadbendes. De drugsoorlog in Mexico is de voorbije jaren steeds driester en dodelijker geworden en de rivaliserende Mexicaanse bendes bevoorraden de markt in de vs. Hoewel de drugskartels tot dusver nog weinig dodelijk geweld hebben gepleegd op Amerikaanse bodem – ongetwijfeld om onder de radar te blijven – bestaat het risico dat er vroeg of laat ook bloedige afrekeningen in Amerikaanse steden zullen plaatsvinden. Behalve op illegalen jaagt de versterkte grenspolitie dus ook op wapens en misdaadgeld en met enig succes.

Dat repressieve spoor gaat gepaard met een pragmatisch soort tolerantie. In feite had Obama een grootschalige hervorming van het immigratiebeleid hoog op zijn *to do*-lijstje gezet. De president wil miljoenen illegalen amnestie verlenen en regulariseren, op voorwaarde dat ze hun inbreuk op de wet erkennen en een boete betalen. Bovendien mogen ze verder geen strafbare feiten hebben gepleegd en moeten ze 'achteraan in de rij gaan staan' om een verblijfsvergunning en later het staatsburgerschap te verkrijgen. Het plan wijkt niet eens zo sterk af van een ouder wetsvoorstel waar ook George W. Bush voorstander van was. Zelfs Bush, die toch op handen werd gedragen door conservatieve Republikeinen, was niet in staat om zijn fractie achter dat voorstel te scharen. Immigratie is een thema waaraan je als politicus je vingers kan branden, in Amerika net zo goed als in Europa.

Momenteel is het klimaat in de vs bovendien zo xenofoob, dat een grootschalige regularisatiecampagne van miljoenen illegale Mexicanen meer op sciencefiction lijkt dan op een ernstig beleidsplan.

Mocht Obama herverkozen raken, bestaat de kans dat hij het mondjesmaat toch ten uitvoer brengt. Nu al heeft zijn regering aangekondigd dat ze voortaan in eerste instantie illegalen zal deporteren die wat op hun kerfstok hebben. De anderen hoeven dus, in de praktijk, niet veel te vrezen. Meer zelfs, van honderdduizenden die een deportatie te wachten stond, zal het dossier worden herzien. Voor zover ze geen strafblad hebben, kunnen ze blijven. Hun legaal statuut blijft vaag: je zou hen officieel gedoogde illegalen kunnen noemen. Voor de tegenstanders van immigratie is dit een brug te ver. In hun ogen komt dit neer op een sluipende amnestiemaatregel.

Tenslotte wil president Obama minimaal een regeling doorduwen voor de kinderen van illegalen. Het gaat dan om jongeren die zelf als kind met hun ouders geïmmigreerd zijn. Hen kan je bezwaarlijk aanwrijven dat ze willens nillens de wet hebben overtreden door zonder toestemming de vs binnen te sluipen. Toch komen ze niet in aanmerking voor het staatsburgerschap en zijn hun kansen op werk beperkt. Nu lijkt het een beetje onredelijk om te verwachten dat een jongen van negentien, die als peutertje met zijn ouders is geïmmigreerd en zijn hele jeugd lang in Chicago of Los Angeles is opgegroeid, zou 'terugkeren' naar een dorp in Mexico waarmee hij mogelijk geen enkele binding voelt. Voor die kinderen van illegalen is de *Dream Act* uitgewerkt. *Dream* is een van de betere acronymen van de laatste jaren en staat voor *Development, Relief and Education for Alien Minors*. De wet zou uitzicht bieden op een permanente verblijfsvergunning voor alle kinderen van illegalen die hun middelbare school beëindigd hebben en die ofwel in militaire dienst gaan, ofwel vier jaar lang met succes aan een universiteit studeren. Het gaat hier nog niet om staatsburgerschap, maar wel om een geregelde en gelegaliseerde verblijfsstatus. In feite dateert de eerste versie van de wet al van 2001. Een gewijzigde versie werd tien jaar later ingediend. Toch vangt ook dit voorstel nog te veel tegenwind; zelfs vroegere voorstanders hebben hun steun ingetrokken en komen met allerlei bezwaren.

De Dream Act zou in elk geval de juridische kloof verkleinen tussen de kinderen van illegalen die zelf als kind geïmmigreerd zijn en de kinderen van illegalen die in de vs geboren zijn. Die laatste groep groeit elk jaar aan met meer dan driehonderdduizend baby's. Dat be-

tekent dat ongeveer 8% van de baby's die in de vs geboren worden
een illegale mama en papa hebben. Die zuigelingen hebben vanaf dag
één een streepje voor op hun ouders: zij zijn meteen Amerikaanse
staatsburgers, simpelweg omdat ze erin slaagden om op Amerikaanse bodem ter wereld te komen. Op die manier leven er nu al tussen
vier en vijf miljoen minderjarige kinderen van illegalen in Amerika,
die zelf volstrekt legaal zijn. Daardoor komen ze in principe in aanmerking voor vormen van overheidssteun waar hun ouders of zelfs
hun broertjes die in het buitenland geboren zijn, geen recht op hebben: voedselhulp bijvoorbeeld, of de publieke ziekteverzekering voor
lage inkomensgroepen Medicaid. In de praktijk zijn het de ouders die
de voedselbonnen in ontvangst nemen, maar van de ziekteverzekering blijven zij uitgesloten. Ouders, broers en zussen blijven nog altijd
illegaal in het land. In theorie kan het legale kind, wanneer het eenentwintig is, familieleden laten 'overkomen' naar de vs: op die manier zou de rest van de familie geregulariseerd kunnen worden. Anti-
immigrantenkringen hebben het daarom over 'ankerbaby's': kinderen
die door illegale ouders als een soort bruggenhoofd worden ingezet,
een wig om de poorten van Amerika te forceren. Sommigen beweren
zelfs dat Mexicaanse vrouwen met opzet in de vs komen bevallen,
om via dat *birth tourism* voedselhulp op te strijken en een voet tussen de deur te wringen. In een grensstad als San Diego valt dat niet
uit te sluiten, maar de vraag is of het vaak gebeurt.

Het zal niet echt verbazen dat er stemmen opgaan om de regeling
stevig te herzien en te beperken. Hier stoot de wetgever op eerbiedwaardige obstakels. Het automatisch verkregen staatsburgerschap op
grond van de geboorte in Amerika – het zogenaamde *birthright citizenship* – is stevig verankerd in het Veertiende Amendement van de
Grondwet. Het gaat om een van de fundamenten van de Amerikaanse samenleving en zelfs van het Amerikaanse zelfbeeld. De massale
immigratie van latino's lijkt dat prachtige, ruimhartige principe nu
onder druk te zetten. De komende jaren zal moeten blijken of het
Amerikaanse model tegen die druk is opgewassen.

Hispanics, latino's, chicano's

De massale immigratie zonder toestemming vanuit Mexico en andere Zuid-Amerikaanse landen vertekent het beeld van de Spaanstalige
gemeenschap in de vs. Ook als we gratuit een hoge schatting zouden
maken van het aantal illegalen en aannemen dat er geen elf maar
vijftien miljoen in het land verblijven, dan nog blijven er vijfendertig
miljoen hispanics over die er legaal wonen, al dan niet als staatsburger. Zelfs bij een radicale, grootschalige deportatiecampagne van de
mensen zonder papieren – een hoogst onrealistische en onhaalbare
optie – zou de overgrote meerderheid van de latino's in de vs kunnen
blijven. De conclusie is dat Amerika verspaanst en latiniseert. Op
het niveau van afzonderlijke staten, zoals Texas of Californië, zie je
dat nog duidelijker. De dag is niet ver dat hispanics in een aantal staten de meerderheid zullen uitmaken. Die evolutie zal Amerika ongetwijfeld veranderen en verkleuren. Behalve hun taal brengen de Zuid-
Amerikanen culinaire en muzikale tradities mee, familiepatronen en
omgangsvormen, katholieke overtuigingen en rituelen en gevoelens
van nationale trots. Het is belangrijk om oog te blijven hebben voor
de verschillen in die enorme massa: Cubanen zijn geen Mexicanen
en Ecuadoranen hebben weinig gemeen met Argentijnen. Zelfs binnen de Mexicaanse gemeenschap gaapt er een culturele kloof tussen
indiaans-Mexicaanse immigranten uit het zuidelijke Oaxaca en de
noorderlingen uit een grensstaat als Sonora. De vraag is wat de grote
gemene delers zijn van al die groepen en hoe we hun gemeenschappelijke identiteit kunnen begrijpen. Dat is geen simpele kwestie. In
feite loopt het gros van de latinomigranten niet echt warm voor dat
soort vragen. In vergelijking met de zwarte gemeenschap zijn ze veel
minder begaan met thema's als identiteit en groepsrechten. De latino-
intelligentsia en activisten die er wel mee bezig zijn, houden er vaak
uiteenlopende visies op na.

Het begint al met de vraag hoe ze zichzelf noemen: hispanic of
latino. De eerste term is eerder conservatief geladen, de tweede verspreidt een licht parfum van activisme. In zijn boek *Living in Spanglish* peilt Ed Morales naar de diepere betekenis van dat woordgebruik.
'Terwijl hispanic de voorkeursterm werd van de assimilationisten,
werd latino de benaming die de intelligentsia, de identiteitspolitici
en de jonge stedelingen gebruikten. Hispanic beschrijft het best een
Republikeins politicus in Florida, een ceo van een frisdrankenfabriek

in Georgia of een advocaat in Texas. Latino verwijst naar een professor in Californië, een muzikant in New York en recente immigranten
overal in de vs. Hoewel latino alludeert op een betrokkenheid of tenminste een sympathie voor Latijns-Amerika en de pseudoderdewe-
reldstatus die daaraan vast hangt, impliceert de term vooral dat latino's niet slechts Spanjaarden zijn, maar een mengeling van Spanjaarden, Afrikanen en indiaanse volkeren.'

Dat lijkt me een scherpzinnige exegese van het courante taalgebruik. De census 2010 omzeilde het probleem en vroeg de responden-
ten of ze van 'hispanic, latino of Spaanse' herkomst waren; duidelijker kon moeilijk. Overigens werd die groep in de volkstelling niet als
een ras of raciale categorie geteld. De vraag naar de hispanic achtergrond stond apart vermeld, zodat mensen van alle rassen hun Spaans-
Latijnse wortels konden aangeven. Een aanzienlijk aantal Puerto
Ricanen en Cubanen zijn zwart. Dat zie je in de cijfers van de volkstelling: meer dan een miljoen zelfverklaarde hispanics bekenden zich
tegelijk tot het zwarte ras.

In dit boek worden hispanic en latino wat door elkaar gebruikt, al
dreigt de term latino op punten te winnen. Ik volg Ed Morales als hij
iets eurocentrisch proeft in de term hispanic, terwijl de Latijns-Amerikaanse mensensoort intussen een mengvat is geworden, met heel
wat indiaanse elementen.

Mexicanen in de vs hebben trouwens hun eigen geuzennaam: *chicano's*. Vermoedelijk als een verbastering van Me-chicano's was dat
oorspronkelijk een naam die door de blanke Amerikanen aan Mexicaanse gastarbeiders en immigranten werd gegeven. Hoewel niet echt
een scheldwoord, was het ook geen flatterende term. In de jaren 1960
kwam, vooral in Texas en het zuidwesten, een soort hispanic burgerrechtenbeweging van de grond. Het was een strijd tegen sociale uitsluiting, exploitatie en discriminatie; maar zoals dat wel vaker gebeurt, ging dat verzet gepaard met een aangescherpt cultureel bewustzijn. 'Chicano' werd de vlag waaronder die campagne gevoerd werd
en de term die veel activistische Mexicanen zichzelf toedichtten. Er
ontstond ook chicanoliteratuur en chicanomuziek; Los Lobos groeiden uit tot de bekendste ambassadeurs van dat genre. Veel meer dan
de hedendaagse term latino verwijst de benaming chicano naar een
gemeenschap die in de Verenigde Staten geworteld is. Het woord om-
vat zowel de verre nazaten van de oorspronkelijke bewoners van het
zuidwesten – diegenen die nooit gemigreerd zijn – als de nakomelin-

gen van de Mexicaanse immigratiegolven uit de jaren 1910-1950. Chicano's zijn, kortom, Mexicaanse Amerikanen die doorgaans met Mexico nog weinig te maken hebben. Dat onderscheidt hen van de recentere immigranten die geld sturen naar hun familie op het thuisfront en mogelijk zelfs op en neer reizen.

Om het nog wat complexer te maken en tegelijk juister, kan je er de *tejano's* nog uitlichten: de Spaans-Mexicaanse Texanen. Want hoewel ook Texas deel was van de sociaal-politieke chicanobeweging is de kleur van de tejanocultuur weer een schakering verschillend. Tejano's zijn landelijker en traditioneler dan de grootstedelijke chicano's uit LA. Hun *tex-mex*muziek is een unieke mengeling van Mexicaanse zangtradities met Duitse dansritmes (polka en wals) en instrumenten (de accordeon). Een van mijn fijnste reisherinneringen bewaar ik aan een tex-mexfestival in San Antonio, waar op diverse podia jongere en oudere muzikanten het genre ten gehore brachten – van smartlapperig klassiek tot heftig modern. Wat mij betreft is Texas het leukst en charmantst als de staat zich van zijn oude Spaanse tejanokant toont.

Hispanisering

Laten we daarom even in Texas blijven hangen. De *Lone Star State* verzinnebeeldt in Europese ogen wellicht het sterkst de Amerikaanse westerncultuur. George W. Bush leek daar een moderne exponent van, met zijn ongepolijst no-nonsensetaaltje. Zijn opvolger als gouverneur Rick Perry is van hetzelfde laken een pak; ook hij wil nu naar het Witte Huis. Texas is de staat van televisieserie *Dallas* en de olie-industrie, van rodeo's en cowboylaarzen. Dat alles spreekt misschien tot de verbeelding, maar geeft steeds slechter weer welke kant Texas opgaat. Bijna vier op de tien Texanen hebben een latino-achtergrond (37,6% volgens de laatste census). In het district rond San Antonio loopt dat op tot zes op de tien. Haast al die latino's zijn Spaanstalig. Texas voert een beleid dat soepel tegemoetkomt aan die realiteit.

Als je in Texas op een luchthaven landt, vind je vrijwel alle bordjes en wegwijzers in twee talen terug. De Texaanse overheidsinstanties zijn verplicht om op hun websites Spaanse informatie te verschaffen. Bovendien behoort Texas tot de pioniers en koplopers inzake tweetalig Engels-Spaans onderwijs. De staat verplicht de publieke scholen om de lagere klassen in het Spaans aan te bieden, zodat alle vakken worden onderricht in een taal die de kinderen van huis uit begrijpen. Daarnaast zijn er – meestal op een overgangsniveau – klassen waar de voertaal Engels is, maar waar een aangepast tempo wordt gevolgd zodat niemand achterophinkt. Het hoeft geen betoog dat het aantal leerlingen in die klassen gestaag is blijven klimmen. De jongste jaren krijgt ongeveer een half miljoen Texaanse kinderen de lessen in het Spaans.

Die tweetalige programma's staan steeds meer onder druk. Er worden verhitte pedagogische en didactische debatten gevoerd over de juiste methodiek: moet je alle leerstof in het Spaans geven of is de trage aanpak in het Engels toch beter? Een interessante vraag die een wetenschappelijk onderbouwd antwoord verdient. Jammer genoeg blijkt dat die discussie ook door politieke ideeën en zelfs ronduit xenofobe gevoelens wordt doorkruist. In een aantal staten – daar hebben we Arizona weer! – is het aanbod aan Spaanstalig onderwijs al flink afgebouwd. In Texas blijft het systeem nog steeds overeind, maar volgens de lerarenbonden dreigt het de dupe te worden van recent goedgekeurde besparingen.

In België zijn we al decennialang uiterst gevoelig voor taalkwesties. In de vs is dat een vrij nieuw fenomeen. De federale natie van de Verenigde Staten van Amerika heeft geen officiële taal. De meeste afzonderlijke staten hadden tot voor kort evenmin een officiële taal. Niemand voelde de nood om formeel te bekrachtigen wat algemeen gangbaar was: dat het Engels als voertaal werd gebruikt. Enkel in een aantal noordelijke staten woedde er een tijdlang een discussie over het Duits, dat sterk in opmars leek. Zoals vermeld in de vorige hoofdstukken werd dat debat beslecht door de Eerste Wereldoorlog. Met de massale instroom van Spaanstalige immigranten is de taalkwestie nu weer aan de orde.

Vanaf de jaren 1980 begon de *English-only*-beweging vorm te krijgen. Diverse organisaties (u.s.English, ProEnglish) gingen ijveren voor wetgeving die het Engels een officiële erkenning geeft. In ongeveer de helft van de staten is intussen een dergelijke wet goedgekeurd. In Hawaï kregen twee talen een officiële status: Engels en Hawaïaans. De vrijstaat Puerto Rico erkent het Engels en het Spaans. Ook New Mexico ruimde aanvankelijk, nog voor de Tweede Wereldoorlog, een officiële plaats in voor het Spaans. Die regeling doofde echter uit en is niet meer van kracht. Als reactie op het English-only-activisme hebben enkele staten een expliciete keuze geafficheerd voor meertaligheid en zogenaamde *English Plus*-resoluties gestemd. In feite maken die wetten en resoluties niet zoveel verschil. Wat telt is de praktijk op het terrein: in dienstverlening, scholen, openbaar transport. Veel van die dingen worden door lokale instanties geregeld. Er bestaan daarom grote variaties in de mate waarin je het Spaans kan gebruiken of terugvinden. Ondanks de ideologische verharding valt het mij op hoe pragmatisch er in Amerika met andere talen wordt omgesprongen. In de New Yorkse metrostellen vind je de officiële aankondigingen in het Engels en in wat kleinere letters in het Spaans. De hiërarchie is duidelijk, maar Spaanstaligen worden niet over het hoofd gezien. De officiële portaalsite van de stad New York biedt informatie aan in vier talen: Engels, Spaans, Chinees en Russisch. Overigens kan je ook op de website van het Witte Huis doorklikken naar Spaanstalige berichten.

Natuurlijk is het voor Amerikanen een wat onthutsende ervaring wanneer ze plots in een omgeving belanden waarin de rest van de aanwezigen onverstoorbaar in het Spaans communiceert. Zulke situaties komen steeds vaker voor: in een autoverhuurkantoor, een luchthavenbar of een kleine supermarkt kan je jezelf omsingeld zien door latinopersoneel. Als Engelstalige klant ga je je eenzaam voelen te midden van dat klaterende Spaans. Nog lastiger wordt het als het personeel het Engels niet eens meer machtig is, zoals wel eens gebeurt met klusjesmannen of poetsvrouwen in de hotels. Je kan het de laaggeschoolde, onderbetaalde en soms kersverse immigranten niet altijd verwijten. Het zou niettemin een kwalijke evolutie zijn wanneer ze het Engels niet eens meer wilden leren. In sommige buurten en steden is Spaans zo dominant geworden dat Engelse taalkennis niet meer echt hoeft. Hispanic bedrijfjes doen zaken met elkaar in een eentalig Spaans circuit. Omgekeerd is de belangstelling van Engelstalige jongeren voor het Spaans dan weer toegenomen; Spaans is nu de populairste tweede taal op school.

In dat taalkundige spanningsveld zoeken veel latino's voorlopig hun eigen weg. *Spanglish* is de term die gebruikt wordt voor het tussentaaltje dat in veel latinostadswijken de ronde doet: Engels met een dik accent of Spaans doorspekt met Engelse woorden. Wellicht zal dat met Spaans verhaspelde Engels zijn sporen nalaten in Amerika. In New York noemen de Puerto Ricanen zichzelf *Nuyoricans*: dat prachtige woord alleen al lijkt me een verrijking van de taal.

Spreidstand

De vrees voor de verspaansing van Amerika gaat gepaard met de zorg dat de Mexicaanse immigranten niet echt van plan zijn om te integreren. Het was vooral politicoloog Samuel Huntington die in zijn boek *Wie zijn wij?* aan de alarmbel trok. Hij zag een verontrustend verschil tussen de recente instroom van Mexicanen en de vorige immigratiegolven. Die andere groepen hadden altijd blijk gegeven van een gretig verlangen om te integreren en bij te dragen tot het Amerikaanse project. Ze hadden vlag en volkslied omarmd en de Engelse taal leren gebruiken. Mexicaanse immigranten daarentegen waren volgens Huntington hardnekkig verknocht aan het Spaans en bij een voetbalwedstrijd in Los Angeles had het Mexicaanse migrantenpubliek gejoeld en met bekertjes gegooid tijdens de hymne van de vs. Wat Huntington vooral veelbetekenend vond, was hun lage naturalisatiegraad. Rond 1990 had slechts 30% van de in het buitenland geboren Mexicanen het staatsburgerschap verworven, terwijl die score bij de Aziaten rond 70% schommelde.

Die cijfers zijn intussen tamelijk verouderd en uit recenter onderzoek blijkt dat de naturalisatie onder Mexicanen toeneemt. Een van de redenen daarvoor is de mogelijkheid, sinds 1998, om de Amerikaanse nationaliteit met de Mexicaanse te combineren. Daardoor hoefden migranten niet langer te aarzelen en te piekeren over de vraag of ze hun Mexicaanse nationaliteit wel zouden opgeven. De regeling is trouwens bijzonder ruim opgevat: zelfs in de vs geboren kinderen van Mexicaanse ouders worden sindsdien door Mexico als Mexicaans beschouwd. In zekere zin bevestigt dit wat Huntington al beweerde: dat de Mexicanen Mexico niet willen loslaten en omgekeerd.

Toch zijn er een paar verzachtende omstandigheden. In tegenstelling tot wat Huntington suggereert, hebben ook eerder al migrantengroepen geaarzeld om definitief voor Amerika te kiezen; bij de Italianen en niet-joodse Oost-Europeanen zijn er velen geremigreerd. Daarenboven is het ook logisch dat migranten langer twijfelen wanneer ze uit een buurland afkomstig zijn. Het wordt dan immers veel makkelijker om heen en weer te reizen, kansen te verkennen, te proberen en te falen. In het verleden deden de Québecquois uit Canada precies hetzelfde. Een groot aantal Mexicanen komt trouwens niet in aanmerking voor naturalisatie omdat ze illegaal in de vs verblijven. Voeg daarbij de Spaanstalige media die de band met Mexico warm houden en het Spaans de huiskamer inblazen en het wordt duidelijk waarom een rechtlijnige en snelle assimilatie, zoals Huntington die graag wou, niet voor de hand ligt.

In feite zijn er nog weinig Amerikanen die rekenen op een volledige culturele assimilatie van de nieuwkomers. Dat mensen in hun privéleven hun religie, taal en tradities behouden, wordt nu vrijwel algemeen aanvaard – zolang ze tegelijk in het grotere samenlevingsverband willen meedraaien. Wat in het geval van de hispanics terecht een beetje zorgen baart, is die dubbele nationaliteitsregeling. Die geeft migranten de kans om vanuit de VS deel te nemen aan verkiezingen in hun eigen land. Bij lokale verkiezingen leidt dat tot vreemde toestanden. Omdat veel dorpjes en steden een groot deel van hun bevolking zagen migreren naar specifieke bestemmingen in de VS, zijn er – in Huntingtons woorden – 'transnationale dorpen' ontstaan. 'Twee op de drie gezinnen in Miraflores in de Dominicaanse Republiek, een dorp met vierduizend inwoners, hebben familie in Boston en omgeving. Op soortgelijke wijze is de bevolking van Chinantla in Mexico gelijkelijk over dit stadje en New York City verdeeld, maar beschouwen de mensen uit Chinantla zich als één gemeenschap – tweeduizend vijfhonderd hier en tweeduizend vijfhonderd daar.' Bij gemeenteraadsverkiezingen komen kandidaten daarom campagne voeren in New York of Boston, om naar de stemmen van hun uitgeweken kiezers te hengelen. In 2001 slaagde Andres Bermudez er zelfs in om zich te laten verkiezen tot burgemeester van zijn thuisstad Jerez terwijl hij zelf nog in de VS woonde. Zijn overwinning werd door de verkiezingscommissie ongeldig verklaard, maar leek de stelling van Huntington te bevestigen. Immigranten uit de Caraïben, Mexico of Colombia kunnen met een been in Amerika wonen en met een been in hun vaderland.

Dat vaderland is mee verantwoordelijk voor die spreidstand. Regeringen van emigratielanden blijven zich vaak actief bemoeien met hun uitgeweken onderdanen. In Europa zie je dat duidelijk gebeuren met Turkije. Turkse jongemannen die opgroeien in Duitsland of België moeten zelfs hun militaire dienstplicht vervullen bij de Turkse strijdkrachten. In theorie bestaat die verplichting ook voor de Mexicanen in de VS, zelfs wanneer die tegelijk de Amerikaanse nationaliteit verworven hebben. Elke Mexicaanse jongen die achttien jaar oud wordt, moet een militaire identiteitskaart aanvragen: de *cartilla militar*. Door die procedure meldt hij zich voor militaire dienst. Omdat het Mexicaanse leger grotendeels een beroepsleger is, zal slechts een kleine minderheid van de 18-jarigen daadwerkelijk voor een militaire training moeten opdraven. De opleiding blijft bovendien beperkt tot een aantal oefensessies op zaterdag. Wie de dienstplicht moet vervullen en wie eraan ontsnapt, wordt beslist door een loterij. De pechvogels krijgen hun militaire cartilla pas na hun dienstplicht, de anderen krijgen ze vanzelf. De Mexicanen die in de vs wonen, krijgen ze in de praktijk zonder één dag militaire opleiding te moeten doorlopen. Als ze later in Mexico geen problemen willen met de administratie moeten ze de kaart wel op zak hebben. Op die manier blijft de Mexicaanse staat een grote invloed en controle uitoefenen.

Het meest omstreden in de vs is de uitreiking door de Mexicaanse consulaten van onofficiële identiteitsbewijzen: de *matrícula consular*. Het gaat om een identiteitskaart waarin de Mexicaanse overheid bevestigt dat betrokkene een Mexicaanse onderdaan is die in het buitenland woont. Op die manier kan Mexico het spoor volgen van de miljoenen Mexicaanse emigranten. Aangezien ook illegalen in de vs zo'n kaart kunnen krijgen, gaat het in feite om papieren voor mensen-zonder-papieren. Heel wat lokale instanties in Amerika aanvaarden de kaart als identiteitsbewijs. Ook banken maken er dankbaar gebruik van om een naam te kunnen registreren wanneer een illegale migrant geld doorstort naar het buitenland. Volgens tegenstanders van de immigratie ondermijnt Mexico de soevereiniteit van de vs door op eigen houtje identiteitskaarten te verdelen en verschaft het een semiofficiële status aan mensen die officieel niet in het land mogen zijn.

Voto latino

Het ligt in de logische lijn van de verwachtingen dat de liefde en belangstelling voor Mexico een beetje zal verwateren bij de tweede en derde generaties. Voor een jonge twintiger die in Amerika geboren is, maakt het waarschijnlijk weinig uit wie er in zijn Mexicaanse familiedorp de burgemeesterssjerp mag omgorden. Wat hem wel interesseert zijn de studiebeurzen, de kansen op de arbeidsmarkt of de prijs van een ziekteverzekering in de vs. Om in die debatten een stem te hebben, moet hij zich laten registreren als kiezer en naar de stembus lopen op verkiezingsdag.

Nu blijft het enthousiasme bij Amerikaanse latino's om deel te nemen aan verkiezingen nog altijd beperkt. Nog geen derde van de kiesgerechtigde latino's trok bij de jongste congresverkiezingen naar de stembus. Bij de presidentsverkiezingen van 2008 deed ongeveer de helft mee. Die scores liggen opvallend lager dan bij blanke en zwarte kiezers. Vooral de twintigers laten het afweten: in die groep brengt nog geen 20% van de kiesgerechtigden zijn stem uit. Er zijn wel duidelijke verschillen tussen hispanics onderling: de Cubanen stemmen massaler dan de Mexicanen en Puerto Ricanen.

Die magere deelname is opmerkelijk, omdat er intussen steeds meer stemgerechtigde latino's bijkomen. Natuurlijk komt een groot deel van de latinobevolking nog niet in aanmerking voor de stembus, omdat ze illegaal of nog te jong zijn. Van alle minderheden in Amerika hebben de latino's het jongste profiel: bijna 35% is jonger dan achttien! Maar vroeg of laat worden die tieners stemgerechtigd en kunnen zij de *voto latino* of *hispanic vote* versterken. Politici met langetermijnambities kunnen dat stemmenreservoir maar beter in de gaten houden. Om de politieke interesse van jonge latino's wat aan te wakkeren, richtten enkele prominente figuren uit hun gemeenschap de organisatie Voto Latino op. Het doel is om de latino's de politieke invloed te geven die ze, op grond van hun aantal, verdienen.

In het meerderheidsstelsel van Amerika worden de meeste verkiezingen erg lokaal uitgevochten, zoals we in het hoofdstuk over de zwarte gemeenschap al duidelijk maakten. Omdat ook latino's hun eigen buurten en stadsdelen hebben, moet dat systeem hen in staat stellen om zetels te veroveren in schoolraden en gemeenten, in staatsparlementen en in het Huis van Afgevaardigden. Met een beetje vertraging lijkt dat nu toch goed te lukken. In het Huis van Afgevaardigden vinden we een dertigtal volksvertegenwoordigers met een latino achtergrond; in de senaat zitten er momenteel twee hispanics. Twee staten hebben een latino gouverneur: Brian Sandoval in Nevada en Susana Martinez in New Mexico. Voor Nevada is dat een primeur, voor New Mexico (en voor de vs) is het in elk geval de eerste vrouwelijke hispanic die het tot gouverneur schopt. Beiden zijn Republikeinen, wat een belangrijk signaal kan zijn. In 2008 hielpen de hispanics de Democraat Barack Obama aan zijn verkiezingszege. Hun politieke voorkeur staat echter niet in steen gebeiteld. De volgende jaren zal er dus nog hard gevochten worden voor de Latijnse stem.

De indrukwekkendste politieke prestaties leveren latino's op het niveau van grote steden. Het Cubaanse machtsblok in Miami werd eerder al vermeld. In 2005 werd ook in Los Angeles, Amerika's tweede metropool, een hispanic tot burgemeester verkozen. Antonio Villaraigosa was de eerste in meer dan honderddertig jaar die dat klaar speelde. Zonder de steun van andere bevolkingsgroepen was hem dat nooit gelukt, maar het feit dat bijna een op de twee bewoners in Los Angeles latino is, heeft ongetwijfeld geholpen. Zou de reconquista dan toch begonnen zijn?

Latinolooks

Op het witte doek van de bioscoop is de latino inmiddels een vertrouwde verschijning, al blijft het aantal supersterren toch nog beperkt voor een minderheid van vijftig miljoen zielen. Benicio del Toro werd geboren in Puerto Rico, net als Raúl Juliá; Jennifer Lopez is de dochter van Puerto Ricaanse New Yorkers. Cameron Diaz en Andy García hebben Cubaanse roots en Eva Longoria stamt uit een oud Texaans geslacht. Anthony Quinn, bij ons vooral bekend als de dansende Griek Zorba, is geboren in Mexico en kwam als kind naar de vs. Ook Salma Hayek was oorspronkelijk Mexicaanse; intussen verwierf ze de Amerikaanse nationaliteit.

Antonio Banderas daarentegen is een importvedette uit Spanje, net als de Mexicaan Gael García Bernal. Alsof de lokale latinogemeenschap niet genoeg talent in huis heeft. Zoals Ed Morales opmerkt werd een aantal bekende, haast iconische latinopersonages bovendien vertolkt door acteurs die geen enkele band hadden met Spanje of Spaans Amerika. Natalie Wood (een Russisch-Amerikaanse!) speelde het Puerto Ricaanse meisje Maria in *West Side Story* en Al Pacino (van Italiaanse afkomst) vertolkte de rol van de Cubaanse gangster Tony Montana in *Scarface*. Ter compensatie kan het voorbeeld van Andy García worden aangehaald, die als Italiaan werd gecast in *The Godfather*.

Blijkbaar waren vage Latijnse of mediterrane trekjes lange tijd goed genoeg voor Hollywood. Liever een bekende naam uit het bekende circuit dan risico lopen met een acteur of actrice uit een etnische niche. Nochtans is die niche in Amerika goed voor een miljoenenpubliek. De Spaanstalige zenders in de vs programmeren tal van *telenovelas* of soaps. Aanvankelijk importeerden ze die uit Mexico en Zuid-

Amerika, maar de voorbije jaren begonnen ze zelf series te draaien. Het belang en de uitstraling van die programma's kunnen nauwelijks worden overschat. De zenders mikken op een potentiële kijkersmarkt van vijftig miljoen Spaanstaligen. Steeds vaker blijkt uit de tellingen dat *Univisión* op een doordeweekse avond het hoogste aantal kijkers bereikt van alle omroepen in Amerika. Wie een hoofdrol vangt in een telenovela is dus meteen een superster. Die lokaal geproduceerde telenovela's kunnen een kweekvijver worden voor Hollywood-talent, al blijven de stijl en het ritme van die Spaanse soaps wel beduidend verschillen van de Engelse series. In elk geval zijn Amerikaanse latino-acteurs nog ondervertegenwoordigd in de filmindustrie. De grote kaskrakers tonen een beeld van Amerika waarin vooral zwarten en blanken – en liefst ook ongure Italianen – rondlopen. Dat een op de zes Amerikanen Spaans praat, kom je in de bioscoop zelden te weten.

Eenzelfde fenomeen doet zich voor in de literatuur. Spaanstalige auteurs uit de vs zijn zeldzaam en breken moeizaam door buiten hun eigen lokale lezersmarkt. Enkel Julia Alvarez (van Dominicaanse afkomst), Oscar Hijuelos (Cubaans) en Sandra Cisneros (Mexicaans) bereiken een internationaal publiek.

Ook in de muziek is er nog ruimte voor progressie. Chicanorocken tex-mexgroepjes blijven voornamelijk in hun eigen circuits optreden of halen sporadisch de affiche van een wereldmuziekfestival. Uitzonderingen zijn Los Lobos en Calexico en vroeger natuurlijk Santana. De salsa en *mambo* die worden ingeblikt in Miami en New York bereiken weliswaar een veel ruimer publiek, maar vaak zijn die artiesten niet uit de vs afkomstig maar uit Midden- en Zuid-Amerika. Niettemin kan je moeilijk doof blijven voor de Spaans-Mexicaanse klanken die in de muziek zijn geslopen van tal van Engelstalige popsterren, van The Eagles en Linda Ronstadt over Jackson Browne en Warren Zevon tot Mink DeVille en Ry Cooder. Zeker in muziek uit Californië en het zuidwesten proef je die hispanic ondertoon. De Amerikaanse latino's drukken wel degelijk hun stempel op de popmuziek, maar strijken daar niet altijd de eer voor op. Als we vergelijken met de bijdrage die de zwarte gemeenschap aan de Amerikaanse cultuur heeft geleverd, moeten we vaststellen dat de Latijnse cultuurinjectie nog recent is en tot dusver minder krachtig is gebleken. Tegelijk is ze onderbelicht en ondergewaardeerd. Dat is een teken aan de wand voor de maatschappelijke status van de latino's in de vs: hun numeriek gewicht weerspiegelt zich nog niet in cultureel gewicht.

In zekere zin is dat het leidmotief van de latinogemeenschap in Amerika: alles kan beter. Met vijftig miljoen mensen maken latino's een potentieel verpletterend blok uit, groter en machtiger dan de zwarte of Aziatische minderheid. Die sluimerende mogelijkheden worden nog onvoldoende benut. Momenteel wordt de gemeenschap sterk in het defensief gedwongen, nu crisis en besparingen het anti-immigrantensentiment weer hebben opgepookt. De illegale migrant uit Mexico is de nieuwe zondebok. Tegelijk worden latino's uitgebuit en onderbetaald en helpen ze boeren, bedrijven en hotels te overleven. Het debat over de latino-immigratie staat stijf van hypocrisie.

Anderzijds moeten de Amerikaanse latino's ook zelf het heft in handen nemen. De keuze voor de vs oogt vaak nog halfslachtig en de alomtegenwoordigheid van het Spaans – in de huiselijke kring, op school en op televisie – dreigt soms een alibi om niet te integreren.

De trage sociale klim van de latino's staat in schril contrast met de opvallende vooruitgang van grote groepen Aziaten. Die verwierven de reputatie van modelminderheid, wat ongenuanceerd en overdreven is. Toch kan niemand ontkennen dat de Aziatische Amerikanen een indrukwekkend parcours hebben afgelegd.

5

De kleuren van het Oosten

I wrote a happy song for you
I hope that it will do
You're right words are so confusing
Now stop
Hear the chords resolving
Hear, hear, hear

EMI MEYER

'Is dat nu Krishna?' vraagt een klein meisje aan haar papa, wanneer in het toneelstuk een achtste en laatste baby'tje wordt geboren. Ja, zegt de vader zonder enige aarzeling, want hij kent het verhaal. In het volgende bedrijf is Krishna een ondeugend knaapje van een jaar of tien met een opvallend Amerikaans accent. Hij is in kleurrijke traditionele klederdracht getooid, een jongen uit het klassieke India, maar op zijn rug draagt hij een zendertje. Hoewel het spel in het theaterstuk nogal naïef blijft en de dialogen droog en belerend klinken, is de techniek uitmuntend. Ik woon een benefietvoorstelling bij van Vibha, een Indiaas-Amerikaanse vereniging in Atlanta. De groep steunt onderwijsprojecten in India, het land waar de meeste leden van de groep zijn geboren, opgegroeid en opgeleid.

Ik kijk om me heen in de theaterzaal en zie een ongewoon publiek. Haast allemaal jonge Indiase gezinnen – dertigers of hooguit vroege veertigers – met meestal kleine kinderen, die voor de gelegenheid in feestelijke Indiase tunieken of sierhemdjes zijn gestoken. Ook de moeders dragen kledij met Indiase motieven. Sommige oudere vrouwen zijn in sari gekomen. Een fris, welvarend gezelschap; beleefd, rustig, maar zelfbewust en met een uitstraling van bescheiden succes. De Indiase middenklasse is in Amerika neergestreken en ze lijkt daar goed te aarden.

Met het toneelstuk over Krishna worden de banden met het moederland nog eens stevig in de verf gezet. De kleuren spatten van decors en kostuums af, net als op een markt in een Indiase stad en het verhaal over Krishna blijft uiterst traditioneel. De kinderen en tieners acteren evenwel met een Amerikaanse tongval en ook hun mimiek, intonatie en poses lijken gepikt van televisie. Ze genieten zichtbaar, net als de meeste kinderen in het publiek. Tegen het einde van het stuk brengen tienermeisjes nog een dansscène in Bollywoodstijl. Ze glunderen van trots en terecht: in gratie en stijl dansen ze alle *cheerleaders* van het podium.

Softwaremigranten

'De kinderen kennen de naam Krishna wel, maar ik twijfel eraan of ze alle verhalen al hebben gehoord,' vertelt Sree Vattikutti, een jonge moeder en een van de organisatoren. 'Ik heb heel wat reclame gemaakt voor de voorstelling bij mijn Indiase vrienden, maar dikwijls zegden hun kinderen: weer zo'n oubollig verhaal!' 'Tja, als het film zou zijn dan kwamen ze zeker,' relativeert Vijay Vemulapalli, de secretaris van de vereniging. 'Dat is waar,' antwoordt Sree nu. 'Van Bollywoodfilms kennen ze alles, die zien ze thuis op de satellietkanalen.' Kannan Udayarajan, nog een vrijwilliger, vult aan: 'Als het om Bollywood gaat, zijn ze fier dat ze Indiërs zijn.'

Sree, Vijay en Kannan behoren tot de golf van computerimmigranten die vanaf de jaren 1990 vanuit India kwam aanzetten. Ze waren voorafgegaan door andere groepen Indiërs. Toen de Oegandese dictator Idi Amin in 1972 tienduizenden Indiase handelaars en winkeliers zijn land uitzette, zochten de meesten hun toevlucht in het Verenigd Koninkrijk. Een kleinere groep vestigde zich in de vs. Daar werden ze vaak franchisehouders van ketenmotels of benzinestations. Nu nog loop je aan de balie van een motel in het binnenland geregeld een wat oudere Indiër tegen het lijf. De meeste immigranten van die groep hebben hun wortels in de westelijke Indiase staat Gujarat.

Een andere stroom voerde artsen en verpleegkundigen aan. De verpleegsters waren meestal christenen uit de zuidelijke deelstaat Kerala. Ze werden gerekruteerd en wegwijs gemaakt in Amerika met de hulp van katholieke kerken en organisaties. En tenslotte kwamen de Indiase techneuten. Eerst ging het om ingenieurs en technici die in de vs kwamen studeren en daarna een baan vonden. Vanaf de jaren 1980 streken de eerste softwarespecialisten neer en halfweg de jaren 1990 was er geen houden meer aan. Aanvankelijk rekruteerden Amerikaanse bedrijven in India; ze lieten informatici overkomen met een werkvisum. Al gauw begonnen die Indiërs in de vs hun eigen softwarebureaus op te zetten en lieten ze constant nieuwe werkkrachten aanrukken. Op dit moment wonen er al bijna drie miljoen *Indian-Americans* in de vs, bijna 1% van de bevolking. Het voorbije decennium is hun aantal met 70% toegenomen. Ze zijn de Japanners, Vietnamezen, Koreanen en Filippijnen voorbijgestoken en zitten de Chinezen op de hielen. In Amerika zijn ze momenteel de snelst groeiende minderheid, zeker als je alleen de legale immigratie meerekent.

Zoals vaak heeft ook huwelijksmigratie bijgedragen aan die groei, maar in het geval van de Indiase softwarespecialisten speelde die in twee richtingen. 'Ik kwam hier als eerste om in de IT-sector te werken,' zegt Sree. 'Mijn man kwam pas later. Zo gaat het hier heel vaak: de vrouw laat een echtgenoot overkomen. Bijna altijd zal die dan ook een job vinden in de IT-sector. Omgekeerd is dat minder het geval; als de man zijn vrouw naar Amerika haalt, zal die in de helft van de gevallen niet uit werken gaan.' Kannan, die zelf uit Kerala afkomstig is, ziet hetzelfde fenomeen bij de Indiase verpleegsters. 'Die laten ook een partner overkomen uit India. Zo'n man zal dan meestal een benzinestation of supermarktje opstarten.'

Niet alle Indiërs in de vs behoren tot de betere middenklasse. Als pomphouder, moteluitbater of kleine winkelier maak je in Amerika erg lange dagen zonder veel geld te scheppen, maar de technici en artsen krikken de levensstandaard vanzelfsprekend flink op. Al jaren grenst het gemiddelde gezinsinkomen van Indiase families in Amerika aan het dubbele van het nationaal gemiddelde. 'Het is waar dat de Indiase gemeenschap tamelijk welvarend is en heel competitief,' zegt Kannan. 'De Gujarati die uit Oeganda kwamen hadden een kapitaaltje bijeengespaard en konden investeren. Bovendien hebben veel computerspecialisten en ingenieurs hogere studies gevolgd. Dat maakt uiteraard een verschil.'

De welvarende *looks* en levensstijl van de jonge Indiase software-
gemeenschap in Amerika kan de indruk wekken dat het niet lang zal
duren eer cultuur en tradities verwateren. Ik denk aan die Britse films
waarin je uitgebreide Indiase families ziet van drie of vier generaties.
Kloeke bejaarde oma's heersen over neven en nichten als *matres fa-
milias* die waken over normen, waarden en huwelijksrelaties en die
geen tegenspraak dulden. Daar wordt de Indiase cultuur streng bewaakt en behoed als een kwetsbaar goed, maar wie neemt die rol op
zich in een gemeenschap van dertigers en veertigers? Sree begrijpt de
vraag. 'Wij kunnen inderdaad geen gezag uitoefenen over de verre
verwanten, zoals die oma's dat kunnen, maar we kunnen wel ons
eigen gezin controleren. We zullen moeten zien welke kant onze kinderen opgaan. De meesten zijn nu tussen 1 en 15 jaar oud, te vroeg
om hun verdere keuzes en voorkeuren in te schatten.' Ik wil graag
weten of het belangrijk is dat hun kinderen later met een Indiër trouwen. 'Eigenlijk wel,' antwoordt Sree. 'In de Indiase cultuur ligt echtscheiding moeilijk en dat vind ik goed. In Amerika wordt echtscheiding te gemakkelijk aanvaard.'

De kans lijkt trouwens groot dat het een Indiase partner wordt,
want de families hebben weinig contacten en relaties buiten het Indiaas-Amerikaanse netwerk. 'Nauwelijks,' zegt Vijay zonder blikken
of blozen. 'Enkel op het werk gaan we frequent met niet-Indiërs om.
Vroeger lag dat anders. Toen onze gemeenschap nog niet zo omvangrijk was, zochten de Indiase immigranten veel meer sociaal contact
met Amerikanen. In zekere zin hoeft dat nu niet meer.' Dat lijkt wel
een wet van de migratiemechanica: bij een aanhoudende instroom
wordt op een bepaald moment een kantelpunt bereikt, waarna de
gemeenschap zich autonomer kan organiseren en sterker kan afzon-
deren. Volgens Kannan spelen ook culturele factoren een rol. 'Wij
drinken niet, dus een *happy hour* op vrijdagavond met de collega's is
niets voor ons. En op restaurant gaan kan moeilijk zijn omdat we als
hindoes geen rundvlees eten.'

Bij Vijay hoor je nog een dik Indiaas accent, maar Sree praat een
vreemd soort tussentaaltje. Ze heeft die ergerlijke tik van Amerikaanse jongeren overgenomen om in elke zin drie maal '*like*' te laten
vallen en af en toe de obligate kreet '*oh my go-o-o-d!*'. Daarin is ze
uiterst geamerikaniseerd. Toch wil ze dat haar kinderen voldoende
voeling houden met de Indiase cultuur. Nu de gemeenschap zo fors
is gegroeid en goed georganiseerd raakt, wordt dat makkelijker. Er

zijn nu zondagsscholen opgestart om de kinderen over de tradities en godsdienst van India te onderwijzen. Satelliettelevisie blijkt ook te helpen. In alle huiskamers stromen Indiase nieuwsuitzendingen, televisieprogramma's en Bollywoodfilms binnen. De kinderen groeien daarmee op. 'Ze hebben op die TV-kanalen gezien dat president Obama in India was,' zegt Kannan, 'en dat hij met veel respect over India sprak als een ontwikkelde economie.'

De puike economische prestaties van India beïnvloeden nu al de oriëntatie van de nog jonge Indiase gemeenschap in de vs. Heel wat succesvolle zakenlui en bedrijfsleiders investeren ondertussen vanuit Amerika in hun eigen moederland. Ook Sree's echtgenoot doet dat. Hij pendelt op en neer. 'Uiteindelijk worden we een vlottende gemeenschap,' zegt Kannan filosofisch. Een been in Amerika en een been in India: genietend van de *best of both worlds*. Misschien zal de economische en politieke machtsontplooiing van India de migratie naar de vs wat afremmen. 'Nu zijn er voor hoogopgeleide jongeren in India kansen in eigen land. De behoefte om te vertrekken is minder groot,' denkt Vijay. 'Er zijn zelfs al migranten die terugkeren.' Als de economie van Amerika blijft slabakken en die van India haar steile klim voortzet, lijkt een terugval in de migratiestroom niet onmogelijk. Anderzijds geven Indiërs ook blijk van ambitie en zelfvertrouwen en blijft het verleidelijk om in het machtigste land van de wereld een carrière uit te bouwen.

Bewoners van de Global Mall

In Amerika houden ze van lijstjes en '40 onder 40' is een format die door verschillende media en instellingen wordt gebruikt. In het lijstje van het tijdschrift *Time* met de veertig meest beloftevolle leiders die jonger zijn dan veertig, stonden in 2010 vier politieke figuren van Indiase afkomst. Bobby Jindal mocht niet ontbreken. Hij was in de nationale schijnwerpers gekomen toen hij als 36-jarige verkozen werd tot Republikeins gouverneur van Louisiana. Later viel hem zelfs de eer te beurt om het Republikeinse antwoord te formuleren op president Obama's eerste (officieuze) *State of the Union*-toespraak in 2009. De 38-jarige Nikki Haley had zich ontpopt tot een van de boegbeelden van de Tea Party. Zij stond op het punt om verkozen te worden tot gouverneur van Zuid-Carolina. Ze werd daarmee de eerste vrouwelijke gouverneur van die staat en natuurlijk ook de eerste Indiaas-Amerikaanse. Verder prijkte nog een lokaal parlementslid uit Ohio op de lijst en een topassistente van Hillary Clinton. Vier op veertig voor een minderheid die nog niet 1% van de bevolking uitmaakt: dat is een bijzondere prestatie. De nog prille wortels van de Indiase gemeenschap in de vs vormen blijkbaar geen belemmering voor haar ambities.

In de wereld van nieuws en media heeft Fareed Zakaria zijn naam gevestigd als een kritisch en diepgravend analist, vooral van de internationale politiek. CNN-kijkers kennen hem, net zoals ze vertrouwd zijn met Sanjay Gupta, de vriendelijke huisdokter van de zender. Meerdere nieuwskanalen hebben trouwens Indiase ankers en correspondenten.

Zangeres Norah Jones is half Indiaas; ze is de dochter van sitarvirtuoos Ravi Shankar. Regisseur M. Night Shyamalan maakt bevreemdende films met een voorliefde voor het occulte, zoals *The Sixth Sense*. Mira Nair heeft haar eigen Indiase gemeenschap in Amerika in beeld gebracht in films als *Mississippi Masala* en *Monsoon Wedding*. Voor *The Namesake* baseerde ze zich op een roman van Jhumpa Lahiri; die schrijfster raakt stilaan bekend in het buitenland. Toch moet je voor de indrukwekkendste lijstjes van Indiërs in Amerika aan de universiteiten zijn, in de medische en natuurwetenschappen of in de economie. Dinesh D'Souza is een bekende conservatieve denker en Raghuram Rajan heeft de jongste jaren internationale faam verworven als econoom.

Bijna al die figuren zijn eerste generatie-immigranten. Ze getuigen enerzijds van de enorme kansen die Amerika biedt aan getalenteerde buitenlanders en anderzijds van de doelgerichte ambities en werkkracht van de Indiase immigranten. De Indiërs hebben niet enkel een comfortabele plek veroverd in de Amerikaanse samenleving, ze laten zich gelden in de elites van het land. Tezelfdertijd is er een politieke toenadering aan de gang tussen de vs en India; onder Obama is die samenwerking nog versterkt. De Indiaas-Amerikaanse diaspora waakt erover dat die alliantie stevig en betrouwbaar blijft. Ze beschikt sinds een tiental jaren over een professionele lobbygroep, het us India Political Action Committee (us-INPAC), die het Congres en het Witte Huis op de vingers kijkt. Het ligt voor de hand dat de Indiërs aansturen op een harde opstelling van Amerika tegenover aartsvijand Pakistan. Zolang de Amerikanen verwikkeld zijn in de oorlog in Afgha-

nistan en in Pakistan op terroristen jagen, is die Indiase druk een
politieke factor van primordiaal belang.

De Indiase topklasse van ondernemers en academici heeft alles in
zich om de *global village* waar te maken: reizend tussen Mumbai en
New York, via Dubai of Londen, thuis in diverse wereldsteden en
machtscentra. Ook de hogere middenklasse van computerexperts en
ingenieurs lijkt een beetje in die richting te evolueren. Het opmerkelijke is nochtans dat ze onderweg hun culturele bagage niet verliezen
of achterlaten. De Indiërs in Amerika blijven sterk gehecht aan hun
culinaire tradities, hun kleur- en modepatronen, hun religieuze en
artistieke tradities en hun nationale liefhebberijen. Ze laten zich niet
vermurwen door het Amerikaanse baseball of honkbal maar houden
koppig vast aan hun eigen cricket. In alle steden met grote Indiase
concentraties zijn er cricketcompetities opgestart en in het nationale cricketteam van de vs zijn de Indiërs nu in de meerderheid.

De mensen van Vibha in Atlanta verwezen mij naar een compleet
Indiase *shopping mall*, de Global Mall. Het bleek een winkelcentrum
te zijn met uitsluitend Indiase modeboetieks, meubel- en tapijtwin-
kels, cadeauzaken, videotheken, juweliers, restaurants, reisbureaus,
gebedsruimten, yoga-ateliers, Bollywooddansklassen en schoonheidssalons. Om eerlijk te zijn vond ik het uitzicht van de gangen, naar
Amerikaanse maatstaven, wat stoffig en glansloos; het had een winkelcentrum in India zelf kunnen zijn. Misschien was dat wel de bedoeling van de Indiase ondernemer die het centrum opende: een
stukje India reconstrueren in Amerika, uitsluitend voor de Indiaas-
Amerikaanse markt.

Chinatowns

De Global Mall van Norcross bij Atlanta is natuurlijk geen unicum,
maar het centrum maakt duidelijk dat ook welstellende immigranten
vasthouden aan hun eigen catering, producten en smaken. Van de
Chinezen weten we dat al meer dan honderd jaar. Bijna elke grote
stad in de vs heeft haar eigen Chinatown: een buurt waar Chinese
immigranten wonen en handel drijven. Uitzicht, aanbod en sfeer van
de handelszaken zijn opvallend karakteristiek, in die mate dat sommige Chinatowns zijn uitgegroeid tot toeristische attracties. Dat geldt
zeker voor het Chinese stratenblok rond Canal Street in Manhattan

– een bazaar voor dagjesmensen. Ook het oudste Chinatown, in San Francisco, trekt veel bezoekers aan. Daar klimmen en dalen de kleurrijke straten spectaculair over de heuvels, verbonden door steegjes en pleintjes. In San Francisco is het niet zozeer de Chinees-Aziatische sfeer die Chinatown bezienswaardig maakt, maar juist de sociale geschiedenis van de buurt zelf. Niet China, maar de Chinezen-in-Amerika zijn het onderwerp van de attractie. Hier blijkt hoe migratie een toeristische troef kan worden en hoe een getto de status krijgt van cultureel erfgoed.

Als je in Manhattan Canal Street links laat liggen en een paar zijstraten inslaat, vind je al gauw het echte Chinatown, met supermarktjes en winkels waar enkel nog Chinezen zich bevoorraden. In de hele zone tussen Brooklyn Bridge en Houston Street wonen er bijzonder veel Chinezen en Aziaten; een van de torenflats heeft de naam Confucius Plaza gekregen. Je vindt er uitvaartverzorgers die hun diensten afficheren voor de repatriëring van de overledenen naar China, een gebruik dat nog altijd voortleeft. Op de basketbalveldjes zijn het Chinese jongeren die elkaar partij geven, met hier en daar een eenzame verdwaalde zwarte die in hun rangen is geslopen.

Zelfs al is dit Manhattan, de buurt geeft geen dure indruk. Ook in veel andere Chinatowns zou je de mensen kunnen taxeren als lagere middenklasse: nog niet armoedig, maar verre van rijk. Het verschil met de Indiërs uit de IT-sector is opvallend. Nochtans heeft er bij veel Amerikanen een hardnekkig idee postgevat als zouden alle Aziatische immigranten en hun nazaten toonbeelden zijn van integratie en maatschappelijk succes. Vaak werden ze naar voren geschoven als een modelminderheid, van wie probleemgroepen als de zwarten of hispanics nog wat konden opsteken. Als we wat dieper inzoomen op de Chinezen wordt het duidelijk dat het modelbeeld genuanceerd moet worden.

Uit een profielstudie van enkele jaren geleden blijkt dat een Chinees gezin in Amerika net iets meer verdient dan het gemiddelde, maar in vergelijking met het doorsnee inkomen van enkel de blanke Amerikanen valt het magerder uit. Hoe lager de scholingsgraad, hoe groter het verschil. Chinezen die enkel middelbaar onderwijs hebben genoten (of minder) verdienen jaarlijks tot zevenduizend dollar minder dan hun blanke soortgenoten. Aan de top van de onderwijspiramide daarentegen wordt het verschil veel kleiner.

Ruw geschetst is er sprake van een tweedeling binnen de Chinese gemeenschap. Aan de ene kant heb je een groep die laag is opgeleid en schijnbaar zwak staat op de arbeidsmarkt. Dat zijn voornamelijk eerstegeneratiemigranten, meestal ouder, die aan het werk zijn (of waren) in laagbetaalde baantjes in restaurants, wasserijen of fabrieken. In de Chinatowns van New York en San Francisco waren er tot niet zo lang geleden honderden confectieateliers waarvoor vooral Chinese vrouwen werden gerekruteerd, maar de verpletterende concurrentie vanuit het Chinese moederland heeft die sector flink gedecimeerd. De andere groep bestaat uit hoger geschoolde migranten die meedingen naar de betere jobs van Amerika en daarin doorgaans goed presteren. Ofwel zijn dat de zogenaamde ABC's – de *American Born Chinese* -, ofwel gaat het om Chinezen die eerst als student overkomen, daarna een baan in de wacht slepen en tenslotte blijven.

Niet alle Chinezen komen trouwens uit China: onder de Vietnamese bootvluchtelingen zaten heel wat etnische Chinezen. De diaspora-Chinezen doen het als groep iets minder goed in Amerika. Die van Taiwan presteren het sterkst, gevolgd door de gemeenschappen uit Hong Kong en het Chinese vasteland. Andermaal blijkt hoe moeilijk het is om over 'de' Chinezen in Amerika te spreken, laat staan 'de' Aziaten. Binnen zowat elke nationaal etnische groep vind je regionale en godsdienstige verschillen. Bij de Chinezen springt bovendien die klassenbreuklijn in het oog.

Die tweedeling is geen nieuwe ontdekking. Twintig jaar geleden al schreven experts over de kloof tussen de rijke en arme Chinezen van Amerika. Als er op dat vlak weinig beterschap te merken valt, komt dat waarschijnlijk omdat er steeds nieuwe Chinezen blijven toestromen. We moeten opnieuw even in de cijfers duiken. De census 2010 telde drie miljoen driehonderdduizend Chinees-Amerikanen. Grosso modo de helft daarvan was in de VS geboren, de andere helft zag het levenslicht in China, Taiwan of de diaspora. De belangrijkste vaststelling is dat ruim een derde van die *foreign borns* – meer dan een half miljoen dus – zich pas in het voorbije decennium in de VS heeft gevestigd. Kortom, de Chinezen blijven komen, legaal via familiehereniging of als student of illegaal. Wat verder opvalt in de statistieken is de kennis van de taal. Zes op de tien Chinezen die naar de VS zijn verhuisd, beweren dat ze het Engels slechts in beperkte mate meester zijn. Daarmee scoren ze slechter dan andere groepen van eerstegeneratie-immigranten. Ofwel zijn de Chinezen bescheidener en eerlijker over hun taalkennis dan de doorsnee migrant, ofwel hebben ze een groter integratieprobleem.

De gebrekkige taalkennis hangt grotendeels samen met de leeftijd waarop ze naar Amerika verhuizen. Oudere mensen pikken niet meer zo makkelijk het Engels op. Een bijkomende reden is het soort baantjes waarin ze terechtkomen. Nieuwkomers zonder veel scholing worden meestal ingezet in de etnische circuits van restaurants, textielateliers en dienstverlening. Daar is de kennis van het Engels niet zo belangrijk, maar zijn ze aangewezen op de hulp van meer ervaren landgenoten. Die 'hulp' kan ook de vorm aannemen van verdoken uitbuiting, zoals dat altijd al is voorgekomen in etnische netwerken van migranten. De nieuwelingen maken dan lange dagen voor weinig geld in keukens of magazijnen.

'Ik denk niet dat die mensen hun situatie zouden omschrijven als uitbuiting,' zegt de Chinees-Amerikaanse journaliste Angela Chen. Zij werkt voor de lokale nieuwsomroep *NY1* en schrijft voor de blog *Ourchinatown*, die de vinger aan de pols houdt van de Chinese gemeenschap in New York. 'Zij zien het gewoon als een verplichting tegenover de familie. Veel mensen zijn bovendien heel realistisch over wat ze kunnen bereiken, in functie van hun leeftijd en taalkennis en nemen genoegen met moeilijke banen en lage lonen. Alles wat ze hier kunnen krijgen is nog altijd beter dan wat ze in hun eigen land hadden.' Volgens Chen voelen de inwoners van de Chinatowns weinig aandrang om Engels te leren, aangezien ze binnen hun buurt en gemeenschap alles in Chinese talen kunnen afhandelen. De indruk ontstaat dat er in wezen nog niet zo veel veranderd is sinds het einde van de negentiende eeuw. Nog steeds blijft een Chinees proletariaat zichzelf gewillig aanvullen en vernieuwen. Het modelgehalte van die groep is eerder beperkt, tenzij juist het verborgen karakter ervan als voorbeeldig wordt gezien: ze vallen niet op en vallen niemand lastig.

Low profile-migranten

Nieuwe Chinese immigranten met weinig diploma's vinden werk binnen hun eigen Chinese enclaves. In veel Amerikaanse steden worden die buurten duidelijk gemarkeerd door felgekleurde poorten in Chinese stijl. Dat oogt best pittoresk en sluit aan bij de Amerikaanse traditie van etnisch gekleurde buurten, maar het illustreert misschien ook een stilzwijgende afspraak tussen Chinezen en Amerikanen: we laten elkaar met rust.

De Koreanen in Amerika hebben hun eigen *Koreatowns;* die van Los Angeles is de grootste en bekendste, al zijn de latino's daar intussen in de meerderheid. Toch hebben de Koreanen zich al snel op de Amerikaanse mainstream markt gericht. Wie in Manhattan veel honger heeft maar weinig tijd, kan terecht in de ruime en rijk gevulde Koreaanse voedingswinkels. Je vindt er een keur aan vers bereide gerechten om mee te nemen, kleurrijk uitgestald in grote bakken, goedkoop en pittig. Alleen al in New York zijn er duizenden Koreaanse kruidenierszaken, supermarktjes of *diners.* Van alle minderheden zijn de Koreanen in de vs de kampioenen van de middenstand: in 2000 had een op de vier zijn eigen zaak. Dat percentage zal inmiddels wel wat verminderd zijn. In New York krijgen ze concurrentie van de Dominicaanse groenteboeren.

Het getuigt van de optimistische moed van de Koreanen dat ze de minder welvarende wijken niet schuwden. In de jaren 1970 en 1980 openden ze winkels in de moeilijke en zwarte buurten. De relatie tussen de Koreaanse winkeliers en hun zwarte klanten was soms gespannen. In 1992 barstte de bom. In Los Angeles braken rellen uit toen de rechtbank de politiemannen vrijsprak die een jaar eerder Rodney King hadden mishandeld. King had stomdronken achter het stuur gezeten en was volkomen terecht tot staan gebracht, maar bij zijn aanhouding werd hij door de agenten halfdood geslagen. Die zaak had nogal wat stof doen opwaaien, omdat het gebeuren gefilmd was en de beelden de wereld waren rondgegaan. Toen de rechtbank haar vonnis velde, vloog het deksel van de pan. Een woedende zwarte menigte sloeg aan het plunderen en vernielen. Met name de Koreaanse winkels werden een makkelijk doelwit. Amerika besefte weer dat rassenrellen niet langer beperkt bleven tot zwart en blank. In de uiterst diverse lappendeken van een Amerikaanse grootstad kunnen conflicten oplaaien tussen zwart en latino, latino en blank, Arabier en jood of Koreaan en Arabier.

In elk geval draagt de prototypische Koreaanse kruidenier bij aan het beeld van de hardwerkende, geduldige en bescheiden Aziatische immigrant, bereid om lange dagen te maken en langzaamaan op te klimmen, zonder verder iemand iets in de weg te leggen. Je zou het *low profile* immigranten kunnen noemen: ook al hebben ze een winkel geopend in het hart van de buurt, ze maken geen problemen. Integendeel: ze zijn gedienstig en beschikbaar.

Ook de relatief jonge Vietnamese gemeenschap in de vs heeft voor zichzelf een paar plekjes veroverd waarin ze niemand lijkt te storen. Veel van de bootvluchtelingen waren in Vietnam hun hele leven visser geweest of opgegroeid in vissersdorpjes. De subtropische Amerikaanse Golfkust bood hun de kans om opnieuw te beginnen. De eerste jaren leidde dat tot gespannen relaties met de lokale vissers. De Ku Klux Klan stak zelfs boten van Vietnamese nieuwkomers in brand, maar de Vietnamezen hielden stand en pikten een steeds groter aandeel van de productie in. De sociale spanningen gingen liggen.

De Vietnamezen leven in erg homogene gemeenschappen en dwingen respect af door hun taaie werkkracht. Net zoals de Chinezen in de Amerikaanse confectiefabriekjes te kampen kregen met concurrentie uit China, zo moeten de Vietnamezen van de Golfkust nu opboksen tegen de import van garnalen en zeevruchten uit Vietnam en andere Zuidoost-Aziatische landen. Daar kwamen de voorbije jaren een paar vernietigende catastrofes bovenop: eerst orkaan Katrina die huizen en boten in puin legde, daarna het olielek van de *Deep Water Horizon*-boorput, waardoor grote delen van de kust voor langere tijd ongeschikt blijven voor de visvangst. Van de anderhalf miljoen Vietnamees-Amerikanen wonen er honderdduizenden in de staten aan de Golfkust, maar de meesten hebben zich in Californië gevestigd. Een opmerkelijke niche die de Vietnamezen zich nagenoeg hebben toegeëigend is die van de manicuresalons. In Californië zouden acht op de tien professionele nagelverzorgers van Vietnamese komaf zijn. In de rest van het land is het al bijna een op de twee. Schijnbaar hebben ze niet zozeer de bestaande manicuresalons uit de markt geprijsd, dan wel de markt spectaculair opengegooid. Waar een manicurebeurt vroeger nog beschouwd werd als een luxueus fantasietje voor de happy few, hebben de Vietnamezen die dienstverlening gedemocratiseerd. De troeven van de multiculturele samenleving schuilen soms in een onverwachte hoek.

Schemerzone

Aziatische minderheden lijken over het talent te beschikken om zichzelf weg te stoppen of onder de radar te blijven. Enkele subgroepen slagen er zelfs in om helemaal in de Amerikaanse massa te verdwijnen. Wist u bijvoorbeeld dat Lou Diamond Phillips tot de Aziatische Amerikanen kan worden gerekend? De acteur die Ritchie Valens speelde in de film *La Bamba* was geen latino, maar de zoon van een Amerikaanse vader en een Filippijnse moeder, geboren op een Amerikaanse marinebasis in de Filippijnen. Als u gedacht had Latijnse of Indiaanse trekjes te herkennen in Phillips, dan is u dat vergeven: Lou Diamonds mama had Spaanse genen in haar bloed (niet verwonderlijk op de Filippijnen) en Lou Diamonds papa had in zijn stamboom nog Cherokee-sporen. De acteur is het levende bewijs dat de multiculturele verkleuring van de wereld al een hele poos aan de gang is. Zijn onherkenbaarheid is interessant en illustratief voor de situatie van veel andere Amerikanen.

De naam van Phillips is Engels Amerikaans, net als die van honderdduizenden anderen bij wie er nochtans Aziatisch bloed door de aderen stroomt. Je kan in de eerste plaats denken aan de kinderen van Amerikaanse soldaten in Japan, Korea, Vietnam of de Filippijnen, die door hun vader erkend zijn. Die hebben meestal een overwegend Amerikaanse opvoeding genoten. Tenzij hun Aziatische moeder in Amerika de kans heeft gekregen (en gegrepen) om iets van haar eigen cultuur mee te geven of om te netwerken met lotgenoten uit haar eigen gemeenschap, hebben die kinderen – behalve hun fysieke kenmerken – nog weinig uitstaans met Azië. In elk geval zal hun herkomst niet af te lezen zijn aan hun naamkaartjes. Als we niet te nauw kijken, kunnen we golfkampioen Tiger Woods bij deze categorie rekenen. Hoewel hij in Amerika geboren is, was zijn vader een zwarte militair en zijn moeder een Thaise soldatenvrouw. Beide ouders hadden bovendien nog Chinees materiaal in hun genen zitten. Woods is een soort zwarte Aziaat, maar bovenal een product van Amerika.

Raciaal gemengde passies hoeven niet alleen aan of achter het front open te bloeien. Uit studies blijkt dat de Aziaten in Amerika van alle minderheidsgroepen het makkelijkst trouwen met iemand van buiten de eigen gemeenschap. De vrouwen doen dat dubbel zo vaak als de mannen. Doorgaans is de uitverkorene een blanke Amerikaan(se); de groep van gemengd blank Aziatische kindjes groeit dus zienderogen. In de census 2010 meldden veertien miljoen zeshonderdduizend mensen zich als Aziaten. Dat is bijna 5% van de bevolking. Daarbovenop rekende nog eens ruim anderhalf miljoen zichzelf tegelijk tot het blanke en het Aziatische ras. Van die mensen staat het vrijwel vast dat ze met oosterse gelaatstrekken door het leven gaan. Het is veel minder zeker dat ze thuis nog elke dag rijst op tafel zetten of het Chinees nieuwjaarsfeest vieren.

Daarnaast heb je, net als in Europa, de groep geadopteerde kinderen uit Azië; vanuit Korea alleen al kwamen er in een halve eeuw bijna honderdduizend naar de vs. Ook dat zijn van meet af aan kleine Amerikaantjes.

Sommige Aziatische namen zijn als het ware weggegomd in een Engelse spelling. Obama's ambassadeur in China heet Gary Locke; dat klinkt wel heel Angelsaksisch, maar in feite is het een verengelsing van het Chinese Lok. Locke is een derdegeneratieimmigrant met een indrukwekkende carrière; hij werd de eerste Aziatisch-Amerikaanse gouverneur op het vasteland (buiten Hawaï dus), meerbepaald in de staat Washington. Hij werd om te beginnen door Obama aangesteld tot minister van handel en later als ambassadeur naar Peking gestuurd.

Het valt ook op dat Chinese, Koreaanse of Japanse familienamen vaak voorafgegaan worden door Engelse of zeg maar 'christelijke' voornamen. Tennisster Michael Chang (van Chinese afkomst) bedankte de Heer toen hij in 1989 het toernooi van Roland Garros won. De gewezen minister Norman Mineta (Japans-Amerikaans) is een overtuigd methodist. In de Koreaanse gemeenschap van de vs hebben de christelijke kerken het boeddhistische geloof overvleugeld en bij de Vietnamezen is een op de vier een christen. Het christelijke geloof kerstent niet alleen de namen, maar brengt de immigranten onmiskenbaar dichter bij de Amerikaanse cultuur en vergroot de afstand met hun Aziatische tradities.

Tenslotte heb je nog de factor Hawaï. Veel Aziatische Amerikanen die nu op het vasteland wonen, hebben, stamboomgewijs, een ommetje gemaakt langs Hawaï. Dat geldt voor Japanners, Koreanen en Filippijnen. Hun overgrootouders of hun opa's en oma's leefden al in een sterk veramerikaanste omgeving. Sinds 1959 maakt Hawaï bovendien deel uit van de vs. Kortom, er bestaat al sinds generaties een Hawaïaanse versie van Amerika en van Amerikanen met een hoog Aziatisch gehalte.

Dat alles geeft de contouren aan van een soort schemerzone tussen Azië en Amerika en tussen Oost en West. Als het aan de jongste generatie ligt, mag het meer West zijn dan Oost. Journaliste Angela Chen is jong genoeg om over de wereld van scholieren en studenten te kunnen meepraten. 'Nog nooit gehoord van de bananen?' vraagt ze. 'Geel van buiten, wit van binnen. Dat is wat veel Aziatische jongeren in Amerika tegenwoordig willen zijn. Ze willen geen Chinees praten, geen Chinese of Aziatische vrienden hebben, ze willen niet dat je hen associeert met Azië. Ze willen uit alle macht heel erg Amerikaans zijn.' Operaties aan de oogleden zijn onder Aziatische vrouwen erg populair, vertelt Chen. De bedoeling is om er minder oosters uit te zien. Zelfs de taalkennis begint bij de jongere Chinezen te verwateren. 'Ik voel het bij mezelf,' zegt Angela. 'Ik denk de hele tijd in het Engels, ik leef in het Engels, het Mandarijns-Chinees begint me te ontglippen. Hoe zeg je trouwens *mortgage backed securities* in het Chinees? Ik heb werkelijk geen idee! De taalkennis sterft uit met de tweede generatie.'

Onderwijs

Een Aziatische of half-Aziatische verschijning wekt in mainstream Amerika nog nauwelijks verbazing. In TV-series als *Lost* of *24*, in politie- en realityreeksen zie je voortdurend Aziatische acteurs en jongeren aantreden; zelfs een van *Charlie's Angels*, Lucy Liu, is een Chinese uit Queens. In de wereld van de popmuziek is het voorlopig nog wachten op topvedetten die het eigen Aziatische circuit kunnen doorbreken. Een aantal Chinezen en Koreanen uit het Amerikaanse rap- en rockcircuit is weliswaar doorgebroken in China of Korea, maar nog niet in de mainstream van Amerika. Rachael Yamagata, half Japans, zingt dan weer puur Amerikaanse songs voor een blank jongerenpubliek. Misschien kan Emi Meyer een brug slaan: zij brengt een origineel en fris soort jazzy pop dat blijkbaar ook aanslaat in Japan, waar haar moeder vandaan komt. Ze lijkt op een carrière te mikken in twee talen en twee landen.

In de politieke arena slepen Aziaten mandaten en functies in de wacht op plaatsen waar het Aziatisch-Amerikaans electoraat nochtans beperkt is. Zo werd de Chinees-Amerikaanse Jean Quan in 2011 burgemeester van Oakland in Californië, een stad van de omvang van Antwerpen. De Aziaten in Oakland maken nog geen 17% van de bevolking uit; het zijn dus de niet-Aziaten die haar de sjerp hebben geschonken. Het Huis van Afgevaardigden in Washington telt momenteel een negental volksvertegenwoordigers met Aziatische genen en in de senaat zitten er twee (allebei uit Hawaï). Obama koos een energieminister met de naam Steven Chu; op zijn officiële foto's, gezeten voor de Amerikaanse vlag, ziet hij er maar een schijntje Aziatischer uit dan pakweg Donald Rumsfeld. Hetzelfde geldt voor een aantal Aziatisch-Amerikaanse astronauten in hun ruimtepak die door de NASA op missie werden gestuurd. In het wereldje van *hightech*ondernemers en dot.combedrijven zijn de Aziaten haast even vanzelfsprekend aanwezig als de Nederlanders op Alpe d'Huez. Yahoo werd boven de doopvont gehouden door (ondermeer) Jerry Yang, YouTube ontsproot aan het brein van Steve Chen en Intel werd groot gemaakt door Albert Yu.

Die laatste voorbeelden bevestigen een ander cliché dat de ronde doet over de Aziaten in Amerika of tenminste over de tweede en derde generatie: het zijn allemaal bollebozen op school. Het cliché heeft hier niet helemaal ongelijk. De Aziaten studeren niet alleen langer en beter dan de andere minderheden, ze geven ook de blanke Amerikanen het nakijken. Aziatisch-Amerikaanse jongens en meisjes die de middelbare school afmaken, zetten tegenwoordig bijna zonder uitzondering de stap naar een *college*, een universiteit op bachelorniveau. Verhoudingsgewijs behalen ze ook meer bachelor- en masterdiploma's. De hoge scholingsgraad en knappe schoolrapporten van de Aziatische minderheid hebben op hun beurt bijgedragen tot het beeld van de 'modelminderheid'.

'Het is een tweesnijdend zwaard,' mijmert Angela Chen. 'Het beeld creëert geweldige verwachtingen, wat inderdaad een aanzet is om beter te studeren. Anderzijds hebben Aziaten er ook wel eens genoeg van. Ze willen niet altijd in dat hokje worden geduwd alsof ze alleen maar talent hebben voor wiskunde en wetenschappen of schaken of muziek. Of het stereotype verhaal horen dat ze slecht zijn in sociale omgang. Het beeld duwt hen te veel eenzelfde richting uit en daar willen ze van af. In elk geval klopt het wel dat ze meestal goed presteren en dat de ouders hen flink onder druk zetten.'

Het strenge toezicht van de ouders is een van de redenen voor de studieprestaties. Daar is sinds kort een woord voor bedacht: de *tigermom*. Ze loopt in een later hoofdstuk nog even langs. Een andere verklaring wordt soms gezocht in de confucianistische filosofie die in Oost-Azië de geesten gekneed heeft. Daarin neemt onderwijs een centrale plaats in. Ook het boeddhisme en hindoeïsme hechten belang aan leermeesters, lering en oefening of wijze en belerende teksten. In de Japanse, Koreaanse en Chinese gemeenschappen worden er bovendien taal- en cultuurklassen ingericht buiten de normale schooluren, met de bedoeling de kinderen vertrouwd te maken met

hun eigen taal en tradities. Die buitenschoolse school is niet altijd
een pretje en de kinderen hebben er vaak de pest in, maar volgens een
studie van de UCLA scherpt ze de leervaardigheden van de leerlingen,
zeker in kansarmere buurten. Ze zorgt ook voor een vorm van kinderopvang voor ouders die, als zelfstandigen, allebei druk bezig zijn.
Bovendien zijn er in de betere middenklassenbuurten ook commerciële onderwijsinstellingen opgedoken, zoals die in Azië zelf bestaan.
Die Chinese *buxibans* of Koreaanse *hagwons* proberen leerlingen van
de middelbare school – tegen betaling – klaar te stomen voor een toe-
gangsexamen aan de universiteit.

De westkust kijkt uit op het Verre Oosten

De eerste Chinezen in Amerika kwamen af op de goudkoorts in San
Francisco. Ook de eerste Japanners nestelden zich, via de springplank
Hawaï, in Californië. De westkust is altijd de regio gebleven waar de
meeste migranten uit het Verre Oosten zich vestigden. In Californië
is nu 13% Aziatisch, in de staat Washington ruim 7%. Daar heb je
tweemaal zoveel Aziaten als zwarten. Geografisch hoeft dat uiteraard
niet te verrassen: de westkust ligt dichter bij Japan en China. Politiek
blijft het niet zonder gevolgen. Zoals blijkt uit de census kantelt het
demografisch gewicht in de VS stilaan van oost naar west. Voor steeds
meer Amerikanen ligt de oude nauwe bondgenoot Europa – letterlijk
en figuurlijk – ver weg.

In de jongste opiniepeiling van het German Marshall Fund (GMF)
werd dat zonder meer bevestigd. Op de vraag welk continent belangrijker was voor de nationale belangen van de VS, koos 51% voor Azië.
Europa kreeg nog slechts de voorkeur van 38%. Volgens het GMF is
dit een waterscheidingsmoment: het 'eerste instinct' van Amerika
wijst voortaan in de richting van het Verre Oosten.

Het verlies aan belangstelling voor Europa moet niet alleen de
Aziaten in de VS worden aangerekend. Ook de latino's hebben nog
weinig boodschap aan Europese of Britse tradities. In het beste geval
voelen zij een verre verwantschap met Spanje, via Mexico. Nu Spanje vermoeid onder de crisis kreunt, zal het land van Cervantes wellicht nog weinig inspiratie bieden. China is de nieuwe grootmacht,
India komt stevig opzetten en in het zuiden laat Brazilië van zich
horen. Die geopolitieke machtsverhoudingen kunnen op hun beurt
de relaties tussen de minderheden van Amerika beïnvloeden.

6

De rode naties

We cared for the land and the land cared for us
And that's the way it's always been
Never asked for more never asked too much
And now you tell me this is the end

ROBBIE ROBERTSON

Er loopt een gids in het museum met een lang, mouwloos wollen vest over zijn hemd. Hij begeleidt een groepje bezoekers van de ene vitrine naar de andere en wijst telkens bedachtzaam een voorwerp aan: een beeldje, een mandje, een oud kostuum. Er volgt een minutenlange uitleg over het uitverkoren kleinood. De bezoekers luisteren aandachtig en volgen gedwee. Bijna zevenhonderd uitgestalde voorwerpen blijven op die manier onvermeld. Het gaat om een keuze tussen diepgang en verbreding. De gids, vermoedelijk een antropoloog, kiest voor de diepgang. Zowel de bezoekers als hun begeleider zijn blank. De collectie van het museum is indiaans of *Native American*. Het National Museum of the American Indian, vlak bij de zuidelijke punt van Manhattan, doet me onwillekeurig denken aan het Afrikamuseum in Tervuren. Beide musea herbergen een schat aan cultuurhistorisch materiaal en kunstzinnige gebruiksvoorwerpen. Beide instellingen proberen de kracht en de schoonheid van inheemse culturen tot hun recht te laten komen. Toch zijn de beide musea gegrondvest op een beschamende voorgeschiedenis: de cultuur die in de vitrines wordt opgeroepen, is grondig vernietigd of ontwricht. Het

volk dat die oude cultuur nu zo respectvol tentoonstelt, is hetzelfde
volk dat er vroeger op inhakte.

Het Amerikaanse project is zo succesvol gebleken dat we het
meestal vergeten. In feite was ook Amerika eeuwenlang een koloniale maatschappij: een project van *settlers* die zich vestigden tussen
inheemse bevolkingsgroepen. De Europese kolonisten hadden de
meeval dat die inheemse bewoners weinig talrijk waren en niet zo
goed bewapend. Ze leefden bovendien dun verspreid over een gigantisch groot gebied, waardoor de confrontatie mondjesmaat kon gebeuren, stam na stam, taal na taal, over een tijdsspanne van eeuwen.
Wat zouden de vs geworden zijn als de indianen talrijker waren geweest, maar toch niet opgewassen tegen het blanke militaire overwicht? Dan was Noord-Amerika allicht een koloniaal land gebleven
zoals Zuid-Afrika of Rhodesië dat waren: eigenzinnig en onafhankelijk, maar gebaseerd op koloniale machtsstructuren. Omdat de indiaanse bevolking zo gering in aantal was en relatief weerloos, kon de
Amerikaanse regering haar aan de kant schuiven. Als een hinderpaal
die in de weg ligt.

Binnenlandse buitenlanders

Doorheen de lange Amerikaanse geschiedenis zie je voortdurend twijfels over de juiste benadering van de indianen. Moesten ze als onafhankelijke naties worden erkend met een eigen rechtssysteem en een
autonoom bestuur? In dat geval hadden ze een afgebakend territorium
nodig, wat botste met de plannen van de blanke pioniers. Of moesten
ze juist als medeburgers in de Amerikaanse natie worden opgenomen?
Op die manier hoefde er geen grondgebied gereserveerd te worden,
maar waren er wel inspanningen nodig om hen te integreren, te onderwijzen en klaar te stomen voor de samenleving. De indianen zelf
raakten ook het noorden kwijt. Soms neigden ze naar aansluiting,
assimilatie en burgerschap, soms plooiden ze zich radicaal terug op
hun tradities en benadrukten ze hun soevereiniteit. Zelfs aan het begin van de eenentwintigste eeuw is die tweestrijd nog niet helemaal
beslecht. De indianen zijn tegelijk landgenoten en buitenlanders,
burgers en vreemdelingen. Om goed te begrijpen wat hun huidige
status is, loont het de moeite om dat bochtige historische parcours
in vogelvlucht te overlopen.

Toen de Europese pelsjagers nog in kleine groepjes het Amerikaanse vasteland introkken, traden ze de indianen aanvankelijk tegemoet als soevereine, zij het wat primitieve volkeren. Zoals elders in de wereld zetten de Fransen, Britten en Nederlanders handelsforten op, als uitvalsbasis en steunpunt. De jacht op de bevers werd grotendeels uitbesteed aan indianen. Over de aard van die relatie kan geen twijfel bestaan. Het ging om een samenwerking tussen onafhankelijke partners of – in hedendaagse termen – een bilateraal handelsakkoord. De transactie waarbij de Lenape-indianen het eiland Manhattan verkochten aan Peter Minuit wijst in dezelfde richting.

Tot halfweg de achttiende eeuw overheerste de stilzwijgende veronderstelling dat blanken en indianen naast elkaar zouden wonen als aparte gemeenschappen. Ze zouden samenwerken waar mogelijk en oorlog voeren als het daarop uitdraaide. Zowel in Virginia als in Nieuw-Amsterdam kwam het algauw tot gewapende botsingen met de indiaanse gemeenschappen, maar niemand dacht eraan om die te onderwerpen en de indianen te incorporeren als burgers. Natuurlijk gingen beide culturen elkaar besnuffelen. Daar waar blanke nederzettingen aan indiaanse dorpen grensden, werden de contacten intenser. Indianen gingen voor blanken werken, sommigen bekeerden zich tot het christelijk geloof. Omgekeerd verzeilden blanke eenzaten in indiaanse dorpen, waar ze de taal leerden, een squaw vonden en indianiseerden.

Hoe intensiever een regio ontgonnen werd, hoe meer de blanke pioniers de nood voelden aan duidelijke afspraken en een formele begrenzing van het indiaanse land. In wezen botste die visie met de traditionele opvattingen die de meeste indiaanse groepen erop nahielden inzake landbezit. Zij zagen zichzelf niet als permanente eigenaars maar als gebruikers van de grond. Terwijl ze aanvankelijk bereid waren geweest om dat vruchtgebruik met de Europese nieuwkomers te delen, moesten ze later vaststellen dat ze zelf van de grond werden geweerd. Dat zorgde voor misverstanden en regelrechte oorlogen.

Al in de koloniale periode creëerden de Britten een aantal protoreservaten: afgebakende gebieden waar indianen vrij zouden zijn van blanke bemoeienis. Toen ging het nog om enclaves voor bevriende en doorgaans gechristianiseerde indianen. De Amerikaanse Revolutie luidde het startsein in voor een lange reeks van *treaties* of verdragen, waarin de grenzen van indiaans woongebied werden vastgelegd en compensatie werd beloofd voor de grond die de indianen uit handen gaven. Er valt veel te zeggen over de inhoud van die verdragen, maar wat de vorm betreft laten ze weinig twijfel. De jonge Verenigde Staten van Amerika sloten telkens een overeenkomst met een soevereine indiaanse natie, de zogenaamde 'stammen'. Eigenlijk zou je dat bijna als internationale verdragen kunnen beschouwen, zij het dat het grondgebied van de indiaanse naties nogal vaak geheel en al omsloten was door de vs. Tussen 1778 en 1868 werden maar liefst driehonderdvierenzeventig verdragen ondertekend.

Het is boeiend om te zien hoe de wetgevers in Amerika daar tegen aankeken en hoe hun ideeën evolueerden naarmate het westen ontsloten werd en de vs steeds meer grond nodig hadden. In de beginjaren van de natie klonk het nog heel idealistisch 'dat de opperste goede trouw zal worden nageleefd tegenover de indianen; hun land en eigendom zal nooit van hen worden afgenomen zonder hun instemming'. Honderd jaar later maakte het Congres een einde aan de praktijk van de verdragen. In de *Indian Appropriation Act* werd bepaald dat voortaan 'geen enkele indiaanse natie of stam binnen de grenzen van het grondgebied van de Verenigde Staten zal erkend en beschouwd worden als een onafhankelijke natie, stam of autoriteit met wie de Verenigde Staten een verdragsovereenkomst zouden kunnen sluiten.' De bestaande verdragen zouden, zo werd beloofd, gehonoreerd worden.

Er waren verschillende redenen voor die ommekeer. De belangrijkste was natuurlijk de nimmer verzadigde landhonger van de alsmaar aanzwellende massa immigranten, pioniers en boeren die oprukten naar het westen en naar alle uithoeken van Noord-Amerika. Juist daarom werden zoveel verdragen ook met voeten getreden of heronderhandeld. Latere generaties blanken lieten hun begerige oog vallen op de grond die de eerdere generaties aan de indianen hadden toegewezen; vroeg of laat moesten de indianen toegeven en wijken. Een van de diepst gewortelde psychologische wonden in de ziel van de indiaanse Amerikanen is het gevoel keer op keer bedrogen te zijn. Verdrag na verdrag werd opgedrongen, afgesloten, geschonden en uiteindelijk aan stukken gescheurd. Overigens werden veel zogenaamde verdragen inderdaad met het mes op de keel aanvaard door machteloze *chiefs* of ontfutseld aan indianenleiders die werden omgekocht maar geen steun genoten in hun gemeenschap.

Dat alles mondde geregeld uit in bloedige conflicten. Indianen voerden raids uit op blanke nederzettingen, het leger reageerde met militaire campagnes tegen de indianen. Vooral de aanslepende oorlogen die werden uitgevochten in het westerntijdperk (tweede helft negentiende eeuw) tegen Apaches en Comanches in Texas en het zuidwesten spreken nog steeds tot de verbeelding. Het was in dezelfde periode dat de voorbehouden stukken land of reservaten steeds verder weg kwamen te liggen van de indiaanse geboortegrond. Volledige indianenstammen werden verbannen naar verafgelegen gebieden in het westen. Verschillende groepen kregen grond in Oklahoma, wat toen nog bekend stond als *Indian Territory*. Peter Nabokov omschrijft hun situatie in hedendaagse termen als 'een groot vluchtelingenkamp'.

De *Manifest Destiny* van het Amerikaanse volk, de historische missie om het Noord-Amerikaanse continent te ontsluiten en te ontwikkelen, was de eerste en belangrijkste reden om de indiaanse stammen niet langer in hun soevereiniteit te erkennen. De tweede reden was de groeiende contradictie van de situatie. Hoe kon je de indiaanse bevolkingsgroepen als onafhankelijke naties blijven beschouwen als ze in werkelijkheid totaal op de knieën waren gedwongen? Hoe kon je hen nog als een buitenlandse mogendheid benaderen als ze op een zakdoek woonden binnen de grenzen van het Amerikaanse grondgebied? Hoe kon je indiaanse mannen en vrouwen als buitenlanders behandelen als ze in de praktijk ook met de eigen burgers zaken deden, voor hen werkten of met hen in contact bleven?

Die laatste vraag – de kwestie van burgerschap en nationaliteit – bleef lang in de lucht hangen. In 1868 keurde het Congres het Veertiende Amendement goed waardoor elk kind dat op Amerikaanse bodem werd geboren automatisch de Amerikaanse nationaliteit verwierf. Politici en senatoren debatteerden nog een aantal jaren over de vraag of dat ook voor indiaanse kinderen gold, aangezien zij toch behoorden tot soevereine naties. In 1884 maakte het Hooggerechtshof een voorlopig einde aan die discussie door indianen uit te sluiten van het staatsburgerschap. Alleen wanneer ze intussen individueel eigenaar van een perceel grond waren geworden, konden ze op burgerrechten aanspraak maken.

Die redenering had te maken met een nieuw beleid dat werd ontwikkeld in een aantal reservaten. De Amerikaanse regering drong steeds meer aan op assimilatie: indianen moesten hun eigen cultuurtradities laten varen en kiezen voor amerikanisering. De sleutel daartoe was de familieboerderij. In plaats van de grond collectief te gebruiken, zoals dat bij de meeste indiaanse stammen de traditie was, moesten ze omschakelen naar een landbouweconomie op individuele basis. Reservaten werden opgemeten, koppen geteld. Elke familie zou een perceeltje krijgen en de overtollige grond kon worden verkocht aan de hoogste bieder. In theorie was het aan de indiaanse stammen om zelf te bepalen of ze met die *allotment*-aanpak wilden meegaan. In de praktijk werd er opnieuw ontzettend veel druk op hen uitgeoefend. De kwestie zaaide grote verdeeldheid in de indiaanse rangen.

Onder de voorstanders van de nieuwe beleidslijn waren welmenende filantropen en abolitionisten. Nu de slavernij was afgeschaft, zagen zij een nieuwe uitdaging in de beschaving van de zogenaamd barbaarse indianen. Er speelden ook minder nobele motieven. Zodra een reservaat in afzonderlijke percelen was verknipt, kon de individuele indiaanse eigenaar veel makkelijker worden uitgekocht. Zo kwam er opnieuw grond vrij voor de blanke pioniers. Indiaanse leiders waarschuwden voor de complete teloorgang van de indiaanse levenswijze en traditie.

Blank Amerika begon zich intussen steeds meer te bemoeien met die cultuur. Er werden kostscholen opgericht voor een select gezelschap van indiaanse kinderen om hen vertrouwd te maken met de westerse levensstijl. De polygamie die bij de Cheyenne heel gebruikelijk was, werd verboden. De regering was ook als de dood voor indiaanse medicijnmannen en profeten die verzet predikten tegen de blanke heerschappij. Toen zij in 1890 een grote *ghost dance*-ceremonie organiseerden nabij de kreek van Wounded Knee kwam de cavalerie brutaal tussenbeide. Tweehonderd mannen, vrouwen en kinderen werden gedood.

Tot aan de Eerste Wereldoorlog werd een repressief beleid gevoerd dat de indianen steeds verder de hoek in duwde. Zelfs de integriteit van het Indian Territory werd niet langer gerespecteerd. In 1907 werd het gebied omgevormd tot de zesenveertigste staat van de vs onder de naam Oklahoma, wat in de taal van de Choctaw-indianen 'het rode volk' betekent.

Revival

In 1924 keurde het Congres de *Indian Citizenship Act* goed. De indianen werden nu erkend als Amerikaanse staatsburgers. Toch waren niet alle indianenleiders of -gemeenschappen daar blij om. Sommigen vreesden dat de vermenging van de indiaanse en Amerikaanse nationaliteit hun soevereiniteit zou uithollen. Als ze zich als burgers van de vs zouden gedragen, wat belette de vs dan om over hen gezag uit te oefenen als waren het Amerikaanse onderdanen? Die dubbelzinnigheid bleef hangen. Anderzijds waren veel indiaanse stammen intussen uitgedund en hadden jongere generaties het grondgebied of reservaat verlaten. Taal en tradities verwaterden, de traditionele levenswijze was een verre herinnering. Een aantal indiaanse leiders begon te ijveren voor emancipatie naar westerse snit: een volwaardige deelname aan het maatschappelijk leven, zonder achterstelling of discriminatie. Zo ontstond er een breuk tussen traditionalisten en modernisten.

Op dat moment begon de regering-Roosevelt volledig van koers te veranderen. Terwijl er een halve eeuw en langer was aangestuurd op assimilatie, werd nu ineens gemikt op indiaans zelfbestuur en een herwaardering van hun tradities. De *Indian Reorganization Act* (1934) maakte komaf met het allotment-concept en liet zelfs de ruimte om individuele percelen opnieuw te *poolen* voor collectief gebruik. De autonomie van de naties werd versterkt en indiaanse rechtbanken konden eigenmachtig oordelen over bepaalde categorieën van misdrijven. Alles was ontsproten aan het brein van de bevlogen directeur van het Bureau of Indian Affairs (BIA), John Collier. Die zag tot zijn verbazing heel wat weerstand opdoemen tegen zijn goedbedoelde plannen. Sommige indianen noemden zijn voorstellen socialistisch of beweerden dat hij hen naar de marge van de samenleving duwde.

Geen nood, het geweer zou gauw genoeg weer van schouder worden veranderd. Na de Tweede Wereldoorlog kwam er een nieuwe directeur voor indiaanse aangelegenheden, Dillon Myer, die vond dat het welletjes was geweest met al die indiaanse reservaten. Het beleid dat hij bedacht, raakte bekend onder de akelige naam *Termination*. 'Gedurende de oorlog leidde Myer het detentieprogramma voor de Japanse Amerikanen,' schrijft Nabokov. 'Voor hem waren de indiaanse reservaten hetzelfde als de concentratiekampen, waaruit de indianen zo snel mogelijk moesten "bevrijd" worden.' De bedoeling was de indiaanse reservaten economisch te ontwikkelen, zodat ze op eigen benen konden staan en geen overheidshulp meer nodig hadden. De stammen moesten zelfbedruipende bedrijven worden. Het was niet meer dan logisch dat ze daarna ook belastingen zouden betalen. Met eenenzestig indiaanse stammen en gemeenschappen werd op die manier een programma gestart. In veel gevallen mislukte dat en werd het stopgezet.

Een tweede pijler van Myers beleid was het weglokken van indiaanse families naar de steden. De overheid hielp hen om woningen te vinden, jobs en een school voor hun kinderen. Ook dat programma was gericht op de amerikanisering van de indianen, met als impliciete ondertoon: het heeft nu lang genoeg geduurd. Toch behielden ze vaak een band met hun indiaanse heimat. Het verhaal van Bennie Bearskin, een Winnebago uit Nebraska, lijkt verbazend sterk op de ervaringen van miljoenen immigranten. 'Vier van onze kinderen werden hier in Chicago geboren en toch zijn het, geloof ik, Amerikaanse indianen. Ik maak er een punt van om hen mee te nemen op vakantie in de zomer, altijd naar een ander reservaat, zodat ze vertrouwd raken met de mensen van de stam. We nemen foto's, we nemen de liedjes op die ze zingen, we doen mee aan dansen of wedstrijden...'

Omstreeks 1960 woonde een derde van de indianen in verstedelijkt gebied. In 1970 was dat al de helft. Net als andere minderheden raakten velen verstrikt in werkloosheid, schoolproblemen en criminaliteit. Die verstedelijking gaf de aanzet tot de vorming van een nieuwe, militante indiaanse studentenbeweging, de American Indian Movement (AIM). Dat waren de jaren van de symbolische bezettingen van het leegstaande gevangeniseiland van Alcatraz, voor de kust van San Francisco. De indiaanse activisten claimden het eiland op basis van een oud verdrag met de Sioux waarin braakliggend land van de federale overheid aan de indianen werd beloofd. In 1973 ging het er minder ludiek aan toe toen AIM-militanten zich gingen bemoeien met een intern conflict op het Pine Ridge reservaat. Ze bestormden, gewapend met geweren, het dorp van Wounded Knee, een plek met een enorme symbolische betekenis. Gedurende tien weken hielden ze de plaats bezet, omsingeld door FBI-troepen. Toen er bij schietpartijen twee activisten werden gedood, werd de bezetting opgeheven.

Hoewel het tweede drama van Wounded Knee in die tijd veel aandacht en sympathie wekte voor de indiaanse burgerrechtenstrijd, vertoonde het AIM-activisme behoorlijk wat potsierlijke trekjes. De jonge verstedelijkte indianen, die geen voeling meer hadden met de echte tradities, tooiden zich in gekunstelde en bijeengeharkte indiaanse attributen of spiegelden zich aan de outfit van de Black Panthers. Intussen stroomden er in reservaten blanke hippiejongeren toe, die ongevraagd hun liefde kwamen betuigen voor de authentieke indiaanse levensstijl.

De jackpot

Hoewel het gehate Termination-programma van Dillon Myer op zijn beurt beëindigd werd door de regering-Kennedy was er toch iets van de achterliggende filosofie blijven hangen. Economische ontwikkeling en zelfstandigheid bleven lovenswaardige doelstellingen. Onder president Nixon kreeg het kind een nieuwe naam: *Self-Determination*. Deze keer ging dat gepaard met sociale voorzieningen in de reservaten en met een ruimhartiger erkenning van indiaanse landrechten. Diverse stammen en gemeenschappen slaagden erin om via de rechtbank grote stukken grond op te eisen, soms op basis van eeuwenoude verdragen. Ondanks de verstedelijking en de onvermijdelijke assimilatie stak het oude natieconcept opnieuw de kop op. Verbluffend waren ook de succesvolle acties om indiaans gebeente of heilige voorwerpen terug te eisen die al die tijd in musea hadden gelegen. De stoffelijke resten kregen een nieuwe begrafenis in voorouderlijke grond.

Een andere rechtszaak zou spectaculaire gevolgen hebben. Een indiaans echtpaar uit Minnesota weigerde belastingen te betalen aan een district (county) in de staat Minnesota. Ze woonden op de grond van het Chippewa-reservaat en beweerden dat de staat niet de bevoegdheid had om daar belastingen te heffen. Het dispuut werd uiteindelijk beslecht door het Hooggerechtshof dat de indianen ondubbelzinnig gelijk gaf. Niet alleen mochten de staten geen belastingen aanrekenen op indiaans grondgebied, het ontbrak hen bovendien aan elke bevoegdheid om wat dan ook te regelen in de reservaten. De boodschap van dat vonnis viel niet in dovemansoren: geen belasting en geen controle. Dat opende plots heel wat perspectieven.

De Seminole van Zuid-Florida waren de eersten om een casino te openen in hun reservaat. De slotmachines draaiden zes dagen op de zeven. Meer dan wat Florida toestond, maar de staat kon niet tussenbeide komen. Er vloeide geen cent van de winst naar de staatskas. Bovendien leverde de onderneming jobs op, dicht bij huis in het reservaat. De Seminole hadden het ei van Columbus uitgevonden. Het initiatief kende onmiddellijk brede navolging. In tien jaar tijd openden vijftig indianenstammen een of meer casino's. Veel staten houden er strenge wetten op na op het gebied van gokken en kansspelen. Dankzij de indiaanse bingohalls kunnen bewoners daar toch aan hun trekken komen. In 1988 werd de uitdijende *native gaming*-industrie enigszins aan banden gelegd via de *Indian Gaming Regulation Act*, maar al bij al bevestigde die de bestaande toestand.

Tot woede van gouverneurs en staatsparlementen verbood de wet de staten om in te grijpen. Wel werd een verplichting opgenomen dat de casino's een deel van hun winst moesten investeren in de ontwikkeling van het reservaat. Intussen hebben meer dan tweehonderd indianengroepen zich in de casinosector gestort. Samen zijn ze goed voor een jaarlijkse omzet van ruim zestien miljard dollar. Ook voor de federale overheid leek het alsof ze de jackpot hadden gewonnen: eindelijk zouden indiaanse naties en reservaten op eigen benen kunnen staan.

Helaas zijn de indiaanse problemen de wereld nog niet uit. Sommige groepen hebben uitstekende zaken gedaan en met de inkomsten van hun casino's een brede waaier aan toeristische activiteiten uitgebouwd. Niettemin zijn de inkomsten van de indiaanse casino's heel ongelijk gespreid. Daarenboven zijn er bijna zeshonderd stammen of naties die door de federale regering erkend worden; slechts een derde daarvan zit in de gokindustrie. In een groot aantal reservaten is er nog altijd weinig bedrijvigheid, te weinig om mensen bezig te houden. Werkloosheid, jeugdbendes en alcoholisme blijven er uitzonderlijk grote problemen. Bij geen enkele bevolkingsgroep scheren de zelfmoordcijfers zulke hoge toppen. Het is de tweede doodsoorzaak bij jongeren en jongvolwassenen. Ondanks de glans en glitter in de speelzalen leeft een kwart van de indianen in armoede.

De casino's zijn nog geen wondermiddel. Er zit overigens iets ironisch in hun succesverhaal. Eeuwenlang raakt de vraag over het indiaanse burgerschap niet opgelost. Ook het juridisch statuut van de reservaten blijft dubbelzinnig. Nu blijkt dat juist die tweeslachtigheid kansen biedt. Midden in de vs staan goktenten op stukjes semibuitenlands grondgebied, alsof het bantoestans of thuislanden in Amerika zijn. De klanten vinden het prima en de indianen ook.

7

De schakeringen van wit

Send no weapons, no more money
Send no vengeance across these seas
Just the blessing of forgiveness
For my new countrymen and me

JAMES TAYLOR

Het is al een paar keer vermeld in dit boek: om de tien jaar pro-beren de Amerikanen zichzelf te tellen. Met een bevolking die snel blijft groeien en waar voortdurend migranten bij aanpikken – le-gaal of illegaal – is dat geen sinecure. De jongste volkstelling of cen-sus vond plaats in 2010. Op basis van die gegevens werd het aantal inwoners op meer dan driehonderdenacht miljoen geschat. Intussen is dat cijfer al lang achterhaald, maar het Census Bureau heeft ook een klok op een website gezet waar je de teller nog kan zien aantik-ken.

De Amerikanen moeten voor de census een aantal vragen beant-woorden, onder meer tot welk ras (*race*) ze zichzelf rekenen. Ze mo-gen ook meer dan een ras noemen, maar er zijn er maar weinig (nog geen 3%) die dat gedaan hebben. Meer dan tweehonderdtwintig mil-joen mensen gaven zichzelf op als *white* of blank. Dat komt neer op ruim 72% of net geen driekwart. Bij nader inzien is die categorie blank een grote en gastvrije familie: niet alleen mensen met een Eu-ropese stamboom rekenen zich tot die groep, maar ook Amerikanen die uit het Midden-Oosten en Noord-Afrika afkomstig zijn. Bovendien vinden we onder de blanke noemer ook het gros van de latino's terug, want hispanic of latino is in de vragenlijst van de census geen rasaanduiding. Je kan hispanic zijn en zwart (de Puerto Ricanen), hispanic en *American Indian* (zoals veel Mexicanen) of hispanic en blank (blanke Cubanen of Mexicanen zonder indiaans bloed). De vraag of mensen wortels hebben in de Spaanstalige wereld van Spanje of Latijns-Amerika, krijgt op de vragenlijst een aparte vermelding. Als je de hispanic blanken uit de statistieken weglaat, blijven er geen tweehonderd miljoen blanken meer over.

Dat is nog steeds goed voor een aandeel van 63% van de bevolking, maar door de massale immigratie lijkt het een kwestie van tijd vooraleer ze die dominante positie kwijt zullen spelen. De prognoses voorspellen dat de niet-latinoblanken vanaf 2050 een minderheid zullen vormen in de vs – en misschien nog vroeger als de immigratie nog toeneemt. Het discours over diversiteit focust meestal op de minderheden, zelden op de meerderheid. Het is makkelijker om de anderen in hun anders-zijn te beschrijven dan jezelf in je eigenheid. Naarmate de blanken net zo anders worden als de anderen, zullen ook zij in beeld komen als een aparte groep.

Die evolutie is al begonnen. Soms zie je een heropleving, herwaardering of zelfs cultivering van oude leefpatronen of kunstvormen die, historisch bekeken, met homogeen blanke gemeenschappen in Amerika geassocieerd werden. Dan mag je met reden over Amerikaanse tradities spreken. Soms kijken de blanke Amerikanen in hun hunkering naar identiteit ook veel verder terug en zoeken ze hun wortels eerder in etnische tradities uit Europa dan in de nationale cultuurgeschiedenis. Bij wijze van voorbeeld zeven we vier groepen uit de blanke meerderheid. De Ieren en Italianen zijn destijds massaal geïmmigreerd en tellen nu tientallen miljoenen nazaten. Daarmee zetten ze zich stevig op de etnische kaart van Amerika. De Nederlanders en de Belgen zijn veel minder talrijk naar Amerika gemigreerd. Hun etnisch zelfbewustzijn is wat bescheidener.

Groen bier

Ik land te laat in Chicago om de parade zelf nog mee te maken, maar naarmate de L-trein het stadscentrum nadert, kruipt de gezellige drukte en opwinding de stations en treinstellen binnen. Groepjes jongeren, in groene T-shirts over dikke truien, dalen lawaaierig de roltrappen af. Gezinnen met kinderen lopen zichtbaar na te genieten. Oudere echtparen dragen groene kralen om de hals. Er zijn groene ballonnen, groene pruiken en overal de groene *shamrocks* of klavertjesdrie: een groene vorm van oranjegekte. Ik zie een forsgebouwde jongeman die zich in een geruite broek met bretellen heeft getooid, een klassieke pet op het hoofd, in een bestudeerde imitatie van de Ierse migrant uit het negentiende-eeuwse Amerika. De stad viert *St-Patrick's Day*. Zelfs de Chicagorivier kleurt groen. Zoals elk jaar is daar een raar groen goedje in gemengd, volgens het stadsbestuur iets organisch en milieuvriendelijks. In pubs en hotelbars treden Ierse orkestjes op en wordt er urenlang gedronken, gezongen en gedanst. Touringcars staan opgesteld om de feestvierders na afloop terug naar huis te rijden. Boven het meer wordt 's avonds groen vuurwerk afgestoken. Het is 12 maart, de zaterdag voor het eigenlijke naamfeest van St-Patrick, dag waarop Chicago de parade organiseert.

Vijf dagen later, op de echte *Paddy's-Day*, volgt een tweede opstoot. Haast iedereen draagt iets groens die dag: een discrete groene das, sjaal of trui – om zelfs op kantoor in de sfeer te blijven. Tegen de avond stromen de terrassen en pubs weer vol met groene jeugd, om groen bier en Guinness te drinken. Ik zie ook zwarten en hispanics in het groen, Zweden, Italianen en Indiërs, alsof de stad een boodschap uitdraagt: vandaag zijn we allemaal Ieren. Ik kan me nauwelijks inbeelden dat we ooit in Amsterdam of Brussel met zijn allen het Marokkaanse suikerfeest zouden vieren.

Die vergelijking is niet zo ver gezocht. Er was een tijd toen de Ieren niet alleen werden geminacht omwille van hun boerse en armoedige afkomst, maar ook als een bedreiging werden gezien voor de Amerikaanse beschaving. De katholieke Ieren dreigden de protestantse fundamenten van de natie te ondergraven. In de ogen van de *Know Nothings* en andere nativistische groepen brachten ze zelfs de Amerikaanse soevereiniteit in gevaar, gehoorzaam als ze waren aan het gezag van de paus. Je zou kunnen zeggen dat de bleke Ieren voor veel Amerikanen behoorlijk exotisch waren. Zoals vermeld in de eerste hoofdstukken werden ze in de negentiende eeuw nog brutaal gediscrimineerd en schaamteloos uitgebuit als goedkope werkkrachten.

Toch wisten ze geleidelijk meer invloed te verwerven op het niveau van steden en gemeenten. Ze nestelden zich massaal in de publieke sector, bij de brandweer en politie en hebben die plaats eigen-

lijk nooit meer afgestaan. Tal van Ierse vrouwen werden schooljuf-
frouw of lerares. In ruil voor die banen bij de overheid stemden ze
trouw op de Democraten. Uiteindelijk leverden ze zelf de politieke
kandidaten en kopstukken en sleepten ze het burgemeesterschap in
de wacht in metropolen als Boston, Chicago en New York. Voor die
steden werd Iers haast een deel van de uitstraling en van het zelfbeeld,
zodat een feestje als de St-Patrick's parade een semiofficiële status
kon krijgen.

Buiten het noordoosten en de Midwest bleef het wantrouwen tegenover de Ierse katholieken veel langer borrelen. In 1928 sleepte de
(half) Ierse New Yorker Alfred Smith als allereerste katholiek de Democratische nominatie in de wacht voor de presidentsverkiezingen.
Smith werd verpletterend verslagen door Herbert Hoover. Die nederlaag werd grotendeels toegeschreven aan de antikatholieke sentimen-
ten in het zuiden en westen van de vs. Het duurde zoals bekend tot
1960 voor Amerika met John F. Kennedy zijn eerste (en voorlopig ook
laatste) katholieke president zou verkiezen. Na Kennedy is er ook
geen herkenbaar Ierse president meer aangetreden, al hebben bijna al
zijn opvolgers vage Ierse sporen in hun stamboom. Zelfs president
Obama blijkt een grootbetovergrootvader te hebben gehad in het
dorpje Moneygall. In mei 2011 bracht hij een bezoek aan het dorp en
ging hij er Guinness drinken in een plaatselijke pub. De Ierse pers
spelde zijn naam voor de gelegenheid als O'bama.

De belangstelling van het Witte Huis voor Ierland reikt verder dan
de genealogie. De Iers-Amerikaanse nazaten zijn intussen zo talrijk
dat ze voor elke president een belangrijk electoraal segment vertegenwoordigen. Meer dan vijfendertig miljoen Amerikanen beweren
Ierse voorouders te hebben; dat is ruim 11% van de bevolking. In de
staat Massachusetts ligt dat cijfer dubbel zo hoog en rond Boston
loopt het nog verder op. Niet al die Amerikanen zijn even sterk begaan met hun land van herkomst, maar over het algemeen sluimert
er nog een zekere belangstelling. Daarom loont het de moeite voor
een president om af en toe op bezoek te gaan in Dublin en omstreken.
Bill Clinton heeft een belangrijke rol gespeeld in de totstandkoming
van het vredesakkoord tussen katholieken en protestanten in Noord-
Ierland, dat in 1998 op Goede Vrijdag ondertekend werd. Zijn speciale gezant George Mitchell, zelf de zoon van een Ierse vader, effende
het pad voor de overeenkomst door beide partijen achter een aantal
geweldloze principes te scharen. Het lijkt alweer lang geleden, maar

die doorbraak was van hoog historisch belang en blijft een van Clintons grootste prestaties.

In de Ierse diaspora van Noord-Amerika heeft de militant katholieke beweging Sinn Féin altijd op veel sympathie kunnen rekenen. Zelfs voor de gewapende strijd van het IRA (Irish Republican Army) bestond er lange tijd veel begrip. Volksvertegenwoordiger Peter King van Long Island verklaarde in 1985 openlijk dat het 'jammer is als er burgers omkomen bij een aanval op een militaire installatie, maar dat het IRA daarvoor niet moreel verantwoordelijk kan worden gehouden'. Het Irish Northern Aid Committee zamelde geld in voor families van politieke gevangenen in Noord-Ierland. Die organisatie werd er bovendien van beschuldigd wapens te financieren voor het IRA, iets wat ze met klem ontkende. In elk geval werden er tussen 1970 en 2000 meerdere clandestiene wapenleveringen georganiseerd vanuit Amerika. Het ging voornamelijk om machinegeweren, aanvalsgeweren en pistolen.

Columniste Ann Applebaum schreef die medeplichtige steun vanuit Noord-Amerika toe aan wat ze 'de discrete charme van de terroristische zaak' noemde. Ze had het over 'de buitengewoon sterke aantrekkingskracht van buitenlands, revolutionair, idealistisch geweld op burgers van vreedzame samenlevingen. Je hoeft geen moslim te zijn of arm of extremist om de romantische lokroep van het terrorisme te voelen. Je kan een middenklasse-Amerikaan zijn met een uitgebloeid katholiek geloof, wiens grootmoeder toevallig uit Donegal kwam.' Applebaum wast de Iers-Amerikaanse prominenten de oren, omdat die niet sneller afstand hebben genomen van het geweld. Ze hadden het vredesproces kunnen bespoedigen.

Die analyse is misschien wat algemeen, maar legt de vinger op een reële karaktertrek van de Ierse diaspora: een romantisch nationalisme dat grenst aan dromerige dweperij. Overal in Amerika vind je Ierse culturele centra en verenigingen waar je *Gaelic* kan leren praten, de doedelzak kan bespelen of kan volksdansen op Ierse tonen. Die activiteiten zijn nog altijd zo populair, ook bij jongere generaties, dat ze de pure folklore overstijgen. Er zijn honderden clubs waar de traditionele sporten *hurling* of *gaelic football* worden beoefend. Er worden honderden Ierse krantjes en blogs volgeschreven en rond Boston en Chicago kan je nog steeds Ierse woonbuurten onderscheiden. Het lijkt alsof de Ierse genen zich langduriger en luidruchtiger manifesteren dan het erfelijk materiaal van andere naties.

Een factor die dat gevoel nog versterkt is de voortdurende instroom van nieuwkomers. Telkens als Ierland in een economische crisis verzeild raakt, steekt er een oude reflex op: emigreren! Tot halverwege de jaren 1960 stond de deur van Amerika nog wijd open: toen konden jaarlijks tot dertigduizend Ieren zich in de vs vestigen. Met de nieuwe immigratiewet van 1965 kwam daar een einde aan. De Ieren kregen steeds minder werkvisa en *green cards* toegewezen. Niettemin bleven ze neerstrijken in Amerika. Ze kwamen als toerist en bleven, illegaal. Dat gebeurde in de crisisjaren 1980 en dat scenario herhaalt zich nu. De financiële crisis, de zware bezuinigingen en de werkloosheid van de jongste jaren deed tienduizenden jonge Ieren hun koffers pakken. Waar ze terechtkomen, valt nog niet accuraat te traceren, maar het vermoeden bestaat dat er opnieuw duizenden in de vs zijn aanbeland, waar ze onder de radar proberen te blijven. Er is een Iers-Amerikaanse actiegroep opgericht die pleit voor legalisering: de Irish Lobby for Immigration Reform. Die schat het aantal illegale Ieren in Amerika op vijftigduizend. De lobbygroep vindt dat de Ieren een historische bijdrage hebben geleverd aan de ontwikkeling van Amerika en dat ze daarom een betere behandeling verdienen.

Goodfellas

Premier Guy Verhofstadt heeft ons van tevoren al warm gemaakt voor het etentje 's avonds en zijn keuze voor het restaurant toegelicht. 'Ze hebben mij gezegd dat het een plaats is waar de echte New Yorkse maffia komt eten. Dan moet het wel goed en authentiek zijn,' lacht hij.

's Avonds schuiven we met het persgezelschap aan tafel in een bekend eethuis in Mulberry Street, hartje Little Italy. Als de premier de menukaart ter hand neemt, betrekt zijn gezicht. Niets van wat wordt aangeprijsd beantwoordt aan zijn verwachtingen. Guy Verhofstadt is een verwoed liefhebber van Italië. Zijn culinaire smaak is gevormd in het grensgebied van Umbrië en Toscane, zijn wijnkennis in de valleien van de Chiana en de Orcia. Hem maak je niets wijs over pasta's of vitello en hij komt tot de ontgoochelende vaststelling dat de kaart van dit eethuis een loopje neemt met de authentieke Italiaanse keuken. De premier laat de chef komen en begint hem aanwijzingen te geven: hoe hij bepaalde schotels moet combineren, wat hij weg moet laten en toevoegen. Als het eten wordt opgediend eet hij met lange tanden: het blijft nog altijd ondermaats.

Verhofstadt heeft absoluut gelijk. Het zogenaamde maffia-eethuis is typisch voor Little Italy in New York, maar heeft met het echte Italië niet veel meer te maken. De Italiaanse keuken is in Amerika uit de bocht gegaan. In de meeste Italiaanse restaurants verdrinken de gerechten in een zware tomatensaus die de fijnere smaakschakeringen versmacht. Ook room en kaas worden kwistig toegevoegd, met dikkige sausen en plakkerige pasta als resultaat. Het lijkt erop dat ze in Amerika de Italiaanse gerechten herleid hebben tot een handvol basisingrediënten, die ze dan buiten proportie vermenigvuldigen. Alles moet meer zijn in de Amerikaanse eetcultuur, maar voor veel Italiaanse gerechten geldt juist het devies *less is more*. Ook de pizza's ontbreekt het aan verfijning. Niet alleen is het vaak zoeken naar een plek waar ze het dunne type *(thin crust)* bereiden, maar ze worden ook overladen met een jungle aan groenten-, vlees- en kaassoorten. Kies uit je toppings! Inmiddels ken ik de ketens waar de pizza's hartig zijn en lekker kunnen smaken, maar Italiaans zou ik ze niet noemen.

De moraal van het verhaal overstijgt de culinaire sfeer. Italianen in de vs acteren graag Italiaans, met rood-wit geruite tafelkleedjes en Napolitaanse zangers door de luidsprekertjes. In werkelijkheid zijn ze verregaand veramerikaniseerd.

In feite is heel Little Italy in Manhattan al een soort Bokrijk geworden waarin Italiaanse elementen worden uitvergroot. De buurt heeft zeker een historisch belang, want het was hier dat tienduizenden Italiaanse armoezaaiers terechtkwamen na hun aankomst in New York. Ze leefden er in vochtige en overbevolkte huurkazernes, maar ontwikkelden van daaruit plannen en strategieën om jobs in te pikken, winkels op te starten en weer nieuwe familieleden te laten overkomen. In een voormalig Italiaans bankfiliaal is nu een Italian-American Museum gevestigd, charmant maar een beetje schraal. Het roept sepiakleurige herinneringen op aan die levendige maar harde jaren. Verder is Mulberry Street een lint van eethuisjes geworden met Italiaanse namen – Café Napoli, Casa Bella, Buona Notte – en met uitslovers van kelners die de toeristen naar binnen lokken.

Wat de situatie kunstmatig maakt, is dat er nog nauwelijks Italianen wonen in de buurt. De meeste Italiaanse gezinnen zijn al lang verhuisd naar Staten Island, New Jersey, Long Island of Queens. Elk jaar vindt in de buurt nog steeds het festival van San Gennaro plaats, waarbij het beeld van de Napolitaanse patroonheilige door de straten wordt getorst. De kans is groot dat u dat feest al kent. In *The Godfather III* vormt de processie de achtergrond voor een spectaculaire afrekening. Vinnie (Andy Garcia), verkleed als politieman te paard, schiet er midden in de massa zijn rivaal Joey Zasa (Joe Mantegna) dood. Ook nu nog wordt de festivaltraditie voortgezet, maar in zekere zin blijft Mulberry Street een irreëel decor, want zowel de Italianen als de toeristen komen van heinde en ver en wonen niet langer in de buurt. Little Italy raakt steeds meer ingekneld tussen het uitdeinende Chinatown en hippe buurten als SoHo en NoHo.

De invloed van de Amerikaanse televisie- en filmindustrie op het zelfbeeld van de Italianen in Amerika is overduidelijk. Er is een vreemd soort wisselwerking aan de gang. De film portretteert de Italianen steevast als *wise guys:* slim en brutaal, maar tegelijk menselijk en sympathiek. Het slag mannen dat gedwee aan tafel gaat als *la mamma* roept, terwijl het lijk nog in de kofferbak ligt. Uitgebreide familiebanden, eer en devotie, zorgzaamheid en koud geweld. Dat beeld van de *mob* of maffia is zo diep verankerd dat het bijna een embleem is geworden. In de souvenirshops hangen Godfather-T-shirts en mobnummerplaten, alsof dat de essentie is geworden van de Italiaanse gemeenschap in Amerika. Robert De Niro, Joe Pesci en James Gandolfini hebben hun werk uitstekend gedaan.

De film hoeft trouwens niet veel te verzinnen. Nog altijd blijkt de Italiaanse maffia betrokken bij afpersing, drugshandel, fraude, brandstichting en infiltratie in de vakbonden. In januari 2011 werden in één dag meer dan honderd mensen gearresteerd in een enorme antimaffia-operatie. Die was gericht tegen de vijf traditionele misdaadfamilies van New York, plus nog twee andere in New Jersey en New England. Wat later getuigde een spijtoptant van de Bonanno-clan. De 68-jarige maffioso vertelde zonder omwegen dat hij bij twaalf moorden betrokken was geweest. Om luistervinken van de politie te slim af te zijn had hij de meeste plannen besproken in de koelcel van een cateringbedrijf. De werkelijkheid doet niet onder voor de film.

Ik hou van maffiafilms en -series; laat de producers er vooral mee doorgaan. Het probleem is dat Italiaans-Amerikanen op die manier steeds weer in beeld komen in dezelfde rollen en stijlfiguren. Als ze daar zelf nog proberen een slaatje uit te slaan, wordt het moeilijk om dat imago te corrigeren.

Zoals eerder al vermeld bestaat er een lange traditie van Italiaan-se Amerikanen die de misdaad niet gesteund, maar juist bestreden hebben. Rudy Giuliani heeft op dat vlak uitstekend werk verricht toen hij openbaar aanklager was in New York. Zijn prestaties als bur-gemeester wekken nog steeds bewondering bij vriend en vijand en zijn koelbloedige betrokkenheid na de aanslagen van 11 september dwong respect af. Inmiddels is zijn ster wat gedaald, maar Giuliani heeft de uitstraling van de Italiaans-Amerikanen ongetwijfeld opge-krikt.

De huidige gouverneur van de staat New York, Andrew Cuomo, is eveneens van Italiaanse origine. Hij treedt op die positie in de voet-sporen van zijn vader Mario. Nancy Pelosi was de eerste vrouw die de voorzittershamer van het Huis van Afgevaardigden mocht hante-ren. Vijfentwintig jaar eerder was een andere Italiaans-Amerikaanse, Geraldine Ferraro, als eerste vrouw tot *running mate* gekozen voor de presidentsverkiezingen. In het negenkoppige Hooggerechtshof ze-telen momenteel twee Italianen, Antonin Scalia en Samuel Alito.

Filmacteurs met een Italiaanse achtergrond zijn te talrijk om op te noemen en doorgaans herkenbaar aan hun naam, maar wist u dat ook Nicolas Cage Italiaans is? Hij is de neef van regisseur Francis Ford Coppola. Hollywood heeft al ontstellend veel Italiaans talent ontsloten. Onder de popsterren noemen we Madonna, Lady Gaga en Jon Bon Jovi. Onder de *crooners* Frank Sinatra en Tony Bennett. Stuk voor stuk zijn dat gigantische iconen van Amerika. Er zijn slechts zeventien miljoen Amerikanen met Italiaanse genen in hun bloed. Soms krijg je de indruk dat het er meer zijn.

Nederland in Holland

Op de winkelruiten staat 'Welkom' geschreven en in de etalages lig-gen klompen te koop. Een bestrating met keurige vlakke kasseien, huizen met erkers en heel veel bloemen. Het stadje Holland, in het westen van Michigan, ligt er kraaknet bij. Op bestelwagens en recla-meborden lees je Nederlandse namen: Dijkstra, Dijkma, Hendriks en de vrachtwagens van voedingsgigant Meijer. Honderdzestig jaar nadat dominee van Raalte hier met tientallen families zijn kamp opsloeg, zijn de Nederlandse sporen in Holland nog altijd goed zichtbaar. Ze worden ook zorgvuldig tentoongesteld, opgeblonken en geëxploiteerd.

Het Hollandse karakter van Holland is een toeristische troef. Het Holland Museum is een van de trekpleisters.

Aan de ingang hangt een bord met de namen van alle sponsors: Van Lente, Wagenaar, Visser, Vanderzee...' Ongeveer de helft van de bewoners in de streek stamt van Nederlandse families af,' zegt Thea Grigsby, de directeur van het museum. 'Wat je hier ziet is de geschiedenis van hun gemeenschap, hun succes als ondernemers, de rijkdom van hun cultuur, allemaal verbeeld in objecten.' In verschillende zalen komen verschillende thema's aan bod: de Nederlanders in de Burgeroorlog, de zeevaarttraditie, de ambachten en meubelmakers. Er hangen fraaie Hollandse schilderijen, zelfs een kleine ets die aan Rembrandt wordt toegeschreven. Toch hangt het museum een beeld op van de Nederlandse cultuur alsof die in de negentiende eeuw in ijs is ingevroren. De *Volendam room* is een nagebouwde kamer die is volgestouwd met Hollandse spulletjes: Delfts blauw tafelservies en kantwerk.

Een grote klok die centraal staat opgesteld, brengt het Wilhelmus ten gehore. Sam Hofman staat te luisteren en zingt een paar regels mee. Hij is een gepensioneerd missionaris van de Reformed Church, de kerk die in Holland en omgeving de toon zet. Zijn levensverhaal maakt duidelijk hoe nauw de Nederlandse gemeenschap in dit gebied verbonden blijft. 'Ik ben opgegroeid in Lynden in de staat Washington, eveneens een stadje met een heel Nederlands karakter. Ik kwam hier studeren aan het Hope College en het Western Seminary. Op Hope leerde ik mijn vrouw kennen; ook zij komt uit een Nederlandse familie. We hebben 42 jaar als missionaris gewerkt in Mexico. Onze drie kinderen hebben hier aan Hope gestudeerd. Twee van hen wonen nog in Holland, dus zijn wij na ons pensioen ook hierheen verhuisd.'

Het zijn niet enkel de familierelaties die het echtpaar Hofman weer naar het stadje Holland hebben gelokt. 'Onze roots liggen in Nederland. Dat lijdt geen twijfel. Dat is een heel belangrijk onderdeel van wie we zijn. Soms stel je bij jezelf vast dat je die oer-Hollandse waarden belichaamt: hard werken, eerlijk willen zijn en heel plichtsbewust omgaan met de tijd. Zeer calvinistisch allemaal. En ja, je bent ook zuinig, je let op je centen en gaat er verantwoordelijk mee om.' Ondanks zijn warme identificatie met de Nederlandse tradities spreekt Hofman de taal niet meer. 'Dat klopt. Ik ben geboren in Amerika in 1934, als de kleinzoon van een immigrant. Ik behoor tot de generatie die het Nederlands verleerde. Mijn ouders waren tweetalig en ik herinner me nog wel een aantal woorden. Een uitdrukking die me sterk is bijgebleven is "Hou je bek, kleine aap". Dat zei mijn vader een beetje te dikwijls tegen ons.'

Het verbaast mij hoe het museum en de Nederlandse gemeenschap prat gaan op een oerouderwetse levenssfeer. 'De Nederlandse cultuur die hier wordt opgeroepen is een erg landelijke cultuur,' erkent Grigsby. Ze vertelt over het jaarlijkse Tulip Time Festival, wanneer honderden jonge meisjes in een soort Volendamse klederdracht in stoet de straat op lopen. '*Outfits far from historically correct,*' glimlacht Grigsby, die zelf de dochter is van een Nederlandse uit Californië. Tijdens het festival worden voetpaden en drempels geschrobd met een vrolijke verbetenheid, want ook schoonmaken is Hollands. Pittoreske kneuterigheid. Dat de plaatselijke jeugd zo enthousiast meedoet aan die folklore getuigt allicht van het sterke en conservatieve gemeenschapsgevoel in West-Michigan. 'De gemeenschap is heel belangrijk hier,' bevestigt Grigsby. 'Net als de familie, de godsdienst, ondernemerschap en zuinigheid. Je wordt ook verondersteld elkaar te helpen in de gemeenschap. Dat gaat terug op de traditie waarbij iedereen meehielp bij het bouwen van elkaars schuur.'

Dat alles mag dan als traditioneel Nederlands worden geafficheerd, het is ook uiterst Amerikaans. In homogene gemeenschappen in het binnenland draait het sociale leven nog dikwijls rond kerk en tradit1es, met een intrigerende vanzelfsprekendheid. Behalve Holland zijn er nog meer kleine stadjes, verspreid over de VS, die een sterke Nederlandse injectie hebben gehad en waar Nederlandse feesten worden gevierd.

Natuurlijk beantwoorden lang niet alle Nederlandse Amerikanen aan dat conservatieve, rurale profiel. In 2010 deed het Census Bureau opnieuw een steekproef om de voorouderlijke banden van Amerikanen na te gaan. Uit die enquête blijkt dat bijna vijf miljoen inwoners van de VS een Nederlandse oorsprong claimen. Velen van hen zijn stedelingen en minder begaan met hun stamboom, tradities en verleden. Nochtans doet ook de Nederlandse overheid haar duit in het zakje om de historische trots te versterken. In 2009 zette ze alle zeilen bij om de vierhonderdste verjaardag van de ontdekking van New York door Henry Hudson als een Nederlandse prestatie in de verf te zetten.

Nederlandse namen vind je in Amerika overal. Daar zijn er trouwens bekende bij. Generaal David Petraeus is de zoon van een Friese immigrant. De acteurs Dick Van Dyke, Henry en Jane Fonda en Humphrey Bogart hadden Nederlandse wortels. De auteur John Updike stamt uit een oud geslacht Opdijck en tenminste drie presidenten waren de nazaten van Nederlanders: Martin Van Buren (1837-1841), Theodore Roosevelt (1901-1909) en Franklin Delano Roosevelt (1933-1945). Ook in de taal kan je Nederlandse sporen lezen. Het woord *Yankee* – een scheldwoord en tegelijk een geuzennaam voor de Amerikanen uit het noordoosten – zou afgeleid zijn van Jan Kees of mogelijk ook van het verkleinwoord Janke. In het wapenschild van Brooklyn – dat eerst Breukelen heette – staat de spreuk *Eendraght Maeckt Maght.*

De beroemdste bijdrage aan de Amerikaanse cultuur is echter de figuur van *Santa Claus.* 'Die is inderdaad ontsproten aan het beeld van Sinterklaas,' vertelt professor Ton Broos, die in Ann Arbor Nederlandse en Vlaamse studies doceert. 'Het waren Nederlanders die het Sinterklaasfeest naar New Amsterdam meebrachten. Later, in de negentiende eeuw, is dat helemaal veranderd onder invloed van cartoons. De figuur werd gecommercialiseerd tot een dikke man met een rare muts, maar voor de Nederlanders is het nog altijd een Sint gebleven.' In Holland en andere stadjes in de vs wordt begin december nog steeds het Sinterklaasfeest gevierd, zij het zonder zwarte Piet. 'Onder mijn studenten is het elk jaar weer een controverse of zwarte Piet wel zwart mag zijn. De meeste vinden dat natuurlijk uiterst incorrect.' Dit is en blijft Amerika: de Nederlandse cultuurinbreng stuit op politiek correcte poortwachters.

Belgische bescheidenheid

Het ruikt naar verschaald bier in Café Cadieux, de geur van Belgische gelagzalen. In een apart zaaltje speelt een handvol twintigers een eigenaardig soort kegelspel: *featherbowling.* Twee ploegjes moeten afgeplatte bollen een baan op rollen, zo dicht mogelijk bij een veer. Elkaars bollen wegtikken is toegelaten. Naar verluidt is dit een oud West-Vlaams volksspel, ook bekend als trabol. Café Cadieux gaat er prat op dat het de enige plaats is in Amerika waar het gespeeld wordt.

Op het menu van de zaak vind je Belgisch stoofvlees en mosselen in witte wijn. Er zijn frieten te verkrijgen en een twintigtal Belgische biersoorten. Als je de uitbaters mag geloven, bestaat het café al bijna honderd jaar en begon het als een illegale kroeg ten tijde van de drooglegging. De klanten die er toen over de vloer kwamen waren in hoofdzaak Vlaamse Belgen.

Café Cadieux ligt in Detroit en dat is geen toeval. De stad aan Lake St Clair, op een boogscheut van Canada, was altijd een van de grote ankerplaatsen voor de Belgische immigranten. Elisabeth Khan-Van den Hove, hoofdredactrice van de *Gazette van Detroit*, kent hun geschiedenis. 'Hier in Detroit ging het bijna altijd om Vlamingen. De meesten kwamen uit West-Vlaanderen en het hoogtepunt van de instroom lag rond de Eerste Wereldoorlog. Ze waren erg gegeerd als bouwvakkers en ambachtslui en als arbeidskrachten in de land- en tuinbouw.'

Naast het redactielokaal worden meters archieven opgestapeld, stoffige documenten over de Belgische emigratie en de eerste ervaringen in Amerika. Die zijn vrij te raadplegen voor wie daar zin in heeft. Er liggen ook boerenkielen, foto's van de koninklijke familie en volksdanskostuums. 'Dat krijgen we cadeau wanneer oudere Belgen in Amerika naar een bejaardenhome verhuizen en hun zolder leegmaken. Vroeger waren er nog volksdansgroepen en toneelkringen, maar die bestaan niet meer.'

Ik vind het een veelzeggend beeld: de actiefste en meest bewuste Belgen nemen hun intrek in bejaardenhuizen. Dat belooft niet veel goeds voor de uitstraling van de Belgische Amerikanen. Die groep is trouwens niet zo groot. De recentste cijfers spreken van nog geen vierhonderdduizend. De helft daarvan woont in de Midwest, met uitschieters in Michigan (Detroit), Illinois en Wisconsin. In Wisconsin streken vooral Walen neer. Zijn de Belgen compleet aan het verdwijnen in de massa? Lossen ze onherroepelijk op in de *melting pot*?

Elisabeth relativeert. 'Familiekunde is momenteel heel populair in Amerika en mensen ontdekken soms dat ze een kwart Belgisch of Vlaams zijn. Dan zie je dat sommigen hier in het archief duiken om naar informatie te zoeken over hun voorouders. Daar zijn ook heel wat jonge mensen bij, twintigers of dertigers.' Toch erkent Elisabeth dat de nood aan een eigen krant, zoals de *Gazette*, zienderogen afneemt. 'De jongste immigranten volgen het nieuws uit België via het internet, die hebben geen krant meer nodig. We maken de *Gazette* vooral voor de oudere generaties. Dat betekent inderdaad dat ze haar lezers vanzelf zal verliezen.'

Er bestaan meerdere Belgische clubs in de vs, verenigingen voor historisch onderzoek en netwerken van *expats*. Er worden inspanningen geleverd om de rol van Vlaamse en Waalse kolonisten in de ontsluiting van het noordoosten (New York en achterland) verder te onderzoeken en om hen uit de schaduw te halen van de Nederlandse stichters. In New York is in 2009 het *Flanders House* geopend als een antenne van de Vlaamse regering. De Belgische diplomatie stuurt doorgaans de knapste diplomaten naar de vs. Institutioneel is België wel degelijk vertegenwoordigd, maar anders dan de *Dutch-Americans* treden de *Belgian-Americans* als gemeenschap niet veel naar buiten. Misschien heeft dat te maken met een verschil in volksaard en temperament: de zogenaamd verlegen Belgen tegenover de extraverte Hollanders? Of misschien is het gewoon een kwestie van aantallen en verhoudingen.

Nochtans lijkt het merk *Belgian* de jongste tien jaar wel aan te slaan in Amerika. In grootsteden worden Belgische cafés en restaurants geopend, het Belgisch bier wint terrein en de Vlaamse computerconsultant Thomas De Geest won een prijs met de *Belgian waffles* die hij in de straten van New York verkoopt. Reizend in Amerika ben ik vaak aangesproken over de Belgische chocolade, het lekkere eten en Duvel of trappist. Een enkele keer werd ook de lof gezongen van de Belgische handwapens van FN. De Belgen genieten in Amerika een reputatie van goedmoedige Bourgondiërs. *Flemish* is voorlopig nog geen begrip in de vs, al moet het Flanders House daar verandering in brengen.

Americana

De hernieuwde zoektocht van blanke groepen naar hun etnische en culturele wortels is in zekere zin een terugkeer naar Europa. Doorgaans zijn de Ieren, Italianen, Belgen of Nederlanders die in hun verleden duiken perfect geïntegreerde Amerikanen. Ze praten met een Amerikaans accent en hun ideologische wereldbeeld leunt nauwer aan bij de *American dream* dan bij het West-Europese Rijnlandmodel. Toch lijkt het alsof ze hun identiteit een aparte, etnische glans willen geven die hen onderscheidt van de Amerikaanse middenmoot. Alsof ze hun culturele status willen opblinken door zich als minderheid op te stellen in de blanke meerderheid.

Op die manier wordt het langzamerhand koud en eenzaam in die blanke contreien: de ene na de andere minderheid, gekleurd of wit, zet haar eigenheid in de verf. Blanke Amerikanen zonder belangstelling voor hun etnische voorgeschiedenis hebben een probleem. Wat rest er op de duur nog aan Amerikaanse blanke cultuur? Wat maakt een blanke Amerikaan tot Amerikaan? Wat onderscheidt hem tegelijk van zijn voorouders in Europa en van zijn gekleurde landgenoten in de vs? Die vragen zijn niet zo eenvoudig te beantwoorden. Het wordt nog moeilijker als je alle niet-blanke invloed zou proberen uit te gommen: de zwarte muziekritmes, de latinokruiden in de keuken of de indiaanse namen in het landschap. De niet-etnische witte Amerikaanse mensensoort komt er naakt bij te zitten.

Laten we toch even proberen. Wat zijn de grootste iconen van blank Amerika? Graceland in Memphis, het paleis van Elvis Presley? Ongetwijfeld staat dat hoog op het lijstje; maar het museum lokt ook zwarte bezoekers en Presley zelf putte rijkelijk uit zwarte blues- en soultradities. De countrymuziek in Nashville? Dat is inderdaad een blank bastion. Toch hoor je nog weinig country op de radio die niet verstevigd (of verminkt) wordt met rockgitaren – en rock is zwart. De akoestische *bluegrass* dan, uit de bergen in het zuiden? Blue grass blijft doorgaans dichter bij de bron; maar in het pure genre klinken Schotse en Ierse tonen door, waarmee we weer terug op het etnische spoor zitten. Een spic en span blanke cultuurtraditie, die tegelijk Amerikaans is, ligt niet meer voor het grijpen.

We zoeken verder. In de betere platenzaak vind je tegenwoordig een afdeling Americana. Het merendeel van de groepen en artiesten die daar een plaatsje krijgen zijn blank. Zwarte zangers en formaties vind je meestal onder de rubrieken soul, gospel, blues, R&B, hiphop of jazz. In de Americanabak vind je blanke namen als The Band, Bonnie Raitt, Townes Van Zandt, T Bone Burnett, Michelle Shocked of Alison Krauss. Zelfs grootheden als Bob Dylan, Bruce Springsteen of John Hiatt kunnen daarin verzeild raken. Americanamuzikanten laven zich aan folk- en countrymateriaal, in de traditie van Woody Guthrie of Pete Seeger; maar tegelijk overstijgen ze dat. Ze blazen nieuw leven in de liedjes door ze oordeelkundig te vermengen met gospel en blues, met mariachi of tex-mex of met stevige rhythm & blues. Doorgaans herken je meteen de blanke signatuur en tegelijk herken je Amerika.

Er staan in de platenzaak nog heel wat andere blanke popartiesten:

indierockgroepjes, heavy metal of *college rock*-bands. Van dat soort groepen moet ik mijn zoon telkens weer vragen waar ze vandaan komen: de vs, Groot-Brittannië, Zweden of Australië misschien? Ze klinken verwisselbaar en internationaal, als exponenten van een geglobaliseerde popcultuur. Americana daarentegen is een haast etnische expressie van een blank Amerikaanse leefwereld. Misschien ontstond het genre wel vanuit een nood aan zelfaffirmatie: als blank Amerikaans antwoord op al dat zwarte muziekgeweld.

De platenbak is natuurlijk een metafoor. Zoals blanke artiesten hun muziek laten bestuiven door andere cultuurinvloeden en daarmee onbevangen naar buiten treden, zo kan blank Amerika zich aan de wereld tonen als een gemeenschap die zich liet aansteken door het beste van de minderheden. Dat is geen dromerige bespiegeling over de rijkdom van de multiculturele samenleving, maar simpelweg een vaststelling. Wit Amerika is nooit meer helemaal wit, zoals zwart Amerika niet Afrikaans meer is en de *chicano's* geen echte Mexicanen zijn. Het eigene van het Amerikaanse wit is dat het al honderden jaren tussen andere kleuren staat: dat zie je en dat hoor je. Hoe die blanke meerderheid zal evolueren als ze zelf een slinkende minderheid wordt, valt moeilijk te voorspellen.

8

Joods Amerika

Eight candles we'll burn and a Ninth one too
Every New Year that comes and goes
We'll think of the many in the hands of the few
And thank God we are seeds of the Jews

WOODY GUTHRIE

'Niet bang zijn om te duwen en te wringen,' zegt rabbi Jacobson met een twinkeling in zijn ogen. 'Dat doen ze hier allemaal.' In de smalle gangen achter de voordeur van de synagoge staan mannen dicht opeengepakt. Ze leunen losjes tegen de muur met een gebedenboek in hun handen, begroeten elkaar of discuteren. In een van de zijkamers wordt wijn gezegend en gedronken. Daar staat die kamer volgens de rabbi voor bekend. Alle mannen – van tieners tot ouderlingen – dragen het gebruikelijke chassidische uniform: een zwart pak op een hagelwit hemd en een zwarte hoed. De getrouwde mannen herken je aan de witte gebedssjaal die ze om de schouders dragen. En bijna zonder uitzondering hebben ze gespaard voor een lange baard. Die kan pluizig zijn of vol, zwart of grijs of wit, maar chassidische mannen laten hun baard de vrije groei.

De rabbi leidt me naar de grote gebedszaal in de kelder waar de chaotische drukte me nog sterker verrast. Het lijkt hier meer op een beurszaal dan op een tempel; honderden mannen zwermen door elkaar. Als je beter kijkt kan je groepjes onderscheiden. Tien volwassen mannen zijn voldoende voor een *minjan*, een gezamenlijk gebedsmo-

ment. Anderen zitten te lezen in boeken of bidden op eigen kracht
en tempo. Sommigen sjokkelen naar voren en naar achteren in lichte vervoering: een typisch chassidische beweging om het gebed kracht
bij te zetten. 'De grote gebedsdienst van de sabbat is afgelopen,' legt
rabbi Simon Jacobson uit, 'maar het gaat hier zo nog een hele tijd
door. Die chaos is kenmerkend voor de chassieden en alleszins voor
onze chassidische Lubavitch-gemeenschap.'

Ik breng een bezoek aan het hoofdkwartier van de internationale
Lubavitch-beweging: een specifieke chassidische stroming die zich
tot doel heeft gesteld om het jodendom overal ter wereld nieuw spiritueel leven in te blazen. Ze heeft meer dan drieduizend afdelingen
in een zeventigtal landen, waaronder India. Het joodse centrum dat
het doelwit was van de Pakistaanse terroristen die Mumbai aanvielen
in november 2008, was een huis van Lubavitch of een zogenaamd
Chabad Huis. De Lubavitch-school dateert van de achttiende eeuw
en vond haar oorsprong in Wit-Rusland. Toen de nazi's Europa onder
de voet liepen, vluchtte de *rebbe* of spirituele leider naar Amerika.
Hij vestigde zich in Brooklyn, in een voormalig hospitaal aan Eastern
Parkway 770. Het zou de hoofdzetel van de beweging worden en ge-
meenzaam bekend raken als *Seven Seventy*. Toen de oude rebbe stierf,
in 1950, werd hij opgevolgd door zijn schoonzoon, rabbi Menachem
Mendel Schneerson. Die stond meer dan veertig jaar aan het hoofd
van Lubavitch en zorgde voor een opmerkelijke internationale uitbreiding. Hij stierf in 1994 zonder opvolger en de aanhangers van de
Chabad-Lubavitch vereren rabbi Schneerson nu als hun laatste opperste leidsman. Ik begrijp dan ook dat het een hele eer is wanneer
rabbi Jacobson me mee loodst tot in de kleine studeerkamer van de
rebbe. 'Ook hier wordt gebeden,' vertelt de rabbi, 'maar wie dat mee
wil maken moet er heel vroeg bij zijn.'

In tegenstelling tot andere chassidische stromingen is Lubavitch
voluit op de wereld gericht. Ze richt joodse scholen of *jeshiva's* op,
organiseert zomerkampen, opent synagogen en doet aan liefdadigheid.
'Missionarissen mag je ons niet noemen,' zegt Jacobson, 'want wij
willen niemand tot het jodendom bekeren. Maar daar waar er joodse
gemeenschappen aanwezig zijn, willen we onze chassidische leer wel
uitdragen.' Door dat extraverte karakter is de beweging uitermate
internationaal. Dat blijkt ook uit de Babylonische talenmix in de synagoge; behalve Engels wordt er Jiddisch gesproken, Hebreeuws, Roe-
meens, Frans en Pools. Als ik even in het Nederlands met mijn

Vlaams-joodse vriend uit New York sta te praten die dit bezoek wist te regelen, word ik plots op de schouder getikt. Een jongeman stelt zich voor als een student uit Antwerpen; hij verblijft een paar weken in Brooklyn om aan Seven Seventy te studeren. Zo zijn er duizenden chassieden uit het buitenland. In de aanloop naar *Rosh Hashana*, het joodse nieuwjaar, zal de Lubavitch-gemeenschap in Brooklyn met tienduizenden aangroeien. 'Dan legt elk gezin in de buurt een paar matrassen in een kamer en biedt onderdak aan de gaststudenten.' Tussen de vele donker bebaarde maar spierwitte gezichten zitten er ook een paar zwarten; het zouden Ethiopiërs kunnen zijn of bekeerlingen uit Amerika. Vrouwen zijn in de grote gebedszaal niet te bespeuren, maar als ik naar boven kijk, naar een balkon achter glas, kan ik een groepje dames ontwaren. Ik bedenk dat zij de heren beter in de gaten kunnen houden dan omgekeerd.

Ik vraag de rabbi wat voor beroep de meeste volwassen mannen hier uitoefenen. Dat blijkt erg te verschillen: er zijn leraars, bankbedienden, makelaars, winkeliers of diamanthandelaars. 'En deze hier is een hiphopartiest,' glimlacht rabbi Jacobson. Het is geen grap. De chassidische man met rode das blijkt in de muziekbusiness te zitten en hiphopplaten te maken.

Ziel en wereld

Gaat het er in de synagoge veel losser en vrolijker aan toe dan ik van een chassidische gemeenschap verwacht had, in de private sfeer van de huiskamer voel ik het omgekeerde. We zijn op de sabbat uitgenodigd voor de lunch bij rabbi Shmotkin en zijn gezin. Als ik de woonkamer betreed, bega ik mijn eerste vergissing: ik wil mevrouw Shmotkin de hand drukken. Ze laat haar armen stijf naar beneden hangen maar glimlacht. 'Dat doen wij niet, vrouwen geven mannen geen hand.' Ik verontschuldig me en bedenk dat ik dit had moeten weten. Bij het begin van de maaltijd gaan we de handen wassen in de keuken met behulp van een gietertje met twee handvatten. Met de rechterhand giet je water over je linkerhand en omgekeerd. Dat heb ik snel begrepen, maar dan bega ik een tweede fout: terug naar tafel lopend blijf ik vragen stellen. De rabbi en de andere mannen mompelen wat of knarsen tussen hun tanden. Ze geven niet echt een antwoord. Pas als aan tafel een volgend gebed is gebeden, mogen ze weer praten. Mijn tafelgenoten glimlachen welwillend om mijn onwetendheid.

De maaltijd verloopt verder ontspannen, maar wordt gemarkeerd door ritueel voorgeschreven zegeningen, gezangen en gebeden. Op een bepaald moment komt er wodka op tafel: een ritueel restantje uit Oost-Europa. Bij het zingen doen de kinderen gretig mee; soms overdrijven ze met opzet, guitig en speels. Ik merk op dat er geen televisie in de huiskamer staat. 'Goed gezien,' zegt rabbi Shmotkin. 'Wij willen de kinderen en onszelf niet blootstellen aan ongunstige invloeden. Met de technologie hebben we geen enkel probleem. Integendeel, we produceren zelf educatieve DVD's en we gebruiken ook het internet als communicatiekanaal.' De kinderen van het gezin Shmotkin gaan naar een chassidische Lubavitch-school. Daar krijgen ze heel wat joodse theologie en inzichten in de Thora, maar de vakken wiskunde, aardrijkskunde en geschiedenis blijven eerder beperkt. Het curriculum van de joodse scholen wijkt blijkbaar behoorlijk af van de leerprogramma's in het publieke onderwijs. 'Dat vinden we geen probleem,' zegt de rabbi. 'Het belangrijkste is het inzicht in het juiste in het leven. Wat heb je aan die andere vakken als je niet weet wat goed en fout is?' Gedurende de hele maaltijd blijft mevrouw Shmotkin op de achtergrond. Ze zit mee aan tafel maar zegt niet veel en houdt zich voornamelijk bezig met het opdienen van de stevig gevulde schotels.

De volgende dag loop ik mee in een *chassidic tour* voor toeristen, alweer een initiatief waarmee de Lubavitch-beweging haar openheid illustreert. Ik ben een beetje te laat en rabbi Epstein is al begonnen aan zijn inleiding. Aan een tafeltje in de bibliotheek, sjokkelend als was hij in gebed verzonken, legt hij de beginselen uit van de Chabad-Lubavitch-leer. Hij praat met een zangerig zuidelijk accent; Epstein komt uit Tennessee. 'Televisie is alleen maar een afleiding voor de ziel,' zegt de rabbigids. 'Net als de gemengde omgang tussen jongens en meisjes. Om hen daarvan te vrijwaren handhaven we een verregaande scheiding tussen de geslachten. Gemengde scholen kennen we niet. Voor ons draait het leven om de studie van de ziel. Wij studeren zoveel over de ziel, dat we gaan leven in een wereld van de ziel. Zo krijgen we *soul energy*.' Epstein glimlacht om die spitse oneliner. Hoewel hij er hoogst onmodern uitziet, met zijn lange dunne baard en hoed, kent hij de eigentijdse kneepjes van publiciteit en communicatie. Af en toe filmt hij zijn toehoorders met zijn mobieltje, losjes vanuit de heup bijna. Drie dagen later vindt iedereen een vinnig gemonteerd videoclipje in zijn mailbox, als aandenken. Ik verbaas me

over die vreemde combinatie van eeuwenoude Thorastudie en chassidische spiritualiteit met de eenentwintigste-eeuwse technologie.
Epstein neemt ons mee naar een atelier voor Thorarollen. Blijkt dat
elke rol op precies dezelfde wijze met de hand geschreven moet zijn,
op dierenhuid, dat elke regel vastligt en woorden niet van plaats mogen veranderen. Een Thoraschrijver die aan het begin van de regel te
breed gaat, komt aan het eind in de problemen. Een enkel foutje maakt
de volledige rol bovendien waardeloos. Zoveel ritualistische stress in
tijden van hightech, dat blijft voor seculiere geesten een bevreemdende ervaring. Tegelijk hangt er een camera in de grote gebedszaal
van Seven Seventy die permanent, vierentwintig uur op vierentwintig, beelden live op het internet stroomt. Zo kan elke volgeling, waar
ook ter wereld, op elk moment van de dag in contact blijven met het
centrum van de beweging.

De chassidische Lubavitch-gemeenschap wendt de modernste
middelen aan voor haar eigen klassieke geloofsbeleving en voor de
promotie ervan. Ze selecteert met sprekend gemak wat geoorloofd is
en wat niet. Acht dagen later zit ik in het vliegtuig toevallig tussen
een vrolijke groep chassidische tienermeisjes die samen op reis vertrekken. Ze spelen spelletjes op hun tv-schermpjes, praten en lachen
de hele nacht lang, maar geen van de meisjes kijkt ook maar een
ogenblik naar een film uit het nochtans uitgebreide aanbod. Spelletjes mogen, films niet. De chassidische wereld is duidelijk in kaart
gebracht.

Zondagmiddag tenslotte, ik ben uitgenodigd op een besnijdenis-
feest of *bris*. Het jongetje dat besneden wordt, is de pasgeboren kleinzoon van Rabbi Jacobson. Zijn huis stroomt vol gasten, mannen en
vrouwen en niet allemaal chassieden. De fiere vader is ontroerd en
menig aanwezige pinkt een traan weg als het ritueel voltrokken
wordt. Het jongetje zelf zet eventjes een keel open, maar wordt verrassend snel weer rustig. Dan stormt iedereen op het buffet af en groepjes verspreiden zich over woonkamer, keuken en tuin. Een oude man
komt om een bijdrage vragen voor een noodlijdende familie. Een andere zoekt negen gezellen voor een minje of gezamenlijk gebed; wat
later zie ik hen samen onder de bomen zitten. Opnieuw vloeien geloof en wereldse gezelligheid probleemloos ineen.

Rabbi Jacobson geniet en zijn pretoogjes stralen weer. Hij praat
met een hoekig New Yorks accent, door en door Amerikaans. De
Lubavitch-chassieden wonen in Crown Heights, een buurt in Brook-

lyn die door Eastern Parkway min of meer in tweeën wordt gesneden. Aan de ene kant wonen vooral chassieden, aan de andere kant zijn het overwegend Caraïbische immigranten. Twintig jaar geleden kwam het daar tot zware rellen, toen een auto uit de karavaan van de rebbe per ongeluk twee kinderen uit Guyana aanreed. Eén jongetje overleefde de klap niet, zijn nichtje raakte zwaar gewond. Het nieuws verspreidde zich in de zwarte buurt van Crown Heights, samen met allerlei geruchten over een joodse ambulance die ter plaatse was gekomen: die zou hulp aan de kinderen geweigerd hebben, maar wel de joodse chauffeur hebben ontzet. In de late avond begonnen zwarte jongeren vernielingen aan te richten in een joodse straat en een joodse student uit Australië werd omsingeld en doodgestoken. De rellen brachten een schok teweeg in de chassidische gemeenschap. Intussen lijken de relaties met de zwarte buurtgenoten sterk verbeterd. In sommige straten wonen zwarte, chassidische en latinogezinnen schijnbaar probleemloos naast elkaar.

Joodse verscheidenheid

Lopend door Crown Heights kruis ik twee buren die rustig een praatje slaan voor de trapjes van hun huizen. De ene is een chassidische jood, zwart kostuum op wit hemd, zwarte hoed en een volle donkere baard. De tweede is een zwarte immigrant uit de Caraïben, in T-shirt en jeans, met dikke lange rastavlechten. Wie van beiden springt het sterkst in het oog?

De chassidische Lubavitch-gemeenschap is nagenoeg volledig blank. De meeste families hebben hun verre wortels in Oost-Europa en Rusland. Raciaal behoren ze dus tot de traditionele blanke meerderheid van Amerika, etnisch zijn ze onderling verwant maar niet volkomen homogeen. Toch onderscheiden ze zich als groep van de hoofdstroom in de samenleving. Meer zelfs, ze nemen nadrukkelijk afstand van het publieke onderwijs en van de media en nestelen zich grotendeels in een eigen wereldje. De basis waarop ze zichzelf onderscheiden is religieus: het joodse geloof met de specifieke chassidische invulling daarvan en volgens de lezing van de Lubavitch-school. Hun geloof is de aanleiding voor een bijzondere levensstijl en een verregaande vorm van zelfsegregatie. Tegelijk lijken ze zich prima thuis te voelen in Amerika, maken ze gebruik van de nieuwste communicatiekanalen en wekken ze weinig wrevel op.

De chassidische joden bewijzen – behoorlijk opvallend – dat diversiteit nog andere beddingen volgt dan ras, taal of etnische achtergrond. Een huidskleur kan je niet afspoelen en een buitenlands accent blijft langer aan je taal kleven dan je lief is. Een geloofsovertuiging en de bijhorende levensstijl en klederdracht zijn evenwel keuzes die door mensen worden gemaakt, individueel en als gemeenschap. In Amerika leeft een diep respect voor zulke keuzes en een grote tolerantie voor religieus gemotiveerde leefpatronen. Toch komt het nu en dan tot kleine wrijvingen, wanneer de levensstijl van orthodoxe of chassidische gemeenschappen het comfort van de andere buurtbewoners dreigt te belemmeren.

Illustraties daarvan komen hieronder nog aan bod. Voor een goed begrip moeten we eerst het beeld van de Amerikaanse joden wat bijstellen en nuanceren. De chassidische joden zetten in de verf hoe anders mensen kunnen zijn omwille van een religieuze overtuiging. Die van Lubavitch illustreren hoe ze, ondanks dat anders zijn, blijven meedraaien in de samenleving, maar het zou verkeerd zijn om de Amerikaanse joden met die chassidische gemeenschap te vereenzelvigen.

Omdat de tienjaarlijkse census niet naar geloofsovertuiging of religie peilt, is het bijzonder moeilijk om de joodse Amerikanen te tellen. Recente cijfers zijn schaars en lopen niet altijd gelijk. Grosso modo kan het aantal chassidische joden uit de Lubavitch-school in Brooklyn op enkele tienduizenden worden geschat. Zoals al aangegeven groeit die groep spectaculair als de joodse feestdagen naderen en volgelingen uit de hele wereld zich enkele weken in Crown Heights vestigen. Behalve de Lubavitch-beweging herbergt New York nog andere chassidische traditie – zoals de Bobover, de Klausenberger en de Satmar (die ook in Antwerpen sterk vertegenwoordigd zijn). Al die groepen hebben hun eigen rebbes en leggen verschillende accenten, maar de gemeenschappelijke inspiratiebron is Israel Ben Eliezer, bijgenaamd de Meester van de Goede Naam of *Baal Shem Tov*. Hij leefde in de achttiende eeuw in Oekraïne en benadrukte en ontwikkelde de mystieke beleving van het orthodoxe judaïsme. Door die diepe emotionele godsvrucht verwierven zijn volgelingen de naam van *chassidim*, wat vromen betekent.

In New York leven er momenteel tenminste honderdduizend chassieden; een ongeveer even groot aantal woont verspreid over de rest van de vs. Los Angeles is na New York hun belangrijkste ankerplaats.

Het gaat om een minderheid binnen de joodse minderheid, maar hun proportioneel gewicht neemt wel toe. Chassidische echtparen hebben doorgaans kroostrijke gezinnen, waardoor hun aantal volgens sommige wetenschappers om de twintig jaar verdubbelt. De joodse gemeenschap in Amerika wordt dus geleidelijk chassidischer en op die manier ook orthodoxer, traditioneler, mystieker en strenger in de leer.

Op het totale aantal joodse Amerikanen valt nog moeilijker een cijfer te plakken. Tussen twee volkstellingen in probeerde het Census Bureau dat toch een keer in kaart te brengen, op basis van een rondvraag bij lokale joodse groepen. Dat leidde tot een raming van bijna zes en een half miljoen Amerikanen die zichzelf als joods omschrijven. Daarmee zijn de vs het land met de grootste joodse bevolking ter wereld. Israël telt weliswaar zeven miljoen zevenhonderdduizend inwoners, maar een kwart daarvan is Arabisch of niet-joods. De moeilijkheid is dat niet alle joden in de vs religieus praktiserend zijn. Heel wat Amerikanen omschrijven zich enkel nog in culturele termen als joods of verwijzen naar de biologische afstamming van een of beide joodse ouders.

Binnen die joods-Amerikaanse gemeenschap is er sprake van een verregaand pluralisme. De orthodoxe synagogen houden het strengst vast aan de tradities en de rituele voorschriften, zonder evenwel de haast mystieke chassidische spiritualiteit over te nemen. De *reform*-school probeert het joodse geloof te verzoenen met eigentijdse maatschappelijke normen. In sommige reformsynagogen worden ook vrouwen tot rabbi aangesteld of homoseksuele huwelijken ingewijd. De conservatieve stroming tenslotte houdt het midden tussen traditie en vernieuwing. Daarmee zijn de grote breuklijnen aangegeven binnen de georganiseerde joodse geloofsbeleving in de vs. In feite voelen miljoenen Amerikaanse joden zich echter niet of nauwelijks verbonden met een synagoge. Hun joodse identiteit sluimert onder de oppervlakte en leeft nu en dan op naar aanleiding van de grote feestdagen of de belangrijke momenten in het leven. En natuurlijk is er de factor Israël: een symbool dat ook niet-religieuze joden beroert en de uiteenlopende strekkingen met elkaar verbindt.

Polarisatie

Om die vele vormen, gradaties en lagen van de joodse identiteit in Amerika wat beter te begrijpen, zoek ik in New York J.J. Goldberg op. Ik ontmoet hem in de kantoren van *The Jewish Daily Forward*, het joodse weekblad waarvan hij acht jaar lang de gevierde hoofdredacteur was. Goldberg publiceerde bovendien een aantal veelgeprezen boeken over joods Amerika. Ik hoop op een beetje helderheid, maar al gauw blijkt de joodse gemeenschap nog ingewikkelder in elkaar te zitten dan ik gedacht had.

'Studies tonen aan dat iets minder dan de helft van de Amerikaanse joden tot een synagoge behoren. Op de grote feestdagen zullen er meer mensen komen, maar als je nagaat wie er echt bijdragen betaalt, kom je slechts aan 40%. Die ledengroep kan je bovendien nog opdelen in vaste en tijdelijke leden. Veel joden sluiten slechts een aantal jaren aan, als hun zoon of dochter zich voorbereidt op het *bar mitswa*-feest (het feest voor de 12-jarigen). Voordien en daarna zie je hen niet meer. Driekwart van de Amerikaanse joden loopt alleen maar langs in de synagoge als ze daar zin in hebben.'

Er zit dus behoorlijk wat rek op de geloofsbeleving, maar volgens Goldberg zijn er nog andere wegen om als jood actief te zijn. 'In veel steden heeft de joodse gemeenschap een eigen netwerk van ziekenhuizen en bejaardencentra. Onderschat ook niet hoe belangrijk het liefdadigheidswerk is: in een stad als New York leeft een op de vijf joden in armoede. Alle mensen die voor die joodse zuil werken of in de bestuursraden zitten, zijn op hun eigen manier actief bezig met hun joodse identiteit, ook als ze niet naar de synagoge gaan. Dan heb je ook nog de vele joden die de traditie in ere houden van de sabbatmaaltijd op vrijdagavond of die koosjer willen eten. Dat hoeven ze niet eens om religieuze motieven te doen. Het kan een kwestie zijn van identiteitsbeleving.'

Identiteitsbeleving klinkt me toch wat abstract als doel. Misschien willen joden een eigen ziekenhuis en ambulance omwille van religieuze voorschriften? Goldberg relativeert dat. 'Patiënten kunnen tegenwoordig koosjer voedsel krijgen in elk ziekenhuis, daarvoor heb je geen joods hospitaal meer nodig. Die ziekenhuizen zijn een beetje een anachronisme, ze worden vooral rechtgehouden uit joodse trots. De ambulances worden vooral gerund door de chassidische gemeenschap vanuit de bekommernis dat vrouwen niet door om het even welke ziekenbroeders kunnen worden aangeraakt. Ook de joodse scholen zijn voornamelijk het terrein van orthodoxen. Een op de vijf joodse jongeren gaat naar een joodse school; dat zijn er pakweg twee-honderdduizend. De rest zit gewoon op publieke scholen.'

Ik krijg stilaan de indruk dat mijn gesprekspartner het niet zo be-grepen heeft op de orthodoxe stroming. Hij haalt een aantal verhalen aan waarin de toestroom van ultra-orthodoxen of chassieden de span-ningen in een buurt aanwakkerde. 'Weet je, lange tijd leefden die groepen uitsluitend in een aantal buurten in Brooklyn. Nu hun aan-tal is toegenomen zijn ze over heel New York en de voorsteden ver-spreid en roepen ze op sommige plaatsen weerstand op. En omdat ze bij voorkeur naar buurten trekken waar al joodse mensen wonen, krijg je ook conflicten tussen joden onderling. Ze komen in een wijk wonen en voor je het weet zijn er tien zulke families die hun kinde-ren niet met de jouwe laten spelen. Mijn ouders woonden bijvoorbeeld in Lawrence, een stadje op Long Island. Daar trokken geleidelijk meer en meer chassieden in en na een tijdje dwongen ze de winkeliers om op zaterdag te sluiten. Ze gaan gewoon van deur tot deur en vertellen de handelaars dat ze de klanten zullen vragen om weg te blijven als ze niet sluiten. Vroeger was het daar een geweldige winkelbuurt, nu is het een droevige bedoening.'

Natuurlijk is het voor bewoners of stadsbestuurders onmogelijk om de orthodoxe nieuwkomers te weren op grond van hun geloofs-overtuiging. Daarom zoeken ze naar creatieve omwegen. In het stad-je Tenafly in New Jersey waren er bijvoorbeeld problemen rond de *eruv*. Dat is de draad die rond orthodox-joodse wijken wordt aange-bracht, als een afbakening van het joodse domein. Op sabbat zijn be-paalde handelingen verboden, tenzij in de huiselijke kring. De eruv verbreedt als het ware die kring, zodat ouders op straat hun kinder-wagens kunnen duwen en bejaarden een rolstoel kunnen gebruiken. Toen de orthodoxe joden van Tenafly een eruv wilden aanbrengen, stak het stadsbestuur daar een stokje voor. De stad argumenteerde dat het gebruik van openbare gebouwen of pilonen voor religieuze doeleinden een inbreuk zou betekenen op de verplichte neutraliteit van de overheid, vastgelegd in het Eerste Amendement van de grond-wet. 'Eigenlijk,' zegt Goldberg, 'wilden ze daarmee de orthodoxe jo-den buitenhouden, bang als ze waren dat die hun levensstijl zouden opdringen.' Het stadsbestuur van Tenafly moest uiteindelijk bakzeil halen toen een rechtbank de orthodoxen gelijk gaf.

Een andere tactiek die gebruikt wordt, is het uitvaardigen van regels van ruimtelijke ordening. Goldberg verwijst naar het dorp Airmont in de staat New York. 'Een aantal dorpjes die dicht bij een sterk chassidische kern lagen, slaagden erin om zich als een zelfstandige gemeente te laten erkennen. Airmont was er daar een van. Op die manier verwierven ze de bevoegdheid om lokale regels af te kondigen voor ruimtelijke ordening. Zo verbood Airmont de aanleg van voetpaden, zogenaamd om het rurale karakter te behouden van de dorpjes. Wat ze in werkelijkheid voor ogen hadden, was het weren van een synagoge. Zonder voetpaden zou het voor de chassieden veel moeilijker worden om naar de synagoge te wandelen. Uiteindelijk is er door de chassidische gemeenschap een proces aangespannen tegen het gemeentebestuur van Airmont wegens antisemitisme. Dat hebben ze gehaald en de synagoge is er gekomen. Een priester vertelde mij hoe het er nu aan toe gaat op vrijdagmiddag, als er massaal veel verkeer naar de synagoge stroomt. Die wagens blijven er dan vijfentwintig uur lang geparkeerd. Als je daarover klaagt, ben je een antisemiet.'

Het lijkt wel of Goldberg meer begrip heeft voor de lokale tegenstanders dan voor de verzuchtingen van de chassieden. Het verhaal van Airmont blijkt overigens een soap in afleveringen. 'Later kochten de chassieden een stuk land om er een *yeshiva* op te bouwen, een joodse chool voor honderdzeventig studenten. Ook daar is protest tegen gerezen. Onder de demonstranten waren er veel niet-orthodoxe joden. Je krijgt dan publieke hoorzittingen in het stadhuis waarbij chassidische joden staan te schreeuwen: 'Nazi's! Jullie maken het werk van Hitler af!' De andere joden verdedigen zich dan tegen die aantijgingen. Dat is allemaal uiterst geladen.'

Inmiddels, na jaren van juridisch getouwtrek, heeft de rechter beslist dat de yeshiva er moet komen. Het dorp Airmont moet alle voorschriften intrekken die de inplanting van de school verhinderden en daar bovenop nog een boete betalen. Op het eerste gezicht lijkt het verzet tegen de orthodoxe of chassidische instellingen inderdaad te getuigen van religieuze onverdraagzaamheid. De lakmoesproef zou erin bestaan om soortgelijke plannen voor te leggen zonder orthodox-joods karakter en na te gaan of de reacties even hevig zouden zijn. Zou een katholieke school of de inplanting van een evangelische kerk net zo veel weerstand uitlokken? Dat valt niet uit te sluiten, want ook christelijke instituten lokken heel wat verkeer en beweging. Het peilen naar de beweegredenen van het verzet komt neer op een lastig intentieproces. Voor de orthodoxe en chassidische groepen staat het nochtans als een paal boven water dat het om antisemitisme gaat. Dat verwijt valt moeilijk hard te maken als ook de tegenstanders zichzelf als joods beschouwen, zoals al bleek uit een aantal van Goldbergs verhalen. Een recenter voorbeeld is de ruzie in Westhampton Beach, waar een comité werd opgericht tegen de aanleg van een eruv onder de veelzeggende benaming Jewish People Opposed to the Eruv. Die ruzie tussen orthodoxen en niet-orthodoxen raakte over heel Amerika bekend toen de satirische *Daily Show* van Jon Stewart er een item aan wijdde met als titel *The Thin Jew Line*. Dat stukje stak de draak met de controverse en zette vooral de tegenstanders in hun hemd. Het zoemde sterk in op de lokale omstandigheden, zonder de bredere trend aan te geven. Volgens Goldberg is er in Amerika sprake van een toenemende polarisatie tussen militante religieuze en lauwe seculiere joden. Dat is een cultuurstrijd die trouwens ook in Israël wordt uitgevochten.

Israël

De invloed van Israël op het reilen en zeilen in de joodse gemeenschappen van Amerika is de jongste decennia alleen maar toegenomen. Allereerst bood de stichting van de joodse staat op zichzelf al een nieuwe bron van identificatie, vooral voor seculiere joden die niet veel voeling meer hadden met synagoge of geloofstradities. 'De vestiging van een joodse staat in historisch Palestina leek op zichzelf een miraculeus gebeuren, vooral in de nasleep van de Holocaust,' schrijven John J. Mearsheimer en Stephen M. Walt. 'Israëls verwezenlijkingen in "het laten bloeien van de woestijn" waren een voor de hand liggende bron van trots. Een nauwe identificatie met Israël bood een nieuwe basis voor een gemeenschapsgevoel bij een bevolking die in snel tempo assimileerde in de Amerikaanse samenleving en tegelijk steeds minder religieus werd.' Anders gezegd: door nauw betrokken te blijven bij het welzijn van Israël konden (en kunnen) joodse Amerikanen weer emotioneel aansluiten bij een wereldwijd jodendom.

Die aanvankelijk wat abstracte gehechtheid zou mettertijd geschraagd worden door uitwisselingsprogramma's, migratie en familiebanden. Veel joodse families met wortels in Rusland of Oost-Europa splitsten en weken naar beide bestemmingen uit. Ze houden de contacten warm en versterken daarmee ook de banden tussen Israël en de vs. Daarnaast gaan heel wat Amerikaanse joden op bezoek in Israël. Vooral orthodoxe groeperingen proberen dat actief te stimuleren. J.J. Goldberg maakt wat dat betreft een onderscheid tussen ultra-orthodoxen en moderne orthodoxen in de vs.

'De ultra-orthodoxen (waaronder je ook veel chassieden mag rekenen) zijn minder strak gehecht aan het Israëlische territorium. Volgens het traditioneel orthodoxe geloof heeft God de joden verbannen uit het Heilig Land en moeten we nu wachten op de Messiah die ons zal terugvoeren. De ultra-orthodoxen zijn over het algemeen meer bereid tot compromissen in Israëls buitenlandse politiek. De moderne orthodoxen daarentegen geloven dat God het Heilig land aan de joden gegeven heeft, inclusief de Westbank. Voor hen is het een zonde om delen daarvan af te staan; God zal je daarvoor straffen. Bij moderne orthodoxen in Amerika is het de voorbije twintig jaar bijna een gangbare praktijk geworden om de kinderen na de middelbare school een jaar naar Jeruzalem te sturen. Natuurlijk praat je over een minderheid van de joodse jongeren in de vs, pakweg 7 à 8%, maar die wegen op de publieke opinie. Soms komen ze zo religieus overtuigd terug dat ze niet langer het voedsel van hun ouders willen eten. Tegelijk worden ze dan heel erg politiek actief. Zij zijn het die je ziet demonstreren ten gunste van de joodse nederzettingen. Ze studeren aan moderne orthodoxe universiteiten en samen kunnen die heel wat volk mobiliseren.'

Dat laatste kan ik zelf vaststellen. Vlak bij het gebouw van de Verenigde Naties bots ik op een grote betoging tegen Iran. De meeste manifestanten zijn joods-Amerikaanse scholieren en studenten. Het is overduidelijk dat zij in schoolverband aanwezig zijn: een uitstapje met een politiek tintje. 'Dat klopt,' zegt Goldberg. 'De orthodox-joodse scholen sturen de kinderen daar verplicht heen, ze stoppen ze in bussen. De niet-orthodoxe joodse scholen laten de leerlingen de keuze. Mijn dochter was daar ook, maar zij deed het uit vrije wil.'

Opmerkelijk genoeg heeft er ook een groepje chassieden postgevat dat voor de nodige tegenwind zorgt. Ze houden borden in de hoogte waarop ze bedanken voor de prachtige joodse gemeenschap in Iran en hun afkeer laten blijken van het zionisme. Hun actie is allicht bedoeld als provocatie en zo werkt het ook: de chassieden worden ongenadig en in onbeschofte termen uitgescholden door de joodse manifestanten. In feite gaat het om aanhangers van Neturei Karta International, een militant antizionistische club die af en toe voor de camera's van de Iraanse televisie wordt opgevoerd. Voor de Iraanse president Ahmadinejad zijn zij een uitgelezen propaganda-instrument, maar de meeste joden verachten hen.

Toch bestond er in het chassidisme inderdaad een traditie van kritiek op de zionistische ambities, zeker in de Satmarschool. Een werelds project als Israël kon in hun ogen nooit de verlossing brengen die het joodse volk beloofd was. Volgens Goldberg zijn die reserves inmiddels grotendeels overschreeuwd. De jongere generaties onder de chassieden leven intens mee met Israël – zoals ik in mijn eigen contacten in Brooklyn heb kunnen merken. De rabbi's laten het gebeuren en schuiven geleidelijk mee op. 'Bij jonge chassieden leeft soms een militant gedachtegoed: ze hebben het gevoel dat de Messiah al op komst is, dat ze gewonnen hebben en dat het einde der dagen nakend is.'

De lobby

Dat joodse Amerikanen een diepe sympathie voelen voor het land van hun geloofsgenoten – en in veel gevallen hun familie – hoeft niemand te verrassen. Het is ook volkomen normaal dat ze politieke keuzes maken in functie van de veiligheid en het welzijn van Israël. Wat soms de wenkbrauwen doet fronsen en voor discussie zorgt, is de verpletterende invloed die ze weten uit te oefenen op de beleidsmakers in het Witte Huis en het Congres. Ook andere diasporagroepen proberen op het buitenlandbeleid te wegen, maar geen enkele minderheidsgroep in Amerika kan daarvoor zoveel geld en middelen mobiliseren als de joodse gemeenschap. Vaak is er sprake van de joodse lobby, maar dat beeld klopt niet helemaal. Mearsheimer en Walt hebben het liever over de Israëllobby. Ten eerste zijn er ook heel wat christenen die zich fanatiek aan de kant van Israël hebben geschaard en het Israëlische regeringsbeleid door dik en dun verdedigen en ondersteunen. Ten tweede zou het fout zijn om alle Amerikaanse joden over dezelfde kam te scheren, als zouden ze allemaal even sterk begaan zijn met de joodse staat en dezelfde politieke analyse maken. 'Ruwweg een derde van de Amerikaanse joden ziet Israël in de praktijk niet als een bijzonder belangrijke kwestie. In 2004 kwam een betrouwbare enquête tot de bevinding dat 36% van de joodse Amerikanen ofwel 'niet erg' ofwel 'helemaal niet' emotioneel gehecht waren aan Israël.'

Dat neemt niet weg dat er nog steeds miljoenen joden in Amerika zijn bij wie de Israëllobby wel kan aankloppen voor politieke en financiële steun. 'Amerikaanse joden zijn relatief welvarend en goed opgeleid en kennen een bewonderenswaardige filantropische traditie,' schrijven Mearsheimer en Walt. Ze geven genereus aan politieke partijen en scoren erg hoog qua politieke participatie.' Zoals al eerder aangestipt in de historische hoofdstukken wisten joodse migranten snel te integreren en verwierven ze met name een plaats en reputatie in alles wat met sociale organisaties te maken had: vakbonden, partijen, de burgerrechtenbeweging. Die organisatorische vaardigheden en expertise worden nu gebruikt in het politiek lobbywerk voor Israël.

Dat lobbywerk blijkt uiterst succesvol. Keer op keer zetten de Amerikanen Israël uit de wind wanneer het onder vuur komt in de vn-Veiligheidsraad. Zo hebben de vs met hun veto al meer dan veertig resoluties gekelderd waarin Israël op de vingers werd getikt. De regering-Obama leek zich aanvankelijk wat kritischer op te stellen tegenover Israël. Obama wou dat premier Netanyahu een bouwstop voor nieuwe nederzettingen op de Westelijke Jordaanoever zou verlengen. Een bezoek van Netanyahu aan het Witte Huis, in maart 2010, verliep in een ongewoon ijzige sfeer. Een jaar later blokkeerden de vs een resolutie in de Veiligheidsraad waarin de nederzettingen 'illegaal' werden genoemd. Israël had de bouw van de kolonies intussen hervat.

Volgens sommige analisten liet Obama zijn verzet varen in de aanloop naar de tussentijdse congresverkiezingen van eind 2010. De Democraten wisten dat hun een geweldige afstraffing te wachten stond (die ze ook kregen) en konden zich niet veroorloven om belangrijke geldschieters en stemmenleveranciers voor het hoofd te stoten. De joodse Amerikanen stemmen traditioneel links en spijzen bij voorkeur de Democratische campagnes. Congresleden die kritiek uiten op Israël vinden AIPAC op hun weg, het American Israel Public Affairs Committee. AIPAC is de frontlinie en in zekere zin het commandocentrum van de lobby. Het uiterst professioneel georganiseerde comité kan campagnes maken en kraken, door de geldkraan dicht te draaien dan wel te openen. 'AIPAC is zelf geen politiek actiecomité en zal geen officiële steun toezeggen aan kandidaten of hun campagnes financieren. In plaats daarvan screent het potentiële kandidaten, organiseert voor hen ontmoetingen met potentiële donoren en *fundraisers* en verschaft informatie aan het groeiende aantal pro-Israëlcomités.' AIPAC is met andere woorden een soort poortwachter die probeert te bepalen wie op het politieke toneel (nog) een kans krijgt en wie niet.

Dat AIPAC geld sluist in de richting van bevriende politici, valt nog te begrijpen. De organisatie is echter ook bereid om de campagnes te ondersteunen van tegenstanders: heeft een bepaalde kandidaat zich te hard uitgesproken over Israël, dan licht AIPAC hem een voetje door zijn rivalen een extraatje te gunnen. Mearsheimer en Walt geven daar verschillende voorbeelden van, al erkennen ze dat zelfs AIPAC niet altijd in dat opzet zal slagen. Eenmaal in het pluche kan het verkozen congreslid bij AIPAC terecht voor research over het Midden-Oosten en zelfs voor hand- en spandiensten bij het uitschrijven van toespraken of wetsvoorstellen. Een zusterorganisatie organiseert en betaalt bovendien parlementaire reizen naar Israël, 'wat verklaart waarom ongeveer 10% van alle congresuitstapjes naar het buitenland richting Israël gaan, terwijl het slechts een van de bijna tweehonderd landen op aarde is.'

Ook de presidentsverkiezingen kunnen in belangrijke mate door de joodse stem beïnvloed worden. Bij de Democraten geldt dat al in de fase van de voorverkiezingen. Joodse kiezers zijn aandachtig en actief en willen weten hoe de diverse kandidaten over Israël en Palestina denken. Volgens Mearsheimer en Walt liep de campagne van Howard Dean, in de *primaries* van 2004, ernstige schade op nadat hij gepleit had voor een evenwichtiger opstelling van de VS in het Arabisch-Israëlisch conflict. Dean werd onmiddellijk bestookt met kritiek en verdachtmakingen. Ook in de algemene verkiezingen van november kan het joodse kiesgedrag bepalend zijn. In een aantal staten maken joodse Amerikanen een aanzienlijk deel van het electoraat uit. In een belangrijke swingstaat als Florida kunnen zij zelfs de doorslag geven. Daarom kunnen presidentskandidaten zich niet veroorloven om de pro-Israëlbelangengroepen op de tenen te trappen. De kans dat president Obama in de aanloop naar de verkiezingen van 2012 nog veel druk zal uitoefenen op Israël, is wel bijzonder klein.

De lobby speelt niet alleen betaalmeester van individuele politici, omgekeerd zorgt hij ervoor dat Israël vanuit Amerika rijkelijk gefinancierd blijft. Jaarlijks stroomt er ongeveer twee miljard dollar aan privégeld naar de joodse staat. Een deel daarvan wordt aangewend voor de bouw van joodse nederzettingen. Een nog groter bedrag komt van de Amerikaanse staatskas: ieder jaar ontvangt Israël bijna drie miljard dollar. Het leeuwendeel daarvan is militaire hulp, wat ook de Amerikaanse wapenindustrie ten goede komt. De voorbije decennia heeft geen enkel land zoveel directe hulp ontvangen van de vs als Israël. Het is het Congres dat het licht jaar na jaar op groen zet voor die geldstroom en wanneer Congresleden daar vragen bij stellen weet AIPAC de nodige tegenwind te organiseren. Zo is de cirkel rond: de Israëllobby financiert de campagnes van menig congreslid en het Congres financiert Israël met Amerikaans belastinggeld.

Schrijven over de Israëllobby kan op zichzelf al problemen veroorzaken, zoals John Mearsheimer en Stephen Walt ondervonden. Hun werk *The Israel Lobby and US Foreign Policy*, waaruit hier een paar keer geciteerd is, lokte grote controverse uit. Een verwijt dat altijd op de loer ligt als er kritiek wordt geuit op Israël of de pro-Israëlische belangengroepen, is dat van antisemitisme. Dat is natuurlijk een vals argument waarmee elk debat over Israël onmogelijk wordt gemaakt. We kunnen hier onmogelijk ingaan op de problematiek van het Midden-Oosten zelf en de vraag wie het vredesproces nu het meest blijft blokkeren, Israël of de Palestijnen. De centrale stelling van Mearsheimer en Walt is daarentegen voor dit boek wel degelijk van belang: de pro-Israëllobby oefent een opmerkelijk grote invloed uit op de Amerikaanse buitenlandse politiek. Volgens critici schieten de vs daarmee zichzelf in de voet, want hun beleid verstoort de relaties met belangrijke Arabische landen en wakkert de radicalisering onder moslims aan. De mate waarin Israël een beroep kan doen op bevriende Amerikaanse organisaties om het regeringsbeleid in Washington bij te sturen, doet ook vragen rijzen over soevereiniteit en buitenlandse bemoeienis. Voor zover die lobbygroepen ingebed zijn in de joodse gemeenschap, raakt dat de kern van ons betoog.

Nogmaals, de joodse gemeenschap mag absoluut niet vereenzelvigd worden met de Israëllobby. Bovendien dienen zich de jongste jaren joods-Amerikaanse actiegroepen aan die juist heel kritisch staan tegenover het beleid van Israël, zoals J-Street. Zij vormen meer en meer een tegenstem voor AIPAC en aanverwante organisaties. Dat getuigt van de levendige debatcultuur waar de joodse gemeenschap prat op gaat. In elk geval blijven al die organisaties de belangstelling van joodse Amerikanen voor Israël aanwakkeren. Ze hengelen naar

middelen en politieke steun in die gemeenschap. In zekere zin biedt
Israël zich aan als een tweede vaderland voor de joodse Amerikanen
van wie het loyaliteit verwacht. De Mexicanen in de vs worden vaak
gewantrouwd omwille van hun dubbele loyaliteit, zoals in hoofdstuk
vier vermeld werd. Voor de vaderlandsliefde die gespreid wordt over
Amerika en Israël bestaat er blijkbaar veel meer stilzwijgend begrip.

Woody, Wolf en Henry

De invloed van Israël op de *hearts and minds* van de joodse Amerikanen is des te opmerkelijker omdat uitgerekend de joodse gemeenschap zo diep, succesvol en overtuigd veramerikaniseerd is. Joodse
Amerikanen zijn al tachtig jaar (en langer) doorgedrongen tot de politieke, zakelijke en culturele elites van de vs. Dat blijkt wellicht het
best uit het feit dat de joodse herkomst van veel succesvolle Amerikanen compleet naar de achtergrond is verdwenen. Dat Woody Allen
en Barbra Streisand joods zijn, is voor het grote publiek wellicht geen
geheim, maar Hollywood is bezaaid met acteurs die een joodse vader
of moeder of grootouders hadden: Joaquin Phoenix, Harrison Ford,
Jamie Lee Curtis, Harvey Keitel, Dustin Hoffman, Scarlett Johans-
son, Winona Ryder, Sean Penn, Gwyneth Paltrow, Michael Douglas
en tientallen mindere goden. Bekende joodse regisseurs zijn Steven
Spielberg, Rob Reiner, de gebroeders Coen en Mel Brooks. Haast alle
grote filmstudio's in Amerika zijn oorspronkelijk door joodse zakenlui uit de grond gestampt. Die traditie wordt voortgezet door mensen
als Harvey en Bob Weinstein, Jeffrey Katzenberg of Michael Eisner.
    Hoewel gemakkelijke stereotypen te mijden zijn, is het wellicht
geen toeval dat een aantal van de beste en spitsvondigste komische
films en televisieseries door joodse scenaristen en acteurs gecreëerd
worden. Er blijkt een joods gevoel voor humor te bestaan waarbij het
grappige tegelijk wrang kan zijn en waarin zelfspot nooit ver weg is.
Dat zag je al bij de Marx Brothers. Woody Allen heeft het genre intel-
lectualistische trekjes gegeven. De serie *Seinfeld* sluit hierbij aan, net
als *Curb Your Enthusiasm*. Meestal spelen de verhaaltjes zich af in
New York en je zou je kunnen afvragen of het niet eerder om New
Yorkse dan joodse humor gaat, maar dat is waarschijnlijk een semantische discussie. In het stadsgebied New York wonen twee miljoen
joden of 12% van de bevolking en in stadsdelen als Brooklyn en Man-

hattan ligt dat percentage nog veel hoger. Niet voor niets wordt New York wel eens *Jew York* genoemd, al heeft die term een wat racistische lading.

In het wereldje van media en journalistiek kent u vast wel Larry King en Wolf Blitzer van CNN. Zij zijn slechts twee van de tientallen joodse Amerikanen die de TV-zenders en krantenredacties besturen en bemannen. De joodse schrijvers Saul Bellow en Isaac Bashevis Singer sleepten allebei de Nobelprijs literatuur in de wacht en die had ook naar Bernard Malamud of Philip Roth kunnen gaan. In de jongere schrijversgeneratie vind je Jonathan Safran Foer of Pearl Abraham; wie een vlieg op de muur wil zijn bij een Amerikaans chassidisch gezin moet haar roman *Vreugde der wet* maar eens lezen. Mocht er een Nobelprijs bestaan voor *singer-songwriters*, dan hadden zowel Bob Dylan als Paul Simon een grote kans gemaakt om hem te winnen.

Op het politieke toneel springt vooral het hoge aantal joodse senatoren in het oog: dertien op honderd! Voor een minderheidsgroep die amper 2% van de bevolking uitmaakt, is dat een indrukwekkende prestatie. Senatoren moeten een meerderheid halen op het niveau van een volledige staat. Blijkbaar weten joodse kandidaten zonder veel problemen het vertrouwen te winnen van een brede groep kiezers. In het Huis van Afgevaardigden is de joodse aanwezigheid verhoudingsgewijs bescheiden: daar bezetten joodse politici zevenentwintig van de vierhonderdvijfenderlig zeteltjes. Nog voor de Tweede Wereldoorlog werden joodse ministers aangesteld, zoals Henry Morgenthau die als minister van financiën mee de *New Deal*-politiek van president Roosevelt ontwikkelde. Een paar decennia later groeide minister van Buitenlandse Zaken Henry Kissinger uit tot een reus in de diplomatie. Een van zijn opvolgers, Madeleine Albright, ontdekte pas op latere leeftijd dat ze een joodse achtergrond had. Het hoogste ambt, het presidentschap, is tot dusver nog geen enkele jood te beurt gevallen. Je zou vermoeden dat een joodse geloofsovertuiging geen hinderpaal meer zou mogen zijn voor het Witte Huis. Toen er recent gespeculeerd werd over de vraag of Michael Bloomberg, de burgemeester van New York, zich kandidaat zou stellen, kwam zijn joodse identiteit echter meteen ter sprake. Dat is wellicht de tol voor elke baanbreker die als eerste vertegenwoordiger van een minderheidsgroep een mijlpaal de grond in slaat: pers en publiek hebben buitensporig veel aandacht voor zijn etnische of raciale achtergrond en minder voor zijn of haar kwaliteiten.

Tenslotte bestaat er een lange traditie van joodse invloed in de financiële wereld. De gouverneur van de centrale bank Ben Bernanke is joods, net als zijn voorganger Alan Greenspan. Het is vooral de macht van joodse Amerikanen in de bankwereld die nog steeds munitie geeft aan idiote samenzweringstheorieën uit extreemrechtse hoek, als zou Amerika heimelijk geregeerd worden door een schimmig joods netwerk, al dan niet op basis van mystieke kabbalistische principes. Dat soort verhalen is te ranzig en te gek om lang bij stil te staan.

De indrukwekkende carrières van joodse Amerikanen getuigen vooral van de geweldige werkkracht, intelligentie en cultuur van de joodse gemeenschap in Amerika. De redenen voor dat uitzonderlijke succes zijn velerlei. Hoewel de grote massa van joodse immigranten omtrent de eeuwwisseling van 1900 berooid en behoeftig in de vs aankwam, waren kleinere groepen hen al vooraf gegaan. Zij beschikten intussen over geld, contacten en ervaring om de nieuwkomers de weg te wijzen. Wellicht heeft ook de joodse traditie van studie en boekenwijsheid de weg versneld naar het universitaire onderwijs, waardoor de tweede generatie zich een weg kon banen uit de armoede. Tenslotte was er ook de vaste en collectieve wil om te slagen in Amerika. Anders dan andere migrantengroepen mikten de joodse immigranten radicaal op integratie. Voor hen was er immers geen enkele weg terug: in Europa wachtte hun uitsluitend vervolging en discriminatie. Met Hitler, de nazi's en de oorlog werden hun ergste nachtmerries bewaarheid. Amerika was, in de meest letterlijke zin, het land van de vrijheid en het leven. Juist daarom hebben ze Amerika zo liefdevol omarmd en hun Europese herkomstlanden de rug toegekeerd.

In mijn contacten met joodse Amerikanen proefde ik nog steeds een wantrouwen tegenover Europa. Toen ik een keer liet vallen dat er in België een aantal Israëlische spelers zaten in de voetbalcompetitie, kreeg ik meteen de vraag of dat wel veilig was voor de betrokkenen. Een andere man vertelde dat hij in Parijs was uitgescholden voor *sale juif*. Een Belgisch-Israëlische jood die in New York was komen wonen, liet weten dat hij Europa vermoeiend vond, omdat hij daar voortdurend het gevoel had dat Israël werd aangevallen: in de media, de politiek en zelfs in gesprekken met vrienden en kennissen. Blijkbaar is Europa nog steeds niet populair bij de joodse Amerikanen. Dat is een zorgwekkende vaststelling waar we als Europeanen niet licht overheen mogen stappen.

De Europese context verschilt uiteraard van de Amerikaanse. Er is de geschiedenis van de Holocaust op Europese bodem en in de Europese steden wonen joodse gemeenschappen soms pal naast omvangrijke Arabische migrantengroepen. De vijandige reacties tegenover joden komen vaak – maar zeker niet altijd – uit Arabische hoek en laaien telkens op wanneer de spanning in het Midden-Oosten escaleert. Het is een uiterst delicate oefening om in dergelijke geladen omstandigheden een zorgvuldig debat te kunnen voeren over de Israëlische en Arabische verantwoordelijkheid en om tegelijk de joodse en Arabische minderheden het gevoel te geven dat ze als gemeenschap welkom zijn en in al hun rechten gerespecteerd worden. Voor je het weet vliegen er klachten heen en weer over antisemitisme of islamofobie. De Amerikanen hebben lange tijd gedacht dat zij die spanningen onder controle hadden en dat de moslims in hun steden zo probleemloos geïntegreerd waren dat de strubbelingen in het Midden-Oosten hen niet konden deren. Dat beeld is al bijgesteld en ook Amerika krijgt nu te maken met een groeiend zelfbewustzijn van moslimgroepen en met radicalisering.

9

Het groen van de islam

Giving you the right facts
We keep repeating that Islam has been hijacked
We ain't like that
Then some lunatic goes on a rampage
Using violence and I'm outraged
This is senseless and it's gruesome
Please don't let this be a Muslim

NATIVE DEEN

De moskee is niet moeilijk te vinden. Hij staat oecumenisch opgesteld tussen een Armeense en een orthodoxe kerk, in een laan-
tje met de toepasselijke naam *Altar Road*. Met zijn indrukwekkende
koepel en twee ranke minaretten springt het gebouw meteen in het
oog. Net als de christelijke kerken in de straat beschikt de moskee
over een ruime en comfortabele parking. Ik ben mooi op tijd voor het
vrijdaggebed van half twee, maar lang niet de eerste. In de gangen van
het Islamic Center of America (ICA), in Dearborn bij Detroit, staan
jonge vrouwen uitgelaten te praten en drukken mannen elkaar de
hand. Ik trek mijn schoenen uit, laat ze achter op een bankje en stap
de grote gebedsruimte in, waar al tientallen moslims op hun hielen
zitten op het brandschone tapijt.

Ik heb al vaker gebedsdiensten meegemaakt in een moskee – in
Istanboel, in het Engelse Bradford, in Brussel of Antwerpen. Toch ging
het er nergens zo ongedwongen aan toe als in deze Amerikaanse mos-

kee in Dearborn. Jongetjes hollen vrolijk tussen de rijen. Mannen leggen hun mobiele telefoons en blackberry's voor hun knieën en zitten er af en toe op te tokkelen. De inleidende gebeden van de imam worden haast overstemd door een gedempt geroezemoes. Pas als het formelere gebedsritueel begint en de honderden aanwezigen in koor de voorganger beantwoorden, daalt er iets van eerbied en concentratie neer over de gelovigen, maar helemaal stil wordt het nooit. Ik kijk om me heen en zie de menigte groeien; rij na rij raakt het rode tapijt gevuld. Achteraan in de gebedsruimte zitten de vrouwen. Dat is altijd zo in een moskee, maar hier is er geen enkele begrenzing tussen de vrouwen- en mannenruimte, geen balkon of scherm of lage balustrade. Als de moskee helemaal vol is gelopen, zit de voorste rij vrouwen op een halve meter van de laatste rij mannen: een fysieke nabijheid die ik in een moskee nooit voor mogelijk had gehouden.

De vrouwen dragen hoofddoeken in verschillende soorten en gradaties, van een losjes over het haar gelegde doek tot een strak aangetrokken *hijab* die wangen en hals bedekt. De mannen zien er eerder mediterraan dan Arabisch uit; ik zie weinig snorren en baarden, *djellaba's* of islamitische mutsen. Als de imam zijn lange preek aanvat, verslapt de aandacht opnieuw. Mannen lopen in en uit, hier en daar gaat een mobieltje af. De preek is uitsluitend in het Arabisch, maar een aantal mededelingen wordt ook in het Engels omgeroepen. Later hoor ik dat tijdens de meeste gebedsdiensten ook in het Engels wordt gepreekt. Nu is de vaste imam van de moskee met vakantie en wordt hij vervangen door een invaller die enkel Arabisch spreekt.

Indrukken kunnen bedriegen, maar dit lijkt een moskee waar het sociaal contact en gemeenschapsgevoel primeren op devotie en bekeringsijver. Dat gevoel wordt nog versterkt als ik na afloop een kijkje neem in de gangen rond de gebedsruimte. Er is een theehoekje, een winkeltje met souvenirs en islamitische artikelen, een secretariaat met vergaderruimten en kantoren en achter dure houten deuren zie ik een prachtige conferentiezaal. Een trap en een wegwijzer voeren naar nog meer klaslokalen en aan het eind van een gang is een opvangzaaltje voor peuters en kleuters. Onwillekeurig denk ik aan alle middelgrote en megakerken die ik in de VS al bezocht heb en die stuk voor stuk een waaier aan activiteiten en diensten herbergen in hetzelfde gebouwencomplex als de kerk. In dat opzicht is het ICA een door en door Amerikaanse moskee: het islamitische spiegelbeeld van de christelijke buren. Ook in rijkdom, glans en verfijning moet de

moskee niet onderdoen voor de prestigieuzere kerkgebouwen van de
vs. Er is duidelijk op geen dollarcent gekeken bij de constructie en
aankleding van het gebouw. Dat strookt trouwens met het voorkomen van de meeste bezoekers: modern, strak, welvarend. Hier ben
ik in een moskee aanbeland die, schijnbaar moeiteloos, islam en
Amerika heeft verenigd.

Dearborn

Het ICA is een van de grotere moskeeën van Dearborn, een voorstad
van Detroit. Het is een sjiitische moskee waar voornamelijk Libanese Amerikanen over de vloer komen. Velen van hen zijn zelfstandige ondernemers, winkeliers en restauranthouders, dokters of advocaten. Ze lijken succesvol en zelfzeker en comfortabel geïntegreerd.
Een ritje door Dearborn wekt dezelfde indruk. Restaurants en su-
permarkten afficheren Arabische namen (Al Amal Supermarket,
Yemenites Café, Mekkah Islamic Superstore) en specialiteiten (Fine
Middle Eastern Cuisine). Behalve in het Engels doen ze dat ook in
Arabische letters. Het etnisch-Arabische aanbod overstijgt ruim-
schoots de traditionele niche van kruideniers en eethuisjes. Er zijn
kapsalons, schoonheidssalons, verzekeringsagenten, banken, makelaars, tandartsen en dokters die duidelijk op hun eigen Arabische
doelgroep mikken. Ik zie reclameborden waarop vrouwen met een
hoofddoek staan afgebeeld; een overtuigender signaal dat Arabische
moslims hier meetellen en commercieel gewicht in de schaal werpen,
is moeilijk denkbaar. Tegelijk stuit ik ook op drankwinkels en *adult
entertainment* shops, wat aangeeft dat niet alles hier volgens het islamitische boekje moet verlopen.
Dearborn is een uitgestrekte voorstad en volgens hetzelfde patroon
gebouwd als alle andere voorsteden in de vs: brede wegen met winkels en handelszaken en daartussen een visgraatpatroon van woonstraten met gezinswoningen en voortuintjes. Ook hier is voor heel
wat gevels de Amerikaanse vlag uitgehangen, al krijgt ze vaak het
gezelschap van de Libanese ceder. Veel bewoners – maar niet allemaal
– hebben een mediterraan of *middle eastern* uiterlijk. De mannen
maaien hun grasperkje, zoals alle Amerikaanse voorstedelingen doen
of wassen hun auto. Vrouwen met en zonder hoofddoek rijden in
forse auto's naar de supermarkt. Dat hier heel wat Arabische moslims

wonen, is overduidelijk. Toch bekruipt je nergens het gevoel dat je
in een getto, laat staan in een probleemwijk bent aanbeland. Integendeel, de gemeentegrens tussen Dearborn en Detroit markeert ook een
verschil in netheid en publieke voorzieningen. In Dearborn ligt de
middenberm met bomen er keurig afgemaaid en aangeharkt bij, maar
waar Detroit begint staat het gras verwilderd op te schieten. Wellicht
is dat alleen maar een toevallige illustratie van de vaak voorkomen-
de kloof tussen de welgestelde voorstad en de armlastige grootstad.
Dat de Arabische immigranten aan de welvarende kant zijn terechtgekomen, is voor een Europese reiziger een wat onthutsende verrassing. Een Arabische en islamitische middenklassenwijk is nog altijd
zeldzaam op het Europese vasteland.

De eerlijkheid gebiedt te vermelden dat Dearborn een beetje als
modelstad geldt voor de moslimintegratie. Het stadsgewest van Detroit is trouwens al lang vertrouwd met immigratie uit het Midden-
Oosten. Aanvankelijk waren het vooral christenen uit Libanon, Syrië
en Irak die hier het pad effenden. Velen kwamen aan de bak als rond-
reizend verkoper en ook nu nog zijn Iraaks-Chaldeese christenen in
Michigan goed vertegenwoordigd in de voedingszaken en supermarkten. Toch kwamen er ook algauw moslims naar Detroit afzakken. De
eerste moskee werd in 1921 geopend en daar was een bont gezelschap
van immigranten bij: Syriërs, Indiërs, Marokkanen, Turken en Perzen.

De autofabrieken van Henry Ford, met hun verrassend hoge lonen
van vijf dollar per dag, waren een belangrijke aantrekkingspool voor
de migranten. In de latere decennia breidde de gemeenschap verder
uit op het ritme van de Arabische geschiedenis. Met elke oorlog – in
Palestina, Jordanië, Libanon en Irak – kwamen nieuwe migratiestro-
men op gang. Recent nog heeft de Israëlische aanval op Libanon, in
2006, tot een extra instroom van Libanese sjiieten geleid. Daarnaast
deden dezelfde mechanismen hun werk als voor zovele andere gemeenschappen: familiehereniging en kettingmigratie. In de regio van
Detroit zijn er nu naar schatting driehonderdduizend Arabische Amerikanen, christenen en moslims. De balans is gekanteld en de moslims hebben de christelijke Arabieren in aantal voorbijgestoken. De
moslimgemeenschap lijkt trouwens intern nog verder te diversifiëren.
Vooral de Jemenieten nemen in Dearborn een aparte plaats in. Ze zijn
geconcentreerd in de Southend en hun levensstandaard ligt in het
algemeen een paar trapjes lager dan die van hun Libanese geloofsgenoten.

Redneck moslims

De Libanese sjiieten blijven de dominante groep in Dearborn, met geld en aanzien. De hierboven beschreven moskee van het ICA is hun paradepaardje. Het is de grootste en wellicht ook de mooiste en duurste moskee van de VS, gebouwd met eigen middelen uit de gemeenschap. Toeristen en niet-moslims kunnen er een rondleiding krijgen. Te midden van de Libanese gelovigen spotte ik een blanke bekeerling. Alles aan de moskee straalt openheid uit en ik heb zonder veel problemen een afspraak kunnen regelen voor een langer gesprek met enkele bestuursleden. Kassem Allie is de *administrator* van de moskee, de zakelijk directeur. Ron Amen, een gewezen politiecommissaris, is lid van de bestuursraad en zijn broer Alan heeft heel wat ervaring met het onderwijs. Alan is een van de weinige bebaarde moslims in de moskee, maar het is een onmiskenbaar Amerikaanse, blonde cowboybaard. Ik had het me nooit kunnen inbeelden, maar hier zit een islamitische *redneck* voor me: een stevige zestiger in geruit hemd, met een accent waarin geen greintje buitenlandse achtergrond te bespeuren valt, maar wel van Libanese herkomst en met een sjiitische geloofsovertuiging. Van Alan, Kassem en Ron – schijnbaar toonbeelden van integratie – wil ik meer weten over de relaties tussen moslims en niet-moslims in Dearborn. Is alles inderdaad pais en vree, een harmonieuze wederzijdse tolerantie? Of komt het ook hier, net als in Europa, geregeld tot discussies en conflicten?

Alan Amen heeft heel wat verhalen over de scholen. Hij is bestuurder van het schooldistrict geweest, meteen de eerste Arabische Amerikaan in de stad die voor een openbare functie verkozen werd. De hoofddoek voor moslimmeisjes, vertelt hij, was aanvankelijk uit den boze in de publieke scholen van Dearborn – net als *baseball caps* voor de jongens en alle andere hoofddeksels. Het heeft tijd gekost om het schoolbestuur te doen inzien dat er voor religieuze symbolen een uitzondering kan worden gemaakt. Intussen is die discussie volledig van de baan en kan elk moslimmeisje naar eigen goeddunken met of zonder hoofddoek in de klas zitten. De heren verzekeren mij trouwens dat je in Dearborn de breedst mogelijke verscheidenheid aan opvattingen vindt over de hoofddoek.

'Sommige moslimvrouwen pruttelen zelfs tegen als we hun vragen om een hoofddoek te dragen in de moskee,' beweert Kassem.

De moslims hebben geleidelijk op nog meer terreinen hun slag thuisgehaald. Zo hebben ze de goedkeuring verkregen voor een forse investering in de verbouwing van de doucheruimtes in een van de scholen, zodat jongens individueel kunnen douchen. 'Algemeen werd hier verondersteld dat er geen probleem is voor jongens om elkaar naakt te zien. Wel, in de islam ligt dat anders. Ons begrip van schroom en schaamte zegt dat jongens beter niet samen naakt zijn.' Er werden volgens Alan miljoenen dollars uitgegeven voor die verbouwing.

Een ander twistpunt ging over de gemeentelijke zwembaden. Veel moslimmeisjes mochten van hun ouders enkel gaan zwemmen als ze een T-shirt boven hun badpak droegen, maar dat botste met de regels van de zwembaden. Ook die discussie werd door de moslimgemeenschap gewonnen: T-shirts mogen voortaan, zolang ze maar kraaknet gewassen zijn.

Ik vraag of er ook acties werden ondernomen tegen de leefgewoonten van niet-moslims, voor zover die de moslimgemeenschap een doorn in het oog kunnen zijn: de drankwinkels en seksshops die ik heb gezien. Hierover tonen de drie moslimleiders zich erg pragmatisch. 'Weet je,' vertelt Ron, de gewezen politieman, 'dertig jaar geleden had je op Warren Road een dozijn bars over een afstand van drie mijl. Verder was er daar veel leegstand, gebouwen en winkels die stonden te verkommeren. Nu vind je er bakkers, restaurants, importexportzaken en alles wat je maar wil: het equivalent van een half miljard aan investeringen, allemaal geld van de Arabische gemeenschap. En de bars? Die zijn verdwenen. Denk je dat we met spandoeken en borden zijn gaan betogen om hen te doen sluiten? Helemaal niet. Ze hebben gewoon vanzelf de deuren moeten sluiten omdat er geen klanten meer kwamen.' Het klinkt als een nuchtere analyse van de macht van het getal, maar ook een beetje als het trotse geloof in de eigen gemeenschap en in de islamitische beschavingsmissie. 'Bars en drankwinkels? Een kwestie van tijd,' lijkt Ron te willen zeggen.

Kassem vult aan: 'Je hebt ook wat dat betreft heel verschillende opvattingen in Dearborn. Sommige imams zullen inderdaad hard van leer trekken tegen bars en hun gelovigen voorhouden dat ze alles moeten doen om die te laten sluiten. In het algemeen is de houding van moslims in Dearborn eerder progressief en verdraagzaam. Wij begrijpen dat dit een samenleving is waarin we het geloof moeten beleven onder bepaalde voorwaarden en onder een zekere druk. Dat aanvaarden we.' Alan, met een slimme glimlach, wijst erop dat de inplanting van cafés en drankgelegenheden in Amerika altijd al erg

strikt geregeld is. 'Waar je een café mag openen, wie de zaak mag leiden, wie er binnen mag en wie niet, dat alles kan hier makkelijk door
de lokale overheid geregeld worden. Het is dus niet zo moeilijk om
daarover ook vanuit de moslimgemeenschap bepaalde wensen te formuleren.' Alan verwijst naar de drooglegging in de jaren 1920, toen
alcohol overal in de vs verboden werd. Dat gebeurde toen onder protestantse druk. De negatieve houding van moslims tegenover drank-
gebruik is in Amerika dus helemaal niet zo uitzonderlijk.

Ik krijg de indruk dat deze moslimgemeenschap steeds zelfbewuster en ook handiger is geworden in het bepleiten van haar belangen
en zorgen. Ze doet dat bovendien langs volkomen legale en democratische kanalen, gebruikmakend van de uitgesproken Amerikaanse
vertegenwoordigingscultuur: via bestuursraden, schooldistricten,
ouderverenigingen en inspraakcommissies. Het lijkt een beetje de
paradox van de integratie: juist omdat ze zo sterk participeren, weten
ze hun culturele eigenheid veilig te stellen. De mannen in de moskee
vertellen het mij niet, maar later verneem ik dat in heel wat scholen
ook *halal* maaltijden worden aangeboden en dat er vrijaf wordt gegeven op islamitische feestdagen.

Waar de federale wet evenwel een lijn heeft getrokken, werd die
probleemloos gerespecteerd. Op de vraag of ze ook van het gemengd
onderwijs af willen (jongens en meisjes samen in de klas) antwoordt
Alan kort en bondig: 'Kan niet. *Title nine* verbiedt discriminatie op
basis van geslacht in alle onderwijsinstellingen die publiek gefinancierd worden. Je mag dus niet eisen van meisjes dat ze apart zitten,
dat zou tegen de wet zijn, maar in onze eigen privéscholen mag het
natuurlijk wel.' Ik ben verrast door de rustige vanzelfsprekendheid
waarmee Alan Amen die situatie aanvaardt: hij mag die wet dan wel
fout en onzinnig vinden, het is de wet van Amerika en dus begrenst
hij de discussie.

De Libanese sjiieten van Dearborn behoren duidelijk tot het welgestelde segment van de Amerikaanse moslimgemeenschap. Afgaande op een uitvoerige studie van het Pew Research Center in 2007 zijn
ze niet zo uniek. Op basis van een steekproef bij duizendvijftig res-
pondenten werd geconcludeerd dat de moslims in de vs 'voor het
merendeel geassimileerd zijn, tevreden over hun leven en gematigd
in hun opvattingen over veel van de kwesties die moslims en wes-
terlingen verdeeld hebben. Ze zijn uitgesproken Amerikaans in hun
voorkomen, waarden en houding. Hun inkomen en scholingsgraad

weerspiegelen over het algemeen die van de Amerikaanse bevolking in haar geheel.'

Dearbornistan

Tijdens de ambtsperiode van George W. Bush organiseerde de Amerikaanse ambassade in Brussel een paar keer een uitwisseling tussen moslimleiders uit de vs en vertegenwoordigers van de moslimgemeenschap in België. Zo liet het Office of Public Diplomacy onder meer professor Azizah Al-Hibri overkomen, voor lezingen en debatten over vrouwenrechten in de islam. Al-Hibri is de oprichter en voorzitter van Karamah, een netwerk van vrouwelijke moslimadvocaten dat probeert om binnen de islam de rechten van vrouwen te vrijwaren en ruimte te creëren voor hun ontplooiing. Ze gaan daarvoor zonodig in debat met imams en moslimtheologen.

Met die zachte vorm van islamitisch feminisme heeft Al-Hibri ook in België een gevoelige snaar geraakt bij een aantal jonge moslimvrouwen; mogelijk heeft dat sommigen geholpen om klaar te zien in hun eigen situatie. Wat opviel in die debatten en uitwisselingsinitiatieven was de belerende ondertoon: alsof Europa dringend wat van Amerika moest opsteken. De relaties tussen moslims en niet-moslims in Europa waren bar slecht, die in de vs waren uitstekend – zo werd het toen net nog niet hardop gezegd. Hoofddoekendiscussies werden er in het tolerante Amerika niet gevoerd en radicalisering van jonge moslims leek uitgesloten.

Ergens rond 2006 begon dat ideaalbeeld van de islam in Amerika wat van zijn glans te verliezen. Een eerste schok ging door de natie – en alleszins door Detroit en Michigan – toen duizenden Libanese moslims in Dearborn de straat op gingen om te protesteren tegen de Israëlische aanval op Libanon. Dat hoefde op zich niet te verbazen, maar het feit dat er in sommige persverslagen ook vlaggen van Hezbollah en foto's van Hezbollahleider Nasrallah werden gesignaleerd, was voor argeloze Amerikaanse waarnemers een verontrustend signaal. Sympathie voor het radicaal-islamitische sjiitische terreurnetwerk dat verantwoordelijk was geweest voor dodelijke aanslagen tegen Amerikaanse doelwitten, strookte allerminst met het beeld van de goed ingeburgerde modelmoslims. Vanaf dat moment zouden rechtse blogs en pro-Israëlwebsites Dearborn meer en meer in het vizier nemen, als een steunpunt voor radicale islamisten en Hezbollah. De term Dearbornistan begon opgang te maken. Ron Amen wijst de verdachtmakingen over Hezbollahsympathieen met klem van de hand. 'Ik maakte deel uit van de ordedienst in een van die grote betogingen. Als we Hezbollah-symbolen zouden gezien hebben, hadden we die zeker verwijderd. Je mag hier geen steun betuigen aan Hezbollah, dat is tegen de wet. Ik heb één pancarte gezien waarin de Davidster werd gelijkgesteld met het nazisme en die heb ik onmiddellijk verwijderd. Natuurlijk trok de joodse gemeenschap de kaart van het antisemitisme, alsof we alleen maar demonstreerden omdat we tegen de joden zouden zijn. Het enige wat we wilden aanklagen, was de aanval op onze families in Zuid-Libanon.'

De oorlog van 2006 bracht de Libanezen in Dearborn in een lastig parket. Door openlijk hun solidariteit te betuigen met hun belegerde en gebombardeerde thuisland, het sjiitische Zuid-Libanon, hadden ze de aandacht getrokken. Ze werden nu steeds sterker uitgedaagd om ook hun loyaliteit aan Amerika te bevestigen.

Professor Ronald Stockton doceert politieke wetenschappen aan de Universiteit van Michigan-Dearborn. Hij is een expert inzake het Midden-Oosten en de moslims in de vs. Veel van zijn studenten komen uit Arabische families. Hij begrijpt perfect de penibele situatie waarin ze terecht zijn gekomen. In zijn rijhuis in Dearborn, op een mooie zaterdagochtend, legt hij me uit wat er aan de hand is. 'Politieke wetenschappers gebruiken in verband met migratie vaak de term 'oppositiecultuur' *(oppositional culture)*. De meeste migranten komen naar de vs en worden makkelijk opgeslorpt in de Amerikaanse cultuur. Een aantal groepen komt echter uit onstabiele landen of landen die bezet worden en die dragen een wrok met zich mee tegenover de gezagsstructuren. Denk aan de Ieren, de Cubanen of de Palestijnen. Zulke groepen hebben de neiging om hun identiteit negatief te beleven, ze zijn kritisch en lijken graag de confrontatie te zoeken. Alleen wordt die houding niet van elke groep in dezelfde mate getolereerd. Als je een Cubaan bent in de vs en je richt die vijandigheid op Fidel Castro, dan roept iedereen: prachtig! Als je daarentegen een Arabier bent en je sympathiseert met verzetsgroepen als Hamas of Hezbollah, dan word je in de gaten gehouden.'

Voor Stockton zijn de verdachtmakingen van de moslimgemeenschap in Dearborn volkomen misplaatst. 'Toen George W. Bush na de aanslagen van 11 september zei: je bent voor ons of tegen ons, sloeg hij de bal mis. Je kan namelijk perfect voor de vs zijn en toch tegen de Amerikaanse buitenlandse politiek. De mensen in Dearborn die de straat op gaan zijn echte Amerikaanse patriotten, maar ze hekelen de Amerikaanse steun aan Israël.' De professor verwijst naar het begrip van de koppeltekenidentiteit: Arab-Americans kunnen tegelijk Amerikaan en (koppelteken) Arabier zijn. Het internet, satellietschotels en de goedkopere vluchten werken die dubbele identificatie in de hand. De moderne communicatietechnologie verschaft hun ook extra en specifieke informatie die in de mainstream media in de vs buiten beeld blijft. 'Zij weten dingen die de Amerikanen meestal niet weten, tenzij ze heel erg hun best doen. Dat vormt hun visie.'

Ronald Stockton heeft alle begrip voor de kritiek van zijn Arabische buren en studenten op het buitenlandbeleid van de vs. 'Ze geven ons vaak de schuld en met reden. Wij hebben bijgedragen aan de problemen waaronder hun landen gebukt gaan.' Hij ziet de protestacties ook niet als een symptoom van een groeiende vervreemding, integendeel. 'De demonstraties zijn juist een uiting van hun Amerikaanse identiteit; ze hechten de mensen zelfs aan het Amerikaanse samenlevingsmodel, door duidelijk te maken dat je hier mag demonstreren.' Toch is Stockton niet blind voor de gevolgen: de veiligheidsdiensten houden de Arabisch-islamitische gemeenschap in Dearborn en omgeving scherp in de gaten. 'Het grootste FBI-bureau van het hele land is in Detroit gevestigd. Ik ben er zeker van dat ze in elke moskee informanten hebben.'

Soms kan een bepaalde perceptie de werkelijkheid een zetje geven. Wie door zijn omgeving voortdurend met argwaan bekeken wordt, zet na een tijdje zijn stekels op. Vijandigheid wekt vijandigheid. Bestaat het gevaar dat de goed geïntegreerde, succesvolle en schijnbaar veramerikaniseerde moslims in Dearborn (en elders in de vs) meer afstand gaan nemen van hun nieuwe land? Dreigen de scheurtjes tot een kloof uit te groeien? Stockton denkt van niet. Tenzij de politieke frustraties die leven in een gemeenschap vermengd raken met een persoonlijke emotionele crisis van een individu.

Dolle terreur

De schietpartij begon zoals er in Amerika helaas wel meer beginnen: totaal onverwacht en zonder aanleiding. Mensen doken weg onder tafels en bureaus of hielden zich voor dood; ze struikelden over elkaar om weg te komen; twee mannen probeerden, met de moed der wanhoop, de schutter neer te slaan met een stoel en een tafeltje, maar allebei werden ze neergemaaid. Volgens getuigen richtte de dader, methodisch en onverstoorbaar, zijn laserzoeker op het ene na het andere slachtoffer. 'Hij keek naar mij, ik keek naar hem', vertelde een van de overlevenden tijdens de militaire hoorzitting een jaar later. 'De laser scheen recht in mijn ogen, ik sloot ze. Ik word geraakt in mijn hoofd, ik tol rond en val neer op de grond.'

Toen een gewonde man naar buiten strompelde liep de schutter hem achterna. Daar botste hij op een eerste politieagente, die hij meteen onder vuur nam en wist uit te schakelen. Een tweede agent snelde toe en beantwoordde het schieten; hij wist de dolleman te raken en te overmeesteren. Het hele drama duurde niet veel langer dan een tiental minuten, maar na afloop waren er tweeëndertig gewonden en lagen er elf mensen dood op de grond. Twee zwaargewonden zouden later overlijden. De politie vond tweehonderdveertien gebruikte patronen en in de zakken van de schutter nog flink wat reservemunitie.

De scène had alle kenmerken van het soort zinloze moordpartijen waarop de vs het patent hebben: een dolle schutter die in het wilde weg zijn wapen ledigt op wie hem toevallig in de weg loopt. De plaats van het gebeuren was echter opmerkelijk: Fort Hood in Texas, een van de grootste Amerikaanse legerkampen in de wereld. Er wonen meer dan zestigduizend mensen en de grote meerderheid bestaat uit militairen. Veel van de eenheden die op Fort Hood gelegerd zijn werden de voorbije tien jaar uitgestuurd naar Irak en/of Afghanistan. De schietpartij vond plaats in een gebouw waar soldaten een laatste medisch onderzoek moesten ondergaan en de nodige papieren kwamen invullen, alvorens ze op buitenlandse missie zouden vertrekken.

Ook met de dader was er iets bijzonders aan de hand. Volgens verschillende getuigen was hij in het zaaltje aan een leeg tafeltje gaan zitten, met gebogen hoofd. Dan was hij opgestaan, mogelijk zelfs boven op een bureau geklommen en riep hij *Allahu Akbar*, waarna hij zijn semi-automatisch FN Five-Seven-pistool in de hand nam en begon te vuren. De schutter was een militair die op de basis werkte als psychiater, maar hij was ook een moslim. Hij leek de massamoord een religieuze betekenis te willen geven.

Toch deed de regering-Obama er alles aan, in de eerste uren en dagen na de tragedie, om het islamitische geloof van Nidal Malik Hasan te minimaliseren. 'We hebben nog niet alle antwoorden en ik wil waarschuwen voor overhaaste conclusies tot we alle feiten kennen,' zei president Obama daags na het drama. Ministers riepen op tot kalmte en benadrukten dat de schutter niet mocht worden vereenzelvigd met zijn geloofsgemeenschap. De pers begon te grasduinen in zijn persoonlijkheid en verleden. Het bleek dat de dader negenendertig jaar oud was en de zoon van Palestijnse immigranten. Zelf was hij in Arlington geboren, nabij Washington DC. Zijn ouders hadden een restaurant in het provincienest Roanoke, in het verre westen van de staat Virginia. Daar had hij ook op school gezeten, waarna hij meteen bij het leger was gegaan. Sociaal-economisch leek hij nooit echt problemen te hebben gehad en hij had als militair medische studies en een opleiding tot psychiater doorlopen. Toch vonden de kranten al gauw een paar psychologische factoren die mogelijk de stoppen hadden doen doorslaan. Hasan was gepest omwille van zijn geloof; hij was zonder succes op zoek naar een echtgenote en leed daaronder; hij was bang om uitgestuurd te worden naar Afghanistan, iets wat later die maand zou gebeuren; en hij was getraumatiseerd geraakt door alle horrorverhalen die hij van zijn patiënten, terug van de oorlog, te horen had gekregen. Dat alles leek in de richting te wijzen van de dolleschutterhypothese. Er was iets geknapt in zijn hoofd en het ging om het zoveelste droevige drama in Amerika dat draaide rond wapenbezit en een man in zijn midlifecrisis.

Geleidelijk kwamen ook andere elementen boven water. Om te beginnen had het er alle schijn van dat Nidal Hasan zijn moordpartij al lang van tevoren gepland had. Getuigen verklaarden hoe hij op zoek ging naar een uiterst krachtig handwapen en hoe gretig en toegewijd hij schietlessen nam. Buren vertelden aan een televisiestation dat Hasan, op die fatale 5 november, 's ochtends nog meubels en korans had weggeschonken, met als verklaring zijn nakende vertrek naar Afghanistan. De schietpartij bleek vooraf beraamd en niet het resultaat van een emotionele kortsluiting. Uiteindelijk werd de aanklacht ook op die manier geformuleerd: dertien keer moord en tweeëndertig keer poging tot moord, telkens met voorbedachten rade.

Het kon niet anders of de pers begon te spitten naar de achtergrond en de overtuigingen van Nidal Malik Hasan. Zijn kreet Allahu Akbar wekte de indruk dat er religieuze motieven aan de basis lagen van zijn moordpartij. Terecht werd er naar sporen en verbanden gezocht met radicaal-islamitische bewegingen of terreurgroepen, maar de Amerikaanse overheid kon die gevoelige kwestie uit de weg gaan. Omdat Hasan voor de krijgsraad zou verschijnen, volgens een puur militaire rechtsgang, speelden motieven geen enkele rol: enkel de feiten tellen in dat soort procedure. Het woord 'terrorisme' hoefde niet in de aanklacht te verschijnen. De politieke draagwijdte daarvan mag niet over het hoofd worden gezien. President George W. Bush had zich op de borst geklopt omdat hij, na 11 september 2001, het Amerikaanse grondgebied gedurende zijn hele ambtstermijn voor een nieuwe terreuraanval had weten te behoeden. Als de massamoord van Fort Hood zou geboekstaafd staan als de eerste terreuraanslag na *Nine Eleven*, onder de nog jonge regering van Barack Obama, zou dat een vervelende smet op zijn blazoen zijn.

Toch zijn veel terreurexperts het er intussen over eens dat het inderdaad om een daad van terrorisme ging. In elk geval kan nog moeilijk worden ontkend dat Hasan een diepe rancune koesterde tegenover het leger, de oorlog in Afghanistan en de Amerikaanse buitenlandse politiek. Collega's en kennissen hebben daarover getuigd in de pers, net als over zijn neiging om mensen tot de islam te bekeren. Er is ook gemeld dat hij probeerde om soldaten, die hem verteld hadden over hun optreden in Afghanistan, te laten vervolgen voor oorlogsmisdaden. Het feit dat hij daarvoor geen gehoor kreeg bij zijn superieuren, zou zijn machteloze woede nog hebben doen toenemen. De belangrijkste aanwijzing voor zijn radicalisering was echter zijn omgang met de Amerikaans-Jemenitische imam Anwar al-Awlaki.

Awlaki was een fascinerende maar beangstigende figuur. Hij was geboren in New Mexico, als zoon van een Jemenitische landbouweconoom die in de vs doctoreerde. Op zijn zevende verhuisde de familie naar Jemen, waar Awlaki opgroeide. Elf jaar later keerde hij terug naar Amerika om daar te studeren. Tijdens zijn studies raakte hij steeds meer geïnteresseerd in jihadistische ideeën en netwerken. Hij wist zich op te werken tot imam van een moskee in San Diego. Daar had hij in 2000 nog contact met twee van de kapers van 11 september. In 2001 verhuisde hij naar de oostkust en ging hij preken in de Dar Al-Hijrah-moskee in Falls Church, Virginia. Opnieuw kwamen daar enkele van de kapers van 11 september over de vloer. Het is niet uitgesloten dat de imam van hun terreurplannen op de hoogte was. In diezelfde periode bezocht ook Nidal Hasan, de schutter van Fort Hood, de moskee van Awlaki. Lang kunnen ze elkaar niet hebben gezien, want in maart 2002 wist Awlaki, die scherp in de gaten werd gehouden door de FBI, het land te verlaten. De jaren daarna preekte hij in Britse moskeeën en in 2004 vertrok hij naar Jemen. Hij zat daar anderhalf jaar in de gevangenis, wat hem allerminst tot inkeer bracht. Na zijn vrijlating begon hij steeds duidelijker op te roepen tot jihadistische terreur, via videoboodschappen en lezingen per videolink. Hij bouwde in Jemen een lokale tak van Al Qaeda uit (Al Qaeda op het Arabische Schiereiland of AQAP), een filiaal dat door de Amerikaanse veiligheidsdiensten als uiterst gevaarlijk werd ingeschat. Hun vrees werd nog aangewakkerd toen een jonge Nigeriaanse student, Umar Farouk Abdulmutallab, op kerstdag 2009 een lijnvliegtuig naar Detroit probeerde op te blazen met een bom in zijn onderbroek. Die aanslag mislukte, het spoor leidde naar Awlaki als opdrachtgever. De jacht op Awlaki werd nog opgedreven en op vrijdag 30 september 2011 werd hij in Jemen gedood door een raketaanval met een onbemand CIA-vliegtuigje. Het ministerie van Justitie kwam er aan te pas om de aanval officieel goed te keuren. De Amerikanen hadden al heel veel terroristen en jihadisten gedood, in Pakistan en Afghanistan, met behulp van *drones* of onbemande vliegtuigjes, maar deze keer ging het om een Amerikaans staatsburger. Zijn uitschakeling werd gemotiveerd op grond van het recht op zelfverdediging en als een legitieme oorlogsdaad.

Terug naar de schutter van Fort Hood. Tenminste vanaf eind 2008 knoopte Nidal Hasan opnieuw contact aan met de radicale predikant in Jemen; de FBI onderschepte achttien e-mails tussen hen beiden. Daarin vroeg Hasan Awlaki klaarblijkelijk ook om spiritueel advies. Volgens de omroep ABC kwam zelfs de kwestie ter sprake of het toelaatbaar is dat er onschuldige slachtoffers vallen bij een zelfmoordaanslag. Het valt moeilijk te begrijpen dat de FBI niet wantrouwiger reageerde op dat mailverkeer en dat de militaire oversten van Hasan blijkbaar nooit op de hoogte werden gebracht. Het staat vast dat de legerpsychiater op eigen houtje heeft gehandeld en geen deel uitmaakte van een georganiseerde terreurcel. Het is echter even duidelijk dat hij geïnspireerd werd door het radicaal antiwesterse gedachtegoed van Awlaki. Dat Fort Hood een spijtige ontsporing is geweest van een losgeslagen individu, valt nog moeilijk vol te houden. Als de moord op Theo van Gogh door Mohammed B. als terreur wordt beschouwd, dan moet ook Nidal Hasan in dat rijtje staan. Inlichtingenexperts noemen dat type *lone wolves*: eenzaten die aanleunen bij een radicale beweging, maar die op eigen houtje tot geweld overgaan.

Terreur van eigen bodem

Dat alles is niet zomaar een semantische discussie. De schroom waarmee de autoriteiten in de vs de achtergrond van Nidal Hasan benaderd hebben, is tekenend voor een soort verwarring en ontkenning in sommige geledingen van de samenleving. De Amerikanen hebben geregeld de succesvolle integratie van hun moslimimigranten afgezet tegenover het pijnlijke geknoei van Europa. Op sommige punten hadden ze trouwens gelijk. Dat heeft echter niet kunnen beletten dat ook in Amerika radicale en antiwesterse ideeën voet aan de grond hebben gekregen en dat schijnbaar goed geïntegreerde immigranten zich tegen hun nieuwe vaderland zijn gaan keren. De terreurexperts Peter Bergen en Bruce Hoffman vatten het uitstekend samen in hun analyse van de terreurdreiging in september 2010: 'De Amerikaanse *melting pot* heeft geen sluitende bescherming kunnen bieden tegen de radicalisering en rekrutering van Amerikaanse burgers en legaal in Amerika verblijvende buitenlanders. Je zou kunnen zeggen dat het idee van de smeltkroes ons in slaap heeft gewiegd en zelfgenoegzaam heeft gemaakt, alsof terrorisme van eigen bodem bij ons nooit zou kunnen voorkomen.' In hun studie lijsten ze tientallen namen op van legale immigranten of staatsburgers die met terreurcomplotten of extremisme in verband zijn gebracht. Een aantal van hen kwam niet verder dan vage plannen en contacten met buitenlandse jihad-netwerken, maar sommigen hebben actief meegewerkt aan terreuraanslagen of werden pas op het nippertje gestopt.

Zo was er Daood Gilani, een vijftiger die in Chicago werd geboren als zoon van een Pakistaanse immigrant. Ergens rond 2006 veranderde hij zijn naam in David Headley, om zijn Pakistaanse herkomst te verbergen en reizen naar India makkelijker te maken. Headley heeft bekend dat hij in Mumbai verkenningsopdrachten heeft uitgevoerd voor Lashkar-e-Taiba, de radicaal-islamitische beweging die verantwoordelijk was voor de commando-aanslagen in Mumbai in 2008. Hij ging er de doelwitten bekijken en filmen en verzamelde nuttige informatie. Later was hij betrokken bij de voorbereidingen voor een aanslag tegen *Jyllands-Posten*, de Deense krant die de omstreden Mohammedcartoons publiceerde. Dat een man die al een halve eeuw in de vs woonde plots vatbaar was voor de extremistische ideeën van een (intussen) verboden beweging uit het land van zijn vader, is zorgwekkend maar veelzeggend. Toegegeven, Gilani had al een turbulent parcours doorlopen, met arrestaties voor huiselijk geweld en drugssmokkel. Hij werkte zelfs een tijdje als informant voor de DEA, het Amerikaanse antidrugsagentschap. In India zijn ze er nog steeds niet zeker van of Headley geen dubbelagent was die behalve voor Lashkar ook voor de CIA heeft gewerkt. De Amerikanen ontkennen dat. Headley zit in de cel, heeft schuldig gepleit en werkt mee aan het onderzoek.

Najibullah Zazi heeft een heel ander profiel. Hij was pas zeven toen hij met zijn familie van Oost-Afghanistan naar Pakistan verhuisde en veertien toen het gezin naar de vs overkwam. Ze vestigden zich in Flushing, een sterk Aziatisch gekleurde wijk in New York. Najibullah presteerde slecht op school en maakte zijn middelbare studies niet af, maar hij leek zich uit de slag te trekken met een koffiekiosk in Wall Street. In 2006 trok de jongeman naar Pakistan om daar met een meisje te trouwen. Na zijn terugkeer veranderde er wat in zijn uiterlijk: hij liet zijn baard staan, begon traditionele Pathaanse kledij te dragen en ging zich ergeren aan westerse muziek. Twee jaar later reisde Najibullah opnieuw naar Pakistan. Deze keer volgde hij een opleiding in het gebruik van explosieven, in een trainingskamp van Al Qaeda. In september 2009 werd hij gearresteerd in Denver, omdat hij een aanslag voorbereidde op de metro van New York. De familie Zazi heeft de voorbije tien jaar in nauw contact gestaan met een radicale Afghaanse imam; dat kan de jonge Najibullah beïnvloed en gestuurd hebben. In elk geval lijkt zijn verhaal opvallend sterk op dat van een aantal Europese moslims die in terroristisch vaarwater verzeild zijn geraakt. Moeilijkheden op school, extremistische ideeën, een omslag van hip en modern naar traditionalistisch en uiteindelijk de rekrutering door een terreurnetwerk.

Volgens Berger en Hoffman was het trouwens een Saoediër die eveneens was opgegroeid in de vs, die Zazi de opdracht had gegeven: Adnan Shukrijumah. Ze noemen hem de feitelijke directeur van Al Qaeda's buitenlandse operaties. Het klinkt misschien wat overdreven, maar de terreurexperts zien een amerikanisering van de top van Al Qaeda.

Bovendien is Al Qaeda niet langer de enige organisatie die terroristen rekruteert om in Amerika aanslagen uit te voeren. Al-Awlaki stookte de jihad aan vanuit Jemen, Headley werd onder de arm genomen door de Pakistaanse groep Lashkar-e-Taiba en de man die op 1 mei 2010 in volle avondspits een bomauto wou doen ontploffen op Times Square in New York, was klaargestoomd en uitgestuurd door de Pakistaanse Taliban van Hakimullah Mehsud. 'Faisal Shahzad had een diploma in informatica en een MBA op zak. Tot hij zijn baan liet staan, werd hij goed betaald. Hij had een vrouw en twee kinderen en leek de voorstedelijke Amerikaanse droom te beleven, in een gezinswoning in Shelton, Connecticut.' Slechts een jaar voor de mislukte aanslag had Shahzad, die in 1997 als student naar Amerika was gekomen, de Amerikaanse nationaliteit verworven. Ondanks zijn ogenschijnlijke succes en meeval kwam hij in de ban van jihadisten en ging overstag. De Pakistaanse jongeman zit nu tot het einde van zijn dagen in een Amerikaanse gevangenis.

Somaliërs in de VS

Er zijn de voorbije jaren ook al tientallen Amerikanen naar het buitenland vertrokken om daar een opleiding te volgen in gevechts- of terreurtechnieken of om mee te vechten met radicale bewegingen. In 2009 liepen vijf van zulke jonge avonturiers in Pakistan tegen de lamp. Ze probeerden contact te maken met radicale groeperingen, maar werden door de politie onderschept. Een andere terreurcel uit North-Carolina wou in het Midden-Oosten de jihad tegen Israël gaan ondersteunen. Intussen is ook duidelijk dat de Somalische tak van Al Qaeda, Al Shabab, actief gerekruteerd heeft onder haar volksgenoten in de VS.

Al Shabab betekent letterlijk 'de jeugd'. Oorspronkelijk was het, eufemistisch gezegd, de jeugdbeweging van de Unie van Islamitische Gerechtshoven. Die groep presenteerde zich als de radicaal-islamitische belichaming van orde en gezag – een boodschap die trouwens wel aansloeg in het verscheurde en uitgeputte Somalië. In 2006 wist de Unie zelfs in de hoofdstad Mogadishu de macht over te nemen. Toen kwamen Ethiopische troepen tussenbeide en vluchtten de islamisten naar het zuiden, waar Al Shabab zich later zou hergroeperen. Intussen heeft de groep zich geaffilieerd met Al Qaeda en geleidelijk

ook zijn actieradius vergroot. Getuige daarvan de dubbele zelfmoordaanslag in de Oegandese hoofdstad Kampala, in juli 2010, tegen voetbalfans die naar het wk zaten te kijken. Vierenzeventig mensen werden daarbij omgebracht en ongeveer evenveel raakten gewond.
    Met die zelfmoordaanslag was Al Shabab niet aan zijn proefstuk
toe. Eind 2008 had een jonge chauffeur zichzelf en zijn vrachtwagen
opgeblazen bij een regeringsgebouw in het noorden van Somalië. Balans van die actie: twintig doden. Later bleek dat de dader een Amerikaans staatsburger was: Shirwa Ahmed. Hij was als kind naar Minneapolis gekomen en had schoolgelopen in Amerika. Rond 2004 hebben radicale ideeën in zijn hoofd postgevat. Shirwa Ahmed was, op
26-jarige leeftijd, de eerste Amerikaanse zelfmoordterrorist.
    Volgens Berger en Hoffman zijn er de laatste jaren nog zes andere
Amerikaanse Somaliërs, plus één Amerikaanse bekeerling, in dienst
van Al-Shabab omgekomen. Vanuit de Somalische gemeenschap in
Minnesota zijn er tenminste veertien jongeren vertrokken om in hun
thuisland te gaan vechten. Sommigen waren nog tieners die zelf onmogelijk hun ticket konden betalen.
    Een laatste voorbeeld zet de dreiging voor Amerika nog sterker in
de verf. Eind november 2010 werd de 19-jarige Mohammed Osman
Mohamud door de fbi gearresteerd, toen hij een bomauto wilde opblazen op een plein in Portland, Oregon. Net op dat moment was daar
een menigte bijeen om, naar jaarlijkse gewoonte, de nieuwe kerstver-
lichting te zien ontsteken. Zoals gewoonlijk verklaarden ontstelde
buren dat Mohammed een voorbeeldige jongen was – modern, spor-
tief, sociaal – in wie ze nooit zulke radicale plannen hadden vermoed.
In werkelijkheid zocht de jonge Somaliër al ruim een jaar lang via het
internet contact met jihadistische groepen in het buitenland en liet
hij een gretigheid blijken om gewelddadig toe te slaan. De veiligheidsdiensten hielden zijn mailverkeer in de gaten en besloten te testen
of het hem menens was. Vanaf de zomer 2010 stuurde de fbi-agenten
op hem af die zich voordeden als gelijkgezinde extremisten. Ze be-
spraken met hem zijn plannen. Mohammed zelf suggereerde het
kerstfeest in Portland als doelwit: 'In Oregon, weet je. Niemand zal
ooit aan Oregon denken.' De undercoveragenten testten zelfs explosieven met de jongeman en verschaften hem uiteindelijk de nepbom
waarmee hij naar het plein in Portland reed. Je kan vragen stellen bij
de rechtsgronden voor dat soort uitlokking. Voor drugsdelicten is het
een gevestigde praktijk in de vs; nu is het systeem ook al een paar

keer gebruikt om extremisten bij de kraag te vatten. In elk geval bleek
de jonge Somaliër tot op het laatst bereid om een moordende aanslag
te plegen en tientallen ouders en kinderen te doden.

De Somalische gemeenschap is een van de laatste die zich in de
vs genesteld heeft: een nog uiterst recente toevoeging aan het complexe etnische kleurenpalet van Amerika. De meeste Somaliërs arri-
veerden er pas na 1990 als erkende vluchtelingen, vaak na een jarenlang verblijf in kampen in Kenia, Ethiopië of Oeganda. Onnodig te
vermelden dat die toestroom te maken had met de gewelddadige
ineenstorting van hun land. In het kader van *resettlement*-programma's kregen de vluchtelingen een woonplaats toegewezen. Op die
manier werden ze in een aantal steden en staten geconcentreerd. De
tweelingsteden Minneapolis en St-Paul vingen de grootste groep op,
tenminste vijfendertigduizend. Andere plaatsen waar Somaliërs terechtkwamen waren Maine, Connecticut, Californië en Georgia.

Het relaas van de Somalische immigratie in de vs is tot dusver
geen succesverhaal. Veel meer dan andere subgroepen die tot de islamitische gemeenschap behoren, worstelen de Somaliërs met problemen als werkloosheid, armoede, jongerenbendes en geweld. In 2007
vielen de eerste twee doden bij schietpartijen. Toen al werd het aantal bendeleden op bijna vijfhonderd geschat. Ze snoefden met namen
als *Somali Hot Boyz, Somali Mafia* of *Somali Outlaws*. In de jaren
daarna werden nog tenminste zeven moorden aan criminele *gangs*
toegeschreven, maar Minneapolis reageerde pas echt geschokt op de
onthullingen, eind 2010, dat Somalische jongerenbendes piepjonge
meisjes seksueel misbruikten en prostitueerden. Zelfs 12-jarigen werden als eigendom beschouwd en aan betalende klanten ter beschik-
king gesteld in appartementen, motels en toiletten van winkelcentra.

Dat wijst uiteraard op een beangstigende morele ontsporing. Het
doet denken aan de groepsverkrachtingen door Congolese en Rwan-
dese bendes in Brussel. Sommige deskundigen zien een verband met
de oorlogscultuur en trauma's waarvoor de jongeren als kind gevlucht
zijn. Dat verdient zeker meer aandacht en onderzoek. Er rijzen ook
veel vragen bij de wijsheid van de hervestigingsprogramma's in Amerika. Inburgeringscursussen in de kampen in Kenia zijn duidelijk niet
genoeg om een succesvol integratieparcours te garanderen.

Het ontstaan van Somalische jeugdbendes hoeft op zich niet te
verbazen: het gaat om het oude, steeds weerkerende patroon in jonge
migrantengemeenschappen die economisch minder sterk presteren.

Hetzelfde gebeurde met de Ieren, de Italianen of de Puerto Ricanen. Telkens vertaalden werkloosheid en kansarmoede zich in straatbendes en criminaliteit. Dezelfde fenomenen zie je met andere groepen in Los Angeles, Londen of Parijs. In dat opzicht maakt het geen enkel verschil dat de Somaliërs (meestal) moslims zijn. Wel bestaat het risico dat de rattenvangers die jonge Amerikaanse Somaliërs voor jihadnetwerken willen rekruteren, hun oog laten vallen op de straatbendes, al was het maar in de gevangenis. Het feit dat de Somaliërs tegelijk islamitisch zijn, criminele jeugdbendes vormen en de krant halen met kwalijke verhalen over terreur, versterkt intussen de negatieve beeldvorming over hun gemeenschap. In Amerika is er minder nodig om een storm aan ranzige commentaren te ontketenen op het internet.

Black Muslims

De jongste jaren is het wantrouwen tegenover de moslims in de vs duidelijk gegroeid en ook de openlijke vijandigheid en agressie is toegenomen. Dat is op zich een onrustwekkende, maar weinig verrassende evolutie. Tegelijk kan worden vastgesteld dat de islam meer dan ooit aantrekkingskracht uitoefent op Amerikanen. Zowat een vijfde van de moslims in de vs zijn *converts* of bekeerlingen. Zij zijn niet als moslim geboren, maar hebben bewust de overstap gemaakt naar de islam. Vreemd genoeg hebben de aanslagen van 11 september dat fenomeen alleen maar versterkt. De toenemende aandacht voor de islam in de media wakkerde ook een wetenschappelijke en spirituele belangstelling aan en duizenden Amerikanen ruilden sindsdien de Bijbel voor de Koran. Vooral voor blanken en latino's is dat een recente tendens; onder zwarte Amerikanen was de islam al langer ingeburgerd.

Jermaine Jackson, de broer van Michael, is een moslim. Of ook Michael zelf zich bekeerd heeft, blijft nog een raadsel. Jazzmuzikant Art Blakey maakte de overstap. Een flink aantal *rappers* koos voor de islam; Ice Cube is de bekendste. Ook in kringen van boksers zie je het vaak, misschien in navolging van Muhammad Ali; Mike Tyson heeft de stap gezet toen hij zijn celstraf uitzat voor verkrachting. Heel wat basketbalspelers uit de NBA-competitie bekeerden zich en verder tellen we onder de nieuwe moslims ook een aantal auteurs, academici, acteurs en journalisten. In het Huis van Afgevaardigden in Washington zetelen momenteel twee moslims: Keith Ellison, vertegenwoordiger uit Minneapolis in Minnesota en André Carson uit Indianapolis in Indiana. Toen Ellison in 2007, als eerste moslim ooit die door de kiezers naar het Huis was gestemd, de officiële foto liet maken van zijn eedaflegging, liet hij zijn hand niet op de Bijbel maar op de Koran rusten. Dat voorval lokte toen heel wat negatieve reacties uit. Later werd het door president Obama, in zijn toespraak in Cairo, aangehaald als bewijs van het respect voor de islam in Amerika.

Zowel Ellison als Carson zijn zwarte Amerikanen, net als de meeste bekeerlingen uit de sportwereld en het muziekcircuit. Onder zwarte Amerikanen bestaat een traditie van interesse voor de islam, maar bewegingen zoals de Nation of Islam (NOI) en splintergroepen geven een wel heel eigen inkleuring aan de geloofsbeleving. In plaats van het vrijdaggebed houden de NOI-gemeenten een zondagsdienst en hun leerstellingen wijken behoorlijk af van de traditionelere islam. In elk geval is de keuze voor de (zij het verbasterde) islam een keuze tegen de blanke christelijke hoofdstroom en een manier om de zwarte identiteit nog duidelijker af te zetten tegen het witte Amerika. Juist omdat de meeste zwarte kerken te mat reageerden op discriminatie en achterstelling, gingen heel wat jongeren in de jaren 1960 en 1970 op zoek naar een militantere religie. Dat maakte de NOI aantrekkelijk. Voor zover die radicale ideeën af en toe tot geweld hebben geleid, had dat altijd een vaag politiek karakter. Het ging zogenaamd om de gewapende voortzetting van de strijd voor burgerrechten. Van enig verband met een religieus geïnspireerde internationale jihad was geen sprake.

De deelname van zwarte moslims aan terreurcomplotten is een recenter en al bij al beperkt fenomeen. Bij sergeant Hasan Akbar, afkomstig uit Watts bij Los Angeles, was het blijkbaar een cocktail van religieuze motieven en sociale frustraties die de stoppen deden doorslaan. In 2003 wierp hij vier handgranaten in drie legertenten, in een militair kamp in Koeweit. Hij vuurde bovendien met zijn wapen op de omstanders; twee soldaten kwamen om en veertien raakten gewond. Uit zijn verklaringen bleek dat hij moeite had met de invasie in Irak – een oorlog tegen moslims – maar ook dat hij gepest werd. Akbar (geboren als Mark Fidel Kools) handelde op eigen houtje, wellicht met voorbedachten rade.

Ook Carlos Bledsoe was alleen toen hij, in juni 2009, een soldaat doodschoot en een andere verwondde in een aanwervingsbureau van het leger in Arkansas. Bledsoe had vooraf wel tijd doorgebracht in Jemen en had zich daar naar eigen zeggen aangesloten bij Al Qaeda. Er zijn ook al enkele amateuristische zwarte terreurcellen opgerold. In 2009 wilden vier mannen synagoges opblazen in de Bronx. De FBI infiltreerde in hun kringetje en verijdelde het plan. In Detroit werd Luqman Ameen Abdullah, de imam van een zwarte moskee, door de FBI doodgeschoten toen hij zich verzette tegen zijn arrestatie. In hetzelfde dossier werden tien mannen gearresteerd. Het was de antiterreureenheid van de FBI die het onderzoek voerde, maar uiteindelijk werd de bende enkel voor criminele feiten en niet voor terrorisme vervolgd.

Het gaat om geïsoleerde incidenten. Niets wijst erop dat de zwarte moslimgemeenschap van de VS op het punt staat om voor extremistische ideeën door de knieën te gaan. Toch moet het feit dat de islam voor zwarte Amerikanen altijd al als een embleem heeft gefungeerd en als een statement waarmee de samenleving de rug werd toegekeerd, tot nadenken stemmen. De eerder onschuldige boosheid en trots van de Nation of Islam zouden door handige extremisten tot een gevaarlijker soort woede kunnen worden gekneed.

Latinomoslims

Ook onder latino's groeit de belangstelling voor de islam. Hun precieze aantal kan moeilijk worden ingeschat, maar in staten als Florida en Californië zie je steeds meer Spaanstaligen de kerk inruilen voor de moskee. Er zijn al specifieke latinomoslimorganisaties, zoals LADO. Ze stellen de bekering voor als een herontdekking van de oorspronkelijk moorse wortels van het Spaanse erfgoed, een soort *reconquista* van de roots. Het geïdealiseerde beeld van het hoogbeschaafde Andalusië van de middeleeuwen, waar moslimheersers cultuur en wetenschap begunstigden, werkt klaarblijkelijk aanstekelijk: het tilt de hispanic identiteit naar een hoger en verfijnder niveau.

Minder verfijnd waren de intenties van een aantal latino's die zich aansloten bij de jihad. José Padilla werd in 2002 opgepakt en gedurende jaren in een militaire gevangenis opgesloten als een 'vijandige strijder', een beetje zoals de terreurverdachten van Guantanamo. Later kreeg hij toch een burgerlijk proces en werd hij veroordeeld tot

zeventien jaar gevangenis voor deelname aan een terroristische samenzwering. De veiligheidsdiensten verdachten hem van plannen
om een radioactieve bom te laten ontploffen: in de pers werd hij
daarom bekend als de *dirty bomber*. Die aanklacht kon justitie uiteindelijk niet hardmaken, maar het is wel mogelijk dat Padilla in
Pakistan getraind werd in de productie en het gebruik van zulke
springtuigen. Wat interessant is aan Padilla, is zijn verleden en parcours. Als jongeman was hij lid van een latinostraatbende in Chicago;
hij werd verschillende keren gearresteerd en veroordeeld voor geweld-
pleging. Pas in de gevangenis bekeerde hij zich tot de islam.

De Bryant Neal Vinas groeide op in Long Island, New York. Hij koos
rond zijn twintigste voor de islam. Vinas radicaliseerde snel en doelgericht. Hij vocht aan de zijde van Taliban in Afghanistan en liet zich
opleiden door Al Qaeda in Pakistan. Hij verschafte het netwerk informatie over de New Yorkse metrolijnen met het oog op een terreuraanslag. Eind 2008 werd hij in Pakistan opgepakt en aan de Amerikanen uitgeleverd. Hij pleitte schuldig en werkt naar verluidt uitstekend samen met de politie. Vinas wist waardevolle informatie
door te spelen over Europese jihadi-cellen, ondermeer over de kring
rond de Belgische Malika El Aroud.

Blanke bekeerlingen

Ook bij een aantal blanke bekeerlingen kan de islam een manier zijn
om de Amerikaanse maatschappij en levenswijze, tot op zekere hoogte, de rug toe te keren. Meestal gaat het enkel om een zoektocht naar
een andere spiritualiteit, een geestelijk houvast of een wat strakkere
discipline dan in de permissieve levensstijl van de Amerikanen gebruikelijk is. Soms neigt het naar een stille terechtwijzing of veroorde-
ling van de samenleving, een statement tegen het westen. In uitzonderlijke gevallen leidt dat tot islamextremisme en tot het radicale
soort geloofsijver dat misschien wel eigen is aan nieuwe bekeerlingen.

De eerste *all American boy* die op die manier het nieuws haalde,
was de 20-jarige John Walker Lindh. Eind 2001, kort na de aanval op
Afghanistan, vonden CIA-agenten hem onder een groep Taliban-ge-
vangenen in de noordelijke stad Mazar-e-Sharif. Lindh was opgegroeid
in Californië, waar hij zich op zijn zestiende bekeerd had tot de islam.
Na reizen en studies in Jemen en Pakistan trok hij in mei 2001 naar

de Afghaanse Taliban. Zijn Amerikaanse ondervragers en bewakers zijn niet bepaald lief voor hem geweest. Op een uitgelekte foto was te zien hoe hij naakt en geblinddoekt met sterke tape werd vastgebonden op een draagberrie en op die manier vervoerd werd in een koude metalen container. Toch koos Lindh ervoor om alle klachten over mishandeling te laten vallen en gedeeltelijk schuld te bekennen. In ruil daarvoor trokken zijn aanklagers de zwaarste beschuldigingen in. Lindh zit nu een straf van twintig jaar uit voor het 'meevechten met de Taliban'. Hij is nog altijd moslim.

Lindh heeft de vs nooit op Amerikaanse bodem belaagd en misschien is hij wel nooit van plan geweest om tegen zijn eigen land te vechten. Hij sloot zich aan bij de Taliban toen de aanslagen van 11 september nog niet gepleegd waren en Amerika Afghanistan alsnog met rust liet. Michael Finton daarentegen, een leeftijdsgenoot van Lindh, wilde een heuse bomaanslag plegen tegen een regeringsgebouw in Springfield, Illinois. Net als de Somalische Osman Mohamud werd hij door undercoveragenten van de FBI gecontacteerd en kreeg hij een nepbomauto toegeleverd. Verder was er nog Colleen LaRose, een vrouw die zich pas na haar veertigste bekeerde en naar Europa reisde met de bedoeling een Zweedse tekenaar te doden die een cartoon van de profeet Mohammed had gemaakt. Op het internet gebruikte ze onder meer de naam *JihadJane*, wat niet erg slim was. In feite blijkt LaRose een triest en labiel figuur te zijn, die al een woelig leven en ook een zelfmoordpoging achter de rug had toen ze zich voor de jihad engageerde. Ook labiele mensen kunnen evenwel uiterst gevaarlijk zijn en door extremisten worden gemanipuleerd.

De indruk kan ontstaan dat hier te uitvoerig is ingezoomd op de extremisten onder de Amerikaanse moslims. Natuurlijk gaat het om een uiterst kleine minderheid die allerminst model staat voor de grote moslimgemeenschap. Bovendien lijkt het momentum van de internationale jihad wat weggedeemsterd. De Arabische Lente van 2011 heeft het clichébeeld ontkracht dat alle moslims inherent antiwesters zouden zijn en liever theocratische modellen omhelzen dan democratie. Toch houden de omwentelingen in het Midden-Oosten en Noord-Afrika ook risico's in op chaos en instabiliteit. Het is nog te vroeg om de islamistische stroming af te schrijven; de democratische opening in landen als Egypte of Libië kan die tendens juist vrij baan geven. Wat de terreurdreiging betreft, heeft de uitschakeling van Osama bin Laden, in mei 2011, de operationele leiding en slagkracht van Al Qaeda ongetwijfeld verzwakt. Ook de dood van Al-Awlaki in Jemen is een zware klap voor het terreurnetwerk. Er zijn nog andere terreurgroepen die moslims tot extremisten kneden en hen uitsturen om aanslagen te plegen. Voorzichtigheid blijft absoluut geboden.

Het zou dwaas zijn om enkel het islamitisch extremisme in de gaten te houden. Ook bij fundamentalistische christelijke kerken, milities of *white supremacy*-groepen sluimert er een gevaarlijk gedachtegoed dat vroeg of laat kan ontsporen. De aanslag op het FBI-gebouw in Oklahoma in 1995, waarbij 168 mensen om het leven kwamen, heeft dat bewezen. *Home grown terrorists* kunnen uit alle hoeken opduiken. De jongste jaren kwam echter de moslimgemeenschap het vaakst in beeld. Dat is geen kleinigheid: niet alleen confronteert het de vs met reële veiligheidsrisico's, maar het zet ook de goede relaties tussen moslims en niet-moslims onder druk en dreigt daardoor – net als in Europa – een bijkomende hinderpaal te worden voor een soepele integratie van moslimmigranten. De gewelddadige acties van individuen halen al snel de reputatie van een hele groep onderuit. Meer zelfs: ze bieden een valse verschoningsgrond voor wantrouwen, hatelijkheden en openlijk racisme. Waarna dat racisme de moslimgemeenschap nog meer in de hoek dringt en mogelijk nog meer agressie uitlokt, in een vicieuze spiraal.

Agressie tegen moslims

De diepe culturele en grondwettelijke verankering van het *freedom of speech*-principe maakt Amerika uitzonderlijk vatbaar voor een grofgebekt discours op het internet of op *talk radios*, tegen de islam en de moslims in Amerika. Het aantal blogs dat zichzelf de missie aanmeet om de gevaren van de radicale islam in kaart te brengen, is niet bij te houden. Op de radio hoor je uitspraken die in Europa makkelijk aanleiding zouden zijn tot een aanklacht voor racisme. In het populaire taalgebruik zijn inmiddels scheldwoorden doorgedrongen als *towel head*, *raghead* of *camel driver*. Helaas blijft het niet bij verbale agressie, maar komt het geregeld tot fysiek geweld.

Onmiddellijk na de aanslagen van 11 september 2001 schoot het aantal haatmisdrijven tegen moslims de hoogte in; de FBI telde voor dat jaar liefst vierhonderdeenentachtig zulke incidenten. Drie mensen werden vermoord in vergeldingsacties. In Mesa, Arizona, werd

Balbir Singh Sodhi, de eigenaar van een benzinestation, met vijf pistoolschoten koudweg afgemaakt. Hij was niet eens een moslim maar een Sikh, maar de moordenaar associeerde zijn baard en tulband met de islam.

Het moet gezegd dat president George W. Bush er alles aan deed om de opstoot van islamofobie en agressie te bedaren. Hij benadrukte dat niet de islam de vijand was, maar het gewelddadig extremisme. Amper een week na de aanslagen bezocht hij een moskee in Washington om die boodschap kracht bij te zetten. De volgende jaren zou het giftige anti-islamgevoel geleidelijk wegebben. Het aantal incidenten schommelde jaar na jaar rond honderdvijftig. Vanaf 2010 stak het opnieuw de kop op, met een piek rond de zomermaanden. Soms ging het duidelijk om individuele uitbarstingen van geweld, zoals de aanval op een Bengaalse taxichauffeur in New York door een 21-jarige filmstudent. Soms was er een amateuristische vorm van terreur mee gemoeid, zoals in Jacksonville, Florida, waar een pijpbom een kleine explosie veroorzaakte in een moskee.

Een nieuwe trend was evenwel het georganiseerd verzet tegen moskeeën door actiegroepen en christelijke kerken. De tegenstanders maakten daarbij geen bezwaar meer tegen de mogelijke overlast die de moskee zou kunnen veroorzaken – verkeer, lawaai, parkeerproblemen – maar tegen de moskee zelf. De aanwezigheid van een islamitisch gebedshuis werd als een ontoelaatbare bedreiging voorgesteld, want de islam werd gelijkgeschakeld met de sharia, met terreur en extremisme. Hier en daar trokken demonstranten de wacht op bij een moskee met slogans als 'Moskeeën zijn monumenten voor terrorisme'.

De controverse die de grootste weerklank kreeg, tot ver in het buitenland, was de discussie over de opening van Park 51 in New York: een gemeenschapscentrum met moskee, gelegen op Park Place, op een boogscheut van waar de aanslagen van 11 september hadden plaatsgevonden. Initiatiefnemer Feisal Abdul Rauf, een imam van Egyptisch-Amerikaanse afkomst, zag het centrum als een platform voor oecumenische uitwisseling met andere religies. De vestiging ervan, vlakbij Ground Zero, zou een signaal van vrede en verdraagzaamheid uitsturen. Niet voor niets zou het centrum onder de naam Cordoba House opengaan, naar de stad in Andalusië die symbool staat voor een periode van moslimtolerantie tegenover christenen en joden. Toen Rauf in 2009 zijn plannen bekendmaakte, bleven negatieve reacties uit. Pas een half jaar later kwam het protest op gang, aange-stookt door actieblogs als *Stop the Islamization of America* (SIOA) of *Atlasshrugs* van Pamela Geller. Op 11 september 2010 culmineerde de beroering in een betoging nabij Ground Zero. De manifestatie was kleurrijk en luidruchtig, maar – met niet meer dan tweeduizend deel-nemers – al bij al beperkt. De actie werd uitvoerig gecoverd door bin-nen- en buitenlandse media en de Nederlandse anti-islampoliticus Geert Wilders meende door een toespraak zijn steentje te moeten bijdragen aan de polarisatie.

Ook een onbeduidende predikant in Florida, Terry Jones, ving de aandacht van de wereldpers. Hij dreigde ermee Korans te verbranden als het Cordobahuis er zou komen. In de escalerende hetze van dat moment zag hij af van zijn plan, maar in maart 2011 liet hij alsnog een Koran in het vuur gooien. Die daad leidde tot gewelddadige reac-ties in Afghanistan, waar ondermeer zeven VN-medewerkers het met de dood mochten bekopen. Intussen hebben moskee en gemeen-schapscentrum op Park Place toch de deuren geopend. Er gingen wat personeelswissels aan vooraf en de initiatiefnemers hielden zich een jaar lang met opzet gedeisd, om de smeulende controverse zo weinig mogelijk op te poken. Kort na de tiende verjaardag van de aanslagen, op 21 september 2011, werd het centrum Park 51 ingewijd.

Intussen waren er campagnes opgewaaid tegen moskeeën in onder meer Tennessee, Californië en Wisconsin. In Arizona was de bouw van een grote koepel al voldoende om gekrenkte burgers te alarme-ren, tot bleek dat het om een kerk ging en niet om een moskee. Gedu-rende dertig jaar hadden islamitische gebedshuizen weinig of geen ophef veroorzaakt, maar nu leken tal van Amerikanen plots doordron-gen van de dringende noodzaak om de islam in Amerika een halt toe te roepen.

Er zijn verschillende verklaringen geopperd voor die aangezwollen golf van islamhaat. Zo werd er verwezen naar de reeds vermelde mis-lukte aanslag op kerstdag 2009 op het lijnvliegtuig naar Detroit. Ook de frequenter wordende nieuwsberichten over extremistische com-plotten kunnen een rol hebben gespeeld. Verder kan de opstoot van islamofobie ook een neveneffect zijn geweest van de bredere stroom van populisme die vanaf 2009 de kop op stak. Surfend op de onzeker-heid en de angst voor de prangende economische crisis, namen *Tea Party*-groepen en aanverwante zelfverklaarde patriotten alles op de korrel wat in hun ogen on-Amerikaans was, van de ziekteverzekeringswet van Obama over illegale immigratie tot moskeeën en islam. Hoezeer dat ideeëngoed samenvloeide, blijkt duidelijk uit de wijd verspreide misvatting dat president Obama ook zelf een moslim is. Toen het gezagvolle Pew Research Center daarover een rondvraag deed in de zomer van 2010, bleek een op de vijf Amerikanen dat te geloven. Het cijfer klom nog naarmate het om conservatievere Republikeinen ging. De ondertoon is duidelijk en werkt in twee richtingen: Obama is niet te vertrouwen en de islam hou je beter buiten de deur.

Het zorgwekkende is dat vooraanstaande politici, zoals het Republikeinse boegbeeld en presidentskandidaat Newt Gingrich, zich met die islamofobe ideeën hebben geassocieerd. Hier en daar leek er sprake van een heuse paranoia. In november 2010 kon de kiezer in Oklahoma zich bij referendum uitspreken over een verbod op de sharia in de rechtbanken van de staat. Het voorstel haalde het met een ruime meerderheid. Niet dat er in Oklahoma ooit een schuchtere poging was ondernomen om sharia-elementen als basis voor een vonnis in overweging te laten nemen, maar je kan niet voorzichtig genoeg zijn.

Een kleine lobby

Zoveel vijandigheid en verdachtmakingen vragen om rechtzettingen, PR-inspanningen en lobbyisten. Een aantal op professionele leest geschoeide organisaties werpt zich inmiddels op als vertegenwoordiger van de islamitische gemeenschap. Het feit dat de achterban niet noodzakelijk onbemiddeld is, helpt die groepen bovendien om fondsen te werven en hun werking verder uit te bouwen. Ook daarin zijn ze uiterst Amerikaans. In vergelijking met de joodse lobby zijn de islamitische belangengroepen nog bescheiden, maar in vergelijking met de wirwar aan etnisch, theologisch en ideologisch verdeelde moslimgroepen in Europa ogen ze efficiënt en invloedrijk.

De Islamic Society of North America (ISNA) wordt beschouwd als de grootste van die groepen. Het gaat om een koepelorganisatie, gegroeid vanuit een islamitische studentenvereniging. Opvallend is dat ISNA doelgericht aan betere relaties werkt met andere religieuze gemeenschappen. Ze schrikt er niet voor terug om evangelische of joodse leiders uit te nodigen op haar jaarlijkse conventies of laat Palestijnse jongeren uit Gaza op bezoek gaan in het joodse Holocaustmuseum. Een tijd was een Canadese bekeerlinge, Ingrid Mattson, voorzitter van de organisatie (waarvan de actieradius zich ook tot Canada uitstrekt). Dat alles geeft ISNA een gematigd en zelfs vooruitstrevend imago. Niettemin hebben enkele deskundigen geopperd dat ISNA nauw aanleunt bij de integristische beweging van de Moslimbroeders en in Noord-Amerika het pad effent voor de radicale stroming van het Saudische wahabisme.

CAIR, de Council on American-Islamic Relations, is de belangrijkste burgerrechtenorganisatie. Ze gaat in het verweer van zodra ze discriminatie of racisme tegen moslims vermoedt. Ze biedt juridische hulp aan individuen en groepen, bespeelt de media en politici en organiseert zonodig protestdemonstraties. Op de tiende verjaardag van 11 september verzamelde ze aanhangers op de trappen van het stadhuis in New York om haar beklag te doen over de toegenomen verdachtmakingen van de islam. Ze nam ook de New Yorkse politie op de korrel, omdat die de moslimgemeenschap te strak en specifiek in de gaten zou houden, tot zelfs in de klaslokalen. CAIR is de laatste jaren in verband gebracht met de radicaal-islamitische beweging Hamas. De organisatie weigert inderdaad om Hamas als zodanig te veroordelen, maar ze heeft wel de terreuracties aangeklaagd die burgerslachtoffers maakten. Een andere bron van kritiek op CAIR is de financiering door buitenlandse geldschieters. In elk geval zijn de relaties met de federale overheid vertroebeld en het is moeilijk te beoordelen of CAIR nu zelf het slachtoffer is geworden van een onredelijke islamofobie, dan wel of de organisatie juist bijdraagt aan de controverse.

Opnieuw is de waarheid allicht dat er een dubbele dynamiek speelt: verdachtmakingen roepen een assertievere en strakkere opstelling op en vice versa. In de context van de Amerikaanse politiek en media, waarin de Israëllobby – zoals vermeld – buitensporig veel macht en invloed heeft vergaard, hoeft het geen verbazing te wekken dat een pro-Arabische, pro-Palestijnse en pro-islamitische belangengroep meteen genadeloos onder vuur wordt genomen. Soms komt de kritiek echter ook van mensen die de islam de rug hebben toegekeerd. Former Muslims United is een groep die in de eerste plaats het recht opeist om het islamitische geloof af te vallen, maar die tegelijkertijd op de kar springt van anti-islamcampagnes.

Hirsi Ali in Amerika

Ook de Nederlandse gewezen politica Ayaan Hirsi Ali, van Somalische afkomst, doet haar duit in het zakje. Hirsi Ali heeft een missie: waarschuwen voor de islam. De islamitische geloofsleer zal in haar ogen mensen altijd onderdrukken en individuele vrijheden miskennen. Dat kleurt uiteraard haar analyses. Toch zijn de bevindingen die ze beschrijft in haar boek *Nomade* interessant. Want de politica is Nederland en Europa min of meer ontvlucht, ontgoocheld over het politiek correcte doodzwijgen van de problemen met de islam. Ze hoopte dat Amerika haar boodschap beter zou begrijpen, maar botste ook daar op tegenkanting.

Aanvankelijk is Hirsi Ali opgetogen over het dankbare enthousiasme waarmee immigranten in Amerika zich in hun nieuwe land van aankomst in het leven storten. Ze stelt vast 'dat ze geen enkele intentie hadden naar huis terug te keren omdat Amerika hun kinderen kansen bood die in hun land van herkomst ondenkbaar waren. Dit was zo anders dan het voortdurende geklaag over Nederland dat ik gewend was te horen van immigranten die hun geld naar hun vaderland stuurden en cultureel en emotioneel gezien generaties lang buitenlanders bleven.' Amerika komt haar voor als 'een familie die alle volkeren verwelkomt die onze familiewaarden delen'.

Ook bij moslimfamilies die zich in Amerika gevestigd hebben, merkt ze een gretigheid om erbij te horen. Ze heeft al snel in de gaten dat de doorsnee moslim in de vs blijk geeft van een hoger opleidingsniveau en inkomen dan de gemiddelde migrant uit de Maghreb in Europa. 'Het betekent (wel) dat de kans groter is dat een moslim in de Verenigde Staten een Engelssprekende werknemer uit de middenklasse is, die er bewust voor heeft gekozen zich bepaalde fundamentele Amerikaanse waarden eigen te maken.'

Dan gaat Hirsi Ali de boer op om lezingen te geven over de gevaren van de islam en botst ze op de keerzijde van die schijnbaar succesvolle integratie. Op haast elke universiteit gaan welbespraakte moslimjongeren in debat met haar. 'Ze spraken perfect Engels en waren over het algemeen bijzonder vriendelijk en ze leken veel beter geassimileerd dan hun Europese immigranten-tegenhangers.' Ze wijzen Hirsi Ali's kritiek op de islam evenwel beledigd van de hand. Haar typering van de situatie van de vrouw in islamitische culturen doen ze af als 'koloniaal feminisme'. 'Op elke universiteit staarde ik weer vol wanhoop naar deze zelfverzekerde jongeren, die in de Verenigde Staten waren geboren en duidelijk hadden geprofiteerd van alle voordelen van het westerse onderwijssysteem, maar toch vastbesloten waren de diepgaande verschillen tussen een theocratische en democratische mentaliteit te negeren.' Opnieuw lijkt hier een integratieparadox aan het werk: de moslimjongeren praten, ageren en organiseren zich in de beste Amerikaanse traditie, met debatten, studentencomités en pamfletten, maar juist daarmee bevestigen zij des te sterker hun eigenheid.

Ayaan Hirsi Ali meent ook een toename te zien van het aantal gesluierde vrouwen in de vs. 'En omdat er steeds meer *dawah* – zendingswerk – wordt verricht door orthodoxe groepen die worden gefinancierd door Saoedi-Arabië, worden moslims in Amerika steeds steiler in de leer.' Ze analyseert ook uitvoerig hoe radicalisering 'stapsgewijs aan de man wordt gebracht, ook in Amerika.' In moskeeën word je eerst van het idee doordrongen dat alleen de islam bepaalt wat goed gedrag is en dat je alleen relaties mag aangaan binnen je geloofsgroep. 'Het voorstadium van radicalisme bestaat uit een geleidelijke hersenspoeling, vanaf de geboorte, met als doel onderwerping – de ware betekenis van het woord "islam".' Hirsi Ali is er zeker van dat ook de vs nog meer terreur van eigen bodem kunnen verwachten. Ze hekelt de reacties op de schietpartij in Fort Hood: 'Ik vroeg me af waarom er zo'n samenzwering gaande was om de religieuze motivatie voor deze moorden te negeren.'

Nogmaals, het heilige vuur waarmee Hirsi Ali tegen de islam van leer trekt, is bekend en wordt nu en dan zelfs als een seculier fundamentalisme weggezet. Het valt moeilijk te beoordelen of haar eigen barre ervaringen met de islam (en de Somalische versie ervan) haar waarnemingsvermogen aanscherpen of juist vertroebelen. Het blijft niettemin opmerkelijk dat ze van Amerika veel goeds verwachtte en in eerste instantie geloofde in een Amerikaans exemplarisch integratiemodel, om uiteindelijk vast te stellen dat de vs niet gevrijwaard blijven van spanningen, polarisatie en radicalisering. Wellicht legt ze de vinger op de zere plek als ze een ontmoeting beschrijft op een luchthaven, meteen na de schietpartij in Fort Hood. Hirsi Ali vraagt een vrouw of ze zich nu zorgen maakt over het terrorisme, want hier was 'een vijand vanbinnen uit' aan het werk. De vrouw wuift verstoord haar opmerking weg: 'We koesteren de diversiteit in ons land.'

Dat prachtige zelfbeeld van de geslaagde melting pot, dat hardnekkige idee dat diversiteit te allen tijde mooi en verrijkend is en Amerika groot en dynamisch genoeg om alle volkeren aan de borst te drukken, dat concept zou een nuchtere inschatting van problemen en situaties in de weg kunnen staan. Ter illustratie kan worden verwezen naar een hoorzitting die de Republikeinse volksvertegenwoordiger Peter King in maart 2011 organiseerde in het Huis van Afgevaardigden. Hij wou er deskundigen uitleg laten geven over islamitische radicalisering in Amerika. De zitting liep uit op klassiek partijpolitiek gehakketak, waarbij Democraten het initiatief principieel afbrandden als een bedenkelijke vorm van racisme.

Conclusie

Het beeld van de moslimgemeenschap in de vs is dus complex en tegenstrijdig. Voor de Europese waarnemer, die moslimmigratie meestal associeert met probleemwijken en zorgwekkende werkloosheids- en onderwijsstatistieken, is het sociaaleconomische succes van zoveel moslims in de vs een verrassende verademing. Zou het kunnen dat de middenstandscultuur van zoveel migranten uit het Midden-Oosten, met name uit Libanon, de integratie op het goede spoor houdt? Wie investeert in een winkel of bedrijf wil dat de buurt daaromheen floreert, want als de buurt aftakelt, gaat ook de zaak over de kop. Investeren versterkt dus het gevoel van betrokkenheid op wijk en gemeenschap, net als een langetermijnperspectief. Het engageert tot overleg en participatie en zuigt de migranten als vanzelf naar inspraak- en beleidsstructuren. Verder zorgen ook de toelatingscriteria voor drempels en selectie: veel moslimmigranten zijn hoger opgeleid en nestelen zich al snel in de betere inkomensgroepen van artsen, wetenschappers of informatici. Enkel de moslims die vaak in grote aantallen tegelijk als vluchtelingen in Amerika neerstrijken, lijken aan dat beloftevolle profiel te ontsnappen. De sociale problemen van de Somalische gemeenschap zijn wat dat betreft een teken aan de wand.

Misschien speelt ook het principe van godsdienstvrijheid en religieuze tolerantie een rol. Toen in mijn stad Antwerpen alweer een discussie oplaaide over de hoofddoek op school, mailde ik met Amerikaanse contacten, onder anderen uit het schoolmilieu in New York. Op mijn vraag of er ook daar enige controverse bestond over de hoofddoek, kreeg ik verontwaardigde (en opnieuw ietwat belerende) reacties. In Amerika was dat ondenkbaar, want Amerikanen hebben een diep en vanzelfsprekend respect voor ieders geloof en overtuiging. Natuurlijk worden meisjes en vrouwen met een hoofddoek soms uitgescholden. De kans dat scholen of overheden proberen in te grijpen in het religieuze leven van moslims is nochtans veel kleiner dan in Europa. Ook over het slachtritueel op het Offerfeest lijkt niemand in Amerika zich druk te maken. Elke moslimfamilie wil dan een schaap laten slachten volgens de islamitische ritus – dus zonder verdoving. In Nederland en België is daarover een controverse ontstaan en het Nederlandse parlement wil die praktijk verbieden. Toen ik een Amerikaanse imam daarover vertelde, glimlachte hij om zoveel ophef, vol vertrouwen dat een dergelijk debat in de vs totaal onmogelijk was.

In het algemeen is Amerika veel religieuzer dan Europa. Militant atheïsme of een trots concept van *laïcité* op zijn Frans hebben er nooit voet aan de grond gekregen. Op dat punt zal je er dus minder verhitte polemieken meemaken. Anderzijds biedt de vrije meningsuiting, die boven elke discussie verheven staat, ruim baan aan al wie de islam wil zwartmaken of aan alle moslims die hun mede-Amerikanen willen verketteren. Radicale praatjes voor of tegen de islam worden breder en langduriger getolereerd dan in Europa. Dat maakt het dan weer moeilijker om een extremistisch en zelfs gewelddadig discours de pas af te snijden voor het gevaarlijk wordt, zoals blijkt uit de lotgevallen van de Amerikaans-Jemenitische predikant al-Awlaki.

De frequentie waarmee de laatste jaren berichten opduiken over geradicaliseerde moslims van Amerikaanse makelij, mag niet doen vergeten dat het om zeldzame uitzonderingen gaat: een probleem van individuen, niet van een gemeenschap. De heisa en verdachtmakingen die daaruit ontstaan dreigen de gemeenschap wel als zodanig in de hoek te drommen. De historische parallel is de angst voor de anarchistische terreur uit Oost-Europa, die in het tweede hoofdstuk al werd vermeld. Honderd jaar later lijkt dat een potsierlijke psychose en ook nu mogen we hopen dat zowel de terreurcomplotten als de angst daarvoor geleidelijk zullen wegebben.

Er is echter een verschil met de anarchisten van weleer. Hoewel zij via geschriften en pamfletten met elkaar in contact kwamen, was hun netwerk oneindig veel zwakker dan de huidige jihadnetwerken. Satelliettelevisie bestond nog niet, laat staan het internet. De mobiliteit en communicatiesnelheid zijn exponentieel toegenomen en daarmee ook de slagkracht van wie kwaad wil berokkenen. De Amerikaanse minister van Justitie Eric Holder bekende eind 2010 dat hij wakker lag van de zorgen over home grown terroristen. 'Dat is een van de dingen die me uit mijn slaap houden,' zei Holder. 'Twee jaar geleden dacht je niet aan individuele acties van Amerikanen of toch niet in de mate waarin we dat nu doen. De dreiging is verschoven, van buitenlanders die hierheen komen naar Amerikaanse burgers die hier geboren en grootgebracht zijn en die om welke reden dan ook besluiten om te radicaliseren en de wapens op te nemen tegen de natie waarin ze geboren zijn.'

De diepe redenen waarom mensen die stap zetten, zullen telkens persoonlijk gekleurd en gedeeltelijk niet te doorgronden zijn. Wanneer ook hun gemeenschap met de vinger wordt gewezen, is dat een bijkomende bron van frustratie. Gelukkig heeft de regering-Obama andere accenten gelegd in haar buitenlands beleid dan George W. Bush. Obama heeft oprechte pogingen gedaan om de moslimwereld de hand te reiken en het vijandbeeld van zich af te schudden. Aanvankelijk stelde hij zich kritischer op tegenover Israël, hoewel daar intussen – in de aanloop naar de presidentsverkiezingen van 2012 – niet veel meer van te merken is. Amerika zal, net als Europa, dat onmogelijke koorddansen moeten leren beoefenen: gastvrij en respectvol plaats ruimen voor de islam en zijn gelovigen en tegelijk consequent de onderdrukkende en gevaarlijk radicale tendensen ervan indijken. Die evenwichtsoefening is zoals altijd een kwestie van vallen en opstaan. Polarisatie en escalatie zijn haast niet te vermijden. Want juist omdat ze zo goed zijn opgeleid, verbaal en financieel sterk staan en stevig participeren, zullen de Amerikaanse moslims dat proces niet enkel lijdzaam ondergaan, maar het ook actief mee bepalen.

In veel opzichten zijn de Amerikaanse moslims dus ver van uniek. Ze ontwikkelen dezelfde structuren en politieke actiepatronen als hun joodse landgenoten. Ze proberen nu en dan uitzonderingsprocedures af te dwingen in het onderwijs of inzake ruimtelijke ordening, maar dat doen de joodse gemeenschappen eveneens. Soms steken de moslims in de vs een vermanende vinger op naar de verwilderde zeden van het seculiere Amerika: seks, alcohol, homofilie. Ook wat dat betreft zijn ze in ruim gezelschap: miljoenen christelijke Amerikanen doen net hetzelfde, maar dan met de Bijbel in de hand. Het vuur waarmee evangelische kerken hun starre geloof en moraal willen opdringen aan Amerika, lijkt de geroemde diversiteit van de vs diepgaander te bedreigen dan de bekeringsijver van de moskeeën.

Een waaier aan kerken

I'm a soldier in the army of the Lord
I'm a soldier in the army
Ain't gonna be no turning back in the army of the Lord
Ain't gonna be no turning back in the army

LYLE LOVETT

Kerkbezoek

'Mike, hebben we een doop vandaag?' De predikant vooraan in de kerk, Jerry Falwell, vraagt het op een achteloze toon en kijkt schuin rechts naar boven. In de hoge wand licht plots een ingebouwd balkon op, met een grote glazen waterbak. Een meisje van een jaar of tien, in T-shirt, staat tot haar middel in het blauw glanzende water. Een tweede predikant staat naast haar, met een draadloos *headset*-microfoontje. 'Jazeker Jerry, Tisha wordt gedoopt vandaag!' Hij dompelt Tisha drie keer onder water, de kerk applaudisseert, de doop is voltrokken. Het duurt nog geen dertig seconden: een strak geregisseerd *item* in een gladde zondagavondshow.

Want een viering in de Thomas Road Baptist Church, in Lynchburg in de staat Virginia, houdt het midden tussen een familiale popshow en een gebedsbijeenkomst. Orkestje, koor en een stel solozangers brengen een variétéversie van gospelsongs. Als ik er op bezoek ga, is Jerry Falwell zelf nog het boegbeeld van de kerk. Met donderende stem houdt hij een lange preek, doorspekt met citaten uit de

Schrift, over de tienden die gelovigen aan hun eigen kerk verschuldigd zijn. Ik kijk om me heen in het dure, glanzende gebouw – meer concertzaal dan kerk – en ik begrijp waarvoor de centen gebruikt worden. Falwell was een veteraan van de *christian right*: de militante, conservatief-christelijke beweging die de Amerikaanse samenleving op een Bijbelse leest wil schoeien. In mei 2007 is hij gestorven, sindsdien leidt zijn zoon Jonathan de kerk op Thomas Road. Dit is een van de honderden megakerken die de voorbije dertig jaar in de vs zijn opgebloeid en die elke zondag duizenden christenen lokken met een swingend massaspektakel. Oudere kerkjes in de wijde omgeving verliezen gelovigen aan die nieuwe succestempels.

Rij langs Amerikaanse wegen en je komt voortdurend kerken tegen. '*Every Sunday we perform extreme make overs*,' lees ik op een lichtkrant langs de baan; kerken ronselen zieltjes met gladde verkoopstrucs. Net als meubelzaken of fastfoodrestaurants flankeren ook gebedshuizen de drukke verbindingswegen: klein of groot, in hout of dure baksteen, verbouwde pakhuizen of splinternieuwe auditoriums. In Amerika hebben parochies geen enkele betekenis: je kiest als gelovige je eigen kerk, zoals je als consument je favoriete warenhuis opzoekt. Of je begint er zelf eentje.

Paul Michael Raymond heeft dat gedaan. In Appomatox, Virginia, ben ik uitgenodigd in zijn Reformed Bible Church. De kerkgemeente heeft een klein aftands gebouw gevonden en heringericht: beneden keuken, bibliotheek en eetzaaltje, boven de gebedsruimte. Een dertigtal aanwezigen, meer niet. De gelovigen hier wantrouwen de megakerken. Zij willen terug naar de sobere en zuivere geloofsbeleving van de puriteinen.

Een interessant idee en een vriendelijk gezelschap, maar de preek van pastor Raymond laat al minder vriendelijke geluiden horen. Sociale zekerheid en een wettelijk pensioen zijn in strijd met de Bijbelse leer; werken is een oudtestamentische plicht; alleen de kerk heeft het van God gegeven recht om voor armen en ouderlingen te zorgen. Raymond is goed op dreef en blijft bijna een uur lang aan het woord. Ik krijg de indruk dat hij gevangen zit in een vreemd soort zelfgenoegzaamheid, alsof hij zich uitverkoren voelt als gelovige en als voorganger.

Na afloop van de dienst, beneden bij een gastvrije maaltijd, raken we verder in gesprek. Een trouw lid van de gemeente, Paul Covielo, vindt dat de machtsverhouding tussen kerk en staat compleet is scheefgegroeid. 'De regering heeft het gezag en de opdracht van de Bijbel op zijn kop gezet. De staat heeft geprobeerd om de kerk te vervangen. Kijk maar naar de sociale zekerheid: we gaan steeds meer gebukt onder belastingen, bedoeld om steeds meer sociale programma's te financieren die God aan de kerken heeft opgedragen.'

Ik luister gefascineerd en enigszins verbaasd. Toch herken ik typisch Amerikaanse thema's: een afkeer van belastingen, een diep wantrouwen tegenover de staat. In dit gezelschap zijn ze gegrond op de Bijbel en lijken ze met een heiliger vuur te worden verdedigd, maar uitzonderlijk kan je die opvattingen niet noemen.

Dan komt een ander onderwerp aan bod: homofilie. Met de glimlach, maar met vaste stem en in vloeiende volzinnen – alsof hij die al wel vaker heeft uitgesproken – zegt pastor Raymond waar het op staat. 'We moeten homoseksualiteit zondermeer veroordelen – zoals de Bijbel doet. Het zou, zoals dat vroeger was, weer een misdaad moeten zijn en strafbaar.' De andere kerkgangers knikken zachtjes en monsteren vriendelijk mijn reactie; ze reiken me aardappeltjes aan en geven de slakom door. 'Of het de doodstraf moet zijn, daar ben ik nog niet helemaal uit. Je moet ook ruimte laten voor berouw, maar een straf moet er zijn. Ik vind homoseksualiteit een afwijking en als de regering de doodstraf daarvoor mogelijk zou maken, dan zou dat in elk geval meer sporen met de Bijbel.'

De aandoenlijk sobere en prettig gastvrije kerkgemeenschap van pastor Raymond in Appomatox heeft een plan: ze wil Amerika terugwinnen voor God. Daarvoor zal de staat moeten terugwijken en de kerk haar invloed moeten uitbreiden. Ik ben naar de groep van Raymond verwezen door Chris Ortiz, een jonge ideoloog van de Chalcedon Foundation. Op de veranda van zijn wit geverfde houten huis in Youngsville, Noord-Carolina, vertelt hij me urenlang over zijn leven en geloof en over de finesses van de millennialistische theologie.

Centraal in het geloof van veel diep religieuze Amerikanen staat een geloof in een duizendjarige heerschappij van Christus: het millennialisme. Waar ze het onderling niet over eens zijn, is of je als christen jezelf moet voorbereiden op de terugkeer van Christus, dan wel of je een handje mag toesteken door de wereld christelijker te maken. Aanhangers van de eerste theorie zijn premillennialisten: eerst komt Christus terug, daarna begint zijn duizendjarige Rijk. De andere visie is postmillennialistisch: Christus komt pas terug na het aanbreken van een christelijke heerschappij. De kerk heeft daarin een cruciale en onmisbare opdracht te vervullen. Ortiz, pastor Raymond en de Chalcedon Foundation zijn uitgesproken aanhangers van dat laatste geloof. 'De kerk zal de overwinning behalen,' legt Chris Ortiz me ernstig uit, 'en het Rijk Gods wordt zichtbaar in de geschiedenis. We geloven dat het een lange tijd zal duren om dat te bereiken, maar we werken vanuit die zekerheid. Het heeft implicaties voor alles wat wij doen in ons leven of we nu de vaat doen, pampers verversen of aan politiek doen. Ons geloof bepaalt onze handelingen en onze handelingen bepalen uiteindelijk de geschiedenis.'

Als jonge twintiger leefde Chris Ortiz een aantal jaren in Californië en werkte hij in de muzieksector. In vage contouren laat hij me verstaan dat zijn dagen toen ruig en losbandig waren, met drugs en problemen. Zoals wel vaker werd een diepe geloofsovertuiging zijn houvast. Bij de Chalcedon Foundation vond hij een bijzonder soort vastigheid: 'Wij zijn wat ze noemen theonomen. Theos en nomos, Gods wet, daar geloven wij in.' Ook Ortiz heeft in de Bijbel gelezen dat homoseksualiteit immoreel is en de doodstraf verdient, maar hij lijkt zachtmoedig en geduldig wat betreft de toepassing daarvan. 'De Bijbelse wet kan nooit worden opgelegd, die moet omarmd worden van binnenuit.' Toch is ook voor hem een strikt Bijbelvaste samenleving het verre streefdoel aan de einder: de vervolmaking van de geschiedenis die de terugkeer van Christus mogelijk zal maken.

Postmillennialisten bewegen zich door Amerika's religieuze landschap onder diverse benamingen. Soms noemen ze zichzelf *dominionisten*, omdat ze een kerkelijke heerschappij of *dominion* willen vestigen. Of *reconstructionisten*, omdat ze de Bijbelse samenleving willen (her)opbouwen. Ze hebben geen eigen denominatie of centrale organisatie, maar ze inspireren – impliciet of expliciet – heel wat protestantse en evangelische kerkgemeenten. Figuren als pastor Raymond zeggen het onomwonden en radicaal: Amerika moet weer in het Bijbels gelid. Oudtestamentische geboden en verboden, straffen en doodstraffen voor overspel of homofilie worden letterlijk genomen en mogen – wat hen betreft – weer kracht van wet krijgen. Veel evangelische kerken verspreiden een soortgelijke boodschap. De doodstraf voor homo's zullen ze niet bepleiten, maar het principe van een homohuwelijk of homorechten zullen ze uit alle macht bestrijden. Voor elke overtuigd evangelisch gelovige is het evangeliseren van de samenleving op alle niveaus onlosmakelijk verbonden met het geloof.

Apocalypse now

'Elke ademtocht brengt ons een stap dichter bij het ogenblik waarop Jezus zal terugkeren. Nu is het de juiste tijd om ons daar op voor te bereiden. Elke dag word je wakker met het idee dat het vandaag kan gebeuren.'

De kraaknette dertiger Dave Upham is een van de ouderlingen die de kerkgemeente leiden van de Zevende Dag Adventisten in Raleigh, Noord-Carolina. Ik woon hun wekelijkse kerkdienst bij op zaterdagochtend. Anders dan andere christenen vieren zij op sabbat, zaterdag dus. Voor de rest lijkt hun zaterdagse bijeenkomst op een traditioneel protestantse zondagsdienst: sober, met lezingen uit de Schrift, een preek en samenzang van hymnes. Wat hen onderscheidt, behalve de zaterdagviering, is hun gespannen verwachting van de nakende terugkeer van Christus.

Nochtans sluimert die eschatologische gedachte in het geloof van haast alle Amerikaanse christenen. Dat God de geschiedenis stuurt, is een breed gedeelde overtuiging. Dat die geschiedenis afstevent op een goddelijke climax, eveneens. En dat de Verenigde Staten een bijzondere rol moeten spelen in het ontvouwen van Gods plan mag bij buitenstaanders misschien een aanmatigende of potsierlijke indruk wekken, voor heel wat Amerikanen staat dat als een paal boven water. De premillennialisten mikken daarom op de persoonlijke voorbereiding van de gelovigen: ze moeten klaarstaan, zuiver en rechtschapen, als de Dag van de terugkeer van Christus gekomen is.

Een van de opmerkelijkste fenomenen in de Amerikaanse religie is de immense belangstelling voor literatuur over de Dag des Oordeels. Dat is grotendeels de verdienste van Tim LaHaye, een van de boegbeelden van de christelijk conservatieve beweging. Halverwege de jaren 1990 lanceerde hij, in samenwerking met veelschrijver Jerry Jenkins, de *Left Behind*-serie. Het werd een reeks van twaalf religieuze stationsromans, waarvan meer dan zestig miljoen exemplaren over de toonbank gingen. Het uitgangspunt van de verhalen is het idee van de *rapture*, zoals voorspeld door Paulus in zijn eerste brief aan de christenen van Tessalonica, 4:16-17: 'Eerst zullen de doden die in Christus zijn verrijzen; daarna zullen wij die nog in leven zijn tegelijk met hen in een oogwenk op de wolken in de lucht worden weggevoerd, de Heer tegemoet.' Die wegvoering en de eindstrijd tegen de antichrist wordt door LaHaye letterlijk genomen en in concrete, eigentijdse situaties geplaatst. Plots zijn tientallen passagiers van een lijnvliegtuig, in volle vlucht, spoorloos verdwenen; alleen de zondaars blijven achter. De antichrist verschijnt in de gedaante van de nieuwe secretaris-generaal van de Verenigde Naties, de Roemeen Carpathia; een wolf in schapenvacht, die uitgroeit tot een mondiaal dictator.

Van de romanreeks zijn intussen drie films gemaakt en computerspelletjes. Het valt moeilijk na te gaan hoe groot en blijvend de invloed is van de verhalen op de religieuze voorstellingswereld van de miljoenen lezers en kijkers. Voor velen blijft het allicht fantasy-achtige ontspanning. Toch mag je aannemen dat een aanzienlijk aantal Amerikanen de eindtijd met vergelijkbare beelden en situaties inkleurt. Om de boodschap nog dieper in te prenten, hebben LaHaye en Jenkins er nog non-fictiepublicaties aan toegevoegd, zoals *Are we Living in the End Times?* Het antwoord is: vermoedelijk wel. Daarom juist moeten christenen zich voorbereiden en een zuiver leven leiden volgens de Schrift. Daarom ook, schrijft LaHaye op zijn website, moeten ze anderen aan de mouw trekken: 'Wij geloven dat elke christen en kerk het Evangelie met zoveel mogelijk mensen moet delen. Wat ons drijft, is de wens dat niemand moet achterblijven.'

De apocalyptische obsessie van veel Amerikaanse gelovigen is meer dan een exotisch aardigheidje. Want de eschatologische dimensie versterkt het onbuigzame karakter van het geloof en laat weinig ruimte voor dialoog. Postmillennialisten en reconstructionisten vervullen, in hun eigen visie, een wezenlijke rol in een bijbels plan: de natie evangeliseren. Zij trekken daarom doorgaans het vurigst ten strijde tegen atheïsme en de seculiere samenleving. De premillennialisten leggen de nadruk op de persoonlijke bekering, maar omdat de Dag des Oordeels in hun visie op elk moment kan aanbreken, lijkt het allemaal nog urgenter. In de praktijk hebben post- en premillennialisten de handen in elkaar geslagen, in een conservatieve christelijke beweging die bekend staat als de *christian right*. John Gray spreekt van de theoconservatieve stroming, naar analogie met de neoconservatieven. Michelle Goldberg gebruikt de term 'christelijk nationalisme'. Het gaat om een omvangrijk en machtig conglomeraat van kerken, media en actiegroepen die zich toeleggen op de strijd tegen abortus, homofilie of stamcelonderzoek. Ze voeren koppige en soms succesvolle campagnes voor creationistisch onderwijs, gebed op school of religieuze symbolen in de rechtbank. Op die manier be-

lagen en bedreigen zij de pluralistische, diverse Amerikaanse samenleving, maar net zo goed doen ze juist een beroep op het principe van
religieuze vrijheid om voor hun godsdienstbeleving in het publieke
domein een plaats op te eisen. Dat alles lokt onvermijdelijk botsingen uit, zoals verder in dit hoofdstuk zal geïllustreerd worden. In
eerste instantie leidt het tot een vrijwillige afzijdigheid: miljoenen
Amerikanen vinden de moderne samenleving onchristelijk, verderfelijk en bedreigend. Ze plooien daarom steeds verder terug op eigen
netwerken, media, scholen en thuisonderwijs.

Homeschoolers

'Wij wilden onze twee dochters niet alleen een vaktechnische opvoeding geven, maar ook een religieuze. We wilden dat niet als iets totaal
aparts aanbrengen; de godsdienstige opvoeding moest deel uitmaken
van het geheel.'

Scott en Nadine Cumbie, in Winston-Salem, Noord-Carolina, laten hun dochters Anna (17 jaar oud) en Victoria (14 jaar) van jongs af
thuis schoollopen. Ik ben precies om negen uur op de afspraak. Net
als elke ochtend schuiven de meisjes keurig aan tafel met hun boeken en begint Nadine hen les te geven: wiskunde aan Victoria, Engels
aan Anna. Nadine neemt zowat het hele leerplan voor haar rekening.
Soms helpt Scott met wetenschappen en soms neemt de computer
het over. Een aantal vakken krijgen in dit thuisklasje eigen accenten.
'Het is niet zozeer dat we het oneens zijn met wat ze in openbare
scholen onderwijzen. We verschillen meer van mening over hoe ze
dat onderwijzen. Daar geven ze bijvoorbeeld de evolutieleer als een
vaststaand feit. De wetenschap ondersteunt dat niet: de evolutieleer
is een interpretatie van wetenschappelijke informatie, geen feit. Wij
willen dat ze ook ons perspectief te horen krijgen, dat God de wereld
geschapen heeft. Ze moeten leren begrijpen hoe de wetenschap de
verschillende visies ondersteunt en niet ondersteunt.'

Ook de lessen geschiedenis en politiek – over hoe de vs bestuurd
worden – klinken anders dan in de publieke scholen, vertelt Nadine.
'In de loop der jaren zijn sommige van onze geschiedenisboeken en
handboeken herschreven; er zijn dingen uit weggelaten. Wij willen
hen het totale plaatje geven van de geschiedenis van de vs en van de
wereld.' Scott verduidelijkt: 'In de lessen politiek van het openbaar

onderwijs hebben ze elke verwijzing naar godsdienst geschrapt. Maar je kan nooit begrijpen waarom ons land gesticht is en door wie, zonder hun godsdienst te begrijpen, zonder te weten dat het om christenen ging die op de vlucht waren voor de godsdienstvervolging in hun land van herkomst.'

Scott en Nadine lijken me rustige, gematigde christenen; geen militante ijzervreters die de atheïstische samenleving te vuur en te zwaard te lijf gaan. Ze willen alleen maar een veilige, christelijke opvoeding voor hun dochters. De vraag rijst waarom ze dan niet kiezen voor een christelijke privéschool waar dezelfde handboeken worden gebruikt. Nadine aarzelt niet: 'We vonden dat we dat niet konden doen. Want ook in een christelijke school heb je te maken met dezelfde druk en toestanden van de groep leeftijdsgenoten als in een publieke school.' Scott en Nadine willen niet enkel christelijke leerstof overbrengen, ze willen een christelijke omgeving garanderen. Ze willen hun dochters zo lang mogelijk vrijwaren van niet-christelijke invloeden en prikkels.

Alleen al in de staat Noord-Carolina laten meer dan dertigduizend gezinnen hun kinderen thuis les volgen, beweert Ernie Hodges, voorzitter van de organisatie North Carolinians for Home Education. Als ik een gok doe en opper dat het zeker om zestigduizend kinderen moet gaan, lacht Hodges: 'Vermoedelijk veel meer, want homeschoolgezinnen hebben doorgaans meer kinderen.' De meest recente betrouwbare gegevens voor het hele land dateren van 2007; toen waren er anderhalf miljoen Amerikaanse kinderen die niet in de klas, maar op hun thuisadres onderwezen werden. Dat was net geen 3% van de schoolgaande jeugd. Volgens vertegenwoordigers van de homeschoolbeweging was het een grove onderschatting, 'omdat de kans beduidend kleiner is dat ouders van homeschoolers antwoorden op enquêtes van de overheid.' De trend neemt in elk geval jaar na jaar toe. Voor zowat driekwart van de ouders is de bezorgdheid om een religieuze opvoeding de belangrijkste motivatie.

De wetgeving betreffende thuisonderwijs verschilt van staat tot staat, maar in Noord-Carolina is het tamelijk simpel, zegt Hodges. 'Je moet een keer per jaar een gestandaardiseerde test afnemen van je kind en je bevestigt aan de staat dat er negen maanden wordt les gegeven.' De organisatie van Hodges helpt ouders met leerboeken, verwijst ze door naar ervaren lotgenoten en springt zonodig in de bres voor hen. 'Geloof het of niet, maar er zijn rechters die het op zich hebben genomen om homeschooling onder vuur te nemen. Er waren zelfs rechters die ermee dreigden om de kinderen uit het gezin weg te halen, als de moeder het thuisonderwijs voortzette.' Hodges is verontwaardigd. Zelf vindt hij het thuisonderwijs een bittere noodzaak: 'We zouden zelfs nooit aan homeschooling gedacht hebben, als het schoolsysteem moraal en religie niet had losgemaakt van de intellectuele opvoeding.'

Bob Jones

Het aantal Amerikaanse jongeren dat middelbaar afstudeert zonder ooit in een schoolbank te hebben gezeten, stijgt jaar na jaar. Intussen moeten er al honderdduizenden twintigers en wellicht tienduizenden dertigers actief zijn op de arbeidsmarkt, die tot hun achttiende geen klaslokaal hadden gezien. Voor hogere studies trekken veel van die jongeren naar een christelijk instituut; ze kunnen kiezen uit meer dan tweehonderdtwintig *colleges* of universiteiten.

Een van de beruchtere instellingen is de Bob Jones University in Greenville, Zuid-Carolina. De kraaknette campus ademt orde en rust uit. Zelfs op een zomerse septemberdag haalt geen enkele student het hier in zijn hoofd om op het keurig aangeharkte gras te gaan zitten. Alle meisjes lopen in plooirok en heel wat jongens in pak en das; jeans of sportschoenen zie je niet. Er geldt een dresscode op de bju. Ik krijg een rondleiding en verwonder mij over de rijke infrastructuur: een prachtige theaterzaal met een impressionant podium; een auditorium met duizenden zitjes; een gebedsruimte met dure glasramen en glanzende lambrisering. In de donkere ontvangsthal van het bestuursgebouw hangen zware schilderijen van stichter Bob Jones Sr., Bob Jones Jr., Bob Jones iii en Dr. Stephen Jones: de vier opeenvolgende presidenten van deze evangelische universiteit. In hun blik en houding lees je gezag en zelfbewustzijn en een ouderwets soort verantwoordelijkheidszin van een trotse elite.

Bob Taylor is de decaan van de faculteit van kunst en wetenschappen. Hij noemt de universiteit zonder verpinken een fundamentalistische christelijke instelling. '*Our mission statement is for our students to grow to be Christ-like,*' zegt hij, op vanzelfsprekende toon en in een haast onvertaalbare zinsnede. 'De universiteit is gebaseerd op de Schrift en de onfeilbaarheid daarvan. Alle stafleden zijn *born again* christenen die geloven dat Christus hun redder is. Onze wereldvisie vertrekt vanuit een Bijbels perspectief en dat passen we toe op alle onderwerpen waarover we onderwijzen.' De BJU heeft over heel wat onderwerpen kennis in huis; ze biedt honderddertig afstudeerrichtingen aan en telt inmiddels vierduizendvijfhonderd studenten. Die komen uit alle hoeken en staten van de VS en bovendien zijn er studenten ingeschreven uit een dertigtal andere landen. Het collegegeld is volgens Taylor niet zo hoog: zestienduizend dollar per jaar, woonkosten inbegrepen. Als die drempel toch nog te hoog ligt, zoekt de universiteit actief mee naar een oplossing.

Kortom, de deur van de BJU staat relatief breed open. Als de strakke kostschoolsfeer wat elitair oogt, is dat meer perceptie dan werkelijkheid. De echte selectie gebeurt niet op basis van materiële criteria, maar op spirituele gronden. 'We werven niet enkel studenten die thuisonderwijs hebben gekregen; leerlingen uit alle scholen komen in aanmerking, maar ze moeten wel hun persoonlijk geloof in Christus hebben beleden. Als dat nog niet is gebeurd op het moment van hun inschrijving, dan hopen we dat ze hier, tijdens hun verblijf aan de universiteit, onder invloed van de Schrift komen en dat engagement alsnog willen uitspreken. Anders zullen ze wellicht moeten vertrekken.'

Volgens Bob Taylor is de BJU geen bolwerk van christelijk activisme. Het staat de studenten vrij om buiten de campus politiek of sociaal actief te zijn. Binnen de muren van de school zijn er echter geen politieke afdelingen. 'We moedigen onze studenten wel aan om te gaan stemmen en helpen zonodig bij de kiezersregistratie. We zeggen uiteraard niet hoe ze moeten stemmen, maar onze opleiding zal hen wellicht vanzelf tot bepaalde keuzes voeren. De keuze tussen een pro- of anti-abortuskandidaat ligt voor de hand.' Zelf is Taylor stevig verankerd in de Republikeinse partij. Hij is verrukt over de keuze die John McCain net heeft gemaakt voor Sarah Palin als zijn *running mate*. 'Dat is wellicht de belangrijkste politieke beslissing die ik in mijn leven heb gezien, wat betreft zeggingskracht en effect: hoe die keuze plots een heleboel mensen voor Mc Cain overstag deed gaan.'

Taylor overdrijft allicht niet. Tijdens de Republikeinse voorverkiezingen van 2000 was er een bittere vete opgelaaid tussen McCain en de BJU. De conservatieve onderwijsinstelling trok voluit de kaart van George W. Bush, die de universiteit vereerde met een campagnebezoek. Een docent van de BJU was zelfs betrokken bij de verspreiding van het valse gerucht dat John McCain een zwarte onwettige dochter had. In werkelijkheid hadden de McCains een weesmeisje geadopteerd uit Bangladesh. McCain van zijn kant haalde tijdens de voorverkiezingen scherp uit naar de boegbeelden van christelijk-rechts, die hij *agents of intolerance* noemde. Het leek alsof het nooit meer goed zou komen tussen beide partijen. Met de keuze voor Sarah Palin bleek de BJU bereid om de spons te vegen over die pijnlijke episode. Als ik Taylor vraag wat er dan zo bijzonder aan Palin is, antwoordt hij: 'Zij is gewoon een van ons.' Een conservatieve evangelische christen die bereid is om christelijke waarden te verdedigen en centraal te stellen in haar politieke visie.

De verkiezingsrel van 2000 leidde bovendien tot een koerswijziging op de campus in Greenville. Tot dan toe was er een ronduit racistische gedragsregel van kracht, die jongens en meisjes van gemengde raciale herkomst verbood om met elkaar uit te gaan. Tegenstanders van George W. Bush wierpen hem voor de voeten dat hij met zijn bezoek racistische vooroordelen had onderschreven. Nog datzelfde jaar besloot het universiteitsbestuur de omstreden regel te herroepen. In 2008 volgden er zelfs officiële excuses voor de kwetsende praktijk uit het verleden. Ook de diep ingesleten antikatholieke gevoelens op de BJU waren in de campagne van 2000 een bron van controverse. Tijdens mijn ontmoeting met Bob Taylor blijken die twistpunten nog altijd sluimerend aanwezig. 'We hebben natuurlijk het beste voor met katholieken, als medemensen, maar we zijn het fundamenteel oneens met de katholieke benadering van de christelijke godsdienst. Die is gewoon verkeerd. Op dat punt vinden we geen enkel raakvlak.' Als ik Taylor vraag of het hem zwaar zou vallen als een van zijn kinderen met een katholieke partner zou willen trouwen, aarzelt hij geen seconde: 'Dat zou heel erg problematisch zijn.'

In de cafetaria van de BJU raak ik met studenten in gesprek. Haast allemaal zijn ze hier ingeschreven in overleg met hun familie; verschillende studenten hebben hier ook een broer of zus. Ze komen van heinde en ver, tot uit Wisconsin en Puerto Rico. Natuurlijk heeft elke Amerikaanse universiteit haar netwerk van alumni en geldschieters die ook hun kinderen inschrijven waar ze zelf zijn afgestudeerd. Hier op de BJU is dat netwerk nog hechter en beslotener en gedragen door een groepsgevoel van overtuigd gelijkgezinden. 'Ik zocht de leiding van de Heer en de Heer heeft me hierheen geleid,' zegt derdejaars student Ben uit Alabama. De kans is groot dat de Heer zich bediend heeft van het uitgebreide en machtige netwerk van de conservatieve christelijke beweging.

Met het oog op de Amerikaanse diversiteit is die verregaande, zelfgezochte afzijdigheid van christelijke netwerken al een opmerkelijk fenomeen. Je kan moeilijk de moslims of joden verwijten dat ze zich buiten de samenleving plaatsen, als een groeiend aantal christenen de Amerikaanse maatschappij min of meer de rug toekeert en in toenemende mate aan gettovorming doet. Zeker de doelbewuste keuze om kinderen van kleins af in een expliciete en soms geladen christelijke sfeer groot te brengen – en enkel daarin – roept vragen op. De documentaire *Jesus Camp* (2006), waarin de kinderpredikante Becky Fischer een zomerkamp leidde en kinderen tijdens kerkdiensten tot extatische opwinding voerde, bracht daar een verontrustend getuigenis van. Menig kinderpsycholoog zou diep gealarmeerd zijn bij het zien van zoveel emotionele druk en indoctrinatie. Ook zonder dat soort charismatische excessen doet de voortdurende focus op strenge christelijke waarden en opvattingen en de altijd sudderende vijandigheid tegenover de verdorven seculiere maatschappij, heel wat vragen rijzen. Is het wel gezond, voor samenleving en individu, om je zo sterk af te schermen van de omgeving?

Er zijn ook heel wat conservatieve christenen die geen vrede nemen met afzijdigheid en terugplooien of voor wie de persoonlijke bekering en levenswandel van gelovigen niet genoeg is. Dat zijn de bovengenoemde reconstructionisten. Zij willen in de aanval gaan: Amerika moet weer een christelijke, op Bijbelse voorschriften gegronde natie worden. Die offensieve aanpak stelt uiteraard nog meer problemen voor Amerika's diversiteit.

Om al te grove simplificeringen te vermijden, is het nuttig om de conservatieve christelijke beweging eerst wat nader onder de loep te nemen. Want niet elke evangelical is even militant of rechts en niet elke conservatieve actiegroep is even godsdienstig bezield.

De evangelische beweging volgens Richard Cizik

Op een zonnige vroege voorjaarsdag bezoek ik het kantoor van de National Association of Evangelicals (NAE) in Washington. Tot mijn verbazing is het een onopvallend rijhuis, zonder naambordje op de deur, alsof de beweging hier nederig en anoniem wenst te blijven. Ik heb een afspraak met Richard Cizik, de vicepresident en woordvoerder van de beweging voor maatschappelijke en politieke kwesties. Ik heb me al schrap gezet voor een ontmoeting met een zelfverzekerd en betweterig type Europahater, want dat is het beeld van evangelisch-christelijke leiders dat in mijn hoofd heeft postgevat. Tot mijn stijgende verbazing blijkt Cizik een bedachtzame, behoedzame en opvallend verdraagzame man, die ruim een uur de tijd neemt om me te gidsen in het religieuze landschap van Amerika.

'De evangelische stroming in de vs is nog breder dan de kerken die in de NAE vertegenwoordigd zijn,' legt hij me uit. 'De NAE alleen al groepeert ongeveer vijfenvijftig verschillende denominaties, die samen dertig miljoen kerkgangers tellen. Daarbovenop heb je nog de federatie van de Southern Baptist Convention (SBC) die er ook een evangelische theologie op nahoudt. Die is goed voor zestien miljoen mensen. Van de andere traditioneel protestantse kerken – de zogenaamde hoofdstroom – mag je de helft ook nog eens als evangelisch beschouwen, een kleine twintig miljoen. Dus alles samen heb je zeker vijfenzestig miljoen christenen in de vs die zichzelf als evangelicals zullen identificeren. De klassieke hoofdstroom in het Amerikaanse protestantisme is daarmee de zijstroom geworden. De evangelische beweging werd de hoofdstroom. Dat is een complete ommekeer tegenover zestig jaar geleden.'

Volgens Cizik zijn er drie essentiële kenmerken van het evangelisch geloof. Eén: een onwrikbaar geloof in het gezag van de Schrift. Twee: een persoonlijke bekering en een bewust uitgesproken geloofsengagement, wat de evangelische kerken de *born again*-ervaring noemen. En drie: de bereidheid om je geloof te delen en uit te dragen via evangelisering, goede werken of politiek engagement. 'Voor ons zijn geloof en actie de twee zijden van dezelfde spirituele munt. Als je in iets gelooft dan handel je overeenkomstig. Je kan die twee niet uit elkaar halen, je kan het evangelie niet fragmenteren en enkel in je privéleven navolgen. Voor evangelische christenen wordt het private automatisch ook publiek. In die mate dat je de publieke, politieke arena wil beïnvloeden.' Dat laatste onderscheidt een evangelische christen van een klassiek protestantse gelovige. 'Zetten we Jezus op de eerste plaats of zullen we ons maar gemakshalve aanpassen aan de overheersende cultuur? De mainstream protestanten zijn doorgaans *accomodationists*, ze voegen zich.' Toch klinkt die overtuiging bij Cizik allerminst agressief of oorlogszuchtig. De evangelische beweging is gericht op transformatie, zegt hij en niet op confrontatie. 'De fundamentalisten daarentegen gaan uit van een confrontatiemodel,' geeft Cizik toe, 'maar zij vormen slechts 10% van de evangelische beweging.'

Het gesprek met Cizik is verfrissend en verhelderend. Hij brengt nuances en schakeringen aan en doorprikt daarmee een al te star en simpel beeld van de Amerikaanse evangelische beweging. Haast alle evangelische christenen putten inspiratie uit hun geloof voor hun gedrag en de keuzes die ze moeten maken in de samenleving. Allemaal willen ze een stempel drukken op de wereld. Dat kan in gradaties en over verschillende sporen: van een bescheiden getuigenisgeloof (niet bang zijn om te bidden bijvoorbeeld in een overwegend seculier gezelschap), over sociale werken en dienstverlening, tot regelrecht activisme voor de christelijke waarden. Het probleem is allicht dat het om een continuüm gaat, waarin het ene in het andere overvloeit, zonder scherpe opdeling of grenzen. De mate van evangelisch activisme verschilt van kerk tot kerk en van organisatie tot organisatie, maar ook binnen kerken en organisaties kunnen leiders en achterban op een andere golflengte zitten. In de praktijk zijn het meestal de radicaalste leiders die het felst tegen de seculiere samenleving van leer trekken, die ook het meest in de kijker lopen. Dat verhardt en vertekent het beeld van de evangelische beweging als geheel; alsof het om een massief rechts-conservatief blok gaat, dat een radicale kruistocht voert. In werkelijkheid is het eerder een netwerk, kluwen of wolk, met rafelige randen.

Bovendien spelen er niet alleen verschillen in de mate van activisme. Ook de politieke strekking van dat activisme kan opmerkelijk uiteenlopen. Sinds 2000 is er een atypische maar betekenisvolle links-evangelische stroming gegroeid die aandacht vraagt voor sociale kwesties als armoede, internationale rechtvaardigheid, oorlog en vrede, milieu en klimaat. Cizik erkent dat zonder omwegen. 'Ongeveer 40% van de evangelische christenen mag je als traditionalisten beschouwen. Veertig procent neemt een centrumpositie in en de resterende 20% zijn modernisten. Die laatste groep is politiek eerder links georiënteerd.' De verscheidenheid aan opvattingen werd in 2004 door de NAE erkend en vastgelegd in een manifest. 'Er heeft zich een heuse transformatie voltrokken in de beweging in het eerste decennium van de nieuwe eeuw. We spreken niet meer uitsluitend over de cultuur die op drift zou zijn en in tegenspraak met de Bijbelse waarden, we hebben ook met succes internationale thema's op de agenda gezet, zoals Darfur, de millenniumdoelstellingen of het klimaat.'

In de visie van Cizik, op het moment van onze ontmoeting, is de NAE een ruim huis met vele kamers. Dat aartsconservatieve predikanten als Jerry Falwell of Pat Robertson in dezelfde beweging zitten als progressieve anti-oorlogsactivisten als dominee Jim Wallis, vindt hij prima. Al geeft hij toe dat er soms discussies oplaaien over wie nu wie vertegenwoordigde. Het thema van de klimaatverandering is een sprekend voorbeeld daarvan. Voor linkse evangelische christenen is de strijd tegen de opwarming van de aarde gestoeld op de Bijbelse missie van de mens die zorg moet dragen voor Gods Schepping *(creation care)*. Voor een groot aantal geloofsgenoten daarentegen, onder meer verenigd in de Cornwall Alliance, staat het alarmerende klimaatdenken gelijk aan een motie van wantrouwen ten opzichte van Gods Almacht en Voorzienigheid. De voorgestelde maatregelen 'zouden enkel kunnen worden doorgevoerd door een enorme en gevaarlijke uitbreiding van de overheidscontrole over het privéleven.' Nog anderen bekijken de klimaatverandering vanuit een eschatologisch perspectief: als een van de tekenen van het einde der tijden. Als mens mag je die vooral niets in de weg leggen. Zoveel visies op het klimaat in een beweging, dat lijkt toch wat te botsen en te wringen.

Richard Cizik behoorde tot de groep die actie voorstond; dat lokte steeds meer kritiek uit van conservatieve, klimaatsceptische geloofsgenoten. Toen hij bovendien ook op andere punten een liberale lijn begon te verdedigen (hij toonde begrip voor samenlevingscontracten voor homo's), groeide het protest zo sterk aan, dat hij ontslag moest nemen als vicepresident en woordvoerder van de NAE. Cizik had de grenzen van het evangelische pluralisme afgetast en klaarblijkelijk overschreden.

Het gedwongen ontslag van Cizik kwam er eind 2008, na de historische verkiezingszege van Barack Obama. Heel wat evangelische gelovigen hadden, tegen de traditie in, voor Obama gestemd. Die had zelf in de campagne ook doelgericht aansluiting gezocht bij de beweging. Bij mijn bezoek aan de NAE had Cizik het al aangekondigd: 'Er gelden nieuwe spelregels nu. Als evangelische christenen zeggen we nu klaar en duidelijk: we zijn niet meer het bijhuis van de Republikeinse partij. Ik wil dat de evangelische kiezers ongebonden zijn, *up for grabs* en dat de beide politieke partijen op ons mikken en aantonen dat hun beleidsvoorstellen een Bijbelse visie reflecteren.' Mogelijk was zijn vertrek ook een reactie op die electorale verschuivingen. De conservatieve vleugel van de NAE liet even zien wie de baas was, als een gekwetst dier dat zijn staart roert.

Evangelisch gelijkschakelen met rechts en conservatief is dus te kort door de bocht, maar de rechts-conservatieve krachten zijn er wel in geslaagd om de machtigste middelen te mobiliseren. Tot nader order – en ondanks nieuwe linkse thema's als armoede of klimaat – domineren zij nog altijd de christelijke politieke agenda. Ze bedienen zich niet enkel van kerken, maar ook van universiteiten en seminaries, radio- en tv-stations en vooral van pressiegroepen en denktanks. Het loont de moeite om dat theoconservatieve machtsblok in vogelvlucht te overschouwen.

Megakerken

De uithangborden van de beweging zijn vaak evangelische predikanten en hun lokale kerken, zoals de eerder genoemde Thomas Road Baptist Church, de megakerk van Jerry Falwell in Virginia. Andere bolwerken van heilig conservatisme zijn de Coral Ridge Presbyterian Church in Florida van wijlen James Kennedy of de Cornerstone Church van de christelijke zionist John Hagee in het Texaanse San Antonio. Andermaal is voorzichtigheid geboden: niet elke megakerk is militant conservatief. Heel vaak verdringt het showelement en de happy popcultuur de traditionele streng-christelijke boodschap. Dat is ook het geval in de grootste megakerk van het land, de Lakewood Church van Joel Osteen in Houston, waar elk weekend meer dan veertigduizend gelovigen samenkomen. Je hebt ook megakerken en predikanten die politieke thema's aansnijden vanuit een open en centristische visie, een beetje zoals Richard Cizik. Zo heeft de invloedrijke Rick Warren in zijn Saddleback Valley Community Church in Californië (meer dan twintigduizend kerkgangers) tijdens de verkiezingscampagne van 2008 zowel John McCain als Barack Obama uitgenodigd. En Bill Hybels van de Willow Creek Community Church nabij Chicago (bijna vijfentwintigduizend bezoekers) lokte Bill Clinton naar een van zijn Leadership-conferenties.

Hoewel de megakerken relatief jong zijn als fenomeen, zijn ze geworteld in een veel oudere Amerikaanse traditie. In het historische overzichtshoofdstuk kwamen de negentiende-eeuwse camp meetings al aan bod, waar duizenden religieuze gelukzoekers samenstroomden en in een wat koortsige sfeer baden, zongen en naar lange preken luisterden. Na de Tweede Wereldoorlog blies de evangelische predikant Billy Graham die traditie nieuw leven in met zijn zogenaamde kruistochten. Als een popster trok hij van stadion naar arena en hij liet zelfs circustenten opslaan om duizenden tegelijk te kunnen toespreken. Die massaspektakelsfeer sloeg aan en de mobiele festivals vonden een vervolg in stenen kerkpaleizen. Vanaf de jaren 1970 werden er op steeds meer plaatsen steeds grotere tempels neergepoot. Op dit moment tellen de vs meer dan duizend protestantse megakerken: kerkgemeenten waar wekelijks tenminste tweeduizend gelovigen een viering bijwonen.

Blijkbaar houden Amerikanen van religieuze massabijeenkomsten. Sociologen leggen een verband met de groei van de suburbs, de uitgestrekte eenvormige slaapsteden die in de jongste decennia rond grootsteden als Houston, Atlanta of Los Angeles zijn uitgedeind. In die steden strijken Amerikaanse gezinnen neer van heinde en ver. Vaak hebben ze geen wortels, verleden of relaties in de omgeving. De megakerken bieden een platform voor eerste sociale contacten en een springplank om diepere netwerken uit te bouwen via de talrijke ministries van de kerkgemeenschap: catechese, Bijbelstudie, gebedsgroepen, liefdadigheidswerk en missieprojecten. Tegelijk biedt het massakarakter een comfortabele anonimiteit en een ruimte van vrijblijvendheid aan wie de kat uit de boom wil kijken.

Juist daarom zullen veel predikanten van megakerken een behoedzame toon aanslaan over politieke strijdthema's. Ze kunnen er moeilijk voetstoots van uitgaan dat alle aanwezigen – grotendeels een anoniem publiek – op dezelfde ideologische lijn zitten. Overigens is het wettelijk verboden om in de kerk expliciete politieke steun te betuigen aan een partij of kandidaat; anders verliezen de kerken hun statuut van goed-doelorganisatie, waarvoor giften fiscaal aftrekbaar zijn. Bovendien sluiten veel megakerken eerder aan bij een charismatische dan bij een militant activistische traditie; de nadruk ligt meer op liturgie en persoonlijke biecht en bekering, dan op een maatschappelijke boodschap. Nogal wat megakerken behoren formeel tot de charismatische stromingen en denominaties. Ook in de megakerken die zichzelf het etiket evangelisch opkleven staat meestal de spirituele dimensie centraal: bekering, wedergeboorte, belijdenis en genezing.

Wat megakerken tot potentiële bastions van de rechts-conservatieve beweging maakt, is hun uitstraling en financiële draagkracht.
Bijna alle megakerken zijn van start gegaan in de spreekwoordelijke
schuur of garage. De stichters-predikanten – begiftigd met charisma,
retorisch talent of koopmansgeest – wisten hun kerkgemeente gestaag
uit te breiden. Ofwel omdat de buurt waar ze zich nestelden nog
volop in uitbreiding was en een godsdienstig braakland ofwel omdat
ze gelovigen wegplukten uit traditionelere kerken. Voor sommige
pastors werd zelfs een kerk met tienduizend zitjes nog te klein voor
hun ambities. Hoe talrijker hun gelovigen opdaagden, hoe groter bovendien hun mogelijkheden en middelen, want kerkgangers in Amerika dragen flink bij tot de kerkelijke financiën. Op die manier, als
een bedrijf dat groeit en diversifieert en zich op nieuwe activiteiten
stort, zijn veel predikanten buiten hun kerk ook scholen, universiteiten, missies, actiegroepen en vooral media gaan uitbouwen. En die
zijn vaak wel te situeren in rechts-conservatieve hoek.

Bidden op de buis

Voor een succesvol predikant is het een kleine stap van de kansel
naar de studio. De grote pionier van de religieuze uitzendingen was
de katholieke priester Charles Coughlin die in de jaren 1920 al een
miljoenenpubliek bereikte via de ether. Nu zijn er honderden radio-
predikanten en tientallen televangelisten in het getouw. Zap tijdens
het weekend door het Amerikaanse kabelaanbod en je stuit voortdurend op sermoenen en gospelgezang. Heel veel megakerken streamen
hun vieringen live of zetten ze later op het internet; of na afloop kan
je ze podcasten of kopen op DVD. Bovendien zit een groot aantal suc-
cespastors op de kabel – lokaal, regionaal of nationaal. Er zijn er die
de kerkdiensten live laten uitzenden, zoals Joel Osteen van de Lakewood Church. Anderen richten zich vanuit de studio rechtstreeks tot
de kijkers met commentaren bij de Schrift en de actualiteit.

De bekendste televangelist van de VS is de baptistische dominee
Pat Robertson. Hij heeft zich van meet af aan op kijkers en luisteraars
gestort. In 1960 al kocht hij een lokaal radiostation in Virginia; in
1977 sleepte hij een eerste kabelkanaal in de wacht. Daarmee bouwde hij een klein media-imperium uit, het Christian Broadcasting Network (CBN). Inmiddels heeft CBN zijn distributiekanalen verkocht en

zich toegespitst op de productie van christelijk geïnspireerde nieuws-
en praatprogramma's. In *CBN NewsWatch*, het dagelijkse journaal,
zie je de ankers pauzeren met een meditatief moment of een opdracht
tot gebed, toepasselijk aansluitend bij het voorafgaande nieuwsitem.
Het bekendste CBN-programma is de talkshow *The 700 Club*, waarin ook Robertson zelf zijn inzichten prijsgeeft. Zijn aparte kijk op
historische gebeurtenissen heeft stof doen opwaaien. Na de aanslagen
van 11 september mediteerde hij met Jerry Falwell over de oorzaken
van zoveel rampspoed. De beide mannen concludeerden dat de voorstanders van abortus, de homo's en lesbiennes, de feministen en zelfs
de aanhangers van een seculier Amerika het leed over de natie hadden afgeroepen. '*I point the finger in their face and say: you helped
this happen*,' donderde Falwell. Robertson beaamde dat. Nog opmerkelijker was zijn lezing van de vernietigende aardbeving in Haïti, in
januari 2010. Dat was volgens de tv-predikant het gevolg van een pact
dat de Haïtianen destijds met de duivel hadden gesloten om onder
het juk van de Fransen uit te komen. De Fransen waren vertrokken,
maar sindsdien ging het land gebukt onder ellende en armoede. Voor
veel Amerikanen zijn nieuwsprogramma's als die van CBN de enige
informatiebron over de actualiteit.

In dit vluchtige overzicht kan ook James Dobson moeilijk ontbreken. Hij is geen dominee, maar psycholoog. Sinds 1977 voert hij vanuit een streng christelijke inspiratie een kruistocht voor traditionele
gezinswaarden. Zijn *Focus on the Family*-praatje werd jarenlang door
duizenden lokale radiostations uitgezonden en tientallen tv-zenders
namen de televisieversie over. Met het wetenschappelijk gezag van
een gediplomeerd psycholoog ging hij tekeer tegen homofilie, de seksuele voorlichtingsprogramma's op openbare scholen of het gebrek
aan discipline in de moderne opvoedingspraktijken. Dobson heeft als
geen ander de media – en niet de kerk – gebruikt om uit te groeien
tot een van de invloedrijkste boegbeelden van de christian right.

Focus on the Family is intussen veel meer dan een radiorubriek.
Het is een uit de kluiten gewassen organisatie die ook tijdschriften
produceert, luisterspelen, video's en boeken. Een vergelijkbaar me-
diabastion van de evangelische beweging is Christianity Today International, in 1956 gesticht door Billy Graham; het bedrijf geeft elf
christelijke tijdschriften uit. In het zuiden van de VS heb je een keten
van meer dan honderd christelijke boeken- en platenwinkels, de Life-
way Christian Stores. Je vindt er massa's kinderbijbels en christelijke

literatuur, maar ook een indrukwekkende collectie relipop: religieuze popmuziek, gaande van gospels over countryrock tot heuse relimetalrock. Er is Bijbels kaftpapier te koop naast christelijke drinkbekers: gadgets en merchandising voor de verspreiding van de Blijde Boodschap.

De winkelketen is een bijhuis van de Southern Baptist Convention (SBC), een baptistische denominatie met een overwegend evangelische theologie en liturgie. De conventie groepeert naar eigen zeggen zestien miljoen leden en 42.000 kerken in de VS en is een van de machtigste spelers in het christelijk-conservatieve krachtenveld. De politieke woordvoerder van de SBC, Richard Land, behoorde tot een kransje van evangelische kopstukken dat in nauw contact stond met het Witte Huis van George W. Bush.

De christelijke lobby

Om in het Witte Huis en in het Congres op Capitol Hill voet aan de grond te krijgen, heeft de conservatief-christelijke beweging nochtans eigen, gespecialiseerde structuren opgezet. Bij nader onderzoek van de organigrams en bestuursraden blijkt dat heel wat namen geregeld terugkomen; de ene organisatie stuurt vertegenwoordigers naar de beheerscomités van de andere en vice versa. Dat zou kunnen betekenen dat de lobby breder en gewichtiger lijkt dan hij in werkelijkheid is. In elk geval blijven alle pressiegroepen tegelijk actief, ieder met zijn specifieke deelagenda en liggen ze permanent op vinkenslag. Zonder volledigheid na te streven, zetten we de belangrijkste spelers op een rijtje.

De Christian Coalition of America (CC) werd in 1989 opgericht door Pat Robertson. Die had in 1988 tevergeefs een gooi gedaan naar de Republikeinse nominatie voor de presidentsverkiezingen. Hij kwam tot de conclusie dat conservatieve christenen politiek gemobiliseerd moesten worden. De CC zou hen daarbij de weg wijzen, met behulp van kiezersgidsen waarin de kandidaten op het christelijk gehalte van hun stemgedrag beoordeeld werden. Op die manier wist de CC in vele lokale en nationale verkiezingen grote invloed uit te oefenen. In 2000 wierp ze zich onder meer in de strijd voor George W. Bush. Daarna begon haar invloed wat te tanen. In 2006 beleefde de organisatie een leiderschapscrisis, vergelijkbaar met wat Richard

Cizik overkwam bij de NAE. De nieuw verkozen voorzitter Joel Hunter, een predikant uit Florida, wou ook klimaat en armoede op de agenda zetten. Toen dat verzet uitlokte, stapte hij op nog voor hij goed en wel was aangetreden.

De Family Research Council is het politieke verlengstuk van *Focus on the Family*. De organisatie is denktank en pressiegroep tegelijk; ze stuurt zogenaamde deskundigen als praatgasten naar talkshows en nieuwsprogramma's, organiseert petities en lobbyt bij de congresleden. Haar stokpaardjes zijn het huwelijk (en een verbeten strijd tegen het homohuwelijk), abortus en seksuele onthouding voor wie niet getrouwd is. Die laatste ambitie wordt ook uitgedragen door het Abstinence Clearing House, gesticht en geleid door Leslie Unruh.

Om holebi's te helpen bij de zogenaamde genezing of bevrijding van hun seksuele geaardheid is een netwerk uitgebouwd van meer dan 150 zelfhulpgroepen en counselingdiensten. De website maakt meteen duidelijk waar het op staat: 'Wij geloven dat God homoseksualiteit wil genezen door zijn Kerk. Vrijheid is mogelijk door Jezus Christus!' De beweging werd een beetje in verlegenheid gebracht toen twee mannelijke oprichters ervan, Gary Cooper en Michael Bussee, met elkaar een relatie begonnen en concludeerden dat het hele idee van genezing fout en belachelijk was.

Ook de vrouwenorganisatie Concerned Women for America (CWA) gooit zich in de strijd voor familiewaarden. 'De missie van CWA is de Bijbelse waarden onder alle burgers te beschermen en te bevorderen, allereerst door gebed, dan door opvoeding en tenslotte door onze samenleving te beïnvloeden, om op die manier het verval van morele waarden in ons land om te keren.' De groep is opgericht door Beverly LaHaye, echtgenote van Tim LaHaye, auteur van de apocalyptische Left Behind-boekjes.

Een ander thema dat behoorlijk veel christelijke gemoederen beroert, is het onderwijs over de evolutieleer. Bijbelvaste gelovigen vinden de darwinistische kijk op de wereld ofwel ronduit godslasterlijk, ofwel een eenzijdige interpretatie van de feiten. Zij eisen in het onderwijs ruimte voor een christelijk geïnspireerd creationisme (de scheppingsleer zoals die in de Bijbel staat) of voor een modernere variant daarop, de theorie van *intelligent design*. De strijd tegen het Darwindictaat wordt gedragen door machtige organisaties die zich graag een wetenschappelijk aura aanmeten, zoals het Institute for Creation Research, Answers in Genesis of het Center for Science and Culture.

Haast al deze organisaties worden professioneel geleid, gebruiken de nieuwste marketingtechnieken en webtoepassingen en slagen er in om tonnen geld binnen te halen. De kans is groot dat de jongere stafleden van de denktanks en pressiegroepen oud-leerlingen zijn van het Patrick Henry College (PHC), een universiteit in Virginia die specifiek is opgericht voor voormalige homeschoolers. De instelling biedt onder meer een opleiding politieke wetenschappen aan en van daaruit stromen heel wat studenten door naar stageplaatsen (en misschien een vaste baan) in de conservatief-christelijke lobby. Ook regeringsinstanties en congresleden doen een beroep op hen. In de lente van 2004 bleken er zeven studenten van het PHC tegelijk stage te lopen in het Witte Huis van George W. Bush. Voor de oprichter van de universiteit, Michael Farris, is dat de vervulling van een droom. Hij wil een *Generation Joshua* uitsturen: jonge Amerikanen die van kindsbeen af christelijk thuisonderwijs hebben gekregen en die klaargestoomd worden om leidende posities in te nemen in het toekomstige Amerika. Een gelijknamige jeugdbeweging biedt onlinecursussen in politiek aan en mobiliseert haar leden om mee te werken aan verkiezingscampagnes.

Op die manier is de cirkel rond. Van de eerste leesboekjes tot de eerste jobs, van het hoogst persoonlijke privédomein tot de publieke en politieke arena, alles wordt gecoverd en gecaterd door een machtige conservatief-christelijke zuil. Daarbinnen zit veel kruisbestuiving en overlapping en niet alle delen van het geheel ademen een even star of agressief conservatisme uit. Als geheel blijft het echter een indrukwekkende falanx, die de voorbije twintig jaar steeds zelfbewuster in de aanval is gegaan.

Kruisen en kerstwensen

In de zomer van 2008 besloot het parlement van de staat Zuid-Carolina dat nummerplaten voortaan ook in een christelijk-religieuze versie zouden worden aangeboden. Naast het cijfer zou een groot kruis komen, tegen de achtergrond van een kerkelijk glasraam, met daarbij het onderschrift: '*I believe.*' Wie dat wou, kon zulk een plaat aankopen voor een zacht meerprijsje van zes dollar – genoeg om de extra productiekosten te betalen. Voor een goed begrip: tal van verenigingen in South Carolina laten speciale nummerplaten maken;

die kosten doorgaans veel meer en zijn dan bedoeld om de vereniging te sponsoren. Een nummerplaat met een extra symbool is dus geen bijzonderheid, al was er in dit geval geen enkele vereniging die er voordeel bij had. Enkele actiegroepen die bekommerd zijn om de strikte scheiding van kerk en staat trokken naar de rechtbank. Anderhalf jaar later gaf een federale rechter hen gelijk: door de christelijke nummerplaat aan te bieden leek de staat Zuid- Carolina een specifieke geloofsovertuiging te bevoorrechten – en dat is in strijd met het Eerste Amendement van de Amerikaanse grondwet. De Republikeinse adjunct-gouverneur, André Bauer, reageerde ontstemd en noemde het vonnis 'discriminatie tegen gelovigen' en 'een aanval op het christendom'.

In de nacht van 31 juli op 1 augustus 2001 werd een kolossaal monument geïnstalleerd in het Hooggerechtshof van Alabama. Het was een granieten blok van meer dan twee ton waarop twee stenen tabletten rustten met daarop de Tien Geboden. Het monument was gemaakt in opdracht van de nieuwe opperrechter, Roy Moore. Die had vroeger als gewone rechter al een controverse uitgelokt door elke zitting te beginnen met een gebed; aan de muur had hij toen houten tafelen met de Tien Geboden bevestigd. Moore wist dat zijn monument zou provoceren en zoals verwacht trokken organisaties zoals de American Civil Liberties Union naar de rechtbank. Zij voerden aan dat het monument 'een signaal stuurde aan iedereen die het Hooggerechtshof bezocht dat de staat de joods-christelijke godsdienst aanmoedigde en officieel bekrachtigde'. Zowel in eerste aanleg als in beroep wonnen de aanklagers het pleit. Moore kreeg de opdracht het monument te laten weghalen, maar de opperrechter weigerde en werd uiteindelijk, in november 2003, uit zijn ambt gezet. De verdedigers van het seculiere Amerika hadden de zaak gewonnen. Moore was in Alabama en daarbuiten echter wel uitgegroeid tot een held van de christelijk-conservatieve beweging. Een groep veteranen nam het granieten monument zelfs mee op een tournee doorheen het land, als symbool van verdrukking en verzet.

Beide incidenten zijn illustratief voor de spanning tussen secularisme en geloof in het Amerikaanse staatsbestel. De Founding Fathers kozen uitdrukkelijk voor een absolute godsdienstvrijheid met twee gelijkwaardige keerzijden, vastgelegd in het Eerste Amendement van de Grondwet: niemand mocht gedwongen worden tot een particuliere geloofsovertuiging en dus mocht de staat geen enkele geloofs-

overtuiging officieel verankeren (de zgn. *Establishment Clause*). Omgekeerd mocht ook niemand in zijn geloofsovertuiging belemmerd
worden *(Free Exercise Clause)*. Tussen die twee polen worden voortdurend conflicten en rechtszaken uitgevochten. Voeg daarbij nog de
Freedom of Speech-bepaling die in hetzelfde Eerste Amendement
gebeiteld staat en je vindt munitie bij de vleet om echte of vermeende
discriminatie van een godsdienstige overtuiging aan te vechten. De
installatie van een Tien Geboden-monument in het Hooggerechtshof
van Alabama laat wellicht weinig ruimte voor interpretatie. Hier is
overduidelijk een loopje genomen met de verplichte neutraliteit van
een officieel overheidsorgaan (de Establishment Clause). Maar wat
te denken van de nummerplaten in Zuid-Carolina? Als hondenclubs
en baseballteams hun eigen versie krijgen, waarom gelovige christenen dan niet? Kunnen de voorstanders van de i believe-platen niet
terecht aanvoeren dat hun vrijheid van godsdienst en van expressie
gefnuikt wordt? Of is hier iets anders aan de hand en zijn de zogenaamde christelijke slachtoffers van discriminatie in werkelijkheid
in de aanval gegaan? Waren de nummerplaten eigenlijk bedoeld om
het christelijke karakter van Zuid-Carolina te versterken? Soms heeft
het er inderdaad alle schijn van dat conflicten doelbewust worden
uitgelokt.

    Eind 2004 was er bijvoorbeeld heel wat te doen over een zoge-
naamde georchestreerde aanval op Kerstmis. In Californië dook een
actiecomité op, het Committee to save Merry Christmas, dat de strijd
aanbond met de groep rond warenhuisketen Macy's. Aanleiding was
het feit dat in de winkels in de eindejaarsperiode niet langer het opschrift *Merry Christmas* werd gebruikt, maar het seculiere Happy
Holidays. Macy's voerde aan dat ze met die wensformule meteen alle
religieuze en etnische festiviteiten konden aanduiden die in november en december plaatsvinden (zoals ook het joodse chanukkah). De
keuze was zowel praktisch als aangepast aan het multiculturele cli-
enteel. Die uitleg leek alleen maar meer olie op het vuur te gooien
en de rechts-conservatieve zender Fox News begon de controverse
gretig uit te melken. Presentator Bill O'Reilly maakte een serie onder
de naam *Christmas under Siege*, om aan te tonen dat Kerstmis in de
vs steeds meer in de hoek werd geduwd. Dat was geen toevallige ver-
watering van tradities, maar een regelrecht complot: 'Seculiere pro-
gressieven beseffen dat Amerika nooit akkoord zal gaan met het homohuwelijk, late abortus, euthanasie, gelegaliseerde drugs, inkomens-

verdeling door belastinghervorming en veel andere progressieve ideeën, omdat daar verzet tegen rijst op godsdienstige gronden. Maar als ze de godsdienst kunnen vernietigen in de publieke arena, dan wordt de heerlijke nieuwe progressieve wereld een mogelijkheid.'

Volgens O'Reilly was er dus meer aan de hand dan ruzie om christelijke symbolen. Allicht had hij gelijk, maar dan omgekeerd: dit soort symbolenstrijd lijkt voor de conservatieve christenen een manier om controverse uit te lokken, waarna ze vanuit een verontwaardigde slachtofferrol naar hartenlust en professioneel kunnen mobiliseren. Een monument, een kerstboom of een nummerplaat wordt dan plots een kwestie van primordiaal belang. Politici worden gedwongen zich uit te spreken in de discussie en voetje voor voetje op te schuiven in de richting van de conservatief-christelijke agenda. Het moet gezegd dat de overspannen politieke correctheid, typisch voor de vs, de zaak niet altijd vooruit helpt. Soms gaan rechters of overheden zo ver in hun seculiere ijver, dat ze de christelijk-conservatieve stoottroepen een geweldige voorzet geven om te scoren.

De symbolenkwesties gaan uiteindelijk over de vraag of Amerika herkenbaar christelijk mag zijn in de publieke arena. Voor alles wat met de overheid en officiële instanties te maken heeft, is het legalistische antwoord – op basis van de Grondwet – negatief. Toch zie je ook daar al inconsequenties. Want in de *Pledge of Allegiance*, de belofte van loyaliteit aan de vlag en de natie, is sinds 1954 de formule '*under God*' toegevoegd. Bovendien besluit elke president elke grote toespraak met de woorden '*God bless you, and God bless America*'. Die verwijzingen zijn gemeengoed geworden en slechts sporadisch voorwerp van kritiek of van een rechtszaak. Van daaruit is een gebedje op school maar een kleine stap, zelfs als dat een publieke school is. Anders gezegd, er blijft veel dubbelzinnigheid hangen in de theorie en praktijk van Amerika's seculiere staatsinrichting. Dat stookt het gehakketak verder aan. Wat voor de een een onschuldige uiting is van het traditionele christelijke erfgoed van het land, is voor de ander een aanslag op de verplichte neutraliteit en op de diversiteit van de moderne samenleving. Bovendien reikt de discussie soms veel verder dan een kerststal of een kruisje op een nummerplaat.

Creationisme

Net zoals christelijke actiegroepen gewag maken van discriminatie als ze bepaalde symbolen in het publieke domein achterwege moeten laten, zo klagen ze ook over onderdrukking en discriminatie als het over het onderwijs gaat – met name in biologie en geschiedenis. In tenminste tien staten van de vs zijn er pogingen gedaan om het onderricht in de evolutieleer van Darwin aan banden te leggen, in discrediet te brengen of – bij wijze van balans – te laten vergezellen door creationistische lessen. In sommige gevallen werd de strijd daarover tot in de rechtszaal uitgevochten.

In het jonge Amerika werd het Bijbelse scheppingsverhaal onderwezen. De evolutieleer van Darwin dateert pas van 1859 en drong slechts geleidelijk door in de vs. Toen meer en meer scholen die nieuwerwetse visie in de klas brachten, raakten fundamentalistische predikanten en politici gealarmeerd. Ze startten een campagne om het onderricht in Darwins ideeën ronduit te verbieden. In de zuidelijke Bijbelvaste staat Tennessee lukte dat ook. Toen de jonge biologieleraar John Thomas Scopes dat verbod naast zich neerlegde, werd hij aangeklaagd. Het proces, bijgenaamd het *Scopes Monkey Trial* (1925), werd een testcase met nationale uitstraling. Scopes moest de duimen leggen; de wet in Tennessee bleef van kracht. Ook in andere zuidelijke staten werden lessen in de evolutieleer verboden.

Veertig jaar later kwam daar verandering in, toen ook het federale Hooggerechtshof zich met de kwestie ging bemoeien. In 1968 verklaarde het Hof een wet uit Arkansas, die de evolutieleer uit de scholen bande, ongrondwettelijk. Daarmee was een regelrecht verbod op Darwin nergens meer mogelijk. Een volgende krachtmeting kwam er in 1987, toen het Hof een wet uit Louisiana onder de loep nam die de scholen verplichtte om creationisme te doceren telkens als de evolutieleer werd onderwezen. Ook die wet vond geen genade in de ogen van de rechters.

Het leek erop dat de creationisten het pleit daarmee verloren hadden, maar ze hergroepeerden en reorganiseerden zich. De scheppingsleer werd in een nieuwe, wetenschappelijke taal gegoten, die van het intelligent design (ID). Daarin volgen ze de bevindingen van wiskunde, fysica, chemie of biologie, als instrumenten om de wereld te beschrijven en om bepaalde processen te verklaren. Als begin- of sluitstuk van alles claimen ze echter een bovennatuurlijke oorzaak, een intelligente ontwerper. Daarmee gieten ze een religieuze, christelijke visie in een wetenschappelijk jargon. Tegelijk proberen ze zo de evolutieleer op wetenschappelijke gronden te ondermijnen en voor te stellen als slechts een theorie of interpretatie die best getoetst kan worden aan andere theorieën.

Voorstanders van ID boekten her en der tactische overwinningen. In een aantal staten (Kansas, Pennsylvania en Ohio) zijn kortstondig richtlijnen van kracht geweest (ofwel op het niveau van de staat, ofwel in lokale schooldistricten) die verwijzingen naar ID verplicht maakten. Op andere plaatsen (Georgia, Alabama) werden stickers aangebracht op de officiële handboeken biologie. Die stickers waarschuwden de leerling dat de evolutieleer 'slechts een theorie is en geen feitenkennis'. Al die maatregelen zijn op bevel van de rechter of door nieuwe bestuurders herroepen, maar de ID-beweging zoekt telkens opnieuw naar sluipwegen om haar ideeën in het openbaar onderwijs binnen te smokkelen.

Het Center for Science and Culture (CSC) is de grote drijvende kracht achter het herverpakte creationisme. Volgens Michelle Goldberg gaan de ambities van het centrum veel verder dan enkel een scheppingselement vrijwaren in het biologie-onderricht. Zich baserend op een intern document van het CSC uit 1999 waarschuwt Goldberg dat het centrum een wig wil drijven in de materialistisch-wetenschappelijke visie op wereld en maatschappij. Want als de Amerikanen begrijpen dat voor een goed begrip van aarde en natuur een goddelijke sleutel is vereist, dan kan dat inzicht ook dagen voor de andere wetenschappen, inclusief de sociale en politieke disciplines. 'Het plan is om de fysische wereldbeschouwing van de Verlichting te ondermijnen om uiteindelijk ook de sociale erfenis van de Verlichting te kunnen aanvallen. Wat de auteurs van 'The Wedge Strategy' willen is niet alleen de onttroning van Darwin – het gaat hun om het idee dat waarheid niet zonder verwijzing naar het goddelijke zeker kan worden gesteld.'

Een vergelijkbare discussie is opgeflakkerd over de accuraatheid van het geschiedenisonderwijs. Zoals homeschool-ouders Scott en Nadine al aangaven, zijn de courante handboeken in de ogen van veel christelijke Amerikanen te seculier van toon. Zij benadrukken dat de eerste kolonisten en pioniers naar Amerika kwamen met religieuze motieven en met een godsdienstige agenda (en dat is waar). Ze zijn er ook stellig van overtuigd dat de historische en heroïsche Founding Fathers van de vs een christelijke natie voor ogen hadden (en dat is veel minder zeker).

Ook hier gaat het om meer dan een theoretische discussie of een verschil in accenten of interpretaties. Als bij steeds meer Amerikanen het idee postvat dat de vs als christelijke natie in de steigers zijn gezet, brengt dat onvermijdelijk het seculiere karakter van het staatsbestel zelf aan het wankelen. Veel succes heeft het allemaal nog niet, maar in een beweging als de Tea Party Movement vloeien nostalgisch nationalistische herinneringen aan de Amerikaanse Revolutie, een verheerlijking van de *Constitution* en de Founding Fathers en christelijk-conservatieve reflexen schijnbaar probleemloos in elkaar over.

Geloof en wetgeving

Tot nu toe ging het over de strijd om symbolen en ideeën; om wat christenen mogen uiten en denken, beleven en leren in het publieke domein. Christelijke groepen oefenen echter ook een invloed uit op het gedrag van de burgers: op wat Amerikanen mogen en moeten doen, zowel in het openbaar als in hun intiemste privéleven. Ze wegen op beleidskeuzes en wetten die niet alleen gelden voor de geloofsgenoten, maar voor alle medeburgers.

Neem een eenvoudig voorbeeld als alcoholconsumptie. Het is bekend dat de vs tijdens het interbellum veertien jaar lang de productie en verkoop van alcohol hebben verboden: de *Prohibition* of drooglegging. Dat verbod was er gekomen na aanhoudend verzet tegen dronkenschap en saloonbezoek – een uitwas van de snelle industrialisatie en verstedelijking. Protestantse kerken en met name de methodistische kerk, waren de drijvende kracht achter die protestbeweging. In 1919 haalden ze hun slag thuis; het verbod werd zelfs in de grondwet verankerd via het Achttiende Amendement. De drooglegging leidde echter tot zulk een spectaculaire opbloei van de illegale drankproductie en van de georganiseerde misdaad, dat de pas verkozen president Franklin Roosevelt er een punt achter zette. Het Eenentwintigste Amendement maakte een einde aan het nationale verbod op alcoholverkoop, maar liet de staten vrij om beperkingen op te leggen.

Sindsdien hebben alle staten de algemene droogleggingswet geschrapt. In Utah – een staat waar de helft van de bevolking tot de Mormoonse kerk behoort – mag alcohol enkel geschonken worden in restaurants en over de toonbank gaan in staatswinkels. In drieëndertig staten kunnen lokale besturen beperkingen of een verbod afkondigen. Zo zijn er meer dan vijfhonderd droge gemeenten, waar geen druppel alcohol te krijgen is. Leg de kaart van de droge gebieden op Amerika's religieuze kaart en je merkt een duidelijke correlatie: streng Bijbelvaste gebieden houden meestal niet van alcohol. In sommige staten of steden is alcohol enkel verboden op zondag. Ook dat zegt genoeg over de godsdienstige achtergrond van de regelgeving.

De christelijke moraal heeft in het verleden eveneens een grote invloed uitgeoefend op de wetgeving over seksualiteit en het huwelijk. Nog steeds is overspel in meer dan twintig staten een misdrijf. Er wordt alleen nog uiterst zelden vervolging ingesteld. Seks voor of buiten het huwelijk is in een aantal staten eveneens verboden, maar ook dat is een papieren wet. Het zijn relicten uit het verleden, zonder veel relevantie voor de huidige krachtsverhouding tussen kerken en staat. Daarnaast hielden zowat alle staten er wetten op na die sodomie verboden; in de praktijk werden die voornamelijk ingezet tegen homoseksuelen. Christelijke opvattingen hebben uiteraard een overheersende rol gespeeld in het Amerikaanse denken over homofilie en bepaalde christelijke actiegroepen blijven homoseksualiteit afwijzen als moreel verderfelijk of als een psychische of seksuele stoornis.

Je zou verwachten dat een diep religieus land als de VS grote waarde zou hechten aan het instituut van het huwelijk. Nochtans is uit de echt scheiden in Amerika relatief gemakkelijk. Vanaf 1970 begonnen de staten een na een de procedure te vereenvoudigen en het principe te aanvaarden van de schuldloze scheiding. Sindsdien is het aantal echtscheidingen spectaculair geklommen. Rond het begin van het millennium liep een op de twee huwelijken op een scheiding uit. De laatste jaren is dat cijfer weer wat gezakt – al was het alleen maar omdat er ook minder getrouwd wordt. Kortom, de vrijwaring van het huwelijk lijkt een strijd die de christelijke lobby reddeloos verloren heeft. Allicht daarom is ze aan een nieuwe campagne begonnen: de promotie van het verbondshuwelijk.

De *covenant marriages* zijn huwelijken die gesloten worden na een grondiger voorbereiding en die niet zo makkelijk kunnen ontbonden worden. Vooraf krijgen de koppels uitleg, advies en begeleiding *(premarital counseling)* en moeten ze een intentieverklaring ondertekenen. Daarin beloven ze om moeilijkheden in de relatie te trotseren en niet zomaar van elkaar weg te lopen. Eenmaal getrouwd

gelden alleen zware feiten als verschoningsgrond voor een echtscheiding: geweld, overspel of een misdrijf dat uitmondt in een langdurige
gevangenisstraf. Meestal hebben die verbondshuwelijken alleen betekenis binnen de groep van gelovige gelijkgezinden en hebben ze geen
wettelijke waarde. In drie staten (Louisiana, Arkansas en Arizona) is
het verbondshuwelijk evenwel als een aparte optie in de huwelijks-
wetgeving verankerd. Dat betekent dat een echtscheiding daar wel
degelijk moeilijker wordt voor wie voor die formule gekozen heeft.
Echtparen die vroeger gewoon getrouwd zijn, mogen hun huwelijk
omzetten in een verbondshuwelijk.

De gewezen gouverneur van Arkansas en presidentskandidaat
Mike Huckabee gaf op Valentijnsdag 2005 het goede voorbeeld. In
een sportarena in Little Rock hernieuwden hij en zijn vrouw hun hu-
welijksbeloften en stapten ze in een verbondshuwelijk. Meer dan
duizend getrouwde echtparen deden het hun na. Hoewel het verbondshuwelijk slechts een optie is, naast de gebruikelijke huwelijksverbin-
tenis, illustreert het overduidelijk hoe christelijke actiegroepen de
volksvertegenwoordigers nieuwe wetsvoorstellen kunnen influiste-
ren.

In een moderne, seksueel vrijgevochten maatschappij kan de ijver
waarmee christelijke groepen, zoals de Abstinence Clearing House,
jongeren op het hart drukken om seks uit te stellen tot na het huwelijk een beetje wereldvreemd lijken. Toch is er strikt genomen geen
vuiltje aan de lucht als ze, als gelovigen onder elkaar, die waarden en
normen willen verdedigen. Pas als ze actie ondernemen om hun
eigen ideaalbeeld op te dringen, dreigen ze de diversiteit en het pluralisme van de samenleving op de proef te stellen. Dat laatste leek
even te gaan gebeuren toen een vaccin werd ontwikkeld tegen het
HP- of papillomavirus dat baarmoederhalskanker kan veroorzaken.
Dat virus wordt seksueel overgedragen en dus verdient het aanbeve-
ling om jonge meisjes, nog voor ze seksueel actief worden, met het
vaccin in te enten. Een medewerkster van de Family Research Council verzette zich in eerste instantie tegen vaccinatie van tienermeisjes, 'omdat ze het zouden kunnen zien als een vrijbrief om al voor
het huwelijk seks te hebben'. Die regelrecht negatieve reactie is in
de FRC-brochures intussen afgezwakt tot bedenkingen ('wie zich ont-
houdt van seks, heeft niet meteen zo'n vaccinatie nodig'), maar het
voorbeeld illustreert hoe religieuze morele overwegingen kunnen
binnensluipen in wat louter een wetenschappelijke en medische be-

leidsdiscussie zou moeten zijn. Overigens trekt ook de Republikeinse presidentskandidate Michele Bachmann graag van leer tegen het HP-vaccin en vaccinatiecampagnes.

De bekendste en meest verbeten gevechten tussen militant gelovige en seculiere Amerikanen worden uitgevochten op het terrein van leven en dood. In de VS doen weinig thema's de gemoederen zo hoog oplaaien als abortus. In het verlengde daarvan is ook de vraag gerezen welk soort stamcelonderzoek mag worden toegelaten of steun van de overheid mag krijgen. De zaak Terry Schiavo heeft bovendien de delicate discussie over levensbeëindiging op een dramatische wijze op de spits gedreven. In al die campagnes zijn het niet enkel evangelische leiders of streng protestantse kerkgemeenten die het voortouw nemen. De conservatief-evangelische lobby heeft voor leven-en-dood-thema's een machtige bondgenoot gevonden in de katholieke kerk.

Katholieken in de prolifebeweging

Met haar zevenenzestig miljoen kerkgangers en meer dan negentienduizend kerkgebouwen is de rooms-katholieke kerk de grootste zelfstandige denominatie van de VS. In haar maatschappelijke oriëntatie leunt ze veel nauwer aan bij het Vaticaan dan veel katholieke kerkprovincies in Europa. Ze is tegelijk progressief en conservatief: een grote sociale bewogenheid gaat hand in hand met een strenge maatschappijkritiek. De katholieke bisschoppen in de VS zijn niet bang om tegen gevestigde opvattingen in te gaan of die ideeën nu als conservatief of modern, links of rechts worden beschouwd.

Voor sociale thema's als armoede en rechtvaardigheid zit de kerk in het progressievere kamp. Net als hun protestantse en evangelische collega's zullen katholieke priesters tal van sociale initiatieven nemen – gaarkeukens, voedselbanken, hulp bij opleidingsprogramma's enz. De katholieke hiërarchie spreekt uitdrukkelijk haar steun uit aan overheidsprogramma's van herverdeling en armoedebestrijding, terwijl veel evangelische kopstukken daar juist huiverig tegenover staan. Het is geen toeval dat de Democraten in Amerika veel kiezers vinden in katholieke rangen.

Ook als het over de doodstraf gaat houdt de katholieke kerk consequent een eigen lijn aan. Twee op de drie Amerikanen vinden een doodvonnis een billijke straf voor een moordenaar. De bisschoppen daarentegen verzetten zich. Ze zijn niet overtuigd van het afschrikkingseffect en ze wijzen op het risico dat een onschuldige veroordeeld wordt. Hun leidende principe is het respect voor de heiligheid van het leven 'in alle levensfasen'. Juist daarom, op basis van diezelfde basiskeuze, scharen ze zich hard en onbuigzaam aan de kant van het ongeboren leven.

Sinds het arrest van het Hooggerechtshof *Roe vs. Wade* uit 1973 is abortus in de vs een gewaarborgd recht, waar weinig beperkingen voor gelden. Een moeder mag kiezen voor zwangerschapsonderbreking tot op het moment waarop een foetus buiten de moederschoot levensvatbaar is. De rechters hebben die periode niet strikt willen afbakenen, maar geven aan dat je gewoonlijk mag uitgaan van vierentwintig tot achtentwintig weken. Daarna kan abortus alleen nog als het leven of de gezondheid van de moeder in gevaar is. Staten mogen daarin geen verdere beperkingen laten gelden. In de praktijk verschillen staten en regio's in de beschikbaarheid en toegankelijkheid van abortusklinieken. Dat heeft veel te maken met de overheersende publieke opinie en dus met de invloed van kerken en christelijke pressiegroepen.

Ook voor 1973 werden er jaarlijks al honderdduizenden abortussen uitgevoerd in de vs en wellicht werd een groot aantal nooit gemeld of geteld. Na Roe vs. Wade werd er onmiskenbaar een toename genoteerd: tot een miljoen in 1977 en een miljoen vierhonderdduizend in 1991. Daarna zakte het officiële cijfer, tot ruim achthonderdtwintigduizend in 2007. Zelfs wie het recht op abortus maximaal wil vrijwaren, gaat toch de wenkbrauwen fronsen bij die statistieken; er schort blijkbaar nog wat aan geboorteregeling en het gebruik van anticonceptiva in de vs. Christelijke actiegroepen spreken over 'massamoorden' en 'genocide'.

De rechters hebben met Roe vs. Wade een netelige kwestie beslecht die in veel andere landen door de wetgever is uitgeklaard, maar het Congres heeft naderhand nog wel één beperking goedgekeurd: een verbod op de zogenaamde *partial birth*-abortus. Bij die procedure wordt een foetus in een stuitligging door het geboortekanaal getrokken, tot aan de nek. Daarna wordt de foetus, met een insnijding in de schedel, gedood. Een deel van het lichaampje komt dus levend naar buiten, het hoofdje niet meer. Onder president George W. Bush stemde het Congres een verbod op deze procedure. Er volgden rechtszaken om die wet aan te vechten, maar in 2007 werd het verbod door het Hooggerechtshof bekrachtigd. Sindsdien is de techniek verboden, al mag een arts die ervoor wordt aangeklaagd een hoorzitting vragen voor de medische raad; hij moet dan bewijzen dat de procedure noodzakelijk was voor het welzijn van de moeder.

Het is illustratief voor het soort geladen polarisatie dat in Amerika wel vaker om zich heen grijpt, dat het abortusdebat door twee kampen wordt beheerst: de *pro-lifers* en de *pro-choicers*. Alsof de verdedigers van de keuzevrijheid van de moeder per definitie het leven zouden minachten; of alsof iedereen die vraagtekens zet bij de liberale abortuswetgeving geen begrip zou kunnen hebben voor noodsituaties van ongewenst zwangere vrouwen. In Amerika word je al gauw gedwongen om een extreme kant te kiezen. Het moet hierbij gezegd dat de agressieve anti-abortushouding van christelijke kerken veel olie op het vuur heeft gegooid. Het helpt ook niet dat sommige militante groepen zich tegelijk tegen abortus, anticonceptie en zelfs seksuele voorlichtingsprogramma's kanten; want om het eerste te vermijden kan het laatste zeker helpen. Je vraagt je ook af waarom heel wat Amerikaanse protestanten zo vurig de belangen van het ongeboren leven behartigen en tegelijk de doodstraf, wapenbezit en militaire operaties toejuichen. Wat dat betreft is de katholieke hiërarchie in de vs – die veel kritischer staat tegenover de doodstraf en geweld – tenminste wat rechtlijniger. In de strijd tegen abortus zijn de bisschoppen en katholieke actiegroepen dan weer uitermate star en onverzoenbaar.

Op 22 januari 2009, amper twee dagen na de historische eedaflegging van Barack Obama als nieuwe president, stroomde in Washington alweer een massa mensen toe. De dag was niet toevallig gekozen: 22 januari is de verjaardag van het Roe vs. Wade-vonnis. De zowat tweehonderdduizend manifestanten waren met bussen aangevoerd vanuit het hele land. Op de spandoeken las ik heel wat namen van katholieke scholen. De leerlingen verzekerden mij dat ze uit vrije wil waren gekomen en scandeerden met groot enthousiasme slogans als *'Roe v Wade is a lie, babies do not choose to die'* en *'A person's a person no matter how small'*. In de massa stapten tientallen bisschoppen en honderden priesters mee in zwarte pakken met Romeinse boord. Een dame uit Illinois (de thuisstaat van de nieuwe president) droeg een pancarte met het wrange opschrift *'What if his mama had aborted Obama'*.

De manifestanten hadden het met name gemunt op de *Freedom of Choice-Act* (FOCA): een wetsvoorstel om de legalisering van abortus voor eens en voorgoed in de wetgeving in te schrijven en om gelijke toegang te garanderen tot abortusklinieken voor alle Amerikanen. De wet zou fundamenteel niet veel toevoegen aan de situatie die al na Roe vs. Wade bestond. Hij zou alleen de uitvoering ervan versterken. De sponsors van het wetsvoorstel waren ook bezorgd over een herziening van Roe vs. Wade door een nieuw samengesteld Hooggerechtshof – een mogelijkheid die nooit kan worden uitgesloten. De demonstranten in Washington herinnerden zich hoe Obama als senator het wetsvoorstel mee gesteund had. Ze vertrouwden hem voor geen haar en vreesden dat hij als president de vrijheid van abortus nog verder zou oprekken.

In werkelijkheid lag het FOCA-voorstel, zowel in het Huis van Afgevaardigden als in de Senaat, veilig in de spreekwoordelijke ijskast. Enkele maanden na zijn aantreden verklaarde Obama dat het wetsvoorstel voor hem 'niet zijn hoogste prioriteit was'. Met grote ambities op zijn to do-lijstje, zoals de hervorming van de ziekteverzekering of een klimaatwet, bedankte Obama voor een grotendeels principiele krachtmeting over abortus. Ook de Democraten maakten er absoluut geen haast mee. Natuurlijk hadden de politieke adviseurs van de prolifebeweging dat kunnen weten, maar angst is een sterke motor voor mobilisatie en de anti-abortusbeweging – inclusief de katholieke kerk – speelde daar gretig op in.

Katholieke power brokers

Goed een jaar later lukte het de katholieke bisschoppen ei zo na om Obama's gezondheidsplan definitief te torpederen, enkel en alleen op basis van de abortusdiscussie. Het verhaal illustreerde als geen ander hoe de katholieke kerk in de VS gewrongen zit tussen sociale bewogenheid en morele gestrengheid. Tegelijkertijd toonde het ook aan welk een geduchte medespeler de christelijke prolifebeweging kan zijn, zelfs op sleutelmomenten van historische wetgeving.

De katholieke kerk steunde in principe Obama's ambitie om veertig miljoen niet-verzekerde Amerikanen te helpen een ziekteverzekering te nemen. Ze steunde ook het wetsvoorstel dat het Huis van Afgevaardigden daarvoor had goedgekeurd in november 2009, maar ze verzette zich tegen de versie die de Senaat had gestemd, daags voor Kerstmis; volgens de bisschoppen zou het senaatsvoorstel belastinggeld vrijmaken voor abortusingrepen. Het hele plan was erop gericht om voor lagere inkomensgroepen een ziekteverzekering te subsidiëren. Als zo'n polis ook abortus dekte, zou abortus uiteindelijk met federaal belastinggeld worden terugbetaald. In de wetsversie van het Huis waren genoeg garanties ingebouwd om dat risico te vermijden, vonden de bisschoppen. In de senaatsteksten was dat niet meer het geval.

Als het wetgevende werk zijn normale verloop had kunnen volgen, hadden beide kamers van het Congres een compromisversie uitgewerkt, waarover ze allebei opnieuw zouden stemmen. De garanties tegen abortus zouden daarin vermoedelijk zijn ingeschreven. Door een onverwachte verkiezingszege van de Republikeinen in Massachusetts speelden de Democraten in de Senaat hun speciale meerderheid van zestig tegen veertig echter kwijt. Dat betekende dat de Republikeinse oppositie, die koste wat het kost de gezondheidsplannen van Obama wou kelderen, elk nieuw voorstel in de senaat kon tegenhouden. De ziektewet maakte alleen nog kans als een nieuwe stemming in de Senaat kon worden vermeden.

Met een speciale top over gezondheidszorg op het Witte Huis deed Obama een laatste poging om een aantal Republikeinen aan zijn kant te krijgen. Toen dat niet baatte, restte de Democraten enkel nog een spitsvondige omweg: de *reconciliation*-procedure. Het Huis zou dan de eerste senaatsversie overnemen. Daarna zouden vertegenwoordigers van het Huis en de Senaat samen een aanvullend pakketje wijzigingen uitwerken, onder meer de garanties in verband met abortus. Huis en Senaat zouden dan beide opnieuw moeten stemmen over dat aanvullend pakket, maar in de Senaat zou een gewone meerderheid volstaan. Het Republikeins verzet zou op die manier vruchteloos blijven.

Dat plan leek moeilijk mis te kunnen lopen. In het Huis van Afgevaardigden hadden de Democraten per slot van rekening een comfortabele meerderheid van tweehonderddrieënvijftig tegen honderdzevenenzeventig. Toch werd het nog een dubbeltje op zijn kant en een thriller tot in de laatste uren voor de stemming. De uitkomst hing af van de uiteindelijke keuze van een dozijn twijfelende Democraten voor wie abortus de grote struikelsteen was.

In de weken voor de cruciale stemming in het Huis, op 21 maart

2010, hebben de katholieke bisschoppen foldertjes laten verspreiden in de kerk met hun bezwaren tegen de voorliggende senaatswet. Ze riepen gelovigen op om hun congresleden te bellen en hen op het hart te drukken dat deze wet geen ja verdiende. Ze waren bereid om het grote sociale project van Obama, om elke Amerikaan uitzicht te bieden op een ziekteverzekering, koel en cynisch ten gronde te richten, enkel en alleen omwille van hun zorgen over abortus.

Toch waren er katholieke tegenstemmen. Een federatie van katholieke ziekenhuizen riep op om voor de ziektewet te stemmen, net als een organisatie die zo'n zestigduizend vrouwelijke religieuzen vertegenwoordigde. De organisatie Catholics United wierp zelfs tv-spotjes in de strijd. De voorstanders voerden aan dat een goede en betaalbare gezondheidszorg juist een wapen is in de strijd tegen abortus. Een betere medische begeleiding kan leiden tot een betere geboorteregeling en jonge vrouwen die onbedoeld zwanger zijn, zullen sneller besluiten het kind te houden als ze niet in armoede gevangen zitten.

Het laatste zetje dat nodig bleek om een handvol katholieke congresleden over de streep te trekken, was een belofte van president Obama om de gevraagde anti-abortusgaranties nog eens uitdrukkelijk in een presidentieel uitvoeringsbesluit te gieten. Bart Stupak, die was uitgegroeid tot het boegbeeld van het katholieke abortusgeweten, ging overstag en een aantal collega's volgden hem. Na negen uren van woelig en bitter debat moest het Huis van Afgevaardigden over de senaatsversie van de gezondheidswet beslissen. Uiteindelijk haalde het ja-kamp zeven stemmen meer dan de tegenstanders: tweehonderdnegentien tegen tweehonderdentwaalf. De historische ziektewet was goedgekeurd, maar het was op het nippertje. Stupak werd het mikpunt van schimpscheuten, bedreigingen en hatemail.

Katholieke activisten waren ook erg betrokken bij het weinig fijnzinnige gevecht over Terri Schiavo. Die strijd sleepte zeven jaar aan en culmineerde in een krachtmeting tussen de drie klassieke machten: de rechters, de wetgevers en twee gebroeders Bush als de protagonisten van de uitvoerende macht.

Terri Schiavo had in 1990, op 26-jarige leeftijd, een beroerte gekregen. Ze was daarna in een permanente vegetatieve toestand terechtgekomen. Haar echtgenoot Michael vroeg de rechter in 1998 om haar voedingssonde te verwijderen, om haar te laten sterven. Terri's ouders verzetten zich daartegen. Dat was het begin van een uitgesponnen juridisch gevecht, waarbij rechters beurtelings het bevel gaven de sonde weg te nemen en ze te laten zitten. In 2003, toen de sonde werd verwijderd, kwam het parlement van Florida tussenbeide: in een speciale wet *(Terri's law)* kreeg gouverneur Jeb Bush de bevoegdheid om in te grijpen. Hij liet Terri Schiavo weghalen uit het verzorgingstehuis waar ze verbleef en naar een ziekenhuis overbrengen waar opnieuw een sonde werd ingeplant. Een nieuwe reeks rechtszaken volgden en in 2004 werd de speciale wet door het Hooggerechtshof van Florida vernietigd.

Begin 2005 kwam het tot een nieuwe confrontatie, toen rechter George Greer alle verzoeken voor uitstel en alternatieve voedingswijzen afwees en de sonde andermaal liet verwijderen. Dat was het signaal voor een nieuwe, grootscheepse mobilisatie van christelijke actiegroepen. Omdat de familie van Terri katholiek was, mengden ook katholieke prolifegroepen zich in het debat. Een radicale katholieke anti-abortusmilitant, Randall Terry, wierp zich op als woordvoerder van de ouders en familie van Terri Schiavo. De bisschoppen daarentegen hielden zich in dit verhaal eerder afzijdig.

Nadat de sonde op 18 maart verwijderd was, kwam het Congres in Washington in actie. Beide kamers namen een wet aan die de bevoegdheid over de Schiavo-zaak overhevelde naar de federale rechtbanken. President Bush kwam speciaal vanuit zijn vakantieverblijf in Texas overgevlogen om de wet te ondertekenen. Toch was dat manoeuvre een maat voor niets. Ook de federale rechtbanken wezen alle verzoeken om Schiavo in leven te houden van de hand en het Hooggerechtshof in Washington weigerde tussenbeide te komen. Daarmee waren alle rechtsmiddelen voor de familie uitgeput. Op 31 maart 2005 kwam er een einde aan de krachtmeting, toen Terri Schiavo overleed.

Gevaarlijk geloof

Het Schiavo-verhaal was in wezen een pijnlijk en delicaat meningsverschil tussen een echtgenoot en zijn schoonfamilie. Door de gretigheid waarmee christelijke actiegroepen partij kozen en de zaak in de media brachten, werd het een grotesk spektakel. Het was de ultieme illustratie van de strijd tussen kerk en staat die in Amerika voortdurend onder de oppervlakte borrelt en af en toe hoog en venijnig oplaait. Tegelijk toonde het conflict aan hoezeer de rechterlijke en wetgevende macht in Amerika met elkaar op gespannen voet kunnen staan. Twee keer kwam de wetgevende macht tussenbeide – eerst het parlement van Florida en daarna het Congres in Washington – om met ad-hocwetgeving het conflict te beslechten zoals de christelijke activisten het eisten. De rechters stelden zich op als de behoeders van de wet en van het seculiere staatsbestel.

In feite hebben de rechters de voorbije veertig jaar die rol wel vaker op zich genomen – en dat is de radicaal-conservatieve pressiegroepen een doorn in het oog. Juist daarom hebben leidende figuren van christelijk-rechts een wetsvoorstel gelanceerd om het federale Hooggerechtshof (en lagere federale rechtbanken) de bevoegdheid te ontnemen om te oordelen in geschillen waarbij de religieuze vrijheid in het geding is. Voor deze *Constitution Restoration Act* baseren ze zich op het Eerste Amendement dat in hun ogen vooral bedoeld was om individuen te vrijwaren van buitensporige federale macht, zeker inzake geloofs- en gewetenskwesties. In de praktijk zou de wet het onmogelijk maken om wetten of vonnissen die op staatsniveau zijn afgekondigd nog op het hogere federale niveau aan te vechten voor zover het om materie gaat met godsdienstige inslag. In streng-christelijke staten zou dat de wetgevers en de rechters de ruimte geven om stukje bij beetje een conservatief-christelijke agenda te realiseren. Creationistisch onderwijs, een verbod op abortus of zelfs discriminerende maatregelen tegen homoseksuelen zijn dan niet langer uitgesloten.

Daarmee zijn we opnieuw bij de essentie van dit hoofdstuk beland. Als christelijke kerken ter sprake komen in een betoog over Amerika's kleurrijke diversiteit, is dat vooral omdat juist zij de culturele diversiteit en het levensbeschouwelijke pluralisme het sterkst in vraag stellen. Zoals eerder al werd geïllustreerd, lokken ook moslims of joodse Amerikanen culturele en sociale conflicten uit. Soms eisen ze zoveel ruimte voor zichzelf op, dat het vervelend en belastend wordt voor de andere groepen in hun omgeving. Toch heeft geen van beide godsdienstige groepen, voor zover bekend, de ambitie om de hele natie naar zijn hand te zetten en te bekeren. Ze aanvaarden de verscheidenheid van de Amerikaanse mozaïek en proberen hooguit hun eigen steentjes en vlakken te vergroten of te beveiligen. Bepaalde christelijke kerken en actiegroepen daarentegen zijn nog steeds niet in het reine met het pluralistische en veelkleurige karakter van de samenleving. Zij gaan prat op het christelijk-Amerikaanse erfgoed en op een soort eerstgeboorterecht. Die opstelling zou veel problematischer kunnen worden voor Amerika dan een lokaal conflict over islamitische minaretten of over de eruv die een joodse wijk begrenst. Ze raakt het hart van de identiteitsvraag van Amerika: wie zijn we en wie willen we zijn?

De vraag is eigenlijk niet nieuw. In de periode tussen de Burgeroorlog en de Tweede Wereldoorlog probeerde de Ku Klux Klan het protestantse Amerika te vrijwaren van alle joodse, katholieke, zwarte en communistische invloeden. De Klan nam daarvoor zijn toevlucht tot brandstichting, lynchpartijen en geweld. De moderne christelijke stoottroepen gebruiken doorgaans vreedzame methoden en blijven binnen de perken van de wet. Toch is het bijzonder zorgwekkend dat er al zeker acht artsen en medewerkers van abortusklinieken koudweg vermoord zijn door prolife-activisten.

Ook de bomaanslag van 1995 tegen een FBI-gebouw in Oklahoma, waarbij 168 mensen omkwamen, kan indirect in verband worden gebracht met een krachtmeting tussen kerk en staat. Dader Timothy McVeigh had niet toevallig 19 april gekozen om toe te slaan: de tweede verjaardag van het beleg van Waco, toen de FBI de ranch van de Branch Davidian-sekte bestormde. De autoriteiten verdachten de sekte van kindermisbruik en het stockeren van illegale wapens. Ze hadden gerechtvaardigde en zelfs dringende motieven om op te treden, maar de bestorming liep uit de hand, de ranch vatte vuur en zesenzeventig sekteleden kwamen om. Op die manier groeide Waco uit tot een symbool van onderdrukking door de federale overheid. De Branch Davidians waren een apocalyptische sekte uit de religieuze marge, maar voor extreemrechtse kringen stonden ze symbool voor het recht op godsdienstvrijheid en op ongebreideld wapenbezit. Soms stoot je in Amerika op een bizarre maar gevaarlijke mix van patriottisme, anarchisme en militarisme; vaak sijpelt daar ook religieus fanatisme doorheen.

Getuigen hebben later bevestigd dat er in Waco sprake was van kindermisbruik. In zo'n geval moet de staat zijn werk doen en tussenbeide komen. Dat gebeurde ook met de leider van de Fundamentalist Church of Jesus Christ of Latter Day Saints (FLDS), een scheurgroep van de mormonen. Warren Jeffs kreeg in 2007 een levenslange gevangenisstraf omdat hij als sekteleider minderjarige meisjes had toegewezen en uitgehuwelijkt aan sommige van zijn groepsleden. In

2008 bestormde de Texaanse politie opnieuw een ranch van de FLDS, na telefoontjes waarin aangifte werd gedaan van gedwongen 'spirituele huwelijken'. Op vraag van de dienst kinderbescherming werden vierhonderdtweeënzestig minderjarigen meegenomen en in instellingen geplaatst. Toen later bleek dat de telefoontjes vals waren geweest, lieten de rechters de kinderen terugbrengen naar de ranch. In de pers rees er kritiek op het overijverige optreden van de regeringsinstanties; ook nu weer werd er gewag gemaakt van een aanval op de godsdienstvrijheid. Niettemin bleken de angstige vermoedens van de overheid niet helemaal ongegrond. Drie mannen van de ranch werden veroordeeld voor seksuele aanranding. In een verklaring – die als een bekentenis kan worden beschouwd – beloofde de FLDS geen huwelijken meer te sluiten met minderjarigen.

Het verhaal laat hoe dan ook een bittere nasmaak en doet lastige vragen rijzen: wanneer wordt godsdienstvrijheid wetteloosheid of machtsmisbruik? En wanneer wordt het respect voor de vrije geloofsbeleving een vorm van schuldig verzuim? In Amerika bestaat daar nog lang geen consensus over.

Diversiteit in de kerk

Tenslotte blijken heel wat christelijke kerken ook intern te worstelen met Amerika's diversiteit. De uitspraak is onderhand een cliché, maar nergens is Amerika nog zo gesegregeerd als in de kerk op zondagochtend. In tal van methodistische, baptistische, evangelische en charismatische kerken zijn de gelovigen tot de laatste man zwart. Als speciale genodigde mocht ik ooit vooraan komen zitten in de Empowerment Temple van dominee Jamal Harrison-Bryant in Baltimore. Duizenden zwarten zongen en wiegden, riepen en klapten in de handen tijdens de verhitte en opzwepende preek en hielden mij ietwat verbaasd maar vriendelijk in de gaten. Slechts diep in de achterste rijen zat nog een enkele verdwaalde blanke ziel. Volgens Harrison-Bryant had dat vooral te maken met demografie: Baltimore is voor driekwart een zwarte stad. Wellicht weet hij ook zonder meer de juiste snaar te beroeren.

De dominee was vroeger burgerrechtenactivist, maar startte in 2000 zijn eigen kerkgemeente. 'Ik wou een kerk opstarten die een mix bood van sociaal activisme en spirituele verheffing, vandaar de

naam Empowerment Temple,' legde hij me uit. Met zijn kerk wil hij
een eigentijds activisme belichamen, om de moderne en nieuwe vormen van racisme en achterstelling tegen te gaan. Harrison-Bryant
hield daarover een strak en sluitend betoog; maar tegelijk straalde
zijn optreden, dure kleding en entourage ook het beeld uit van de geslaagde, gladde selfmademan die van zijn megakerk een commercieel
succes had gemaakt. Ik ben er nog steeds niet uit of hij een belangrijk
en bezielend leider is of een gehaaide charlatan of misschien beide
tegelijk.

Wat er ook van zij, zwarte Amerikanen houden hun zondagsdien-
sten graag in eigen groep, met eigen dominees en liturgische accenten. Dat fenomeen is uiteraard ook in de geschiedenis geworteld. Ten
tijde van de slavernij en later de segregatie, waren zwarte Amerikanen
meestal verplicht om aparte diensten te houden. Dat resulteerde in
afzonderlijke zwarte denominaties, zoals de African Methodist Epis-
copal Churches of A.M.E.-kerken.

Ook hispanics hebben zo hun eigen kerken, vooral in het zuiden
van de VS. Zo kunnen ze hun zondagsdienst in het Spaans beleven.
Toch zijn kerken net zo goed *melting pots*. Zeker evangelische megakerken aan de buitenrand van grootsteden lokken vaak een opvallend gemengd publiek van blanken, latino's en zwarten. Het bindele-
ment is in die kerken meer klasse (met name middenklasse) dan kleur.

Na eeuwen van comfortabele gemoedsrust is recent ook de diversiteit der geslachten – de vraag naar de plaats van de vrouw in de kerk
– een bron van kopzorgen geworden. In de episcopaalse kerk (de anglicaanse kerk in de VS) is die strijd intussen beslecht. In 2006 werd
Katherine Jefferts Schori verkozen tot voorzitter van de episcopaalse
bisschoppen. Zo werd zij de eerste vrouwelijke primaat binnen de
wereldwijde anglicaanse gemeenschap. Niettemin waren daar decennia van twijfels en theologische disputen aan voorafgegaan. Vandaag
is tenminste een op de vier priesters in de episcopaalse kerk een
vrouw. Ook de methodisten, de AME-kerken en sommige presbyteriaanse federaties aanvaarden intussen vrouwelijke voorgangers en
kerkbestuurders. In andere denominaties – en tot nader order ook in
de katholieke kerk – blijft dat taboe.

Nog gevoeliger ligt de vraag of homoseksuelen priester of bisschop
kunnen worden. Zolang ze hun geaardheid verborgen hielden, was
dat geen probleem. Toen in 2003 de openlijk homoseksuele Gene
Robinson tot bisschop werd gewijd in de episcopaalse kerk van New

Hampshire, bleek dat voor heel wat parochies echter een brug te ver. Het leidde in 2008 tot een heuse afscheuring van bijna achthonderd kerkgemeenten en tot de oprichting van een nieuwe denominatie, de Anglican Church of North America. Alweer een jonge twijg aan de religieuze boom en een levendig bewijs dat de spanningen rond diversiteit ook brokken maken binnen de kerken.

Het religieuze landschap in Amerika is opgedeeld in formele denominaties, op basis van theologische en liturgische stijlverschillen. Het valt nog verder uiteen langs raciale, etnische en linguïstische lijnen, maar op de achtergrond speelt er doorgaans nog een ander onderscheid: dat tussen arm en rijk. In een en dezelfde stad kan je meerdere kerken vinden van dezelfde denominatie: de First Baptist Church en de Second Baptist Church, de First Presbyterian en de Second Presbyterian, enzovoort. In de stad Dalton bezocht ik de First Presbyterian Church: een gemeente van nog geen duizend zielen, maar glimmend groot en rijk, met een gymzaal, kleuterklasjes en lokalen waar menige school jaloers op zou zijn. Allemaal betaald door de gulle gelovigen. Daar moest heel wat geld achter zitten. Volgens een bewoner van de stad – zelf geen lid van de kerkgemeente – was het een behoorlijk gesloten en uniform blank wereldje, waarin families aanstuurden op onderlinge huwelijken. Zo bleven status en inkomenspeil gehandhaafd: de kerk als relatiebureau en als instrument van zelfbehoud voor een welgestelde elite. In *First*-kerken zou je dat vaker zien. Ik heb die visie over het First en *Second*-onderscheid getoetst bij een bekend Amerikaans godsdienstsocioloog. Hij waarschuwde dat elke lokale situatie anders is, dat de situatie van kerken kan evolueren en dat je dus nooit te snel conclusies mag trekken. Hij erkende evenwel 'dat er een kiem van waarheid in zat'.

Het staat in elk geval vast dat Amerikaanse kerken – met of zonder nummertjes – gedeeltelijk ook op klassenverschillen zijn gestoeld. Amerikanen verfoeien het socialisme en hebben weinig op met de klassenstrijd. In werkelijkheid is de samenleving nochtans, meer dan hen lief is, gelaagd in inkomenssegmenten, beroepsgroepen en opleidingsniveaus. In een overzicht van het diverse en veelkleurige Amerika komen de oude categorieën van *blue collar* en *white collar* nog prima van pas.

Witte boorden, blauwe boorden

Well we're living here in Allentown
And they're closing all the factories down
Out in Bethlehem they're killing time
Filling out forms
Standing in line

And we're waiting here in Allentown

BILLY JOEL

Het is het putje van maart en de lente is niet ver meer, maar in Illinois vriest het nog altijd stenen uit de grond. Stampvoetend en in dikke jassen geperst, staan een veertigtal mensen met bordjes in de hand bij de bibliotheek van Bloomington. Ze luisteren naar toespraakjes en joelen vrolijk als een voorbijrijdende automobilist uit sympathie zijn claxon laat toeteren. Dit is een actie ter ondersteuning van de vakbonden, die in steeds meer staten in de hoek worden gedreven. In de nasleep van de recessie moeten gouverneurs en staatsparlementen drastisch bezuinigen en om sneller en vrijer te kunnen snoeien in de overheidsdiensten willen ze de onderhandelingsmarge van de bonden inperken. Die discussie is al een tijdje aan de gang en heeft de strijdbaarheid van de bonden, ironisch genoeg, nieuw leven ingeblazen. Vandaag zijn er in diverse steden, in diverse staten, *rallies* als deze in Bloomington: een middelgrote stad in centraal-Illinois, die er in de winterse avondkou nogal mistroostig bij ligt. Er zitten veel leerkrachten bij de groep. De meesten zijn vijftigers of ouder. 'Wij zeggen neen aan de aanvallen op de bonden en de middenklasse!' roept een vrouw die met een megafoon op een trapladdertje is geklommen. 'En ja aan de Amerikaanse droom!'

Op nauwelijks zeven meter afstand staan drie mensen schamper te kijken naar de manifestatie. Ze spuien af en toe een afkeurende commentaar. Dat is de lokale Tea Party-groep: twee vrouwen en één man. De Tea Party-beweging heeft zich met enthousiasme aan de kant van de besparende gouverneurs geschaard. Ze verkettert gretig en zonder nuances de hele vakbondsbeweging en houdt haar verantwoordelijk voor de ontspoorde overheidsuitgaven.

Een kleine manifestatie voor en een minuscule tegenbetoging tegen de bonden, op één lapje grond in een kleine stad in het binnenland: de grote controverse van het moment op gewone mensenmaat. Beide partijen zijn mondig en scherp en hun *voxpop* is raak en veelzeggend. Het gaat hier niet om een tegenstelling tussen sociale klassen, maar over sociale klassen. De bonden werpen zich op als de behoeders van de werkende middenklasse; de Tea Party ziet hen als de doodgravers ervan.

'Neem nu de lerarenvakbond,' sneert Diane Benjamin. 'Je kan geen leraar zijn zonder aan te sluiten bij de bond. De leden betalen een bijdrage en de vakbonden betalen de campagnes van de Democraten. Dus zelfs als je een conservatieve leraar bent die niet voor de Democraten wil stemmen, dan nog gaat je geld naar de Democraten. Daardoor krijgen ze die Democraten ook verkozen. Met diezelfde verkozen Democraten onderhandelen ze dan over hun salarissen, hun geweldige ziekteverzekering, hun fenomenale pensioenen en al hun speciale voordelen. De politici betalen hen terug voor bewezen diensten *and that's why we're screwed right now.'* Voor Diane lijdt het geen twijfel dat de begrotingstekorten in de meeste staten niet zozeer te wijten zijn aan de recessie, dan wel aan laksheid en verspilling. De overheid is te groot en te duur geworden en het ambtenarenapparaat is – met de steun van de bonden – uitgegroeid tot een loodzwaar profitariaat.

De leerkrachten in de pro-vakbondsrally denken daar anders over. 'Wij profiteren? De leraars hebben recent nog ingestemd met hogere pensioenbijdragen, terwijl de staat nog voor miljoenen bij het pensioenfonds in het krijt staat,' zegt Sarah. 'We beginnen te vrezen voor ons pensioen. Bovendien zullen leraars die nu aan hun loopbaan beginnen tot hun zevenenzestigste moeten werken. Stel je voor, tot je zevenenzestigste in de kleuterklas! Dat zal scholen ondermijnen. We moeten het nu al met minder personeel doen, voor grotere klassen. De scholen zitten geweldig krap bij kas: we grissen zelfs papier op uit de vuilnisbakken om briefjes voor de ouders te maken!'

Diane heeft geen medelijden. Ze is ook erg gebeten op het principe van de *tenure*: de vaste benoeming in het lerarenkorps. 'Je kan een leerkracht alleen ontslaan tijdens de eerste vier jaar. Daarna zijn ze vastbenoemd en zitten ze veilig: hoe slecht ze ook presteren, je krijgt ze niet de deur uit. Ik zag een uitzending op televisie over New York: daar betalen ze vierduizend leraars om de hele dag niets te doen. Met belastinggeld!' Haar vriend Phil treedt haar bij met een sterk verhaal. 'Weet je dat de vrouw die in Wisconsin verkozen werd tot leerkracht-van-het-jaar aan de deur is gezet toen er bespaard moest worden? Dat kwam omdat ze nog niet lang in dienst was. Het was een jonge lerares en de vakbonden stonden erop dat het principe gevolgd werd: *last in, first out*. Een supertalent, opgeofferd aan de vakbondsregels!'

Sarah wijst die kritiek van de hand. 'In de eerste vier jaar kan je iedereen ontslaan die je wil, zonder reden zelfs. Als je als schoolhoofd in die periode niet in de gaten hebt dat er een probleem is, heb je zelf een probleem. Trouwens, ik wil als leraar zelf ook geen slechte collega's, want misschien krijg ik later hun leerlingen wel in mijn klas. En bovendien ben ik grootmoeder: ik wil toch zeker geen slechte leraars voor mijn kleinkinderen, kom nu!'

Het debat snijdt al wat dieper naar de kern als ik de vraag opgooi of ook de banken geen schuld dragen voor de begrotingsproblemen. Zij lokten immers de financiële crisis uit en dat deed de economie kelderen. Zijn de begrotingsperikelen dan geen late uitloper daarvan? Phil antwoordt met ja en neen. 'Die roekeloze hypotheken werden ook aangemoedigd door de regering, door beide partijen trouwens. Je weet wel, de hypotheekmaatschappijen Freddie Mac en Fannie Mae en wij maar borg staan voor alles wat ze uitleenden. Uiteindelijk moeten wij als belastingbetalers hen en de banken gaan redden. Dat kan niet: als je stomme zakelijke keuzes maakt, moet je de gevolgen dragen. Dat is de vrije markt.'

Tea Party-aanhangers hebben een ingebakken neiging om de fout altijd opnieuw bij de overheid te zoeken. Zelfs als die de slachtoffers van de crisis – de banken of de huiseigenaars – wil te hulp snellen, is

dat voor Phil onaanvaardbaar. 'De regering moet zich niet bezighouden met het afkopen, heronderhandelen of aflossen van hypotheken!'
'Volledig akkoord,' roept Diane. 'Laat de regering zich niet met ons
leven bemoeien! Dat zijn degenen die alles verknoeid hebben, dat
zijn degenen die de banken gedwongen hebben om die riskante leningen te geven. Als bedrijven failliet gaan, laat ze failliet gaan; er zullen
er nieuwe beginnen. Herstelbeleid en financiële stimuli: niks van!'

De aversie van de Tea Party tegenover de bonden gaat samen met
een diep ingesleten wantrouwen tegenover alles wat regering is. Omgekeerd bepleiten de aanhangers van de vakbond juist een sterke
overheid. De ideologische krachtmeting over de bonden is dus ingebed in een breder debat over staat en samenleving. Op een nog fundamenteler niveau, dat niet altijd wordt uitgesproken of onderkend,
gaat het om tegengestelde visies over klassen en ongelijkheid. Voor
de bonden (en een groot deel van de Democraten in het politieke veld)
blijven de verschillen tussen Amerikanen onderling – in kansen, opleiding en inkomen – bepalend genoeg om ze bij te sturen. Voor die
beschermende en corrigerende rol zijn vakbonden nodig en een regering die het speelveld afbakent en bewaakt. Voor de conservatieve
vrijemarktideologen, in Tea Party-groepen en andere cenakels, is er
van ongelijkheid evenwel geen sprake. In Amerika, zo betogen zij,
kan iedereen het maken; de American dream ligt binnen ieders bereik. Hulp van bonden of de overheid vervalst alleen maar de spelregels. Zelfs het begrip van ongelijke kansen wijst Diane van de hand:
'Kijk, ikzelf heb elf jaar gedaan over mijn universitaire studies, omdat
ik maar halftijds kon studeren en halftijds moest werken. Anders kon
ik het niet betalen. Waarom zou iemand dan het recht hebben om op
vier jaar af te studeren, zonder schulden, op kosten van de regering?'

Door de recessie, de Tea Party-beweging en daarna de aanval op
de vakbonden is een weggemoffelde discussie in Amerika de jongste
jaren weer opgelaaid: de vraag naar de ongelijkheid in de samenleving
en het echte of vermeende verschil tussen sociale klassen.

Vakbonden in het defensief

De ambtenarenbond AFSCME, afdeling of *Council* 31, houdt kantoor
op de eenentwintigste verdieping van een prestigieus gebouw op
N. Michigan Avenue in Chicago. Zo te zien zit deze vakbond er nog

warmpjes in, ondanks de aanval op de arbeidersbeweging die vanuit conservatieve hoek is ingezet. Henry Bayer, de voorzitter van de afdeling, overschouwt de situatie. 'Ze proberen ons de rekening door te schuiven voor de recessie en dat niet alleen, ze proberen ons ook de schuld aan te wrijven. Als je naar het gemiddelde salaris kijkt van een leraar of ambtenaar is dat een aardig middenklassenloon, maar rijk word je daar niet van. Een leraar in de vs verdient gemiddeld 40% minder dan wat een doorsnee universitair geschoolde werknemer in de privésector verdient. Het verschil in Europa is veel kleiner en schommelt rond 14%. Daar staat dan inderdaad een aantal voordelen tegenover: je hebt een bescheiden maar zeker pensioen en een ziekteverzekering. Rechts speelt nu op het ressentiment van de mensen door hun afgunst op de ambtenaren aan te wakkeren.'

Het waren precies die voordelen die gouverneurs, staten en steden in het voorjaar van 2011 met de hakbijl te lijf gingen: ziekteverzekeringspolissen en pensioenplannen. Om daar vaart achter te zetten moesten de bonden buitenspel worden gezet. Gouverneur Scott Walker van Wisconsin wees de weg. Voortaan zouden de bonden enkel nog collectieve onderhandelingen mogen voeren over salarissen, niet meer over uitkeringen of verzekeringsplannen. Andere staten volgden met gelijkaardige initiatieven, van Indiana tot Oklahoma. Zelfs aan de links-progressieve oostkust stemde het parlement van Massachusetts een wet in die zin. De leraren- en ambtenarenbonden werden in de hoek gedreven. Ze reageerden met juridische procedures, protestmanifestaties en een bezetting van het parlementsgebouw in Wisconsin. Ze wisten zelfs een zogenaamde *recall*-stembusslag af te dwingen: vervroegde verkiezingen waarin vier Republikeinse parlementsleden in Wisconsin werden uitgedaagd door Democratische tegenstanders. De bonden hoopten dat de kiezer de Republikeinen zou afstraffen, maar het draaide anders uit. Geen enkele Republikein werd weggestemd en de plannen om de onderhandelingsmarge van de vakbonden in te perken werden doorgezet.

De bonden uit de publieke sector vormen het laatste bastion van de Amerikaanse arbeidersbeweging. De syndicalisatiegraad ligt in Amerika bijzonder laag en is de jongste decennia alleen maar dieper gezakt. Gemiddeld bedraagt het lidmaatschap van de vakbond nauwelijks 12%. Bij de ambtenaren is nog bijna 40% gesyndiceerd, maar in de privésector gaat het om amper 7%. De recessie was een uitgelezen kans om ook de overheidsbonden uit te schakelen.

Volgens Henry Bayer waren de werkgevers al lang bezig om, sector per sector en bedrijf na bedrijf, de bonden dood te knijpen. 'Je zou geschokt zijn om te zien waartoe werkgevers bereid zijn om te beletten dat werknemers lid worden van de vakbond of om de bonden buiten het bedrijf te houden. En zelfs als er een vakbond bestaat, is het afdwingen van de arbeidswetgeving bijzonder moeilijk geworden. De sancties op overtredingen zijn zo slap dat veel werkgevers die regelgeving aan hun laars lappen. Stel bijvoorbeeld dat je onterecht ontslagen wordt: dat moeten wij als vakbond eerst en vooral kunnen bewijzen. Als we winnen, moet de werkgever je alleen maar weer aannemen en betalen wat je aan loon bent misgelopen. Daar wordt het salaris wat je intussen misschien elders hebt verdiend van afgehouden. Vergelijk dat met een bankoverval, waarbij de rechter de dieven alleen maar zou vragen om het geld terug te geven. Zoiets is een makkie voor de werkgever. En intussen heeft hij andere werknemers kunnen intimideren...'

Naar Europese maatstaven pakt de bedrijfswereld in Amerika de bonden behoorlijk hard aan. De warenhuisgigant Walmart is een *case in point*: de groep steekt zijn afkeer van de vakbond niet onder stoelen of banken. Bij aanwerving worden personeelsleden gescreend op hun ideeën over arbeidsrelaties. Potentiële lastpakken komen er niet in. Toen de vleessnijders in een winkel in Jacksonville, in Texas, toch een vakbondsafdeling oprichtten, reageerde de directie door de snijders aan de deur te zetten en enkel nog voorverpakt vlees in de rekken te leggen. Bij stakingen is het inhuren van stakingbrekers vaste prik. Werkgevers kunnen hun personeel ook oproepen – of onder druk zetten – om een vakbond weg te stemmen uit het bedrijf, via een zogenaamd decertificatieproces. In een aantal staten, zoals Texas, zijn vakbonden voor overheidspersoneel of leerkrachten bij wet verboden.

Die vakbondsonvriendelijke strategieën verklaren voor een groot deel het schamele lidmaatschap, maar de bonden moeten de hand ook in eigen boezem steken. De verwijten van verstarring en corporatisme zijn vaak terecht. In het verleden hebben bonden in sommige sectoren overduidelijk in de slag gezeten met maffiagroepen. Verder klopt het dat de bonden de campagnekas spijzen van talloze politici, meestal van de Democraten. Henry Bayer in Chicago relativeert het effect daarvan. 'Hier in Illinois hebben we een Democratische gouverneur, die gesteund werd door de bonden. Toch zie je nu dat ook hier flink op de pensioenen wordt bespaard. In de stad Chicago moesten de ambtenaren drieëntwintig onbetaalde verlofdagen opnemen, twee jaar achtereen! Dat de bonden die politici in hun zak hebben, dat is gewoon niet waar.'

Iedereen middenklasse?

Wellicht is er nog een belangrijker en dieper liggende oorzaak voor de lage syndicalisatiegraad. Bonden worden traditioneel geassocieerd met de arbeidersbeweging en de *working class*. In Amerika is dat klassenbewustzijn weinig verspreid en onpopulair. Iedereen beschouwt er zichzelf als middenklasse.

'Eigenlijk gebruiken ze hier het woord *middle class* voor working class,' denkt Bayer. 'Hier heeft nooit een Labourpartij bestaan en de term working class slaat niet aan. Als mensen zichzelf zien als middenklasse en je wil ze toch koste wat het kost arbeidersklasse noemen, zal je hen moeilijker bereiken. Zelfs een alleenstaande moeder die drie jobs moet combineren om haar gezin te onderhouden, denkt van zichzelf dat ze middenklasse is.' Het is een uitspraak die ik in Chicago vaker heb gehoord, zelfs in de arme zwarte South Side: iedereen rekent zich tot de middenklasse, iedereen wil zo graag middenklasse zijn. Henry Bayer geeft toe dat die term een reële tegenstelling maskeert en een ontkenning inhoudt van de nog steeds bestaande klassenverschillen. Alleen sluit het woordgebruik zo prettig aan bij het concept van de Amerikaanse droom. Als iedereen het in principe kan maken, als zelfs de armste stumper kan uitgroeien tot de machtigste tycoon, hebben klassen nog weinig belang als referentiekader.

Vanaf de jaren 1990 sprong zowat de hele Amerikaanse bevolking vrolijk en gretig op een consumptietrein, die zonder veel problemen voortdenderde langs telkens nieuwe en verleidelijke attracties. Er zaten een paar dipjes in het parcours: eerst toen de internetzeepbel barstte en daarna met de aanslagen van 11 september. Maar Alan Greenspan, de voorzitter van de centrale bank, hield de dollar doelbewust goedkoop en de groeitrein op koers. Er doken onverwachte speeltjes op, zoals mobiele telefoons, DVD's, iPads en computergames, als brandstof voor de motoren. Toch was het vooral het huizenpark waar het consumerende volk zich aan vergaapte. Dankzij verbazend goedkoop krediet werd de woningmarkt voor bijna iedereen bereikbaar en in een oogwenk veel te krap. De huizen stegen in waarde en transformeerden zichzelf in bankautomaten. Wie een hypotheek had lopen kreeg, paradoxaal genoeg, nog meer krediet toegespeeld. Goed voor een auto of een breedbeeldscherm. Het huis was telkens het onderpand. De ultieme middenklassendroom – een eigen huis, een eigen wagen – kon voor miljoenen in vervulling gaan.

We weten intussen hoe het is afgelopen: de markt is in elkaar gestuikt. Tenminste twee miljoen huizen werden door de banken aangeslagen, omdat de aspirant-eigenaars de lening niet langer konden aflossen. Terecht krijgen die banken de schuld, omdat ze hun cliënten vaak onverantwoorde risico's aansmeerden (de zogenaamde *subprime* hypotheken). Er waren de semi-officiële kredietverleners Fannie May en Freddie Mac, die met de zegen van Washington het pad hadden geëffend. Er waren de beurzen en financiële markten, waar hypotheken werden gebundeld en verpakt in ondoorzichtige afgeleide beleggingsinstrumenten. En er waren de toezichthouders die allerminst toezicht hielden. Toch werp ik Henry Bayer in Chicago de vraag voor de voeten of ook de vakbonden geen boter op het hoofd hebben. Hadden zij, als pleitbezorgers van de gewone man, hem niet moeten waarschuwen en bij de les houden? Zijn ze wel kritisch genoeg voor die consumptiedrang?

Bayer antwoordt met een lesje geschiedenis. 'Dat consumptiepatroon in de vs is niet nieuw, het maakt deel uit van de cultuur. Misschien is dat niet het fraaiste aspect van onze cultuur, maar het is nu eenmaal zo. Om het in perspectief te zetten moet je even teruggaan in de tijd. Vanaf de jaren 1940 tot halfweg de jaren 1970 deelde iedereen in de vooruitgang en de groeiende welvaart. De productiviteit nam voortdurend toe en de voordelen kwamen iedereen ten goede. De laagste inkomensgroepen profiteerden er, relatief gesproken, zelfs sterker van. De groei tot de jaren 1970 was dan ook gebaseerd op consumptie van de grote middenklasse, die bovendien Amerikaanse producten kocht. Dat is veranderd halfweg de jaren 1970. De productiviteit is nog wel blijven toenemen, maar de voordelen gingen meer en meer naar de topklasse. De middengroepen krijgen hun deel van de koek niet meer. Er kwam een einde aan de herverdeling van de rijkdom, tegelijk met een terugval van de vakbonden. Om de consumptie van de middenklasse toch op peil te houden, werd het krediet goedkoop gehouden.'

In die visie zou je de kredietverslaving kunnen beschrijven als een soort afkoopsom: ook al stagneerde en daalde het reële inkomen van de middenklasse, de koopkracht en consumptie bleven gevrijwaard. De hele constructie berustte echter op kunstmatig krediet. Toen de recessie dat kaartenhuisje omver had geblazen, bleek plots hoe broos en kwetsbaar de koopkracht van de middenklasse wel was. De Amerikanen moesten hun levensstijl noodgedwongen herzien en versoberen. Miljoenen kwamen in zwaar weer terecht.

Als we het begrip middenklasse mogen associëren met een bescheiden welvaart, bestaanszekerheid en een gevoel van opwaartse mobiliteit, dan is met de crisis gebleken dat velen in de vs zichzelf onterecht tot de middenklasse hadden gerekend. Ze hebben ingeboet op welvaart, hun inkomen is hoogst onzeker en het gevoel van de klassenmobiliteit is bijna helemaal weg. 'Juist die klassenmobiliteit staat nu onder druk,' zegt Bayer, die als late vijftiger kan terugblikken. 'In mijn eigen generatie waren er velen die naar de universiteit konden terwijl hun ouders dat niet hadden gekund. Voor hun kinderen gold hetzelfde. Nu is dat veranderd: als de ouders geen universitaire studies hebben gedaan, zullen er weinig van hun kinderen zijn die dat wel klaarspelen. En zelfs afgestudeerde universitairen doen het niet eens zo goed meer.'

De middenklasse begint aan de onderkant te rafelen. Meer en meer Amerikanen moeten afhaken, als renners in een zwoegend wielerpeloton. Ook in de kopgroep vallen er slachtoffers, terwijl de happy few die als eersten boven komen een steeds grotere geldpot onder elkaar verdelen.

De ravage van de recessie

De daklozen van Chicago zijn mondig. Ze zitten zelden ineengedoken te bedelen, maar spreken je kordaat maar vriendelijk aan. Sommigen komen met een omstandig verhaal. '*Hey brother*, heb je vijf dollar voor me? Dan kan ik naar het opvanghuis vannacht. Ik ben veteraan, weet je. Alles is misgelopen toen mijn moeder stierf. België? *Hey man*, daar ben ik ooit nog op bezoek geweest.' Verwarde uitleg, verwarde geest: een zwarte veertiger die ergens uit de bocht is gegaan. De avond is ijzig koud in Chicago. Hopelijk vindt hij een bed in een opvanghuis.

'De noodshelters zitten vaak vol nu, omdat er meer mensen langere tijd verblijven,' legt Erin Ryan uit. Ik ontmoet haar in het voorjaar van 2011, als de economische statistieken in de vs warm en koud tegelijk blazen: nu eens opbeurend nieuws, dan weer tegenvallers. Globaal bekeken lijkt het herstel te zijn ingezet, maar de recessie roert nog altijd zijn lange, lelijke staart. Erin Ryan ziet dat dagelijks gebeuren. Zij leidt een doorgangshuis voor daklozen in een betere buurt van Chicago, de Lincoln Park Community Shelter. Mooie leefruimte, computerzaaltje, prachtige keuken, lieve vrijwilligers, maar twee muffe en krappe slaapzalen waaruit je als dakloze zo snel mogelijk wil vertrekken. Het centrum helpt daarbij; de zoektocht naar een baan, inkomen, stabiliteit en een huurflat wordt zorgvuldig begeleid. Alleen lukt dat vandaag veel minder snel dan voorheen.

'Een paar jaar geleden konden we 60% van onze gasten aan een job helpen, nu lukt dat maar voor 40%. Bovendien vraagt het door de crisis steeds meer tijd. Dat betekent dat de gemiddelde verblijfsduur in ons doorgangshuis langer wordt: vroeger gemiddeld drie, nu vijf maanden. Als de mensen langer blijven, ligt de rotatie ook lager. Onze wachtlijst groeit aan en de noodshelters kunnen geen mensen meer doorsturen. De noodshelters lopen dus op hun beurt vol en moeten geregeld daklozen terug de straat op zetten.' Erin Ryan is niet verbaasd dat de piek zo laat is bereikt, drie jaar na de financiële crisis. 'Uit ervaring wist ik dat het gewoonlijk achttien maanden duurt om alle dominosteentjes te doen vallen. Het begint met jobverlies, een ziekte of een scheiding. Dan duurt het een tijd voor mensen al hun middelen hebben opgebruikt, steun hebben gezocht bij al hun familieleden of vrienden en uiteindelijk niks meer in handen hebben.' Voor zover het de recessie was die mensen uit hun baan of huis heeft gestoten en dakloos gemaakt, kwam dat effect in uitgesteld relais.

De privacyregels – in Amerika meestal puriteins bewaakt – beletten mij om de dakloze gasten naar hun wedervaren te vragen. Wat opvalt is hoe gewoon ze er uitzien: geen sjofele clochards, maar mannen van middelbare leeftijd die je buurman konden zijn. 'Meer dan de helft van onze gasten hebben ooit een hogere opleiding gevolgd,' zegt Erin. 'Velen hebben een professionele achtergrond en werkervaring.' In de eetzaal hangen drie mannen rond. Een tikkeltje verlegen groeten ze, beschaamd om de slappe verveling waarin ik hen betrap. Je kan niet de hele dag aan je toekomst zitten werken.

Veel meer drukte en lawaai in Casa Catalina, een van de zeshonderdvijftig voedselbanken en soepkeukens in Chicago. Het is woensdagmiddag en urenlang is het een komen-en-gaan van moeders met kinderen, echtparen en eenzaten. De meesten zijn hispanics van Mexicaanse herkomst, maar er lopen ook – ietwat onwennig – blanken en zwarten bij. Jongeren bemannen de tafels en provisiekamer waar de mensen hun tweewekelijks voedselpakket mogen afhalen: brood, fruitsap, koekjes, blikjes, kaas. Omdat een warenhuis er te veel van had, zitten er deze week ook diepvriespizza's bij – snel te consumeren.

In een *charity*centrum in een latinobuurt verwacht je katholieke zusters en die zijn er ook. Sister Jo-Ellen zit achter een ouderwetse steekkaartenbak. 'Voor de recessie hielpen we hier zo'n tweehonderdvijftig families uit de buurt. Sinds de crisis is dat aantal blijven stijgen. Vorige week kwamen er in één middag meer dan driehonderdtachtig. Gezinnen wel te verstaan, dat zijn gemakkelijk duizend personen voor wie we voedsel meegeven. Vorige zomer zakte het aantal eventjes, maar vanaf september steeg het weer. We hebben in deze buurt nogal wat mensen die in de bouw werken of tuinieren. Tijdens de wintermaanden hebben ze dikwijls geen werk; dan komen ze meteen weer aankloppen. We zien ook elke keer weer nieuwe mensen binnenlopen, tien tot twintig per week. De supermarkt hier aan de overkant is vorige week net dicht gegaan; daar mogen we nog wel een paar werknemers van verwachten.'

Niet iedereen kan zomaar voedsel komen halen in Casa Catalina. Je moet onder de inkomensgrens vallen die de regering voor voedselbonnen heeft vastgelegd: zo'n tweeduizend driehonderd dollar bruto voor een gezin van vier. Die bonnen zijn tegenwoordig omgevormd tot een betaalkaart, zodat je aan de kassa minder de aandacht trekt, maar het principe blijft hetzelfde: je mag er eten en drinken mee kopen, alles behalve alcohol. Halfweg 2011 maken vierenveertig miljoen Amerikanen gebruik van het systeem en bijna zestig miljoen komen in aanmerking. Als een op de vijf zo arm is dat hij om voedselhulp mag vragen, is het een raadsel waar dat economisch herstel zich verschuilt. Bovendien zie je de meeste gebruikers van voedselbonnen ook aan de voedselbanken aanschuiven: alle extraatjes helpen.

De voedselbanken en daklozencentra bieden een concrete en menselijke aanblik van wat meestal in abstracte en statistische termen wordt verpakt: de ravage van de recessie. Om de impact van de crisisjaren 2008-2010 ten volle te begrijpen, haal je je een dakloze, een werkloze of een moeder bij de voedselbanken voor de geest en verme-

nigvuldig je dat beeld met de cijfers. Er gingen naar schatting meer
dan acht miljoen jobs verloren in de vs. De werkloosheid piekte tot
boven 10%, de jongerenwerkloosheid liep op tot 20%. Tenminste zes
miljoen huiseigenaren werden bedreigd met inbeslagname van hun
woning (foreclosure) en zeker een derde daarvan is daadwerkelijk het
huis uitgezet. Jaarlijks werden er in die periode anderhalf miljoen
kinderen geteld zonder vaste woning; ze trokken met hun ouders (of
ouder in het enkelvoud) noodgedwongen in bij familie of buren, in
shelters of motels. Het aantal daklozen steeg tot nieuwe hoogten.
Landelijk wordt het aantal nu geschat op drie kwart miljoen, dag na
dag wel te verstaan. Als je alle Amerikanen optelt die in de loop van
het kalenderjaar een korte of langere periode dakloos geweest zijn,
kom je volgens de hulporganisaties aan een cijfer van drie miljoen.
Die mensen leven – gelukkig maar – niet voortdurend op straat. Ze
kunnen ook in een noodshelter of doorgangshuis verblijven, maar een
echte eigen woning hebben ze niet.

Toen het ergste van de recessie achter de rug leek en de privésector weer met mondjesmaat begon te investeren en aan te werven,
volgde een golf van besparingen door de diverse overheden: steden,
staten en tenslotte ook de federale overheid. Door de crisis waren
hun belastinginkomsten spectaculair gedaald. De regering-Obama
had bovendien meer dan twee biljoen dollar vrijgemaakt om de crisis
te bestrijden, via herstelmaatregelen, reddingsplannen voor banken
en autofabrieken en lagere belastingen. Haast elke regering dreigde
in het rood te gaan. Als je de tekorten van alle staten samentelt, voor
de drie opeenvolgende begrotingsjaren 2009-2011, kom je aan een
bedrag van vierhonderddertig miljard dollar. Omdat bijna alle staten
in de vs bij wet verplicht zijn om met een begroting in evenwicht af
te sluiten, moest die put worden gedempt. Gevolg: de voorbije jaren
is er in Amerika voor honderden miljarden bespaard op overheidsprogramma's, enkel en alleen door de staten. De hakbijl viel doorgaans
in het onderwijs, de gehandicapten- en bejaardenzorg, welzijnsprojecten, het buurtwerk, bibliotheken en de jeugdzorg. Ook tal van
aanvullende ziekteverzekeringsschema's en de ambtenarij bleven niet
gespaard: honderdduizenden banen werden geschrapt.

Het hoeft geen betoog dat die besparingswoede opnieuw de middenklasse trof. De sociaal zwakkere groepen vingen hierbij de zwaarste klappen op. De vele buurt-, school- en welzijnsprojecten die sneuvelden waren immers in de eerste plaats voor hen bedoeld. Het staat

nog te bezien wat de maatschappelijke weerslag zal zijn van die bezuinigingen. Bovendien is de federale regering nog nauwelijks aan
besparingen begonnen. Het kan niet lang meer duren voor ook op dat
niveau het snoeimes wordt bovengehaald. De Republikeinen hebben
gezworen om de schuld van de vs drastisch af te bouwen. Aangezien
ze de belastingen in geen geval willen verhogen, kan dat alleen door
te hakken in de uitgaven.

Uit tal van studies blijkt intussen dat de zwarten en de hispanics
globaal beschouwd nog harder gebukt gingen onder de crisis dan de
blanke Amerikanen. Veel zwarte gezinnen raakten hun huis kwijt,
veel hispanics vielen zonder werk. Op die manier heeft de recessie
de bescheiden sociaal-economische vooruitgang die beide minderheden hadden gemaakt, brutaal afgeremd en teruggedrongen. Het Pew
Research Center kwam in de zomer van 2011 met ronduit ontstel-
lende cijfers. Het gemiddelde gezinsinkomen van blanke families
bleek twintig maal zo hoog te liggen als dat van zwarten. Tegenover
de hispanics was de verhouding achttien tegen een. De kloof tussen
de klassen bleek dus eens te meer een raciale kloof of *racial wealth
gap*, een kloof die stilaan de allures krijgt van een onoverbrugbare
afgrond.

De middenklasse onder vuur

De verrassing van de crisis was nochtans de mate waarin ook welgestelde gezinnen in een mum van tijd de armoede ingleden. Dat had
vaak te maken met te hoge kredietverplichtingen, al dan niet in combinatie met jobverlies. Ook een onverwachte ziekte of echtscheiding
kan de financiële bodem weg slaan. In het najaar van 2009 sprak ik
in Los Angeles met Veerle Govaerts, die toen al twintig jaar in de vs
woonde. Ze was gescheiden en had twee kindjes, maar ze had een
goeie baan als directiesecretaresse in een bedrijf van speelgoedartike-
len. Tot ze door de crisis aan de deur werd gezet. Veerle begon meteen
te rekenen, want ze wist dat het lastig zou worden. Ze haalde haar
vijfjarig zoontje van de kleuterschool, om zo zeshonderd dollar per
maand te besparen. Ze nam plaats aan haar computer, poetste haar
cv wat op en reageerde op tientallen jobadvertenties – allemaal tevergeefs. Ze toog naar de voedselbank en diende een aanvraag in voor
voedselbonnen. Toen ik haar sprak, keek ze uit naar een andere wo-

ning. Haar bungalow met twee slaapkamers was te duur geworden. Veerle was in enkele maanden haar materiële zekerheden kwijtgespeeld: van een stabiel middenklassenbestaan naar de rand van de armoede.

Sinds de crisis is duidelijk dat in principe elke Amerikaan een vogel voor de kat kan zijn. Daarom concluderen sommige auteurs en activisten dat de middenklasse zelf wordt bedreigd. De Grieks-Amerikaanse blogster en talkshowlieveling Arianna Huffington schildert een grimmig portret van de vs in haar boek *Third World America*. Amerika krijgt derdewereldtrekjes, legt ze uit, door de aftakeling van infrastructuur en onderwijs en door de groeiende kloof tussen arm en rijk. Vooral in haar ondertitel lees je wat haar dwars zit: 'Hoe onze politici de middenklasse in de steek laten en de Amerikaanse droom verraden'. Huffington wijst op de kwetsbaarheid van het middenklassenbestaan en vindt daarvoor bewijzen in de persoonlijke faillissementcijfers. In de vs kan je als individu bankroet worden verklaard. In 2009 bleek het in bijna 58% van de gevallen om universitair geschoolden te gaan. Een kwart hiervan verdiende meer dan veertigduizend dollar per jaar: niet echt een profiel van marginalen. Volgens Huffington zijn het meestal gezondheidsproblemen en een ontoereikende ziekteverzekering die de financiële ademnood veroorzaken. 'Onze verkozen leiders negeren volledig het feit dat de grote meerderheid van de mensen die het faillissement aanvragen, middenklassers zijn die hun rekeningen niet meer kunnen betalen omdat ze hun baan zijn kwijtgespeeld of hoge medische facturen moeten betalen.'

In zekere zin worden de mensen in de middengroep van de inkomensladder zwaarder op de proef gesteld dan de allerarmsten. De armsten hebben een verzekering via het overheidsprogramma Medicaid, de beter betaalden niet. Voor de armsten zijn er voedselbonnen; de middenklassers moeten eerst hun levensstandaard zien wegzakken vooraleer ze daarop een beroep kunnen doen. Naar Europese maatstaven zijn de overheidsprogramma's voor de laagste inkomens natuurlijk karig en beperkt. Het gaat om noodhulp, geen duwtje in de rug. Een fabrieksarbeider van tweeënvijftig die zijn baan en ziekteverzekering verliest, kan niettemin de indruk krijgen dat die zwakkere groepen gepamperd en bevoorrecht worden. Terwijl aan de andere kant van de stad langdurig werkloze moeders op allerlei vormen van bijstand kunnen rekenen, staat hij er, na decennia van trouw verrichte arbeid, in eerste instantie alleen voor. Te rijk om steun te trekken, te arm om het goed te hebben. In die prangende situatie moeten miljoenen Amerikanen zich redden.

De gezondheidsproblematiek is cruciaal. Als de door Obama geplande hervorming van het ziekteverzekeringssysteem volledig kan worden uitgevoerd tegen 2014, zou er op dat vlak veel moeten verbeteren. De Republikeinse meerderheid in het Huis van Afgevaardigden probeert echter alsnog de ziektewet terug te schroeven of uit te hollen. Ook op het niveau van staten en langs juridische weg zijn er intussen sabotageacties aan de gang. Zolang niet elke Amerikaan kan rekenen op een betaalbare en kwalitatieve gezondheidszorg, blijft er een stuitende vorm van ongelijkheid bestaan: de een kan naar de tandarts, de ander niet. De een krijgt een transplantatie terugbetaald, de ander niet. De een sterft aan kanker bij gebrek aan de best denkbare zorgen, de ander geneest.

Die vorm van ongelijkheid loopt niet volledig parallel met de scheidslijnen tussen inkomensgroepen. In dezelfde inkomensklasse hebben sommigen een verzekering (bijvoorbeeld via hun werkgever) en anderen niet. Dat onderscheid is tamelijk onbelangrijk zolang iedereen gezond blijft. Van zodra er een chronische of levensbedreigende ziekte moet worden behandeld, maakt het een wereld van verschil.

Iedereen middenklasse, dat was het beeld van de Amerikaanse droom. De belofte dat iedereen met hard werken kan slagen en klimmen op de ladder. Ironisch genoeg blijkt nu dat iedereen ook naar beneden kan donderen, van de hogere inkomensstrata tot de laagste. Als het gaat over de kans op mislukking zitten alle middenklassers in hetzelfde schuitje.

Is er dan echt geen verschil meer tussen de middenklasse en iets daarboven en iets daaronder? Bestaat er in Amerika nog een onderklasse en een upper class? Heeft de term middenklasse eigenlijk nog wel zin, als het midden het hele veld bestrijkt? Om die vraag te beantwoorden kan je twee sporen volgen. Je kan kijken naar de culturele kenmerken van verschillende groepen, zoals opleidingsniveau, vrijetijdsbesteding, waarden en voorkeuren. De vraag is dan of je op die basis geen segmentering kan ontwaren. Of je kan je baseren op de harde cijfers van inkomens en vermogens; in dat geval moet je er de uitkeringen, loonbriefjes en aandelenopties bij halen.

Salarissen en bonussen

Het debat over inkomens en rijkdom is in de vs uiteraard sterk ideologisch gekleurd. Toch voeren heel wat studies tot dezelfde onont-
koombare conclusie, die ook vakbondsman Henry Bayer al trok: de
voorbije dertig jaar hebben de meeste werknemers in de vs hun loon
amper zien stijgen. De productiviteit is in de meeste sectoren spectaculair toegenomen, volgens één studie met 80% tussen 1979 en
2009. Het gemiddelde uurloon daarentegen is slechts met 10% gestegen. Dat staat in schril contrast met de periode tussen de Tweede
Wereldoorlog en pakweg 1973, toen de salarissen gelijke tred hielden
met de productiviteit.

Die loonstagnatie geldt voor zowat de hele middenklasse of voor
iedereen die van een salaris moet leven. Ze geldt des te meer voor
lager opgeleiden. Universitairen die in de privésector aan de slag zijn,
verdienden in 2009 bijna 20% meer dan in 1989. Lager geschoolden
in privébedrijven noteerden in diezelfde periode slechts een stijging
van een kleine 5%. Ook in de publieke sector speelde dat verschil,
hoewel de lonen daar nog trager aangroeiden. Neem in plaats van het
opleidingsniveau de loonschalen als basis en de conclusie is dezelfde:
hoe lager de looncategorie, hoe minder het inkomen procentueel gestegen is.

Het lijkt er dus op dat de ongelijkheid tussen beter en slechter
betaalde Amerikanen nog is toegenomen. Toch is die loonspanning
klein bier vergeleken met de explosieve groei van de inkomens van
de absolute toplaag. In die stratosferische zone moet je niet alleen
salarissen meerekenen, maar ook bonussen, dividenden en aandelenopties. De rijkste 1% van de Amerikanen heeft een steeds groter deel
van de totale inkomenskoek ingepikt. Waar ze in 1973 samen nog
slechts 8% voor hun rekening namen, zaten ze in 2007 al aan 18%.
Dat betekent dat bijna een dollar op de vijf die werd verdiend naar
die dunne toplaag ging. Die trend heeft ongetwijfeld te maken met
het toenemend belang van de financiële sector, waar de lonen, win-
sten en bonussen het sterkst de pan uit swingen. Tot 1985 was die
sector goed voor 15% van de totale bedrijfswinsten in Amerika; in
2008 was dat aandeel geklommen tot 41%! In één studie werden twee
groepen naast elkaar gezet: de vijfhonderd rijkste bedrijfsleiders, zoals
ze in de s&p 500-hitparade van 2004 stonden opgelijst en de vijfentwintig rijkste *hedgefund managers*. De laatste vijfentwintig staken
gezamenlijk meer in hun zak dan de eerste vijfhonderd samen.

Twee vaststellingen dringen zich op, al blijft het uitkijken voor overdreven schematisering. Ten eerste speelt er, over de hele loonladder, een bescheiden Matteuseffect: wie al veel verdiende, is nog meer gaan verdienen. De laagste segmenten zijn er het bekaaidst afgekomen. Volgens veel studies hebben die, gemeten in reële termen, zelfs ingeboet op hun salaris. Zo bekeken zou een toenemende klassennijd niet hoeven te verbazen. De tweede vaststelling staat daar een beetje haaks op. Voor alle werknemers, van hoog tot laag, geldt dat hun salaris min of meer gestagneerd is en absoluut niet in verhouding is gebleven tot de gestegen productiviteit. Enkel een toplaag van bedrijfsleiders, speculanten en bankiers is er met reuzensprongen op vooruit gegaan. Vanuit dat perspectief krijg je inderdaad een grote, logge middenklasse tegenover een superelite van superrijken.

Het zelfbeeld van de Amerikanen – we zijn allemaal middenklasse – zit dus niet zo ver naast de waarheid. Zoals hierboven al geïllustreerd werd, is die hele middenklasse kwetsbaar en staat ze onder druk. Het verbazende is dat er toch meer ongenoegen en rancune lijkt te leven binnen de middenklasse en tussen verschillende groepen onderling, dan tegenover de elite aan de top. Behalve de vakbonden en filmmaker Michael Moore winden weinig Amerikanen zich op over de graaicultuur van de toplaag. Een uitzondering daarop vormden de jonge manifestanten van de *Occupy Wall Street*-beweging, die op het toneel verschenen toen dit boek werd afgewerkt. Of hun verzet een lang leven zal beschoren zijn, blijft af te wachten. In de vs kijken veel gewone burgers juist op naar de elite die het gemaakt heeft: die verdient het om rijk te zijn. Als de financiële elite al onder vuur ligt, is het omdat de belastingbetaler haar nu moet bijspringen via de reddingsplannen voor de banken. De afgunst en kritiek van veel middenklassers richt zich meer op een intellectuele elite dan op het grootkapitaal. Het zijn de ambtenaren, politici, leraars, professoren, journalisten en welzijnswerkers die worden gewantrouwd en het moeten ontgelden. Dat lijkt op een heruitgave van de oude tegenstelling tussen blauwe boorden en witte boorden.

Blue collar, white collar

Traditioneel waren de *blue collars* de in overall gehulde fabrieksarbeiders. Die groep is geweldig uitgedund, want de industriële basis van de vs is bijzonder smal geworden. Tijdens de recessie gingen er meer dan twee miljoen industriejobs verloren, maar die aderlating was al bezig sinds de jaren 1980. In de laatste dertig jaar daalde het aantal banen in de nijverheid van negentien tot elf miljoen. De oorzaken daarvan waren de al eerder vermelde toename in productiviteit en de delokalisatie van bedrijven naar het buitenland. Op dit moment is slechts een op de tien betaalde banen in de vs een fabrieksbaan.

Voor meerdere generaties van arbeiders was de fabriek de inrijpoort naar de middenklasse. Zeker in de auto-industrie was het goed toeven: de machtige vakbonden wisten hoge lonen, comfortabele pensioenen en fijne verzekeringspolissen uit de brand te slepen. Naarmate de industrie aan belang inboette, nam ook de macht van de vakbond af. In de privébedrijven van de dienstensector zijn de bonden nooit sterk doorgedrongen.

Je zou ook de bouwvakkers en mijnwerkers bij de blue collars kunnen rekenen: gespierde arbeid, meestal mannelijk, waarvoor weinig scholing en opleiding is vereist. Ook in die sectoren is het aantal vaste banen teruggelopen. Veel mijnen zijn gesloten of overgeschakeld op nieuwe technieken met weinig personeel, zoals de *mountaintopremoval*-methode in West-Virginia. Daar worden bergen opgeblazen zodat de steenkool bloot komt te liggen, in plaats van in de bergen gangen en schachten te graven. De bouwsector is bij uitstek afhankelijk van de conjunctuur en juist daarom komt er veel tijdelijke en seizoensarbeid aan te pas. Op de stellingen en werven van Amerika hoor je intussen meer Spaans dan Engels en zie je meer latino's dan blanke Amerikanen.

Een van de laatste bastions van blauweboordenwerk is de transportsector, goed voor drie miljoen vierhonderdduizend truckers en bestelwagenchauffeurs. De *Teamsters*-bonden hebben zich met hand en tand verzet tegen de plannen van de regering-Obama om ook Mexicaanse vrachtwagenchauffeurs op de Amerikaanse snelwegen te laten rijden. Tevergeefs, want intussen wordt de maatregel geleidelijk van kracht. Dat was zo met Mexico overeengekomen in de NAFTA-vrijhandelsovereenkomst van 1994. De bonden vrezen dat er andermaal Amerikaanse banen zullen verloren gaan.

De slinkende markt voor laaggeschoolde handenarbeid draagt bij tot een zorgwekkend fenomeen: langdurige werkloosheid onder mannen. Dat probleem is al lang in de maak, maar werd door de recessie nog verscherpt. Meer dan een derde van de 25- tot 54-jarigen die geen middelbareschooldiploma hebben, zit zonder werk. In de groep met enkel een middelbaar diploma, is het een op de vier. Ondanks alle triomfantelijke praatjes over de flexibele arbeidsmarkt van de vs is slechts 80% van de mannen (tot 54 jaar) aan de slag. In de jaren 1960 was dat nog 95%.

Natuurlijk zijn er ook miljoenen witteboordenjobs gesneuveld tijdens de recessie, zowel in de dienstensector als in de handel. Het verschil is dat veel van die banen terugkeren eenmaal de economie weer op volle toeren draait. Miljoenen fabrieksjobs daarentegen zijn voor eeuwig en altijd geschrapt en er komt weinig voor in de plaats. Bovendien waren veel van de klassieke industriebanen stabiel en voorspelbaar: een job voor het leven, tot ze werd opgedoekt tenminste.

De bestaansonzekerheid van de blauwe boorden is dus drastisch toegenomen; de grond zakt weg onder hun voeten. De bekende politicoloog en publicist Walter Russell Mead heeft hun situatie vergeleken met de existentiële en sociale crisis die gepaard ging met de neergang van het boerenbedrijf in de vs, vanaf het einde van de negentiende eeuw. Tot 1870 ongeveer was de familieboerderij de belichaming bij uitstek van de Amerikaanse droom, zegt Russell. Toen dat model niet langer levensvatbaar bleek en miljoenen het mes op de keel voelden, leidde dat tot een opstoot van populisme en de opkomst van de People's Party.

Die agrarische crisis werd pas goed bezworen met de *New Deal*-politiek van Franklin Delano Roosevelt en het paradigma van de volledige tewerkstelling. De American dream werd in een nieuwe vorm gegoten: een vaste en goed betaalde baan en een eigen gezinswoning – kortom: de middenklassendroom. Vandaag staat ook dat model op de helling. Geen wonder dat je ook nu weer rancuneus-populistische tendensen ziet. Russell Mead noemt hen niet maar suggereert het wel: de Tea Party-groepen zijn de nieuwe versie van de People's Party.

De vraag blijft waarom al die rancune niet op de toplaag van superveelverdieners wordt gericht, maar eerder op de intellectuele elite van academici, leraars, ambtenaren en journalisten. Russell Mead heeft daar een interessant antwoord op. De cultureel-intellectuele elite had in het model van de welvaartsstaat een impliciete maar specifieke opdracht meegekregen: het systeem plannen, besturen en draaiende houden. Zolang alles goed ging, werd hun weinig verweten. Toen het fout liep werd het hun aangerekend. 'Er leeft vandaag een wijdverbreide perceptie in Amerika, dat de professionals en intellectuelen van de hogere middenklasse hun roeping verraden hebben, dat ze in feite vergaten wie hun salarissen betaalde. Gedurende de laatste dertig jaar van slinkende inkomens voor werknemers in de privésector, heeft de hogere middenklasse weinig of niets gedaan om de dingen te veranderen. Integendeel, de intellectuelen en academici traden meestal op als de cheerleaders van globalisering, automatisering en andere evoluties, die nu verantwoordelijk worden gehouden voor de afbraak van het oude model.'

Misschien raakt Russell Mead hier het hart van het conflict. In het aanvoelen van de ploeterende, bezorgde en verwarde blauweboordenklasse is een stilzwijgend sociaal contract tussen beroepsgroepen niet nageleefd. In plaats van zorg te dragen voor het algemeen belang, zijn de bestuurlijke en intellectuele elites nieuwerwetse waarden en ideeën gaan nalopen. Volgens Russell Mead is dat een 'klassenstrijd van een Amerikaanse middenklasse die tegen zichzelf verdeeld is'. Taalkundig klopt die zin misschien niet, maar het is prachtig verwoord.

Rood en blauw

Die klassenrancune binnen de middenklasse vertaalt zich ook in verschillende en verschuivende politieke oriëntaties. Net als in Europa stemden fabrieksarbeiders traditioneel links. Al zou je, vanuit Europees perspectief, de Democraten eerder centrumrechts en sociaalliberaal kunnen noemen, toch waren het de Democraten die dat linkse terrein van de arbeidersbeweging politiek bezetten. De Democraten wisten ook hun greep te versterken op de grote industrie- en havensteden; in ruil voor stemmen verdeelden ze jobs bij de politie, brandweer en stadsambtenarij. Op die manier kon de partij de georganiseerde werkende klasse decennia lang aan zich binden.

Het verwarrende voor Europeanen is dat de Democraten geassocieerd worden met de kleur blauw. Rood – wereldwijd nochtans de kleur van links, socialisme en de arbeidersbeweging – is de kleur geworden van de Republikeinen. Afgaande op de discussies op het internet, schijnt niemand precies te weten waar die verrassende kleurassociatie vandaan komt. Klaarblijkelijk zijn het de media die dit schema hebben uitgedacht. In 1908 al publiceerden twee grote kranten een speciaal verkiezingskatern, waarin Democratisch stemmende staten op de kaart blauw werden ingekleurd. De Republikeinse staten werden in het geel (in de *New York Times*) of in het rood (in *de Washington Post*) gedrukt. Naarmate televisiezenders de verslaggeving over verkiezingen begonnen te domineren, werd dat soort kaartjes steeds belangrijker om de politieke krachtverhoudingen in beeld te brengen. Toch gebruikten niet alle zenders dezelfde kleuren voor dezelfde partijen. Pas met de historische (want omstreden) presidentsverkiezingen van 2000 werd rood voorgoed aan Republikeins en blauw aan Democratisch gekoppeld. Tien jaar later is de notie stevig ingeburgerd en wordt er courant gewag gemaakt van 'rode staten' en 'blauwe staten'.

Wat er ook van zij, de blue collars of fabrieksarbeiders zaten dus van oudsher in het blauwe, Democratische kamp. Die traditionele sociologische zekerheid staat intussen op de helling. De scheuren in dat bastion verschenen al tijdens de jaren 1980, toen de republikein Ronald Reagan een groot aantal arbeidersstemmen wist in te pikken. Die zogenaamde *Reagan-Democrats* waren gecharmeerd door Reagans nationalistisch optimisme en geloof in de macht van de vs. Ze waren daarenboven ontgoocheld in hun eigen Democratische partij, die naar hun aanvoelen te veel de belangen diende van etnische minderheden en de traditionele culturele waarden vergat. De Reagan-Democraten waren bijna uitsluitend blanke kiezers, sterk geconcentreerd in de industriële gordel van de Midwest. Toch zag je ook in staten als Pennsylvania en zelfs New York de twijfels onder de actieve en gepensioneerde arbeiders toenemen. Naarmate fabrieken de deuren sloten en verhuisden naar China of Mexico, breidde dat ongenoegen alleen maar uit.

Bill Clinton, met zijn kamerbrede empathie voor de doorsnee Amerikaan, wist een deel van dat zwervende electoraat terug te winnen. Al Gore en John Kerry hadden het opnieuw moeilijk om aansluiting te vinden bij dat publiek. Ook in de presidentsverkiezingen van 2008 zag je hoe het arbeiderselectoraat in de knoop zat met de Democraten. Dat werd al pijnlijk duidelijk tijdens de voorverkiezingen, toen Hillary Clinton het tegen Barack Obama opnam. In staten als Pennsylvania, Ohio en West-Virginia keken mijnwerkers en fabrieksarbeiders met de nodige argwaan naar beide kandidaten: de feministische Hillary en de zwarte stadsjongen Obama. Het werd nog erger toen Obama zich liet betrappen op een sociologische analyse van hun twijfels. 'Als je naar die kleine stadjes gaat in Pennsylvania,' zei Obama tijdens een diner in San Francisco, 'dan zie je dat de jobs daar al vijfentwintig jaar geleden zijn opgedoekt en dat er niets in de plaats is gekomen. Dan hoeft het niet te verbazen dat de mensen bitter worden en zich vastgrijpen aan wapens, religie of antipathie tegenover mensen die anders zijn dan zijzelf of aan rancune tegen immigranten of tegen internationale handel, als een manier om hun frustraties te uiten.'

Het Hillary-kamp zag meteen hoe schadelijk dat soort uitspraken kon zijn, want Obama bevestigde daarmee precies het beeld van zichzelf dat hem bij blanke arbeiders in de Midwest zo onsympathiek maakte. 'Ik was stomverbaasd over de neerbuigende opmerkingen van senator Obama over de mensen in het kleinsteedse Amerika,' zei Clinton. 'Zijn opmerkingen zijn elitair en wereldvreemd.' Hillary won uiteindelijk de voorverkiezing in Pennsylvania. De episode illustreerde treffend de culturele klassenkloof binnen de middenklasse, waarover Russell Mead het had.

Obama sleepte niettemin de nominatie voor de Democraten in de wacht en haalde het ook van zijn Republikeinse tegenstrever John McCain. Eenmaal Obama aan de macht was, stak het blanke bluecollarwantrouwen opnieuw stevig de kop op. Deze keer was het de Tea Party-beweging die het ongenoegen wist te mobiliseren. De Democraten zagen opnieuw veel van hun traditionele kiezers afdwalen en in de tussentijdse congresverkiezingen van 2010 kregen ze een bolwassing van jewelste. De vakbonden doen wat ze kunnen om hun leden achter Obama en zijn partij te scharen, als herdershonden die de schapen bij de kudde houden. Zoals de kaarten nu liggen, in het najaar van 2011, blijft het populistische ongenoegen een politieke factor van betekenis. De lagere segmenten van de blanke middenklasse neigen eerder naar rechts, rood en Republikeins, dan naar links, blauw en Democratisch.

Een oude elite en een verloren onderklasse

De klassenrelaties in de vs liggen ingewikkeld. Een Europese socia-
list van de oude school die er de klassenstrijd wil preken, is eraan
voor de moeite. Iedereen in Amerika wil middenklasse zijn en hogerop en velen kijken bewonderend naar de glamour en het succes van
de nouveaux riches. De machtsbasis van de vakbonden versmalt en
daarmee ook het geloof in solidariteit, verdelende rechtvaardigheid
en de rol van de gemeenschap en de overheid. Tegelijk blijkt dat sommige bonden eerder corporatistisch zijn dan solidair. In een aantal
kwesties – zoals bijvoorbeeld vrijhandel – leunen ze nauw aan bij
populistisch-rechts. De samenleving kreunt onder de ongelijkheid en
in het toch al dunne sociale vangnet wordt nog verder de schaar gezet. Toch richt de rancune van veel arbeiders en hun omgeving zich
niet op de hoogste inkomens of op de politici die snoeien en bezuinigen, maar op de intellectuele elite van het onderwijs, de media en de
overheid. Omgekeerd verkeert die elite in de oprechte overtuiging
dat ze de belangen van de middenklasse dient, inclusief die van de
arbeider.

Vanuit het oogpunt van diversiteit en speurend naar breuklijnen
in de maatschappij, valt het niet mee om permanente klassenverschillen aan te geven. De klassenmobiliteit blijft groot, al is dat in de voorbije crisisjaren eerder in neerwaartse zin gebleken. Het onderscheid
situeert zich eerder op cultureel dan op economisch vlak. Dat alles
kan niet verhinderen dat er wel degelijk verschillen bestaan tussen
rijk en minder rijk, tussen *have-mores* en *have-less* of tussen kansarmen en welgestelden. Amerikanen zeggen en horen het niet graag,
maar niet iedereen komt gelijk aan de start.

Behalve de nieuwe toplaag van superrijke beleggers, ceo's en show-
bizzvedetten blijft er aan de bovenkant nog altijd een oude elite actief
die meer van status dan van geld houdt, maar die vermogend genoeg
is om die status hoog te houden. Ze stuurt haar kinderen naar prestigieuze universiteiten, die ze tegelijk met gulle giften onderhoudt. Ze
mikt op huwelijken binnen dezelfde rang en stand en regelt carrières
en benoemingen via het bevriende netwerk. Ze pronkt met haar invloed en rijkdom in serviceclubs, liefdadigheidsverenigingen en kerken. Ondanks het egalitaire middenklassenmodel zijn dat soort eerbiedwaardige, op familiale vermogens gebaseerde upper class-kringen
nog lang niet uitgespeeld. Het spreekt vanzelf dat je toekomst er ro-

zer uitziet als je in zulke familie wordt geboren, dan wanneer je ter wereld komt in een doodbloedend staalstadje in Ohio.

Aan de onderkant van de middenklasse leven bovendien miljoenen Amerikanen in een staat van uitzichtloze armoede. Zoals gezegd heeft de recessie heel wat middenklassers de ladder afgeschopt. Opnieuw naar boven klauteren is geen sinecure zolang het economisch herstel zich nog niet vertaalt in nieuwe werkgelegenheid. De grens tussen middenklasse en onderklasse – onder de middenklasse dus – ligt in het vicieuze karakter van de armoede. Velen die door de crisis getroffen werden, zullen zich weer een weg uit de problemen knokken – creatief, volhardend en flexibel. Ze verhuizen of herscholen, op zoek naar nieuwe kansen en vroeg of laat pikken ze weer aan bij het middenklassenpeloton.

De onderklasse daarentegen lijkt te ploeteren zonder een meter vooruit te komen. Die onderklasse is overwegend zwart, maar niet exclusief. Reken er ook de honderdduizenden chronisch daklozen bij: mannen en vrouwen, zwart en blank, veertigers tot en met ouderlingen. Reken er de bejaarden bij die nog altijd winkelrekken vullen in het warenhuis of wachthokjes bemannen, simpelweg om de eindjes aan elkaar te knopen. En reken er heel wat van de gezinnen bij die in *trailer parks* of sociale wooncomplexen wonen, zonder uitzicht op een beter verblijf. De politieke oriëntatie van die onderklasse van werklozen en *working poor* is volstrekt zonder belang, want de meesten in die groep hebben compleet afgehaakt. Amerika lijkt het bestaan van de onderklasse als een vanzelfsprekend bijverschijnsel te aanvaarden: gênant misschien, maar onvermijdelijk. Zelfs voor de vakbonden lijkt structurele armoede geen prioriteit. De vraag is hoeveel Amerikanen nog door de bodem van de middenklasse moeten zakken om bonden en politici wakker te schudden.

12

De vergrijzing van Amerika

You and I were looking at
Old pictures yesterday
Sitting in disbelief at
How time slips away
Both at a loss for words to say
Knew we'd never be
Younger than today

BEN HARPER

De weg naar University Commons is eenvoudig en toch makkelijk te missen. Je rijdt het charmante universiteitsstadje Ann
Arbor uit, in de oostelijke richting van Detroit, tot de bebouwde kom
goed en wel achter je ligt. Rechts van de hoofdweg draait een dreef
scherp naar rechts, meteen wegduikend in het groen. Honderd meter
verder staat een soort halve toegangspoort, die het begin van de woonwijk markeert. Van bewakers of slagbomen is hier geen sprake. University Commons ligt comfortabel dicht bij stad en campus en tegelijk prettig verscholen en afgelegen.

Ik matig spontaan mijn snelheid, want onwillekeurig voel ik me
als een indringer. Ik beeld me in dat camera's en nieuwsgierige ogen
mij nu al in het vizier hebben. Ik volg de slingerende straat, langs
keurige en gelijkvormige puntdakhuizen in bruine baksteen, voortuintjes en jonge boompjes, tot aan een fors complex dat – in deze
omgeving – alle allures uitstraalt van een hoofdgebouw. Het zou de

centrale inkomhal kunnen zijn van een rusthuis, een psychiatrische kliniek of een bezinningscentrum, maar het is Houghton Hall, het hart van een woongemeenschap met tweeënnegentig villa's, huizen of appartementen. Er wonen om en bij honderdvijftig personen en die hebben drie dingen gemeen. Ten eerste hebben ze een professionele band met de universiteit. Ten tweede hebben ze geld, want wonen is hier niet goedkoop. En ten derde behoren ze allemaal tot de leeftijdsgroep van jong- of hoogbejaarden. University Commons is een *retirement community*: een exclusieve seniorenzone. Je moet tenminste vijfenvijftig zijn om hier een woning te kopen. Alleen voor jongere partners wordt op die regel een uitzondering gemaakt.

Ik parkeer en stap uit. Het geluid van de dof dichtklappende deur klinkt als een aanslag op de gewijde stilte van de straat. Ik struin zachtjes over de kiezels naar de hoofdingang, duw een zware notenhouten deur open en beland in een kraaknette brede gang: witgeschilderde muren en lichtjes gewelfde plafonds, grijze vloertegels, houten deuren en lambrisering. Het gebouw ademt de voornaamheid uit van een Brits universiteitscollege, maar zonder het muffe dat daarmee gepaard gaat. Dit gebouw is nog nieuw, fris en duur. In een kantoortje tref ik Margaret Stephenson, die me vriendelijk begroet. Hoewel ze, vermoed ik, aan de leeftijdscriteria zou beantwoorden, is ze geen bewoonster van de gemeenschap. Margaret Stephenson is de *community director*, een betaalde kaderfunctie. Die titel suggereert dat zij de lijnen uitzet, zoals de directeur in een bejaardentehuis, maar dat blijkt totaal niet het geval te zijn. University Commons wordt geleid door een bestuursraad van bewoners. De bewoners vertellen Margaret wat ze moet doen. Als vicepresident Bradford Bates en zijn vrouw Lydia me rondleiden in de woongemeenschap, blijft Margaret bescheiden op de achtergrond, zoals een kabinetschef zijn mond houdt als de minister praat.

'De ondergrens om hier te mogen wonen is vijfenvijftig,' vertelt Bradford, 'maar onze oudste bewoner is momenteel drieënnegentig. De gemiddelde leeftijd ligt waarschijnlijk ergens in de zeventig. Er zijn toch ook al wat tachtigers onder ons, want we bestaan nu intussen tien jaar. Soms begint de leeftijd zijn tol te eisen, maar over het algemeen zijn de meesten fysiek en mentaal nog behoorlijk actief.' Hij toont me de bibliotheek, die alweer associaties oproept met een Engelse club. 'Velen van ons zijn professor geweest, hun boeken staan hier natuurlijk ook.' Wat verder in de gang ligt de postkamer. Dat verbaast mij: kan de post hier niet aan huis worden bezorgd? 'We hebben er van meet af aan bewust voor gekozen om de post van alle bewoners van University Commons hier te laten samenkomen. Zo zijn de bewoners verplicht om elke ochtend eens langs te lopen. Dan komen ze elkaar tegen en maken ze een praatje; goed ook om nieuwe buren te leren kennen.'

De bestuursraad van de bejaardengemeenschap heeft nog een ander magistraal idee bedacht om het sociaal contact te stimuleren: een café! Op de eerste verdieping van Houghton Hall staan een toog, tafels en stoelen. Alles oogt clean en ongebruikt. Het café is alleen open op vrijdagmiddag, zo blijkt. Toch moet het dan een uiterst gezellige bende zijn. Chuck, een alleenstaande zestiger die zich bij ons groepje gevoegd heeft, geeft er een filosofisch commentaar bij. 'Ik ben een groot aanhanger van Churchill's woorden: wij scheppen onze gebouwen en zij scheppen ons. Toen ik deze ruimte voor het eerst zag, was ik in de wolken: ideaal om de mensen hier op vrijdagnamiddag te laten samenkomen! En dat is precies wat er gebeurde. We hoefden het zelfs niet aan te kondigen.' Ik sta er een beetje beduusd naar te luisteren. Chuck vertelt het alsof hij nooit eerder een voet heeft gezet in een café of koffiehuis; alsof een ontmoetingsruimte een sociale constructie was met een sterk vernieuwend potentieel.

Chuck toont mij ook zijn prachtige appartement met een fraaie collectie oude boeken. Om die voor uv-stralen te behoeden houdt hij de flat met opzet wat verduisterd, wat ze alleen maar meer klasse geeft. Goedkoop kan het niet zijn om hier te wonen, werp ik op. Bradford glimlacht met een vleugje cynisme: nee, goedkoop is het niet. 'Et alors?', zie je hem denken. University Commons selecteert niet enkel op leeftijd, maar ook op inkomen. Formeel bepaalt het criterium dat je voor de University of Michigan moet gewerkt hebben of voor een andere universiteit. Volgens Margaret kon ook een schoonmaakster van de campus aanspraak maken op een woning, maar Bradford vindt die gedachte belachelijk: 'Waarschijnlijk is dat soort aangelegenheden self-selecting,' grijnst hij. 'Het zijn hier niet echt de goedkoopste huizen.'

Het geheel geeft, op zijn zachtst gezegd, een wat elitaire indruk. De bewoners zijn niet alleen vermogend, maar ook hoog opgeleid: een woonwijk 'onder professoren'. Volgens Bradford was dat ook de uitdrukkelijke opzet. 'De bedoeling was een gemeenschap te creëren van en voor mensen met eenzelfde academische achtergrond; waar een soort academische atmosfeer hangt, waar leren belangrijk blijft, waar je kan samenzijn met anderen die belangstelling hebben voor wetenschappelijk onderzoek en waar je ideeën kan uitwisselen.'

Dat laatste gebeurt onder meer in een ruime feestzaal, waar een prachtige Steinwaypiano staat. Op maandag en woensdag, om vijf uur in de namiddag, komen de bewoners hier bijeen om naar een concert of een lezing te luisteren. Daarna schuiven ze samen aan tafel voor een dinertje dat bereid wordt door leerlingen van de lokale kokschool. Die kunnen zich uitleven in een state-of-the-artgrootkeuken; er is hier werkelijk op geen dollarcent gekeken. Voor Bradford is die regeling een bewijs dat de bejaarde woongemeenschap nog steeds voeling houdt met jonge mensen. Bovendien komen er studenten optreden van het muziekconservatorium en kunnen minder mobiele bewoners de hulp inroepen van jongeren uit de omgeving om boodschappen te doen. En natuurlijk hollen er wel eens kleinkinderen door de gangen die op bezoek zijn bij opa en oma, al lijkt de kraaknette rust in het gebouw dat tegen te spreken.

We werpen een blik in een fitnessruimte, een knutselkamer en een vergaderzaal en komen dan Marianne tegen, de oudste bewoonster van University Commons. Ze is drieënnegentig en trok hier pas in op haar zevenentachtigste. 'Ik mis mijn oude buurt in New Jersey wel een beetje, maar alles bij elkaar is het beter dat ik hier woon. Er is hier zoveel interessants te doen, meer dan wat ik kan bolwerken.' Als ik Marianne met broze tred zie wegstappen aan de arm van haar kleindochter, vraag ik me af waarom er geen verzorgend personeel voorzien is in de woongemeenschap. Bradford legt uit dat ambulante verpleeg- en verzorgingsdiensten individueel moeten worden geregeld. Zelfs als een bewoner valt of een beroerte krijgt, zal hij met een alarmknop een private *Lifeline*-dienst van buiten de buurt moeten waarschuwen; binnen de gemeenschap is daarvoor niets geregeld. 'Maar toen Bradford hartproblemen had, hebben de andere bewoners ons wel geweldig geholpen,' vertelt Lydia. 'Ze brachten maaltijden of ze kwamen bij Bradford zitten als ik om boodschappen ging.'

Zoals elke andere voorstad in Amerika kent ook University Commons zijn uitingen van burenhulp en sympathie. Toch blijven de bewoners er – ondanks de gelijklopende leeftijden, achtergrond, inkomens, behoeften en belangstelling – gesteld op privacy en afstand. Ik kan me moeilijk voorstellen dat ze hier godganse namiddagen zitten te kaarten met elkaar. Het gemeenschapsleven in University Commons is behoorlijk intens, maar afgemeten en gedoseerd. Dat alles is volstrekt begrijpelijk, maar waarom kiezen de bewoners dan voor dit hooggeprijsd bejaardengetto waar je voor boodschappen geen beroep kan doen op kinderen van de buren, maar een student moet laten aanrukken uit de stad?

'Wat denk je,' grijnst Bradford cynisch, 'ze drijven de oudjes bij elkaar en stoppen ze hier weg?' Ik antwoord hem dat ze eerder zichzelf wegstoppen. Is dit de nieuwste segregatietrend in Amerika? 'Ach kijk, de jongere generaties zijn plezierig en het is fijn om ze in de buurt te hebben, maar het is ook fijn om ze weer te zien vertrekken. Weet je, toen ik jong was en kleine kinderen had, profiteerde ik ervan om wat werk gedaan te krijgen als de kinderen een slaapje deden. Nu is het anders: als de kleinkinderen een slaapje doen, doen wij ook een slaapje, zodat we weer klaar kunnen staan als zij wakker worden. Als je ouder wordt, is het prettig om van wat rust te kunnen genieten.'

Sneeuwvogels

Dat laatste zou een slogan kunnen zijn voor een reclamebord. Op weg van Phoenix naar Tucson, in het zonnige Arizona, zag ik zulke borden langs de weg. Ze prezen een luxueus bejaardendorp aan dat daar recent uit de grond was gestampt. Arizona is een van de koplopers in de ontwikkeling en promotie van *retirement communities*. De staat mikt niet alleen op de eigen senioren, maar op bejaarden uit het hele land. Ze worden gelokt met lage belastingen en hoge temperaturen. Vaak brengen ze enkel de wintermaanden door in hun nieuwe omgeving. In de zomer, als de hitte loodzwaar boven het woestijnlandschap zindert, verhuizen ze weer naar hun oude woning in het noorden. Dat fenomeen zie je ook in Florida, Californië en Texas. Als trekvogels of *snowbirds* migreren de welgestelde senioren, seizoen na seizoen, van de koude kant van de natie naar de warme rand van het land.

Net zoals gepensioneerde Belgen en Nederlanders graag de milde winter van de Spaanse Costa Blanca opzoeken, zo vliegen Amerikanen naar de *Sunbelt*. Alleen lijken zij nog hardnekkiger samen te klitten in afzonderlijke woonwijken, die tegelijk selecteren op leeftijd en inkomen. Heel wat van die nieuwe verkavelingen afficheren zichzelf als *golf communities*: een woonbuurt rond het golfterrein. Niet zelden zijn de woonbuurten ommuurd en streng beveiligd; dat zijn *gated communities*, waar bejaarden zich veilig kunnen voelen voor misdaad en overlast. De omheining en privébewaking versterken nog de exclusiviteit en ingeslotenheid van de gemeenschap: het woord apartheid duikt spontaan in je gedachten op.

Er zijn inmiddels honderden van die seniorendorpen, in maten en soorten. Bernard-Henri Lévy bezocht de oase Sun City nabij Phoenix en maakte zich grote zorgen. 'Het probleem is dat dit alles een diepgaande breuk impliceert met de traditie van – ik zeg niet mededogen, maar burgerzin, die altijd de kracht van dit land was en nog is. (...) Als je dit accepteert, als je het principe van dit vergulde getto onderschrijft, dat gebaseerd is op lidmaatschap van een bepaalde leeftijds- en inkomensklasse, op grond waarvan kun je dan morgen nog de ontwikkeling verbieden van steden die bijvoorbeeld verboden zijn voor bejaarden of homoseksuelen of joden? Op grond waarvan kun je je nog verzetten tegen een volgende stap op weg naar een onherroepelijke balkanisering van de Amerikaanse ruimte?'

Dat klinkt bijzonder alarmerend en een tikkeltje gezwollen, maar dat er in Amerika een ruimtelijke hergroepering is ingezet op basis van leeftijdsverschillen is onmiskenbaar. In een staat als Florida en een stad als Miami is dat het duidelijkst. Daar zie je bejaarde Cubanen door de straten van Little Havana struinen en de oudere echtparen uit winkelen gaan, zoals in een Belgische kuststad buiten het toeristisch hoogseizoen. In Florida is ruim 17% ouder dan vijfenzestig – flink boven het nationaal gemiddelde van 13%. Niet alleen de Cubanen worden ouder in Florida, ook heel wat blanke en joodse New Yorkers gaan er de herfst van hun leven doorbrengen.

Oud is niet out

De toenemende afzondering van senioren zou het vermoeden kunnen wekken dat bejaarden in de Amerikaanse samenleving niet welkom zijn. Niets is minder waar. In vergelijking met West-Europa zijn ouderen in de vs nog erg actief en maatschappelijk betrokken en kunnen ze rekenen op heel wat respect. Ervaring staat hoog aangeschreven en mag desnoods iets kosten. In de recente politieke geschiedenis liggen de voorbeelden voor het grijpen. Ronald Reagan was bijna achtenzeventig toen hij stopte als president. John McCain was

al tweeënzeventig toen hij hoopte het te worden. Bill Clintons minister van Buitenlandse Zaken Warren Christopher reisde de wereld
rond tot zijn eenenzeventigste. Minister van Defensie Donald Rumsfeld werd pas op zijn vierenzeventigste bedankt. Veel voormalige top-
politici blijven hyperactief na hun pensioen. Ex-president Jimmy
Carter ondernam op zijn zesentachtigste nog een officieuze missie
naar Noord-Korea. Madeleine Albright is vierenzeventig en produceert nog steeds gezagvolle diplomatieke studies en adviezen.

Oud is niet *out* in Amerika en dat zie je ook op televisie. Dan Ra-
ther bleef de ankerman van het populaire *CBS Evening News* tot zijn
drieënzeventigste. Wie kort na de aanslagen van 11 september in
Amerika was, herinnert zich zijn geëmotioneerde en geëngageerde
verslaggeving van op Ground Zero, als een soort grootvader van de
natie. Zijn collega Bob Schieffer was de zeventig al voorbij toen hij
een presidentieel debat modereerde tussen Obama en McCain. Zestigers als Wolf Blitzer (CNN), Andrea Mitchell (NBC) en Bill O'Reilly
(Fox News) behoren tot de absolute sterkhouders van hun zenders.
En Jim Lehrer van de openbare omroep PBS kwam pas uit zijn pre-
sentatorstoel op zijn zevenenzeventigste. Het lijkt erop dat de Amerikanen vertrouwen hebben in ervaren rotten; zelden hoor je daar
grapjes of giftige opmerkingen over.

Denktanks en bestuursraden vormen in de VS, nog meer dan in
Europa, een prestigieuze afbouwzone. De Belgisch-Amerikaanse journalist Arnaud de Borchgrave is vijfentachtig en kan terugblikken op
een lange carrière. Zijn muur hangt vol met ingekaderde zwart-wit-
foto's van zijn visites aan Arabische en Aziatische heersers. Toch gaat
hij energiek door als adviseur voor het Center for Strategic and International Studies en als scherpzinnig columnist voor *The Washington
Times*. Ik heb De Borchgrave een keer uitvoerig kunnen spreken in
zijn kantoor en niets wees op zijn gezegende leeftijd. Er hing een soort
vanzelfsprekendheid rond zijn activiteiten, alsof zijn leeftijd er volstrekt niet toe deed – en die deed er ook niet toe.

Veel organisaties in de sociale of culturele sector zouden in elkaar
stuiken zonder het vrijwilligerswerk van senioren. Je ziet ze als *host*
of *hostess* optreden in musea en bezoekerscentra of ze maken voed-
selpakketten in de voedselbanken. Ze houden de kerken schoon of
schikken de boekenplanken in bibliotheken. Bovendien vormen ze
vaak de stoottroepen van een verkiezingscampagne; elke kandidaat
kan rekenen op bejaarde vrijwilligers. Loop een campagnekantoor

binnen en je botst op kranige zestigers en zeventigers die de *phone banks* bemannen. Ze bellen kiezers op om te vragen of die al een keuze hebben gemaakt en prijzen beleefd hun kandidaat aan. Bovendien zijn oudere burgers meer gemotiveerd om naar de stembus te trekken. Stemmen is in Amerika geen verplichting, maar een optie. De opkomst onder de vijfenzestigplussers ligt steevast boven het gemiddelde en bedraagt ruim het dubbele van het gebruikelijke opkomstpercentage in de groep van tieners en twintigers. In de laatste congresverkiezingen van 2010 was bijna een op de vier kiezers een senior (23%) hoewel hun aandeel in de bevolking maar 13% bedraagt. Oudere Amerikanen wegen veel zwaarder op de politiek dan hun numeriek gewicht zou doen vermoeden.

Tenslotte mogen Amerikanen ook naar hartenlust werken en geld verdienen nadat ze de (volledige) pensioengerechtigde leeftijd bereikt hebben en terwijl ze een federaal pensioen *(Social Security)* ontvangen. In de vs ligt die grens tussen vijfenzestig en zevenenzestig, afhankelijk van het geboortejaar. Een aantal senioren zal aan de slag blijven omdat ze daar plezier aan beleven en nog geen zin hebben om te stoppen. Toch moeten we daar niet te romantisch over doen: voor heel wat bejaarden is het een bittere noodzaak, omdat ze anders niet rondkomen. Zo zie je vaak oudere mannen of vrouwen de godganse dag in parkeerhokjes zitten; dat is schijnbaar goedkoper dan een betaalautomaat. Ook in winkelketens en supermarkten zie je oudere werknemers als kassier of rekkenvuller. En menig conciërge in Amerika is de zestig voorbij.

Uit een recente peiling is gebleken dat de meeste Amerikanen niet meer verwachten dat ze vanaf hun zevenenzestigste op hun lauweren zullen kunnen rusten. Ze gaan ervan uit dat ze tenminste deeltijds zullen werken om hun levenspeil te handhaven. Achtentwintig procent gelooft zelfs dat ze fulltime aan de slag zullen blijven. Die resultaten lopen parallel met een slinkend vertrouwen in het federale pensioensysteem. Amerika vergrijst en dat stemt veel burgers ongerust.

De babyboomers zijn daar

Net als West-Europa zag Amerika na de Tweede Wereldoorlog een toename van het aantal geboorten: de *babyboom*. Tussen 1946 en 1964 werden er in Amerika zesenzeventig miljoen kinderen geboren. De oudsten van die geboortegolf hebben intussen de pensioenleeftijd bereikt; de rest volgt in de komende twee decennia. Zij rekenen allemaal op een federaal pensioen en bovendien op de ziekteverzekeringspolis voor vijfenzestigplussers van het *Medicare*programma.

De babyboomers melden zich op de pensioenmarkt op een moment waarop die toch al druk bezet is. In 2010 waren er al veertig miljoen Amerikanen van 65 en ouder. Reken daarbij de gemiddelde levensverwachting van 78 jaar en het wordt duidelijk dat het aantal pensioentrekkers spectaculair zal aanzwellen. Demografen denken dat ze op een bepaald moment met tachtig miljoen kunnen zijn. Net als in andere industrielanden staan daar, verhoudingsgewijs, steeds minder werkende burgers tegenover. De verhouding tussen werkende en gepensioneerde Amerikanen staat nu nog op ongeveer drie tegen een, maar dat kan niet blijven duren. Geen wonder dat er recent een lichte paniek is ontstaan onder burgers en politici: hoe blijven we dat betalen? Bejaarden, die tijd en belangstelling hebben voor politieke kwesties, voelen zich nog sterker bedreigd. De senioren in Amerika vrezen voor twee dingen: hun pensioen en hun ziektekosten.

Toen er in de zomer van 2009 onverwacht fel verzet oplaaide tegen de plannen van president Obama om een algemene ziekteverzekeringswet te laten goedkeuren, stonden opvallend veel bejaarden op de eerste rij. Dat was alweer zo'n typische paradox van Amerika: diegenen die moord en brand schreeuwden over de zogenaamd socialistische plannen van de president, waren de eerste begunstigden van het solidaire Medicaresysteem. Dat programma werd in 1965 goedgekeurd onder de Democratische president Lyndon B. Johnson. Het dekt het leeuwendeel van de medische kosten voor vijfenzestigplussers en invaliden. Soms hoor je in de vs schrijnende verhalen over mensen die ernstig ziek worden op, pakweg, hun tweënzestigste en die ofwel een ontoereikende ziektepolis hebben, ofwel helemaal geen. Voor zo iemand worden de medische kosten al gauw te zwaar. Het wordt dan kiezen tussen lichamelijk of financieel ten onder gaan. Als de ziekte daarentegen de kop opsteekt na je vijfenzestigste, is er het vangnet van Medicare. Veel oudere anti-Obama-activisten vreesden dat zijn algemene ziekteplan onvermijdelijk een gat zou slaan in het budget van hun Medicareplan. Ze kantten zich tegen de invoering van een nieuw groot solidair verzekeringssysteem, uit bekommernis voor het bestaande. Dat die redenering misschien iets tegenstrijdigs heeft, ontgaat hen. In luidruchtige *townhall meetings* werden mensen met gezondheidsproblemen die het waagden hun steun uit te spreken voor Obamacare genadeloos uitgescholden. Er werd hen verweten dat ze zich maar hadden moeten indekken, zoals iedereen en hadden moeten werken voor hun polis. Het Medicare-plan wordt immers gezien als de verdiende beloning voor een leven van noeste arbeid, net als het pensioen. Obama en de Democraten hebben altijd ontkend dat Medicare zal lijden onder zijn *Affordable Care Act*. Het valt te hopen dat hij die belofte blijvend kan waarmaken, naarmate de wet nog verder wordt uitgevoerd. In elk geval leverde de hevige controverse over de ziektewet de Tea Party-beweging, die de voorhoede bezette van het debat, tal van oudere rekruten op. Zoals reeds vermeld kwamen senioren in de tussentijdse congresverkiezingen van 2010 massaal opdagen. Bovendien bleek uit exitpolls dat 59% van hen Republikeins stemde, tegen Obama en zijn gezondheidsplan. Dat was een bejaarde ruk naar rechts.

Het ironische is dat de Republikeinse fractie in het Huis van Afgevaardigden werd versterkt met kersverse politici van de Tea Party die gezworen hebben de overheidsuitgaven radicaal in te krimpen. Het ziet er naar uit dat de zwaarste aanval op Medicare niet van Obama zal komen, maar van de Tea Party-vleugel in het parlement. Toen de federale overheid in de zomer van 2011 vervaarlijk dicht in de buurt kwam van de wettelijk toegelaten *debt ceiling* (het schuldenplafond), zagen die hardliners hun kans schoon om hun punt te maken. Zonder forse bezuinigingen in de sociale zekerheid en de publieke ziekteverzekeringsprogramma's Medicare en *Medicaid* zouden ze geen dollar extra schuld meer goedkeuren. Te elfder ure werd een compromis bereikt en werd het schuldenplafond toch opgetrokken. Daar stond een principieel akkoord tegenover om in de komende tien jaar de uitgaven met bijna een biljoen dollar te verminderen. Hoe dat zal gebeuren, is niet duidelijk; die hete aardappel werd doorgeschoven naar een commissie met politici van beide partijen. Hoe dan ook, het staat zo goed als vast dat er in de overheidsuitgaven voor Medicare zal worden gesnoeid. De vraag is alleen hoe hard de gepensioneerden dat zullen voelen.

Niet alleen het federale pensioensysteem en Medicare dreigen krap bij kas te komen naarmate het aantal gepensioneerden toeneemt. De staten hebben daarbovenop hun eigen pensioenkassen voor hun ambtenaren en leerkrachten en die blijken nog lang niet gewapend voor de babyboom. Niet alleen houden ze nog weinig rekening met de toekomstige leeftijdsverschuivingen, ze hebben tijdens de voorbije crisisjaren zelfs een deel van de verplichte pensioenbijdragen voor andere doeleinden aangewend. Daardoor zijn de pensioenfondsen aanzienlijk ondergefinancierd, zo waarschuwde het Pew Center for the States. In het begrotingsjaar 2009 betaalden slechts tweeëntwintig staten hun volledig verschuldigde pensioenrekening. In de meeste staten zit er nu minder geld in de pot dan er, veiligheidshalve, in had moeten zitten, rekening houdend met het huidige aantal werknemers dat straks op een pensioen aanspraak zal maken. Illinois is er het ergst aan toe; daar zou amper de helft van de benodigde fondsen voorradig zijn. Vroeg of laat zorgt dat voor problemen en pijnlijke politieke keuzes.

Om de situatie recht te trekken moet de hakbijl boven tafel komen; de vraag is alleen waar ze zal vallen. Ofwel worden de toekomstige pensioenen ingekrompen, zodat er nu niet zoveel opzij moet worden gezet. Daarmee tref je de aankomende bejaarde generatie. Ofwel wordt er gesnoeid in andere overheidsuitgaven, zodat er meer geld overblijft voor de pensioenen. Daarmee raak je allicht de hele bevolking, van jong tot oud, maar voor de jongere generaties zal het lijken alsof zij moeten inleveren om de privileges van opa en oma te betalen. *Newsweek* vatte het nakende conflict samen als *Boomers Versus the Rest*: een gigantisch politiek generatieconflict.

Obesitas

Niet alleen de oudere Amerikanen happen een flink stuk uit het overheidsbudget voor uitkeringen en gezondheidszorg. Er is nog een bevolkingsgroep die de rekening alarmerend hoog doet oplopen. Die groep overstijgt raciale en etnische breuklijnen en laat zich weinig gelegen aan leeftijdsgrenzen. Enkel het klassenverschil sluit nauw aan bij de opdeling tussen dikke en minder dikke mensen.

Iedereen weet het wel: Amerikanen zijn gemiddeld groter en dikker dan de doorsnee Europeaan. Toch blijft het een schok om, als volwassen bezoeker uit Europa, plots vast te stellen dat je de lichtste bent van de totale clientèle in een wegrestaurant of supermarktje – kinderen inbegrepen! In sommige milieus is zwaarlijvigheid zo algemeen dat je de indruk krijgt dat er een andere stijl van lopen geldt, een ander ritme en andere verplaatsingspatronen. In Amerikaanse benzinestations of parkings betrap ik mezelf soms op een ongebruikelijk haastige tred en bedenk dan: zo loopt niemand hier. Als er in kleinere stadjes in het binnenland iets slooms zit in de bewegingen, dan heeft veel daarvan te maken met de lichaamsbouw.

De Centers for Disease Control and Prevention hebben in kaart gebracht hoe de Amerikanen de voorbije vijfentwintig jaar collectief zwaarder zijn geworden. Volgens de gangbare definitie is een mens zwaarlijvig of obees als hij of zij een body mass index heeft van dertig of meer. In 1985 waren er nog maar een achttal staten waar meer dan 10% van de bevolking aan die norm beantwoordde. Tien jaar later was dat in alle staten het geval. In 2009 bleef geen enkele staat, op Colorado na, nog onder het peil van 20%. Voor een goed begrip: dat zijn de cijfers waarin de totale bevolking wordt meegerekend, inclusief kinderen en jongeren. Als je alleen de volwassenen telt haal je een nationale score van een op drie. Anders gezegd: drieënzeventig miljoen volwassen Amerikanen zijn officieel zwaarlijvig.

Op ingekleurde kaartjes is te zien hoe de zuidelijke staten met een grote zwarte bevolking de kroon spannen. De zuidwestelijke regio, waar veel latino's wonen, doet het nauwelijks beter. Uitgesplitst naar minderheden blijkt dat obesitas een nog groter probleem is onder zwarten en latino's dan onder blanken of Aziaten. Het fenomeen is echter te breed verspreid om het aan ras of etniciteit te relateren. Genetische factoren kunnen in individuele gevallen een rol spelen, maar als er sprake is van een trend van zwaarlijvigheid heeft dat te maken met voedingspatronen en gebrek aan beweging. Die dingen zijn op hun beurt gekoppeld aan woonplaats, inkomen en levensstijl – of aan de klassenverschillen van Amerika.

In het hoofdstuk over de zwarte Amerikanen werd al het probleem van de *food deserts* aangestipt: gebieden waar te weinig supermarkten met een gezond voedingsaanbod gevestigd zijn. In zulke wijken vind je eerder nog een Subway of Burger King dan een winkeltje, wat allerminst bevorderlijk is voor een voedzaam en gezond dieet. De regering-Obama probeert daar wat aan te doen met een bescheiden investeringsprogramma, maar sceptici twijfelen eraan of dat wel helpt.

Zelfs als er een supermarkt voorradig is, kosten verse groenten en fruit verhoudingsgewijs veel meer dan frisdrankjes en junkfood. In kansarme wijken met weinig koopkracht zullen de klanten voor de goedkoopste producten kiezen, niet voor de gezondste. Materiële en economische factoren spelen dus een rol, maar het zou te makkelijk zijn om het probleem volledig daaraan toe te schrijven. Want ook in blanke voorsteden zie je zwaarlijvigen of mensen met overgewicht. Amerika heeft zondermeer een eetcultuur ontwikkeld die obesitas in de hand werkt. Om te beginnen is er iets mis met de maten die standaard worden gehanteerd in fastfoodketens en *diners*. De altijd maar zwaardere hamburgercombinaties, de sloten Coca-Cola, de stapels *waffles* met room of de emmers popcorn en snoep nemen schrikwekkende proporties aan. Ofwel worden die toch nog achteloos naar binnen gespeeld, ofwel wordt de helft daarvan bij het afval gekeild. Beide opties lijken mij heel bedenkelijk, des te meer in crisistijden. Sommige ketens bieden gezondere alternatieven aan of *veggie* items, maar dat leidt voorlopig nog niet tot een fundamentele ommekeer. Amerikanen eten te veel vlees, punt uit. De effecten daarvan op landbouw, regenwoud en klimaatverandering vallen buiten het bestek van dit boek, maar zijn reëel en schandelijk nefast.

Combineer die ongezonde menu's met de eet- en leefpatronen en het wordt allemaal nog ongezonder. Te veel Amerikanen eten te vaak buitenshuis of ze happen wat binnen in het voorbijgaan. Kinderen krijgen chips, cola, snoeplollies of milkshakes mee als ontbijt. Ook de betere inkomensgroepen, de stedelijke professionals, doen mee aan dat uithuizige eetgedrag. Ik heb in Amerika nog nooit een ouderwetse boterhammendoos gezien; mensen staan liever twintig minuten op de stoep aan te schuiven bij de broodjeszaak. Natuurlijk is ook Europa stilaan in dat bedje ziek, maar de proporties liggen – voorlopig nog – een beetje anders. Bovendien spuwt die eetcultuur, dag na dag, een enorme afvalberg van plastic folie en bestek, piepschuimen bekers, meeneemzakjes, kartonnen bordjes, roerstokjes en petflessen.

Het gebrek aan beweging van veel Amerikanen hangt samen met hun ruimtelijke ordening en hun verslaving aan de auto. Het volgende hoofdstuk gaat daar uitvoeriger op in. Dat fenomeen overstijgt de eetcultuur, maar zelfs de eetpatronen in strikte zin worden door de auto gemodelleerd. Je ziet in de vs steeds meer zogenaamde *drivethru* restaurants of Starbucks-koffiehuizen. Amerikaanse wagens hebben al heel lang ingebouwde bekerhouders en uitsparingen voor forse colaflessen. Eten en drinken in de wagen is een doodnormale zaak.

Er zit een *first lady* in het Witte Huis die de strijd aanbindt met de Amerikaanse cultuur van vetopstapeling. Ze mikt op twee paarden: een gezondere voeding en lichaamsbeweging. Al in de eerste lente van Obama's presidentschap nodigde ze schoolkinderen uit naar het Witte Huis om samen grond om te spitten en aan te harken en om een presidentiële moestuin te beginnen. Het was een domper op de vreugde toen later bleek dat er tamelijk hoge loodconcentraties zaten in de bodem van het tuintje, zoals je dat in stadstuinen misschien wel mag verwachten. Het loodgehalte bleef gelukkig beneden de gevarenzone en het belangrijkste was de boodschap die Michelle wou uitdragen: eet gezond. Wat later werd ze het uithangbord van een beter uitgekiende campagne: *Let's move!* Die wil vooral obesitas bij kinderen tegengaan en de Amerikaanse jeugd aansporen om en beter te eten en meer aan lichaamsbeweging en sport te doen.

Met bewustmaking alleen zal obesitas niet worden teruggedrongen. Om het probleem bij de wortel aan te pakken, legt de regering-Obama de scholen nu nieuwe normen op voor hun lunchaanbod. Zelfs de verkoopautomaten moeten daarmee rekening houden. De *Healthy, Hunger-Free Kids Act* voorziet daarnaast in de financiering van gratis schoolmaaltijden voor kansarme kinderen en legt ook geld op tafel om scholen gezonder te helpen koken. De wet werd in 2010 op de valreep goedgekeurd, net toen de Democraten in het Congres nog de meerderheid hadden. De Republikeinen stemden massaal tegen, omdat ze het programma te duur vonden en een ongepaste vorm van bemoeienis door de federale regering. Regelgeving blijft in het superliberale Amerika altijd omstreden: het staat iedereen vrij om zich dood te eten.

Met dat alles lijkt het alsof we flink zijn afgeweken van ons diversiteitstraject. De zwaarlijvigen in Amerika mogen dan al over zelfhulpgroepen beschikken of winkelen in speciaalzaken, ze vormen vooralsnog geen eigen gemeenschap, zoals holebi's, latino's of moslims en nauwelijks een belangengroep, zoals de senioren. Er is ook geen duidelijke grens tussen zwaarlijvigen en anderen, want behalve de echt problematische obesitaslijders telt Amerika nog tientallen miljoenen burgers met overgewicht. Toch is de breuklijn tussen ongezond dikke en sportieve en fitte Amerikanen niet zonder betekenis. Want alweer een paradox: nergens is de lichaams- en fitnesscultuur zo sterk ontwikkeld als in de VS. De fitnesscentra lopen vanaf half zes 's ochtends vol met mannen en vrouwen die hun lijn scherp en hun spieren gebald willen houden. Middelbare scholen en universiteiten leveren jongens af als kleerkasten. In elke stad lopen, op elk uur van de dag, joggers met hoofdtelefoontjes de drukte te trotseren – van slanke paardenstaartmeisjes tot pezige ouderlingen. De lichaamsbouw wordt een kenmerk van de levensstijl, met alle klassennoties die daaraan vast hangen.

De belangrijkste conflictstof die in de obesitasproblematiek verscholen zit, heeft echter te maken met de oplopende kosten ervan. Wie aan obesitas lijdt, loopt een groter risico op diabetes. Nu al hebben zesentwintig miljoen Amerikanen die diagnose gekregen. Van tachtig miljoen anderen wordt de conditie beschreven als prediabetes. Bovendien kan diabetes weer andere gezondheidsproblemen veroorzaken, zoals hartkwalen, hoge bloeddruk, nierziekten, blindheid en ongeneeslijke verwondingen. Verzekeringsmaatschappijen zien de bui hangen. In 2010 berekende UnitedHealth Group dat een diabeteslijder in Amerika driemaal zoveel kost aan gezondheidszorgen als een gezonde persoon, tot bijna twaalfduizend dollar per jaar. Zodra de ziekte complicaties veroorzaakt, kan die prijs klimmen tot het dubbele. In 2007 kostte diabetes de Amerikaanse belastingbetaler honderdvierenzeventig miljard dollar. In 2020 wordt het ongetwijfeld een veelvoud van dat bedrag. Net zoals de stijgende uitgaven voor pensioenen en Medicare een lichte paniek veroorzaken, stemt ook het kostenplaatje van obesitas en diabetes niet bepaald hoopvol. De eerste voorstellen om dikke mensen een hogere premie te laten betalen voor hun ziektepolis zijn gelanceerd. Er dreigt een culpabilisering van de zwaarlijvigen: als ze met diabetes of andere problemen kampen, hebben ze dat zelf gezocht. De fitte en gezonde mens tegen de zieke, de niet-roker tegen de roker, de geheelonthouder tegen de drinker, de dunne tegen de dikke: als het geld bijna op raakt, kan dat soort diversiteit nog akelige discussies opleveren.

Mindervaliden

Een minderheid waarover minder discussie bestaat, is de grote groep van Amerikanen met een handicap. Volgens het Census Bureau zijn er tenminste vierenvijftig miljoen. Die groep overlapt uiteraard met de leeftijdsklasse van bejaarden en met de zwaarlijvigen. In het algemeen is er veel respect voor mindervaliden. In 1990 al werd een wet goedgekeurd, de *Americans with Disabilities Act*, die erg ver gaat in de vrijwaring van de burgerrechten voor mensen met een handicap. De wet verbiedt elke vorm van discriminatie van mindervaliden bij de aanwerving van werknemers. Daarenboven worden er strenge normen opgelegd voor de fysieke toegankelijkheid van overheidsgebouwen en openbaar vervoer en van alle commerciële instellingen die voor het publiek toegankelijk zijn – inclusief hotels, restaurants, musea en warenhuizen. De wet wapende gehandicapten en hun belangengroepen om rechtszaken aan te spannen als ze zich benadeeld voelen. Zo kon de veteranengroep Paralyzed Veterans of America het Michigan Stadium, een van de grootste in de wereld, via de rechtbank dwingen om honderden extra plaatsen te voorzien voor rolstoelgebruikers.

Amerikanen zijn niet verbaasd om mensen met een handicap in verantwoordelijke functies te zien. Een van hun belangrijkste presidenten, Franklin Delano Roosevelt, leed aan polio en werd niettemin vier keer verkozen. John McCain heeft tijdens de oorlog in Vietnam blijvende letsels opgelopen en kan zijn armen niet boven zijn schouders tillen, maar dat speelde geen enkele rol in de campagne van 2008. Zijn Republikeinse collega-senator Bob Dole had in 1996 ook al meegedaan aan de presidentsverkiezingen; bij hem was één arm verlamd. De staat New York kreeg in 2008 een blinde gouverneur, David Paterson. Een lijstje maken met blinde vedetten uit het Amerikaanse muziekcircuit is niet moeilijk: Ray Charles, Stevie Wonder of de Puerto Ricaan José Feliciano. Vooral in de blues zijn er blinde zangers bij de vleet: Blind Lemon Jefferson, Blind Willie Johnson of de Five Blind Boys of Alabama. Alleen op televisie en in de film zijn er weinig gehandicapten te zien. Op het grote en kleine scherm moeten de mensen er doorgaans mooi en perfect uit zien, maar daarin verschilt Amerika niet van Europa. Wel hebben bekende acteurs, die in de loop van hun carrière door ziekte of een ongeval gehandicapt raakten, een vooraanstaande rol gespeeld in bewustmakingscampagnes. Michael J. Fox lijdt al twintig jaar aan de ziekte van Parkinson en Christopher Reeve werd zwaar verlamd na een val van zijn paard. Allebei hebben ze zich ingezet voor stamcelonderzoek, met het oog op betere behandelingswijzen.

Een aparte categorie van gehandicapten zijn de veteranen die niet zonder kleerscheuren uit de oorlogen of militaire dienst zijn teruggekeerd. Hun aantal is ontstellend hoog: drie miljoen vierhonderdduizend Amerikanen leven met een of andere handicap (fysiek of mentaal) die aan hun militaire carrière kan worden toegeschreven. In veel gevallen gaat het nog om letsels uit de Tweede Wereldoorlog (hoewel die groep stilaan hoogbejaard is en sterft), de oorlogen in Korea en Vietnam of de eerste Golfoorlog van 1991. De voorbije twaalf jaar zijn daar nog eens tweehonderdduizend gehandicapte veteranen bijgekomen door de oorlogen in Irak en Afghanistan. De Amerikaanse bemoeienis met het buitenland eist een zware tol.

Wie omwille van zijn handicap niet of nauwelijks kan werken, kan rekenen op een sociale zekerheidsuitkering. Die staat los van het reële inkomen, wat naar Amerikaanse normen tamelijk coulant is. Toch zie je in de vs nog te veel gehandicapte daklozen of bedelaars op kruispunten. Vaak zijn dat ouder wordende mannen of mensen met een mentale stoornis die schijnbaar door de mazen van het sociale vangnet zijn gevallen. Het valt te vrezen dat de recente rondjes bezuinigingen op alle niveaus – steden, staten en federaal – nog meer zulke slachtoffers zullen maken. Op veel plaatsen wordt bijvoorbeeld het mes gezet in speciale onderwijsprogramma's voor kinderen met leerstoornissen, gedragsproblemen of autisme, in psychologische hulpverlening of initiatieven voor verslaafden. Meer nog dan mensen met een fysieke handicap dreigen de mentaal kwetsbare Amerikanen de rekening te betalen.

In 2000 maakten de vijfenzestigplussers 12,4% van de bevolking uit. Tien jaar later zaten ze al bijna aan 13%. Het aandeel van de min 18-jarigen daarentegen is flink gedaald, tot beneden een kwart van de totale populatie. Amerika vergrijst. Dat is niet uitzonderlijk in de industriële wereld en in vergelijking met Japan en Europa valt het zelfs nog mee. In de vs valt die verandering echter samen met andere trends, waardoor de verschillen tussen oudere en jongere generaties nog sterker uit de verf komen. Kijken we bijvoorbeeld naar de staat Arizona. Daar zie je dat de oudere bewoners nog in hoofdzaak blank zijn, terwijl de jeugd steeds duidelijker hispaniseert. De latinojongeren hebben de blanke jongeren zelfs ingehaald, met 43,2% tegenover 41,6%.

Die dubbele tweedeling tussen jongere latinogeneraties en blanke (en zwarte) senioren zal zich geleidelijk over heel Amerika laten voelen. Dat beeld kan de angst voor een hispanisering van Amerika nog verder aanwakkeren. Omdat de politiek in veel staten nog stevig gedomineerd wordt door oudere blanke kiezers en politici, mogen we nog een tijdlang initiatieven verwachten om de immigratie van hispanics in te dijken. De anti-immigratiewetten van Arizona of Alabama zijn hier mooie illustraties van. Anderzijds zal de verdere vergrijzing de pensioen- en ziektekosten verder doen oplopen. De rekening zal alleen nog betaald kunnen worden als er voldoende jongeren op de arbeidsmarkt blijven instromen, die met hun bijdragen de pensioenkas kunnen aanvullen. Als dat besef groeit, zal het er minder toe doen of de jonge werknemers blank of bruin zijn en of ze thuis Spaans of Engels spreken. Geld heeft geen kleur, zolang het maar voorradig is.

Tenslotte nog een laatste statistische vaststelling. De gemiddelde Amerikaanse vrouw overleeft de gemiddelde Amerikaanse man met vijf jaar. Dat is niet uitzonderlijk, ook in België is dat nog steeds het geval. Het zogenaamd zwakke geslacht blijkt op het laatst toch sterker. In hoofdstuk dertien proberen we de strijd der geslachten in Amerika wat preciezer te beschrijven en te begrijpen.

De vrouwelijke toets

Man made the electro lights
To take us out of the dark
Man made the bullet for the war
Like Noah made the ark
This is a man's world
But it would be nothing
Without a woman or a girl

JAMES BROWN

Ondanks de barre kou en de sneeuw die in de straten ligt, is de sporthal in Nashua, in New Hampshire, behoorlijk volgelopen. Er zitten opvallend veel dames in de zaal van lichtjes gevorderde leeftijd, vijftigers en zestigers. Urenlang wachten de mensen op de aankomst van de vrouw die ze van dichtbij willen zien: Hillary Clinton. De senator uit New York en voormalige *first lady* heeft zich vast voorgenomen om de Democratische kandidate te worden voor de presidentsverkiezingen van 2008. Een jonge zwarte collega-senator uit Illinois, Barack Obama, rijdt haar in de wielen. De lange voorverkiezingsstrijd moet nog beginnen, maar nu al is duidelijk dat Clinton het niet onder de markt zal hebben. In New Hampshire, de tweede etappe in de race, worden alle zeilen bijgezet: *meet-and-greets*, huiskamerkoffiekransjes, marktbezoeken en optredens in zalen. De kiezers van de *granite state* zijn zich bewust van hun bepalende invloed. Ze komen massaal op politieke meetings af en voelen de kandidaten

uiterst kritisch aan de tand. Wie in New Hampshire zwaar onderuit-
gaat, kan het wel schudden. Wie wint, is gelanceerd.

Een man van middelbare leeftijd krijgt de microfoon. 'Weet u, mevrouw Clinton,' zegt hij, 'mijn dochters willen graag dat ik voor u
stem.' (Gelach en applaus in de zaal.) 'Maar ik twijfel nog. Soms maakt
u zo'n koude, berekenende indruk. Dan zie ik hoe Obama plots aangevallen wordt omwille van zijn godsdienst of omdat hij in zijn jeugd
aan de drugs zat...' De man begint een beetje te dwalen in zijn betoog
en de fans van Clinton worden nerveus. 'Stel je vraag nu maar,' roepen ze. 'Wel..., wat..., er klopt iets niet..., ik heb niet echt een vraag
maar..., hoe..., wat vertel ik mijn dochters?'

Een geprikkelde Hillary heeft een begenadigd moment. '*Well, your
daughters sound very smart to me...*' De zaal ontploft van enthousiasme en de vraagsteller krimpt ineen. Daarna laat de kandidate even
in haar hart kijken en legt ze een knagende frustratie bloot. 'Ik denk
dat het nu toch wel duidelijk is dat ik volgens andere maatstaven
beoordeeld word dan wie dan ook in deze verkiezingsrace. Ik accep-
teer dat, ik ben bereid om dat erbij te nemen.'

Zowel de gehakkelde vraag als het wat bitter klinkende antwoord
raken diepere gevoelens. Er hangt een moeilijk te verwoorden sfeer
van wantrouwen rond de kandidatuur van Hillary Clinton. Wat eigen
is aan elke campagne en politicus wordt haar aangewreven: dat ze
ambitieus is en wil winnen en dat ze, soms op het cynische af, tactische manoeuvres bedenkt. Een man die daarin uitblinkt, krijgt de
kwalificatie slim; een vrouw wordt algauw een *bitch* genoemd. In
haar antwoord alludeert Clinton op die dubbele standaard. Ze weet
bovendien dat ze destijds, als first lady in het Witte Huis, door de
rechts-conservatieve pers is afgeschilderd als een linkse feministe,
een zwaar overtrokken beeld dat aan haar is blijven kleven. Ze zegt
niet letterlijk dat ze het moeilijk heeft omdat ze vrouw is, maar tussen de regels valt die boodschap te beluisteren. Ik kijk om me heen
naar de toehoorders. Sommige vrouwen knikken triomfantelijk, anderen bijten ontroerd op hun lip.

Een paar weken later wordt de eerste voorverkiezing in Iowa gewonnen door Barack Obama. Clinton moet nu als eerste eindigen in
New Hampshire om haar campagne op dreef te houden, maar de peilingen geven Obama opnieuw gewonnen spel. Daags voor de stembusslag, tijdens een optreden in een koffiehuis, wordt het Hillary Clinton
even te machtig wanneer een vrouw haar vraagt hoe ze het volhoudt.

Haar stem breekt een beetje en er wellen tranen op in haar ogen. 'Ik heb zoveel kansen gekregen van dit land, ik wil ons gewoon niet zien terugvallen. Weet je, dit is heel erg persoonlijk. Dit is niet alleen politiek.' De beelden gaan het land rond en 's anderendaags komt Clinton in New Hampshire als winnaar uit de bus.

De *emotional breakdown* van Clinton is dagenlang voer voor debatjes en interviews op de nieuwszenders en voor lange kolommen in de kranten. Was het een onbedoelde, oprechte inkijk in haar gevoelige ziel of was het een briljant toneelstukje? Bill Clinton zal later zeggen dat het publiek de menselijke kant van zijn echtgenote zag. Anderen zien er een uitgekookt plan in: Hillary die met voorbedachten rade haar zogenaamd vrouwelijke kantjes gebruikt. Zelden zijn de emoties van een mannelijk politicus in een campagne zo verregaand geanalyseerd. Het voorval bevestigt dat een vrouwelijke kandidate altijd kritiek uitlokt. Als ze ongevoelig en rationeel blijft, krijgt ze het etiket 'koud' opgeplakt; als ze emotioneel wordt, misbruikt ze haar vrouwelijkheid.

Na New Hampshire wordt het een lange uitputtingsslag. Pas begin juni geeft Clinton haar nederlaag toe en spreekt ze haar steun uit voor Barack Obama als Democratisch presidentskandidaat. Maandenlang heeft ze niet of nauwelijks meer gealludeerd op het feit dat ze een vrouw is. In haar *concession speech* haalt ze die schade in. Ze verwijst naar de achttien miljoen stemmen die ze heeft behaald en die bewijzen dat een vrouwelijke presidente geen droombeeld meer hoeft te zijn.

'Terwijl we hier samen zijn, zweeft de vijftigste vrouw in de atmosfeer. Als we vijftig vrouwen de ruimte in kunnen blazen, dan zullen we ooit wel een vrouw naar het Witte Huis kunnen lanceren. Hoewel het ons deze keer nog niet gelukt is om dat hoogste, hardste glazen plafond aan diggelen te slaan, zitten er al achttien miljoen barstjes in. Het licht schijnt daar doorheen als nooit tevoren, wat ons met hoop vervult en de zekerheid biedt dat de weg de volgende keer een beetje makkelijker zal zijn.'

Adresboekjes

Voor wie de Amerikaanse diversiteit een warm hart toedraagt, was de verkiezingsstrijd van 2008 een ongelooflijke belevenis. De drieënveertig presidenten die elkaar sinds 1789 opvolgden waren allemaal blanke mannen. Voor het eerst leek de kans reëel dat er ofwel een vrouw ofwel een zwarte man zou worden verkozen. Voor heel wat mensen – met name zwarte vrouwen – was dat een verschroeiende keuze. De voorverkiezingen bij de Democraten sleepten maandenlang aan en de strijd tussen Obama en Clinton riep bittere gevoelens op in de rangen van de militanten. Later wist Obama die wonden gedeeltelijk te helen door Hillary Clinton te benoemen tot minister van Buitenlandse Zaken. Je kunt hun samenwerking in de regering bezwaarlijk hartelijk noemen, maar regelrechte botsingen bleven uit.

Clinton is al de derde vrouwelijke minister op het State Department. Haar voorgangsters waren Madeleine Albright en Condoleeza Rice. Het gaat om een van de meest prestigieuze en zichtbare functies in de Amerikaanse politiek. Het buitenlands beleid heeft bovendien heel wat raakvlakken met oorlog en defensie, terreinen die traditioneel toch als mannelijk worden gezien. Het feit dat de vs de leiding van de diplomatie al voor de derde keer aan een vrouw hebben toevertrouwd, bewijst dat de geesten aan de top geweldig geëvolueerd zijn.

De voorbije twintig jaar zijn er nog meer belangrijke posten door vrouwen ingevuld. Laten we eerst even langslopen bij het Hooggerechtshof. Ruth Bader Ginsburg werd aangesteld door president Clinton, Sonia Sotomayor en Elena Kagan kregen hun benoeming van Barack Obama. Drie vrouwen op negen, voor het leven benoemd, dat gaat de goede kant uit. In de regering van Obama draagt Janet Napolitano de verantwoordelijkheid voor Binnenlandse Veiligheid. Geen makkelijke job. Zolang alles goed gaat, zie je haar niet, maar bij een aanslag of ramp heeft zij de boter gevreten. Hilda Solis (een hispanic) is minister van Arbeid en Kathleen Sebelius beheert de belangrijke portefeuille van Gezondheidszorg. Dat zijn vier vrouwen in een kabinet van vijftien. Te weinig?

De verhoudingen in het Congres zitten nog echt scheef. In de senaat vind je in 2011 zeventien vrouwen op honderd en in het Huis van Afgevaardigden zijn er slechts zesenzeventig op vierhonderdvijfendertig: dat is minder dan een op vijf! Ook de gouverneurs vormen een mannenclubje. Van de vijftig staten worden er momenteel slechts zes door een vrouw geleid. Telkens gaat het om functies en zetels die verworven worden door verkiezingen. De vraag is of het aan de vrouwelijke kandidaten ligt of aan een vrouwonvriendelijk electoraat. Ongetwijfeld moeten vrouwen in conservatievere regio's nog opboksen tegen diep ingesleten opvattingen en twijfels over hun bekwaamheden. Dat wantrouwen wordt gevoed door sommige kerken en religieus geïnspireerde pressiegroepen. Toch kan dat niet echt de verklaring zijn. In de radicaal-conservatieve golf die de laatste jaren over Amerika spoelt, zie je net vrouwen prominent op de voorgrond treden. De eerste bekende boegbeelden van de Tea Party waren vrouwen: Sarah Palin, Michele Bachmann of de gouverneurs Jan Brewer van Arizona en Nikki Haley van Zuid-Carolina. Ironisch genoeg lijkt net die conservatieve stroming in vrouwelijke leiders te geloven.

Als alle vrouwen voor vrouwen zouden kiezen, maakten de Amerikaanse mannen nog maar weinig kans. Vrouwen zijn niet alleen lichtjes in de meerderheid (50,8%), bij de presidentsverkiezingen van 2008 bleek bovendien dat ze ook plichtsbewuster naar de stembus trokken. In totaal brachten ze tien miljoen stemmen meer uit dan de mannen, een verschil in opkomst van 4%. Ook in 2004 lagen de vrouwen al op kop, maar de kloof groeide nog. Tegelijk toonden de peilingen een lichte vrouwelijke voorkeur voor de Democraten. Die twee factoren samen hebben bijgedragen tot Obama's verkiezingszege. Uitgesplitst naar ras en geslacht waren de zwarte vrouwen de ijverigste kiezers: zij spanden de kroon met een opkomstscore van bijna 69%.

De moeizame doorstroming naar de top kan dus evenmin worden toegeschreven aan een slappe politieke belangstelling onder de vrouwelijke kiezers, integendeel. De belangrijkste reden voor de achterstand is wellicht dezelfde als wat je in Europa vaak hoort: vrouwen zijn slechter in netwerken. Hun mobieltjes bevatten minder telefoonnummers en ze wisselen minder snel naamkaartjes uit. Alleen maakt dat in de vs een nog groter verschil dan in Europa. Om in Amerika verkozen te raken, heb je geld nodig en geldschieters. Elke politicus moet dagenlang vernederende telefoontjes plegen naar zakenrelaties en lang vergeten vrienden om financiële steun los te weken of een optreden te ritselen waar hij zijn boodschap kwijt kan. De *old boys*circuits van gabbers uit de studentenclubs, de militaire dienstjaren of vroegere jobs zijn goud waard. Vrouwen ontbreekt het vaak aan dat soort clubverleden. Dat geeft hen van bij de start een achterstand.

In de met notenhout gelambriseerde vergaderzalen van de grote Amerikaanse bedrijven ziet de situatie er al niet veel beter uit. De internationale studie- en lobbygroep Catalyst onderzocht de vrouwelijke aanwezigheid in de bestuursraden van de Fortune 500 en kwam uit op een magere 16%. Bij de hogere directiefuncties lag het percentage nog lager en onder de CEO's zat slechts een dozijn vrouwen.

Ook in de *corporate*coulissen spelen ongetwijfeld informele vriendschaps- en vertrouwensrelaties. In dat opzicht is het niet zonder betekenis dat een aantal prestigieuze sport- of vrijetijdsclubs nog altijd vrouwen weigeren. Enkele jaren geleden voerde de National Council of Women's Organizations een campagne tegen de Augusta National Golf Club, nota bene de instantie die jaarlijks het U.S. Masters-golftoernooi onderdak geeft. De ledenlijst van die vereniging is niet publiek, maar de krant *USA Today* kon er in 2004 de hand op leggen. Er stonden toen namen bij als Bill Gates (Microsoft), William Clay Ford (Ford Motor Company), George Shultz (gewezen minister van Buitenlandse Zaken) en belegger Warren Buffett. Tussen alle CEO's en prominenten uit de politiek zat niet één vrouw. Dat was niet omdat vrouwen geen belangstelling hadden, maar omdat de club op grond van principes en tradities geen vrouwelijke leden toeliet. Voorzitter William Johnson vond dat een interne aangelegenheid en een grondwettelijk recht. 'Onze club is altijd welgevaren bij camaraderie en beslotenheid. Dat maakt het moeilijk voor ons om nu veranderingen te overwegen. Wij zijn een private vereniging. Denk aan de *boy scouts* en de *girl scouts*, die zijn ook niet gemengd. Of de studentenclubs. Zijn die dan immoreel?'

Ondanks een campagne in de media hield de golfclub voet bij stuk. Voorzitter Johnson heeft misschien gelijk met zijn opmerking over het privékarakter en de vergelijking met de boy scouts. Alleen worden er bij de scouts nog geen zakendeals gesloten of strategieën uitgewerkt voor elkaars bestuursraden. Het feit dat vrouwen uit zulke cenakels worden geweerd, belemmert zo goed als zeker hun carrièrekansen, al zullen ze dat nooit kunnen bewijzen.

Studentenclubs zijn een deel van het probleem. Alumninetwerken spelen in Amerika een primordiale rol in het versieren van banen en benoemingen. Vooral de typische genootschappen, die zichzelf doorgaans een naam geven in de vorm van een Griekse lettercombinatie (*Phi Beta Kappa* bijvoorbeeld), creëren banden voor het leven. Veel van die clubs zijn nog exclusief voor jongens (de *fraternities*) of voor meisjes (de *sororities*). De verzustering in die clubs kan op termijn misschien wat weerwerk bieden tegen de mannelijke invloedssfeer, maar makkelijk zal dat niet zijn. Overigens pakt die netwerkcultuur niet alleen nadelig uit voor vrouwen, maar ook voor minderheden of nieuwkomers. In Amerika houden elites zichzelf al netwerkend in stand.

Ongelijk loon voor gelijk werk

Op de fraaie en uitgestrekte campussen van de vs lopen meer meisjes dan jongens rond. Al ruim tien jaar blijkt er een duidelijke *gender gap* te bestaan op het niveau van de bacheloropleidingen. Daar zijn de meisjes goed voor 57% van de inschrijvingen en diploma's: een indrukwekkende voorsprong. Intussen behalen de vrouwelijke studentes ook al meer masterdiploma's en zelfs doctoraten. Net als in Europa blijken probleemgroepen die algemene trend te volgen. De hispanics studeren het minst van alle minderheden, maar hispanic meisjes doen het toch nog beter dan jongens.

Het Census Bureau achterhaalde het effect van die jarenlange voorsprong. Er zijn nu procentueel meer vrouwen aan het werk met een universitair diploma dan mannen. Simpel gezegd: de vrouwelijke beroepsbevolking is officieel slimmer dan de mannelijke. Dat zou goed nieuws kunnen zijn voor de vrouwen, ware het niet dat ze gemiddeld nog steeds minder verdienen dan hun mannelijke collega's. Die loonkloof bestaat ook in de Europese Unie en bedraagt voor alle lidstaten samen 17,5%. In Amerika is de kloof nog breder. Voor elke honderd dollar die een man mee naar huis neemt, krijgt een vrouw er slechts zevenenzeventig uitbetaald, een verschil van 23%. Dat betekent dat vrouwen langer moeten werken om hetzelfde loon te bereiken, zelfs al is de gemiddelde werkende vrouw in Amerika hoger opgeleid dan de gemiddelde man.

De redenen voor die puzzel lopen grotendeels gelijk aan weerszijden van de Atlantische plas. Vrouwen werken vaak in de dienstverlening of de zorgsector, waar de lonen lager liggen dan in de industrie en waar carrièrekansen schaars zijn. Vrouwen kiezen vaker voor deeltijds werk of onderbreken hun loopbaan om kinderen op te voeden, wat daarna weer in hun nadeel speelt. Vrouwen laten op die manier promotiekansen aan zich voorbijgaan of worden voor promotie over het hoofd gezien. Dat alles resulteert in een lager loon voor dezelfde gepresteerde arbeidstijd, vergeleken met de mannen.

Een regelrechte discriminatie van vrouwen is in principe niet mogelijk. Zowel in de EU als in Amerika zijn er wetten van kracht die werkgevers verbieden om vrouwen minder te betalen dan mannen als ze hetzelfde werk doen. Toch ontdekte Lily Ledbetter, een fabrieksarbeidster in Alabama, kort voor ze met pensioen ging dat haar werkgever Goodyear haar al die tijd minder had betaald dan haar mannelijke collega's. Ze diende een klacht in op grond van de Burgerrechtenwet. De zaak belandde uiteindelijk bij het Hooggerechtshof, maar de rechters verwierpen haar eis op proceduregronden.

President Obama zat nauwelijks een week in het Witte Huis toen hij zijn eerste wet ondertekende: de Lily Ledbetter-wet. Die verruimt de mogelijkheden om loondiscriminatie op grond van geslacht aan te vechten. Toen hij zijn handtekening op papier zette, werd Obama omringd door tal van glunderende vrouwelijke parlementsleden. Ook Lily Ledbetter was erbij, zeventig jaar oud intussen. Voor Obama was het een handige gelegenheid om een campagnebelofte in te lossen en om zijn vele vrouwelijke kiezers te bedanken.

Niettemin was de strijd voor gelijk loon daarmee klaarblijkelijk nog niet beslecht. Dat bleek in de lente van 2011 naar aanleiding van een rechtszaak tegen supermarktketen Walmart. Het ging om een zogenaamde *class action*, waarbij een grote groep werknemers een schadeloosstelling te beurt valt als de klachten van enkelingen worden aanvaard. De klagers in dit dossier beweerden, met statistieken in de hand, dat Walmart zijn vrouwelijke werknemers systematisch minder betaalt en bovendien promotiekansen ontzegt. Ze zagen daarin een patroon waarvan anderhalf miljoen vrouwelijke werknemers de dupe was. Het was de meest vermetele aanval die vrouwen ooit gelanceerd hadden tegen loondiscriminatie. Als ze de zaak hadden gewonnen, zou dat de supermarktreus miljarden dollars hebben gekost. Ook dit dossier belandde op de tafel van het Hooggerechtshof en werd nietig verklaard. Volgens vijf van de negen rechters waren er niet genoeg harde bewijzen dat het om systematische inbreuken ging en kon een class actionprocedure niet door de beugel.

De Walmart-zaak deed een paar dagen veel stof opwaaien. Vooral de vrouwen in de Democratische fracties van het Congres reageerden verontwaardigd. Ze mikken nu op alweer een nieuwe wet, de *Paycheck Fairness Act*, om alle achterpoortjes te sluiten. En ze dienden opnieuw een voorstel tot amendering van de grondwet in, het *Equal Rights Amendment*. Alleen wanneer het in de heilige grondwet wordt gebeiteld, zei een van hen, zal het principe van gelijkberechtiging gewaarborgd zijn. Mochten ze slagen in hun opzet dan mag je dat zonder meer historisch noemen; het voorstel ligt al op tafel... sinds 1923.

Moms in soorten

Amerikaanse vrouwen die uit werken gaan, kunnen maar beter hun mannetje staan. De eerste vraag is nochtans of ze wel kunnen werken. De arbeidswetgeving in de VS maakt het niet makkelijk om een baan met een jong gezin te combineren. Zwangerschapsverlof bestaat niet of je moet onbetaald vrijaf nemen. De *Family and Medical Leave Act* geeft je het recht daartoe, als je bedrijf tenminste onder die regeling valt. Dan kan je twaalf weken thuis blijven, zonder salaris, in een periode van een jaar. Enkel in Californië en New Jersey bestaan er vormen van betaald ouderschapsverlof. Voor de meeste jonge moeders in Amerika betekent een blije geboorte en gezinsuitbreiding dus tegelijk een hap uit het inkomen. In een recent rapport tikte de mensenrechtenorganisatie Human Rights Watch Amerika daarvoor op de vingers. 'Ondanks het enthousiasme over "familiewaarden" hinken de VS decennia achterop in vergelijking met andere landen als het gaat om het welzijn van werkende gezinnen.' De Amerikanen belandden in het rapport onderaan een internationale rangschikking, naast Swaziland en Papoea Nieuw Guinea.

Desondanks valt het wel mee met de vrouwelijke aanwezigheid op de arbeidsmarkt. Bijna zes op de tien vrouwen zijn nu, deeltijds of voltijds, aan het werk, tegenover zeven op de tien mannen. Terugblikkend op de voorbije decennia is er een duidelijke evolutie merkbaar. Vooral in de jaren 1980 maakten vrouwen een inhaalbeweging, wat kan te maken hebben met culturele veranderingen en een veranderd vrouwbeeld. Een andere verklaring is de stagnering van de lonen in de middenklasse waardoor het voor een gezin steeds moeilijker wordt om met een enkel inkomen rond te komen.

Politieke strategen hebben een tijdlang gegoocheld met het begrip van de thuisblijvende *soccer mom*. Zo'n vrouw kiest er bewust voor om een aantal jaren voor het jonge gezin te zorgen. Ze rijdt godganse middagen met de kinderen van school naar voetbaltraining naar muziekles naar Bijbelklas. Ze is politiek geïnteresseerd voor zover de politiek over haar leven gaat: de kwaliteit van het onderwijs, veilige straten, studiekansen, betaalbare gezondheidszorg. Aangezien ze graag deelneemt aan verkiezingen kunnen politici maar beter haar zorgen ernstig nemen. De soccer mom bestaat echt, ik heb ze gezien. Haar thema's zijn ook wat hoger op de politieke agenda's geklommen. Toch is ze lang niet representatief voor de meerderheid van de vrouwen. De meesten mikken op een baan of combineren er twee of drie, om de eindjes aan elkaar te knopen.

Een groep die meer aandacht zou verdienen, zijn de tien miljoen *single working moms*: moeders met kinderen jonger dan achttien, die het volledig op hun eentje moeten rooien. Van de eenoudergezinnen wordt er slechts een op de tien door de vader onderhouden. De kans dat politieke strategen hun slaap laten voor dit kiezerssegment is klein. Hun deelname aan verkiezingen ligt niet erg hoog, omdat ze daar doorgaans geen tijd voor hebben.

Het Amerikaanse vocabularium heeft er sinds kort een woordje bij: *tiger moms*. Het begrip werd gelanceerd door de Chinees-Amerikaanse professor Amy Chua die in haar controversieel boek *Battle Hymn of the Tiger Mother* een lans breekt voor een keihard, veeleisend opvoedingspatroon. Volgens Chua voeden Amerikaanse gezinnen hun kinderen op volgens idiote pedagogisch correcte regeltjes en maken ze er op die manier onbekwame watjes van die niet klaar zijn voor de harde competitie in de samenleving. In de Chinese cultuur daarentegen wordt de prestatiedruk zonder scrupules opgevoerd: doet een kind het goed, dan kan het altijd nog wat beter. Diverse passages in het boek schokten de natie. Dochtertje Lulu had voor haar moeders verjaardag een kaart getekend, maar de tijgermama vond het een ondermaats werkje en wierp het terug. 'Ik verdien beter dan dit!' zei ze – en ze vertelde het bovendien nog in haar boek. Een andere keer had ze Lulu urenlang, zonder avondeten of water of pauzes, tot 's nachts op een pianostukje laten zwoegen, tot ze het kende. De controverse over Chua en haar pedagogische aanpak is nog altijd niet uitgeraasd. Wellicht was het boek provocerend bedoeld, maar het herinnerde aan de belangrijke rol die moeders – alleenstaand of niet, werkend of thuiswerkend – in haast alle gezinnen grotendeels op zich nemen: de opvoeding van kinderen, de opvolging van schoolwerk en de zorg voor hun ontwikkeling.

Mannen van Mars

Als radioreporter wil je stilte tijdens de opname van een interview. Omgevingsgeluid is nuttig als het met het onderwerp te maken heeft, anders leidt het af. Toch heb ik al heel snel afgeleerd om in Amerika de deur te sluiten van een kantoor waar ik met een vrouw kom praten: *not done*! Dat heeft te maken met de angst voor ongewenste intimiteiten. Als je de deur laat openstaan, blijft er sociale controle mogelijk en kan er minder snel iets ongepasts gebeuren. Dat komt tegemoet aan het veiligheidsgevoel van de vrouw. In de context van de Amerikaanse rechtbankcultuur stelt het ook mannen gerust: zo kunnen ze minder makkelijk beschuldigd worden van ongeoorloofd gedrag.

De houding van Amerika tegenover de lichamelijke integriteit van de vrouw is opnieuw behoorlijk paradoxaal. Aan de ene kant worden de omgangsvormen gedicteerd door strenge politiek correcte normen. Seksisme is een van de grootste zonden die je in weldenkend Amerika kan begaan. Zelfs de meest rechtse ideologen hoeden zich ervoor om openlijk vrouwonvriendelijke opmerkingen te maken. In het straatbeeld zie je minder erotiserende reclame dan in Europa. Prostitutie is illegaal; zowel het tippelen op straat als de exploitatie van bordelen is bijna overal verboden. Het siert de vs dat ze het voortouw nemen in de strijd tegen mensenhandel, in een poging de seksslavernij een halt toe te roepen. Al die maatregelen hebben ongetwijfeld nog te maken met de diep verankerde puriteinse moraal van Amerika, maar worden gedeeltelijk ook ingegeven door een gevoel van respect voor de vrouw.

Anderzijds wordt het verbod op prostitutie vanzelfsprekend met voeten getreden en zoeken escortbureaus en massagesalons de grenzen van de wet op. De vs zijn de wereldleider in de productie van pornofilms. De San Fernando Valley in Californië, het centrum van die industrie, wordt soms *silicone valley* genoemd, naar de opgepepte boezems van de vrouwelijke actrices en met een knipoog naar de hightechindustrie in Silicon Valley. Heel wat reality tv-programma's hangen een beeld op van jonge meisjes als hersenloze trutjes. We hebben eerder al verwezen naar de videoclips van zwarte rapartiesten, maar de kabel programmeert ook onsmakelijk veel trash-TV waarin het begrip 'dom blondje' een nieuwe dimensie krijgt.

De seksualisering van vrouwen gaat in Amerika nochtans gepaard met een haast even grote cultus van het mannelijke lichaam. Meisjes en jonge vrouwen moeten er sexy en liefst rondborstig uitzien, maar jongens en mannen moeten stevig gespierd en breedgeschouderd zijn. Er is behoorlijk wat machismo in de Amerikaanse samenleving geslopen. Mannen vinden het geweldig *to hang out with the guys*, in sportclubs en bars, na kantoor of in de fabriek, vrijmoedig zonder vrouwen. De prototypische politieman in de vs is tweemaal zo breed als in Europa. De brandweerman is een viriele held. Harde sporten als *American football* en worstelen zijn razend populair. En een mannelijk taaltje, stoer zonder omwegen, doet het electoraal altijd goed.

Misschien heeft dat alles te maken met de geschiedenis. Aan de opschuivende *frontier* en in het wilde Westen waren eigenschappen als spierkracht, lef, dapperheid en zelfs gewelddadigheid belangrijke kwaliteiten. Ook het diep gewortelde respect voor de strijdkrachten kan een rol spelen. Anderhalf miljoen Amerikanen zijn in actieve dienst bij het leger, de luchtmacht, de zeemacht of de mariniers. Een even groot aantal is ingedeeld bij de reservetroepen. Ik zou de vs niet militaristisch noemen, maar kritiek op militairen ligt toch moeilijk. De neoconservatieve denker Robert Kagan vond dat die militaire macht en de bereidheid tot militaire interventie de vs juist onderscheidden van Europa. 'De Amerikanen zijn van Mars en de Europeanen van Venus,' schreef Kagan. Dat was een kwalificatie met grote betekenis, want Mars en Venus staan symbool voor de geslachten. Europa omschreef hij minachtend als een vrouwelijk continent, terwijl Amerika de mannelijke macht weerspiegelde. Kagan gaf een intellectuele vertaling aan een populair zelfbeeld van de Amerikanen. Die bewondering voor het leger draagt bij aan het impliciete machismo en is daar tegelijk een gevolg van. Het is waar dat er intussen al tweehonderdduizend vrouwen deel uitmaken van de strijdkrachten (of 14% van het totaal), maar dat heeft nog weinig invloed op de overwegend viriele cultuur.

In feite is er sprake van een dubbel seksisme: zowel mannen als vrouwen moeten beantwoorden aan een geseksualiseerd ideaalbeeld. Voor de Amerikaanse man blijft dat het beeld van de assertieve en dominante alfaman. De metroman, die zijn vrouwelijke kant laat zien, is in de populaire cultuur nog niet echt een ster. Zelfs succesvolle vrouwen spiegelen zich aan het mannelijke beeld. Nergens is het broekpak zo ingeburgerd als in kringen van Amerikaanse managers, PR- en mediavrouwen. Sommigen zien dat als een vorm van *power dress*: jezelf vestimentair op de kaart zetten. 'Voor mij,' zei vrouwenactiviste Martha Burk, 'straalt er niets meer macht uit dan een keurig gesneden zwart pak, ofwel met een broek ofwel met een rok. Daarmee kan ik overal komen.' First lady Michelle Obama doet niet mee aan die mantel- of broekpakkenmode. Zij houdt van schitterende jurken of sportieve mouwloze bloesjes. Daarmee geeft ze de ontbijtshows op televisie en de columnisten in de kranten weer een onderwerp om pagina's en minuten te vullen.

Seksueel geweld

De alfaman en het machismo worden in Amerika cultureel aanvaard zolang vrouwen zich daar comfortabel bij voelen. Dat mannen een beetje stoer doen onder elkaar is geen probleem. Van zodra hun machogedrag vrouwen bedreigt of vernedert, gaan er echter alarmbellen rinkelen. Wie de film *North Country* heeft gezien, weet dat de vs een lange weg hebben afgelegd op dat vlak. De film is losjes gebaseerd op het waar gebeurde verhaal van Lois Jenson, die in 1975 als vrouw in een ijzerertsmijn in Minnesota ging werken. Ze werd het slachtoffer van seksuele intimidatie en handtastelijkheden en diende samen met andere vrouwelijke mijnwerkers een klacht in tegen het bedrijf. Na een lange rechtsgang haalden de vrouwen hun slag thuis. De mijnonderneming werd veroordeeld tot een schadevergoeding en verplicht om intern orde op zaken te stellen.

Inmiddels kent Amerika een arsenaal aan richtlijnen, aangifteprocedures en rechtsmiddelen om ongewenste intimiteiten tegen te gaan en te bestraffen. Op papier is de vrouw nu verregaand beschermd. De affaire rond Dominique Strauss-Kahn heeft aangetoond dat er haast sprake is van een politiek correcte vooringenomenheid ten gunste van de vrouw. De Franse topman van het IMF werd ervan beschuldigd dat hij een kamermeisje had aangerand in zijn hotelkamer in New York. Hij werd gearresteerd en moest – voor het oog van de camera's – voor de rechter verschijnen. Later kwam het verhaal van de hotelbediende op losse schroeven te staan en lieten de aanklagers de zaak vallen. Het zag er naar uit dat de vrouw met seksueel contact had ingestemd en daarna geprobeerd had om er munt uit te slaan. Strauss-Kahn kon naar Frankrijk terugkeren als een vrij man, maar zijn politieke ambities mocht hij opbergen. Zonder de feiten af te wachten hadden de media de kant van het kamermeisje gekozen en de Fransman aan de schandpaal genageld. Mogelijk speelden daarbij ook andere verborgen motieven, zoals een afkeer van Frankrijk of een taai puritanisme, maar het verhaal gaf toch aan waar de sympathie van het Amerikaanse publiek in zulke kwesties ligt.

De grote vraag is of die vrouwvriendelijke visie ook een verschil maakt in de praktijk, wanneer slachtoffer of dader minder tot de verbeelding spreken. Om te beginnen blijft de bestraffing van verkrachting en andere seksuele misdrijven de bevoegdheid van de staten; de definities en maximumstraffen zijn niet overal dezelfde. Het grote probleem is bovendien, net als in Europa, dat veel feiten nooit worden aangegeven. De FBI telde in 2010 vijfentachtigduizend gemelde verkrachtingen, maar de actiegroep RAINN (Rape, Abuse and Incest National Network) meent te weten dat 60% van de seksuele aanrandingen nooit gemeld wordt bij de politie. Komt het wel tot een proces, wordt de beklaagde in 42% van de gevallen vrijgepleit. RAINN rekende uit dat slechts een op zestien verkrachters daadwerkelijk een celstraf moet uitzitten.

Andere studies wijzen in eenzelfde richting. Volgens een enquête onder universiteitsstudentes wordt een op zeven in de loop van de eerste drie studiejaren verkracht of tot seks gedwongen. In het leger schijnt de situatie nog onrustwekkender te zijn, zelfs al bestaan er op papier vertrouwelijke aangifteprocedures. De cijfers zijn schimmig en onvolledig, maar de voorbije jaren bleek dat met name in het oorlogsgebied in Irak en Afghanistan honderden vrouwelijke soldaten door mannelijke wapenbroeders werden aangerand. In sommige gevallen was er sprake van groepsverkrachting.

Omdat de statistieken over seksueel geweld per definitie leemten vertonen en moeilijk te beoordelen zijn, zowel in de VS als in Europa, kan je moeilijk vergelijken. Wat voor Amerika wel opvalt, is de kloof tussen de dominante opvattingen en de reële situatie. Het politiek en maatschappelijk fatsoen verplicht de Amerikaanse mannen tot grote terughoudendheid tegenover hun vrouwelijke medeburgers en collega's. Tegelijk is het alfamannetje nooit ver weg.

Namedropping

Nog even terug naar Hillary Clinton. Als je nagaat hoe de media haar ten tonele voeren, vallen twee dingen op. Ten eerste werd en wordt ze vaak als 'Hillary' voorgesteld: enkel de voornaam, punt uit. Gedurende de lange verkiezingscampagne van 2008 was het al Hillary wat de klok sloeg en die gewoonte is nog niet verdwenen. In maart 2011 stond ze nog op de cover van *Newsweek*. De titel was *Hillary's War*. Dat soort familiariteiten zie je zelden of nooit met een mannelijk politicus, laat staan met een minister. Je zou kunnen aanvoeren dat het gebruik van haar voornaam haar duidelijk onderscheidt van haar man Bill, net zoals de koosnaam Bobby destijds het verschil aangaf tussen de ene en de andere Kennedy. Dat argument houdt steek, maar waarom kreeg George W. Bush dan niet van meet af aan een bijzondere omschrijving, om het verschil te onderstrepen met zijn vader? Enkel in kritische commentaren werd hij wat spottend *double you* (W.) genoemd.

Het tweede punt is veel belangrijker. Hillary Clinton had de naamsverwarring kunnen vermijden door haar *maiden name* of meisjesnaam te gebruiken. Dan was het een lange campagne geweest tussen Rodham en Obama. In veel Europese landen zou dat de logica zelf zijn, maar in Amerika laten de meeste vrouwen hun eigen familienaam vallen wanneer ze in het huwelijksbootje stappen. Nancy Pelosi, de oud-voorzitter van het Huis van Afgevaardigden, groeide op als Nancy D'Alesandro. De Republikeinse politica Michele Bachmann werd geboren als Michele Amble en Sarah Palin heette vroeger Sarah Heath. De first lady luisterde naar de naam Michelle Robinson, maar staat nu op de website van het Witte Huis als Michelle Obama. Allemaal hebben ze de familienaam van hun echtgenoot overgenomen.

In feite heeft Hillary Clinton een grillig naamsparcours doorlopen. Geboren als Hillary Rodham behield ze die naam toen ze in 1975 met Bill Clinton trouwde. Drie jaar later werd Bill gouverneur van Arkansas en ook toen hield Hillary vast aan haar meisjesnaam. Zelfs officiële uitnodigingen voor diners in de ambtswoning van de gouverneur kwamen van 'gouverneur Bill Clinton en Hillary Rodham'. Volgens journalist en Hillary-biograaf Carl Bernstein 'hield Hillary vol dat het behouden van haar meisjesnaam blijk had gegeven van een gevoel van eigenwaarde en onafhankelijkheid'. In 1980 probeerde Bill herverkozen te raken. Zijn Republikeinse tegenstrever Frank White nam de naamskeuze op de korrel. In een conservatieve staat als Arkansas was de autonome opstelling van een gouverneursvrouw eerder een nadeel dan een troef. Wellicht speelden nog andere thema's een rol, maar in elk geval verloor Bill Clinton toen de verkiezingsstrijd.

In latere campagnes voor het gouverneurschap liet Hillary 'Rodham' varen en koos ze voor de naam van haar echtgenoot. Ook toen Bill in 1992 op het presidentschap mikte, steunde ze hem als Hillary Clinton. Van zodra de Clintons hun intrek namen in het Witte Huis zette ze opnieuw de puntjes op de i. Voortaan wou ze bekend staan als Hillary Rodham Clinton: haar meisjesnaam werd in ere hersteld, maar kreeg een ondergeschikt plekje als *middle name*. Die heeft ze behouden toen ze senator werd in New York, een staat met een progressiever electoraat dan Arkansas. Pas in haar presidentiële campagne liet ze Rodham weer vallen, ongetwijfeld uit strategische overwegingen.

Sinds de jaren 1980, toen de jonge Hillary dapper voor Rodham koos, hebben steeds minder vrouwen haar voorbeeld gevolgd. Het schaarse beschikbare onderzoek geeft aan dat 90% van de gehuwde vrouwen de naam van hun man overneemt. Sommigen nemen hun toevlucht tot het compromis met de middle name en een heel klein groepje kiest voor een gecombineerde naam met verbindingsstreepje: Hillary Clinton-Rodham.

Voor feministen en vrouwengroepen is de kwestie blijkbaar geen groot debat meer waard en naar de motieven voor de traditionele naamskeuze wordt niet veel navraag gedaan. Volgens sociologe Laurie Scheuble willen de vrouwen vooral het signaal uitsturen dat ze gelukkig getrouwd zijn. 'Het gaat waarschijnlijk om een reactie op het hoge aantal echtscheidingen. Mensen willen duidelijk maken: wij hebben dezelfde naam. Onze familie is nog intact.'

Wie toch nog hoopt op een revival van de meisjesnaam kan moed putten uit de groei van de latinogemeenschap. Een hispanic vrouw gebruikt meestal twee namen, al dan niet verbonden door een koppelteken. De eerste en belangrijkste is de meisjesnaam van vaderskant; die blijft altijd overeind. Als tweede naam neemt ze ofwel de naam van haar echtgenoot, ofwel behoudt ze de naam van haar moeder. Als Hillary een latina was geweest, heette ze Hillary Rodham-Clinton, Hillary Rodham Clinton, Hillary Rodham Howell of Hillary Rodham-Howell. Of hoe immigranten een emanciperend voorbeeld kunnen stellen.

De kleuren van de regenboogvlag

Cowboys are frequently secretly fond of each other
Say what did you think those saddles and boots was about
And there's many a cowboy who don't understand
The way that he feels for his brother
And inside every cowboy there's a lady that'd love to slip out

WILLIE NELSON

Op het eerste gezicht is de buurt rond het Belmont-metrostation in Chicago een hippe stadswijk als vele andere. Vintagemode-boetieks, boekenwinkeltjes en cafés ademen een bohémien sfeertje van alternatieve chic. Jong maar niet studentikoos; daarvoor is de buurt net iets te *gentrified*. Verder kuierend door de straten merk je dat de trendy buurt nog een extra trekje heeft. Op heel wat gevels en winkelruiten hangt een regenboogvlag. Op N Halsted Avenue staan zelfs tweeëntwintig moderne zuilen die omgord zijn met zes ringen: de regenboogvlag in drie dimensies. In de uitstalramen van de nacht-clubs hangen foto's van schaars geklede jonge mannen. Plots kruis ik twee jongens die ongegeneerd hand in hand over straat lopen – een absoluut unicum in mijn Amerikalogboek. Dit is *Boystown*: een *gay village* in de grootstad, een getto van en voor homo's (en in mindere mate lesbiennes) of een zogenaamde *gayborhood*. Hier komen ho-lebi's niet alleen bars en clubs bezoeken of rondhangen in eethuisjes en boekhandels, hier wonen ze ook in grote aantallen. Het is een ver-schijnsel dat sterker lijkt te leven in Amerika dan in Europa: de opvallende residentiële concentratie van holebi's. Uitgaansbuurten met een specifiek aanbod voor holebi's heb je overal, maar daarom hoeven homo's en lesbiennes niet noodzakelijk in elkaars buurt te blijven wonen. In de vs is er nochtans in heel wat steden een herkenbare gayborhood gegroeid, waar holebistellen huizen kopen, hun kinderen naar school brengen en in het wijkcomité of de lokale politiek stappen. Zoals je Mexicaanse buurten hebt of Ierse concentraties, zo vind je in het complexe diversiteitsraster van Amerika ook *pockets* van de holebicultuur. Je zou geneigd zijn om ze roze in te kleuren, maar roze en de roze driehoek worden door het Amerikaanse holebicircuit minder als symbool gebruikt dan de zeskleurige regenboogvlag.

De archetypische gayborhood van Amerika is *The Castro* in San Francisco. Daar stroomden vanaf 1970 duizenden homo's toe uit heel Amerika. De voormalige middenklassenbuurt was lichtjes verloederd en de huizen waren er goedkoop. Een van de nieuwkomers was Harvey Milk. Vanuit Castro gaf hij een beslissende impuls aan de uitbouw van de holebibeweging voor gelijke rechten. Met de steun van de holebigemeenschap raakte Milk verkozen als raadslid in San Francisco en kon hij een decreet doorduwen waardoor discriminatie op basis van seksuele geaardheid voortaan verboden en strafbaar zou worden in de stad. Hij was nog geen jaar in dienst toen hij vermoord werd door een rancuneuze oud-collega in de raad. Hoewel het twijfelachtig is of zijn homoseksuele geaardheid een rol speelde in die moord, toch is Milk uitgegroeid tot martelaar en symbool van de burgerrechtenbeweging voor holebi's.

In Washington DC is de buurt rond Dupont Circle een magneet geworden voor holebi's. In Philadelphia is het de wijk rond Washington Square West, in Boston de South End. In New York – nochtans de stad met het hoogste aantal holebi's in de vs – lijkt de residentiële concentratie minder sterk, al zijn er heel wat holebi's neergestreken in de hippe stadsdelen Chelsea en Greenwich Village. Zou het samenklitten van de holebigemeenschap iets verraden over de heersende tolerantiegraad? Hoe groter de argwaan en vijandigheid van de omgeving, hoe sterker de neiging om dicht bij elkaar te wonen, als een vorm van comfort en zelfbescherming? In een vrijdenkende grootstad als New York is die behoefte allicht minder urgent, net als in West-Europese steden als Amsterdam of Londen. In een harde en hoekige Midweststad als Chicago daarentegen, met een traditie van segregatie, lijkt het logischer dat de holebigemeenschap haar eigen plek zoekt

– zoals alle minderheden dat doen. Lopend door Boystown kauw ik op die gedachten, tot ik aanbeland op mijn bestemming: *Equality Illinois*, de belangengroep voor holebi's waarvan de fijnbesnaarde Bernard Cherkasov de directeur is.

'Ik ben er niet zeker van dat het in de vs zo anders is dan in Europa,' zegt hij meteen. 'In Parijs heb je toch ook de Marais, in Madrid heb je Chueca; ook dat zijn buurten waar bijzonder veel holebi's wonen. Je mag Europa bovendien niet te veel veralgemenen. Is het voor homo's moeilijker in Massachusetts dan in Ierland? Is de situatie lastiger in Alabama dan in Litouwen? Amerika is een enorm groot land. Je hebt plaatsen in de vs waar de homorechten heel goed gevrijwaard zijn en plaatsen in de Europese Unie waar ze wat dat betreft nog in de middeleeuwen leven.' Cherkasov is de zoon van joodse immigranten uit Azerbeidjan. Met zijn Centraal-Europese achtergrond gelooft hij niet dat de Europeanen veel lessen te leren hebben aan Amerika, als het om holebirechten gaat. 'Jou valt het misschien op dat hier veel regenboogvlaggen hangen en homobars gevestigd zijn, maar als bewoners zien wij dat niet meer. Wij zien in de eerste plaats een woonbuurt met families en kinderen, families van heteroparen en families van homokoppels. Voor zover we holebibuurten hebben, denk ik niet zozeer dat het om zelfverdediging gaat, dan wel om een gevoel van cultureel comfort. Net zoals er joodse wijken zijn, waar je koosjere winkels en restaurants hebt, een synagoge en een gemeenschapscentrum, omdat het nu eenmaal gemakkelijk is dat die op loopafstand beschikbaar zijn. Dat geldt ook voor de holebigemeenschap; holebi's willen hun eigen ontmoetingsplaatsen.'

Met die laatste vergelijking lijkt Cherkasov toch mijn punt te bevestigen. In West-Europa hebben holebi's een eigen netwerk dat hun sociale leven en vrije tijd in hoge mate stuurt en bepaalt. In Amerika creëren holebi's vaak hun eigen omgeving, net zoals mensen van dezelfde inkomensklasse, etnische achtergrond of leeftijdsgroep graag bij elkaar wonen – alsof de bedding tussen holebi's en hetero's wat dieper is uitgesleten. Dat moet vrijwel zeker een verschil maken in de persoonlijke beleving. Wie in een gayborhood woont en er misschien ook nog werkt, is – provocerend gezegd – fulltime homo. De andere aspecten van zijn identiteit – zijn regionale of etnische herkomst, zijn godsdienst of levensbeschouwing, zijn carrière of politieke oriëntatie – dreigen meer naar de achtergrond te worden verdrongen.

De strijd om het trouwboekje

Globaal bekeken zijn de rechten van de holebi's in de meeste landen van West-Europa inmiddels beter gevrijwaard dan in de vs. In België, Nederland, Spanje, Portugal, Zweden en Noorwegen kunnen holebi's naar hartenlust trouwen. In een groot aantal andere landen kunnen ze geregistreerd als partners samenwonen. In de vs zijn zowel het holebihuwelijk als het samenlevingscontract telkens weer de inzet van verhitte debatten en politiek getouwtrek. In Amerika zijn het de vijftig staten die, binnen hun eigen grenzen, de criteria vastleggen voor wie mag huwen: de leeftijdsgrenzen, de verboden graad van verwantschap enz. Ook de wettelijke erkenning en invulling van samenlevingsvormen als het geregistreerd partnerschap is voorbehouden aan de staten. In de vs heeft men het meestal over *civil unions*; ik gebruik voor het gemak de term 'samenlevingscontract'. Als ik Cherkasov bezoek, heeft het parlement in zijn staat, Illinois, net een wet op de samenlevingscontracten goedgekeurd. Voortaan zullen holebi's in Illinois een waaier aan rechten kunnen opeisen die voor getrouwde mensen evident waren, maar die tot dusver holebikoppels ontzegd bleven.

Cherkasov is geweldig blij met die doorbraak, maar hij ziet toch nog twee bezwaren. 'Er is en blijft een verschil met het huwelijk. Ook al zegt de wetgever in Illinois dat die samenlevingscontracten volledig op gelijke hoogte staan met huwelijken, die contracten zijn een nieuw concept. Ambtenaren en bureaucraten zijn daar nog niet mee vertrouwd, dus zullen holebi's in zo'n partnerschap – zeker in het begin – heel wat moeite moeten doen om hun rechten af te dwingen. In situaties bijvoorbeeld van bezoekrecht in ziekenhuizen of in noodsituaties waarbij iemand een dringende medische beslissing moet nemen over zijn partner, zullen ze wellicht nog botsen op een gebrek aan begrip.' Cherkasov geeft toe dat dit ook voor heterokoppels met een samenlevingscontract het geval kan zijn, maar voor hen is dat een keuze. 'Holebiparen daarentegen hebben geen andere optie dan het samenlevingscontract, zolang het huwelijk niet erkend is.'

Daarnaast geldt er een tweede, fundamentele beperking. 'Als een holebikoppel uit Illinois de staat verlaat, in welke richting ook – noordelijk naar Wisconsin, zuidelijk naar Kentucky of oostwaarts naar Indiana, naar alle kanten behalve noordwestelijk naar Iowa – dan eindigt hun relatie aan de grens. Op een paar mijl hiervandaan zijn de wettelijk erkende partners plots weer vreemden voor elkaar, want daar worden de samenlevingscontracten van Illinois niet erkend.' De juridisch hooggeschoolde Cherkasov – de diploma's en onderscheidingen hangen keurig ingekaderd aan de muur – voert mij nu mee door een duizelingwekkende doolhof van wetten en rechtszaken, op staats- en federaal niveau. Hij telt meer dan duizend rechten en voordelen die aan een huwelijkscontract kunnen verbonden zijn en die in samenlevingscontracten al dan niet worden gelijkgesteld. Ik begrijp al gauw dat er, met zoveel staten en statuten, voldoende rechtsonzekerheid blijft om legers advocaten aan het werk te houden. Ergens in dat kluwen zit een knoop waar Cherkasov van af wil: DOMA of de *Defense of Marriage Act*. Voor Cherkasov is het een onding dat alles tegenhoudt.

De DOMA-wet werd in 1996 door het Congres goedgekeurd als een soort *pre-emptive strike*. De conservatieve vleugel van de Republikeinse partij, die toen de plak zwaaide in het Congres, vreesde dat sommige staten het homohuwelijk gingen goedkeuren en dat andere staten verplicht zouden worden om hun getrouwde holebikoppels te erkennen. Om daar een stokje voor te steken definieerde de wet het huwelijk nadrukkelijk als 'een legale verbintenis tussen één man en één vrouw'. En om de puntjes op de i te zetten, bepaalde DOMA dat geen enkele staat verplicht kon worden om de huwelijkscontracten te erkennen van andere staten, voor zover die betrekking hadden op personen van hetzelfde geslacht. Volgens Cherkasov heeft DOMA op die manier gebroken met een eeuwenoude en stevig verankerde traditie. 'De grondleggers van de natie en van de grondwet wilden vermijden dat staten eigenmachtig zouden beslissen over de geldigheid van contracten die in andere staten waren afgesloten. Dus hebben ze de verplichting om elkaars contracten te erkennen in de grondwet ingeschreven. Niet in een amendement, maar in de originele grondwet! DOMA zegt nu dat die regel niet geldt voor het homohuwelijk. Let op: alle andere huwelijken, ongeacht leeftijdsgrens of andere criteria, worden wel door de andere staten erkend. We hebben zelfs rechtszaken gezien waarin de geldigheid van buitenlandse huwelijken werd bekrachtigd, ook al zouden we die in de VS nooit hebben toegelaten. Een huwelijk van een neef en een nicht in de eerste graad bijvoorbeeld, dat is hier normaal gezien uit den boze. En tenminste een keer is ook het polygame huwelijk van een immigrant erkend. Eerst wou de immigratiedienst hem enkel een visum geven voor zijn eerste vrouw. De vraag om ook de andere vrouwen als wettige echtgenotes toe te laten werd geweigerd, maar het speciale immigratiehof besliste toen dat die weigering in strijd was met de Amerikaanse wetgeving. Het argument was dat Amerika de huwelijken erkent die elders zijn afgesloten.'

Voor Bernard Cherkasov is DOMA een schandelijke vorm van discriminatie en pertinent in strijd met de grondwet. Bovendien wordt de wet erg uitgebreid toegepast, want niet alleen de echte huwelijken van holebi's worden door veel staten geweigerd, maar ook de samenlevingscontracten. Begin 2011 kregen ook president Obama en zijn ministers in de gaten dat er iets schort aan DOMA. Ze namen het besluit om, als federale regering, de DOMA-wet niet langer te verdedigen wanneer die voor de rechter wordt aangevochten. Verschillende rechtszaken zoeken gestaag hun weg naar boven, allicht tot in het Hooggerechtshof. De grondwettelijkheid van de DOMA-constructie staat ter discussie. DOMA lijkt ten dode opgeschreven, maar die doodstrijd kan lang duren.

Langs parlementaire weg zou de omstreden wet – in theorie althans – veel sneller kunnen worden gekelderd. Met een nieuwe wet kan de oude simpelweg worden herroepen, maar zolang de Republikeinen de meerderheid behouden in het Congres is dat een onwaarschijnlijk scenario. Mocht DOMA naar de prullenmand worden verwezen, zou dat een wereld van verschil maken voor honderdduizenden holebistellen. Niet alleen de staten moeten dan elkaars holebihuwelijken en -samenlevingscontracten valoriseren, ook de federale overheid zou daartoe verplicht worden. Bernard Cherkasov ziet meteen de consequenties. 'Dan zal de federale regering ook andere wetten moeten aanpassen, zoals de gezinsherenigingswetten, zodat ook een holebi zijn partner kan laten overkomen naar de VS. Of neem nu een kwestie als familiaal ziekteverlof. De federale wet zegt dat een werkgever zijn werknemers te allen tijde moet toelaten om onbetaald verlof te nemen, als zij voor een ziek familielid willen zorgen. Obama heeft er al voor gezorgd dat die regeling ook voor de kinderen van holebiparen geldt; een goeie zaak, want zo zijn er ongeveer honderdduizend kinderen in de VS. Omwille van de DOMA-wet kan de regering dat nog niet uitbreiden tot de partners zelf. Ik kan dus wel het recht opeisen om onbetaald verlof te nemen om voor mijn zoontje te zorgen, maar niet voor mijn man. Zo blijft er nog altijd een verschil met heterokoppels.'

Intussen groeit het rijtje van staten waar holebi's kunnen trouwen of een *civil union* kunnen aangaan. Het huwelijksbootje is een optie in Massachusetts, Connecticut, New Hampshire en Vermont: vier staten in de progressievere hoek New England. Dankzij een gerechtelijk arrest laat ook Iowa – een veel conservatievere staat in de graangordel van de vs – het homohuwelijk toe. In juni 2011 realiseerde de holebibeweging een geweldige doorbraak toen er in het parlement van de staat New York, na weken van hoogspanning en armworstelen, een krappe meerderheid werd gevonden om het homohuwelijk toe te laten. Meteen barstte er op de publiekstribune en in de straten van New York City een feestje los. De pers liet niet na om het symbolische belang van die beslissing te onderstrepen. De strijd van de Amerikaanse roze beweging was immers in New York begonnen, toen holebi's na een politieraid op de homobar *Stonewall Inn* de straat op trokken om te protesteren. Er werd ook druk gespeculeerd over de extra inkomsten die het homohuwelijk de staat zou kunnen opleveren. Ongetwijfeld zouden heel wat holebikoppels uit alle hoeken van het land een verhuizing naar de *Big Apple* wel zien zitten, nu trouwen daar een optie werd. Dergelijke holebiparen zijn vaak erg bemiddeld en laten het geld rollen. Zelfs de trouwfeesten krikken de economie op, omdat ze doorgaans veel vrienden en sympathisanten lokken. Kortom, het homohuwelijk van New York werd de hemel ingeprezen als een alternatief stimulusplan: een pepmiddel in tijden van moeizaam herstel. Het District of Columbia (de hoofdstad Washington) sluit voorlopig het rijtje af als vrijhaven voor trouwlustige homo's. Daarnaast zijn er een achttal staten waar holebi's hun relatie kunnen verankeren in een samenlevingscontract of geregistreerd partnerschap, waarbij ze nagenoeg dezelfde rechten genieten als in een huwelijk.

Tegenover die trend van toenemende gelijkberechtiging staat een tegenkracht die holebirechten afblokt of zelfs terugschroeft. Het bekendste voorbeeld daarvan was het referendum in Californië rond *Proposition 8*. Californië had nog maar enkele maanden de deur geopend voor het homohuwelijk, toen in november 2008 een kleine meerderheid van de kiezers (52,24%) een voorstel steunde om het huwelijk expliciet voor te behouden aan een man en een vrouw. De holebiparen die al in de echt verbonden waren, bleven wettelijk getrouwd, maar voor de anderen werd de deur weer dichtgegooid. Het was een koude douche voor de holebibeweging, uitgerekend in Californië, de bakermat van het homo-activisme. Iets gelijkaardigs gebeurde in Maine. Eerst werd een wet op het homohuwelijk goedgekeurd, daarna door de kiezer weer weggestemd.

Een dertigtal staten hebben inmiddels in hun grondwet of wetboek laten vastleggen dat het huwelijk uitsluitend voor heterokoppels geldt en dat ze geen enkel holebihuwelijk zullen erkennen. Negentien daarvan gaan nog verder en bannen elke vorm van samenlevingscontract tussen holebi's. Ooit maakte ik een commissievergadering mee in het parlement van de zuidelijke staat Virginia, waar precies dat punt op de agenda stond: hoe verhinderen we dat holebi's die elders getrouwd zijn of een partnerschap lieten registreren, bij ons in Virginia die rechten zouden afdwingen? Het debat ging alleen maar over het sluiten van achterpoortjes en het dichten van mazen, alsof er een kwalijke invasie te verwachten viel. Over de grond van de zaak was er nauwelijks discussie. De dappere vertegenwoordigers van de holebi-actiegroepen waren er aan voor de moeite.

Een kwestie van tijd?

De strijd voor en tegen de holebirechten wordt simultaan op twee fronten uitgevochten: op het politieke toneel en voor de rechtbanken. Dat maakt het lastig om een totaalbeeld te schetsen. Voor elke zege die de holebigemeenschap boekt, incasseert ze ook wel een nederlaag. Toch is Greg Harris optimistisch. Hij is volksvertegenwoordiger in het parlement van de staat Illinois, Democraat en homo. Harris vertegenwoordigt een district in Chicago waartoe ook Boystown grotendeels behoort: een progressief, trendy en sterk holebigekleurd stadsdeel. Zoals een Italiaans-Amerikaans politicus makkelijker verkozen raakt wanneer er in zijn kiesdistrict veel Italianen wonen, zo kon Harris zijn voordeel doen met de grote groep holebi's in zijn electoraat.

Harris denkt dat de complexiteit van al die wetten en regels, op het niveau van de staten en de federale overheid, onhoudbaar wordt. 'Ik sprak onlangs met de directeurs van een aantal heel grote bedrijven in de vs,' vertelt Harris me met zichtbaar genoegen. 'Een van die topmanagers zei me dat het niet de holebigemeenschap zelf zal zijn die de veranderingen zal doorduwen; *it's gonna be big business.* Het bedrijfsleven zal aansturen op een doorbraak, want ondernemingen hebben nu een hoop personeelsproblemen omdat de vijftig staten allemaal op hun manier hun eigen regelingen treffen wat betreft holebihuwelijken en –contracten. Bedrijven willen vooral getalenteerde mensen aantrekken en vasthouden, en de ruimte behouden om hen te verplaatsen van de ene stad en staat naar de andere. Zij willen geen goede werknemers verliezen omdat die slechts in enkele staten een aantal voordelen of rechten genieten. Op een bepaald moment zal het bedrijfsleven dus aan het Congres zeggen: maak dat in orde, regel dat, want voor ons wordt dit een veel te grote last.'

Daarenboven werkt de tijd volgens Harris in het voordeel van de holebibeweging. 'Het is een kwestie van generaties. Alle peilingen wijzen uit dat holebirechten geen punt meer zijn voor Amerikanen van vijfendertig en jonger. Zelfs de religieuze of geografische achtergrond doet er in die leeftijdsgroepen niet veel meer toe. Hier in Illinois duurde het dertig jaar om een wet goed te keuren die discriminatie verbood op basis van seksuele geaardheid in huisvesting, werksituaties en publieke voorzieningen. Het duurde slechts drie jaar om een wet goed te keuren op samenlevingscontracten. Daaraan zie je hoe snel de opvattingen nu aan het veranderen zijn.'

Greg Harris is als politicus vaak de boer op gegaan in Illinois, een heterogene staat met progressievere steden en stadsdelen, maar ook met behoorlijk starre plattelandsregio's en provincienesten. Zelfs daar ziet hij de homofobische gevoelens geleidelijk wegsmelten. Familiale en persoonlijke relaties blijken het doorgaans te halen op principiële vooroordelen. Hij herinnert zich een verrassend gesprek in het parlementsgebouw in Springfield. 'Ik zat nog laat te werken toen een oudere dame van de schoonmaakploeg op een avond mijn kantoor binnenstapte en vroeg: ben jij die kerel van de wet op het samenlevingscontract voor holebi's? Ik dacht: daar gaan we weer en zei: ja, dat ben ik. Toen zei ze: ik wou u alleen maar bedanken, want ik was bang dat mijn kleindochter uit Illinois zou gaan vertrekken als ze hier geen gelijke rechten zou krijgen en dat ze naar Californië zou verhuizen. Ik wil haar kinderen zien opgroeien, ik wil niet dat ze verhuist. Kijk, dat soort reacties bewijst dat mensen anders gaan denken over holebirechten. In kleinere stadjes heb je misschien niet zoveel homo's of lesbiennes meer die daar zijn blijven wonen, maar hun ouders en grootouders wonen daar nog wel en die geven om hun familie.'

Harris, een vijftiger en seropositief, ziet er tegelijk broos en energiek uit. Als politicus uit Chicago is hij gepokt en gemazeld in het smeden van coalities, het sluiten van deals en het tellen van koppen in commissies en plenaire vergaderingen. Hij beidt zijn tijd en berekent en baant op die manier stap voor stap een weg naar volledige gelijkberechtiging. 'Binnen de holebigemeenschap is er verdeeldheid over hoe we onze doelstellingen moeten bereiken. Sommigen zeggen: je moet al je eisen meteen en in een keer op tafel gooien. Ik ben meer van de school van *slow and steady*. Soms loont dat gewoon. In sommige staten zie je dat holebi's te veel vertrouwen hadden in hun succes en de zaken niet goed hadden voorbereid, zoals in Californië of Maryland. Daar draait het dan op een grote nederlaag uit. Je moet altijd zien dat je de vereiste stemmen absoluut binnen hebt vooraleer je een wetsvoorstel ter stemming voorlegt. Anders verlies je.' Oma's, bedrijfsleiders en pragmatische, slimme politici: dat zijn volgens Greg Harris de maatschappelijke krachten die volwaardige holebirechten in Amerika zullen doorduwen. Hij blijft er verrassend gelijkmoedig en mild bij, alsof hij dertig jaar later leeft en het hele debat over het holebihuwelijk al lang beslecht is.

Uit de kast en in de kast

Laten we een spelletje spelen. Ik stel een paar vragen, u legt dit boek terzijde en probeert in gedachten te antwoorden. Eerste vraag: noem drie bekende homo's, die als zodanig door het leven gaan, uit uw eigen land – België of Nederland.

Klaar? Moeilijk was dat ongetwijfeld niet.

Een tweede vraagje: noem drie bekende homo's uit Groot-Brittannië. Mmm, dat duurde net wat langer, maar het lukte wel, toch? Stephen Fry, Elton John, Boy George, George Michael, Ian McKellen, Tom Robinson, Derek Jacobi, Rupert Everett, Peter Mandelson... Allemaal grote namen uit de film, popmuziek, media of politiek, die zich vroeg of laat geout hebben en daar schijnbaar geen hinder van ondervonden in hun carrière.

Nu de laatste vraag: noem drie bekende homo's uit de vs. Opgelet: het moeten mannen zijn die zelf hun geaardheid hebben bekendgemaakt. Androgyne types over wie holebi's graag beweren dat ze homo zijn, zoals Prince, tellen niet mee.

Wel?

Niet eenvoudig, zo blijkt. Misschien dacht u aan zanger Michael

Stipe van R.E.M. of aan modeontwerper Tom Ford of aan zanger Rufus Wainwright. In de filmwereld heb je acteurs als Richard Chamberlain of Denis O'Hare en regisseurs als Gus Van Sant en Joel Schumacher. Er is schrijver Michael Cunningham en jazzpianist Fred Hersch, maar echt klinkende namen zijn dat niet. Lesbiennes lijken net iets makkelijker op te lijsten: tennisster Martina Navratilova, TV-gezicht Ellen De Generes, zangeres Melissa Etheridge – of Mary Cheney, de dochter van de voormalige vicepresident. Rachel Maddow is een openlijk linkse en lesbische presentatrice, in primetime, op MSNBC. Als zodanig is ze haast een mascotte geworden van de holebibeweging. Daarnaast zijn er beroemdheden die door sommige holebikringen als homo, lesbienne of biseksueel worden toegeëigend. Actrice Jodie Foster is in dat geval. Zij heeft twee kinderen van een onbekende vader en blijft vaag over haar seksuele oriëntatie. Angelina Jolie heeft zich vroeger geout als biseksueel en wordt daar nog steeds aan herinnerd. Ook Anderson Cooper, een supervedette van CNN, gaat over de tongen als een homo die zijn geaardheid verborgen houdt. Zelf zegt hij niets over zijn privéleven te willen prijsgeven, omdat hij als journalist een standpunt van extern observator wil handhaven. Dat is een uitermate lovenswaardige opstelling en er is geen enkele reden waarom buitenstaanders meer zouden mogen snuffelen in het privéleven van homo's en lesbiennes dan in dat van andere *celebrities*.

Toch doet het geringe aantal bekende holebi's in Amerika vragen rijzen. Outing blijkt nog steeds moeilijker te liggen in de VS dan in heel wat Europese landen. In het Huis van Afgevaardigden zitten momenteel (in de periode 2011-2012) drie openlijk homoseksuele mannen (Barney Frank, Jared Polis en David Cicilline) en één openlijk lesbische vrouw (Tammy Baldwin), op een totaal van vierhonderdvijfendertig vertegenwoordigers. De senaat (honderd zetels) telt geen enkele holebi. Meer zelfs, er is nog nooit een openlijk homoseksuele senator verkozen en mocht u zich een beroemde holebiminister of president kunnen herinneren uit Amerika, dan willen we dat graag vernemen.

Hoe uitgestrekter de kiesomschrijving, hoe moeilijker het lijkt voor een homo of lesbienne om een mandaat binnen te halen. Een lokaal politicus zoals Greg Harris kan rekenen op een lokale holebiaanhang om gelanceerd te geraken. Ook wie een jong en progressief kiesdistrict wil vertegenwoordigen in het Huis van Afgevaardigden hoeft minder bang te zijn om zich als holebi te outen; die kiezers maken daar doorgaans geen punt meer van. Dat bleek ook toen Sam Adams in 2008 werd verkozen tot burgemeester van Portland, in Oregon. Twee jaar later haalde de lesbische Annie Parker zelfs de sjerp binnen in de Texaanse miljoenenstad Houston. Die lokale verkiezingszeges van holebi's werden in de pers telkens dik in de verf gezet, als opmerkelijke primeurs en als signaal dat Amerika verandert. Ze lijken de voorspelling van Greg Harris te bevestigen dat tijd en generatiewissels de homofobe reflexen vanzelf zullen smoren.

Van zodra de grenzen van de kiesomschrijving uitdeinen of een minder homogeen progressief woongebied omvatten, slinken echter de kansen op politiek succes. Een senator moet stemmen ronselen over het grondgebied van een volledige staat. Holebistemmen kunnen dan onmogelijk nog het verschil maken en de traditionele homofobe gevoelens – zelfs als die vaag en aarzelend zijn in plaats van hatelijk en agressief – zullen de kiezer ervan weerhouden om de holebikandidaat te steunen. Een homoseksuele of lesbische president lijkt voorlopig nog totale sciencefiction. Het is alvast hoogst opmerkelijk dat er zich een homokandidaat aandient voor de Republikeinse voorverkiezingen van 2012: de 61-jarige politiek consultant Fred Karger uit Californië.

Het outen en openlijk beleven van de homoseksuele geaardheid blijft in Amerika riskant voor wie de steun van het publiek nodig heeft: politici, acteurs, tv-presentators. Vanuit historisch perspectief zijn de weerzin en angst voor holebi's terug te voeren tot de immense macht en invloed van de streng protestantse kerken. Zoals eerder vermeld, hebben haast alle staten van de VS antisodomiewetten in hun strafwetboek opgenomen. Die waren in eerste instantie gericht tegen homo's en in een aantal staten duurde het tot na het jaar 2000 vooraleer die wetgeving werd herroepen. Met een vonnis van het Hooggerechtshof in 2003, *Lawrence vs. Texas*, werd dat soort bepalingen voor eens en voor altijd ongrondwettelijk verklaard. Staten of districten mogen nu niemand meer vervolgen omwille van homoseksuele contacten, zolang het om seks gaat in de privésfeer en tussen *consenting adults*: volwassenen die daarmee instemmen.

Toch garandeert die wettelijke vrijheid nog geen sociaal comfort. Een jong homostel in Los Angeles vertelde me dat ze uiterst voorzichtig blijven om zich in sommige buurten als koppel kenbaar te maken, uit angst voor fysieke agressie. Sinds het najaar van 2010 duiken er steeds meer verhalen op in de Amerikaanse media over zelfmoorden van homoseksuele tieners. Meestal lijkt dat ze gepest werden of zelfs mishandeld door leeftijdsgenoten. President Obama kwam al persoonlijk tussenbeide met een boodschap op het internet; hij zei 'geschokt en bedroefd' te zijn door de berichten en kantte zich scherp tegen het pestgedrag van jongeren en het wijd verspreide idee dat pesten een vorm van ontgroening zou zijn en dus aanvaardbaar. De plotselinge piek in dramatische berichten over homotieners kan erop wijzen dat de media pas recent dat soort getuigenissen oppikken en ernstig nemen. Niet het aantal gevallen zou dan gestegen zijn, maar het aantal artikelen en tv-items over het fenomeen. Het kan ook betekenen dat de toegenomen openheid voor holebirechten een verscherpte tegenreactie uitlokt van agressie en homohaat. Een studie uit april 2011 klonk bijzonder onrustbarend: een op de vijf jonge holebi's beweerde ooit een zelfmoordpoging te hebben ondernomen. In conservatievere gebieden was dat zelfs een op de vier. De holebibeweging reikt nu een specifiek programma aan voor lagere scholen, met tips en lespakketjes om met de leerlingen te praten over seksuele geaardheid en om stereotypen, scheldwoorden en pestgedrag tegen holebi's onmiddellijk te counteren.

De vrije beleving van een holebi-identiteit is ook voor volwassenen nog niet volledig verworven. Niet voor niets werken steeds meer steden en staten aan wetten en reglementen die elke vorm van discriminatie op de werkvloer, op grond van seksuele geaardheid, moeten verbieden. Daar waar die regels niet bestaan, kan een homo of lesbienne bij sollicitaties worden geweigerd of later als werknemer worden ontslagen, enkel en alleen omdat de baas geen holebi's wil. In het Congres is een wetsvoorstel ingediend om de non-discriminatie op federaal (en dus landelijk) niveau af te dwingen via een *Employment Non-Discrimination Act*, maar die wet raakte nog steeds niet goedgekeurd. De meest pertinente discriminatie van homoseksuele werknemers was bovendien lange tijd structureel en zelfs wettelijk verankerd en werd toegepast bij 's lands grootste werkgever: de strijdkrachten.

Niks vragen, niks zeggen

Don't ask, don't tell (DADT): dat is de naam waaronder de beleidslijn van het ministerie van defensie tegenover holebi's in de strijdkrachten bijna 20 jaar lang bekend stond. Sinds 1993 mochten homo's en lesbiennes hun land dienen bij het leger, de luchtmacht, de zeemacht en het korps van mariniers; hun oversten mochten niet naar hun seksuele geaardheid informeren. Daarmee werd een einde gemaakt aan de eeuwenoude discriminatie van holebi's in het leger, maar niet helemaal. De betrokken militairen zelf moesten immers in alle talen zwijgen over hun geaardheid, op straffe van ontslag. Terwijl hun heteroseksuele wapenbroeders op maandag vrijuit konden vertellen over familieuitstapjes of bioscoopbezoekjes met hun partners, dienden de holebi's een volstrekt stilzwijgen te bewaren over relaties en privéleven. De beleidslijn DADT was een wanstaltig compromis en een toonbeeld van hypocrisie, maar het was het beste wat de kersverse president Bill Clinton in 1993 uit de brand kon slepen. Clinton en zijn medewerkers in het Witte Huis – een jong zootje ongeregeld – wilden het verbod op holebi's bij de strijdkrachten helemaal ongedaan maken. Ze pakten de zaak echter overmoedig aan en zonder goede voorbereiding en braken hun tanden stuk op de weerstand bij de militaire top en bij een deel van het Congres.

DADT leidde ertoe dat meer dan dertienduizend mannen en vrouwen uit het leger ontslagen werden, omdat ze zich als homo of lesbienne hadden bekendgemaakt. Eind 2010 besloot president Obama dat het welletjes was geweest en begon hij in het Congres de vereiste stemmen te verzamelen om de DADT-beleidslijn te herroepen. Diep in december, toen de Democraten nog steeds – op de valreep – hun meerderheid konden uitspelen, werd de *Repeal Act* goedgekeurd. Daarmee werd er een kruis gemaakt over de struisvogelpolitiek van DADT. Er ging nog een half jaar overheen om de strijdkrachten voor te bereiden op die nieuwe situatie, maar inmiddels is de richtlijn definitief verleden tijd. In principe zijn holebi's nu welkom en mogen ze vrijuit praten over hun geaardheid.

Misschien stond DADT symbool voor een houding die de voorbije decennia sterk sluimerde in Amerika: homo's en lesbiennes mogen doen wat ze willen, maar we willen het liever niet weten of zien. Ongetwijfeld is dat nog steeds de benadering van veel oudere Amerikanen, die met traditionele waarden zijn opgegroeid en die zich nu, hoofdschuddend maar gelaten, aan de moderne tijden aanpassen. Maar is dat nog steeds het bepalende, dominante gevoel van Amerika tegenover holebi's?

Gemeten aan het geringe aantal homo's dat zich out, de beperkte aanwezigheid van holebi's op de banken van staatsparlementen en in het Congres, de wetgevende initiatieven tegen het homohuwelijk en de agressie tegen homo's die nog vaak lelijk de kop opsteekt, zou je geneigd zijn te denken van wel. Amerika is nog steeds niet helemaal in het reine met de seksuele geaardheid van – naar schatting – negen miljoen landgenoten. Dat verklaart dan allicht de sterke woonconcentraties van holebi's; samen is veiliger.

Intussen blijkt uit meerdere peilingen dat bijna driekwart van de Amerikanen akkoord gaat met de herroeping van DADT. Dat is een verrassend hoge score. De grote meerderheid kan het dus volstrekt niet deren dat homo's en lesbiennes in het leger dienen en evenmin dat ze als zodanig bekend staan. Als DADT de belichaming was van de halfhartige, schijnheilige aanvaarding van holebi's in de jaren 1990-2008, zou de repeal-wet dan symbool staan voor de nieuwe tijdsgeest waarover Greg Harris het had? Het lijkt er in elk geval op dat de meeste Amerikanen nu openstaan voor holebi's; en die tolerante meerderheid groeit aan. Mogelijk zien we de volgende jaren nog een stormloop van *celebrities* en politici die het aandurven om zich als homo of lesbienne te outen. Het mag ook gezegd dat president Obama op dit vlak flink aan de boom heeft geschud en sterk leiderschap heeft getoond. In zijn herverkiezingscampagne mag hij op brede steun rekenen van de holebigemeenschap.

Holebi's aan het altaar

De Amerikaanse holebi's hebben de voorbije jaren een indrukwekkend parcours afgelegd. Zoals dat ook met andere minderheden is gebleken, roept emancipatie onvermijdelijk weerstand op. Dat hebben we recent nog zien gebeuren in Rusland, Oost-Europa en Afrika. Hoe sterker de holebi's zich openlijk gingen organiseren, hoe meer ze agressie en repressie uitlokten. In de VS komt de tegenwerking, zoals gezegd, van conservatieve politici in staatsparlementen en in het Congres. Zoals reeds behandeld in hoofdstuk elf, doen ook kerken en religieuze actiegroepen hun duit in het zakje. Voor denktanks als de Family Research Council of de Traditional Values Coalition is het verweer tegen holebirechten uitgegroeid tot een radicale kruistocht, waarbij ook hoogst dubieuze argumenten in de strijd worden geworpen. Zo leggen boegbeelden van christelijk-rechts geregeld een verband tussen homoseksualiteit en pedofilie of waarschuwen ze voor een toename van de criminaliteit als holebi's niets in de weg wordt gelegd. De Amerikaanse katholieke kerk pleit voor pastoraal begrip en respect voor holebi's, maar verzet zich principieel en consequent tegen het homohuwelijk. Ook de meeste baptistische kerken, met de machtige Southern Baptist Convention in de spits, oefenen druk uit om het homohuwelijk tegen te houden.

Tegelijkertijd kiezen steeds meer religieuze leiders partij voor de holebigemeenschap. Die organiseert oecumenische gebedsbijeenkomsten en symposia, om die groeiende steun van gelovigen te versterken en te verzilveren. In de schoot van de kerken zelf eisen holebi's hun plaats op. De Episcopaalse Kerk was de eerste congregatie in de vs die, in 2003 al, een openlijk homoseksuele bisschop wijdde. Dat leidde zelfs tot een heus schisma in de kerk. Uit ongenoegen over die gedurfde stap scheurde de Anglicaanse Kerk van Noord-Amerika zich af. Later zette ook de Evangelisch-Lutherse Kerk de deuren open voor holebidominees en in 2011 volgde een grote federatie van presbyterianen. Het zijn min of meer dezelfde congregaties die hun predikanten de vrijheid beginnen te geven om huwelijken van holebikoppels te sluiten. Ook in de joodse gemeenschap vinden homo's en lesbiennes steeds vaker een rabbi die hun huwelijk wil inzegenen. De orthodoxe synagogen staan nog weigerachtig tegenover het idee, maar de Reform- en Reconstructionistische gebedshuizen erkennen en steunen het homohuwelijk.

Wie de film *Sex and the City II* heeft gezien, wist natuurlijk al langer dat holebi's in de vs volgens de joodse ritus kunnen huwen. Het is jammer dat de homokarakters in die film en in de gelijknamige televisiereeks, zo sterk aangezet worden dat het burlesk wordt – een euvel waar wel meer Amerikaanse *sitcoms* en films zich aan bezondigen. Dat die eerste joodse homohuwelijksscène voor een internationaal bioscooppubliek juist in *Sex and the City* zat, zal evenwel geen toeval zijn. Het is in de *city* dat taboes worden doorbroken en conventies op hun kop gezet. De grenzen tussen grootstad en platteland, tussen *big cities* en *small towns* en tussen metropool en voorsteden worden in het discours over diversiteit zelden meegerekend. Toch bepalen in de vs die geografische breuklijnen niet alleen de opvattingen over cultuur en identiteit, maar in hoge mate ook de visie op de samenleving en de overheid. Voor we aan onze conclusies beginnen, maken we eerst nog een rondreis door ruimtelijk Amerika.

15

De kleuren van het land

L.A. proved too much for the man
So he's leavin' the life he's come to know
He said he's goin' back to find
Ooh, what's left of his world
The world he left behind
Not so long ago

Oh he's leaving
On that midnight train to Georgia
And he's goin' back
To a simpler place and time

GLADYS KNIGHT AND THE PIPS

Stel je de Verenigde Staten voor als een puzzel en België als een stukje, dan had je driehonderdenzeven stukjes nodig om de puzzel te vervolledigen. Het land is meer dan negen miljoen km² groot en rijden van Boston in het noordoosten tot San Diego in het zuidwesten kost je tenminste 48 uren, plaspauzes niet inbegrepen. Die uitgestrektheid staat garant voor een verbluffende landschappelijke diversiteit: de kleuren van Amerika in geografische zin. Het diepe groen van de bossen in New Hampshire, de gele graanzeeën van de grote vlakten, de rode zandsteen van Utah of de kil grijze bergen rond Las Vegas. Aan de kustweg van Californië – een van de heerlijkste routes die je in de vs kan volgen – beukt een blauwe zee op groenbruine kliffen en op de toppen van Colorado rust eeuwig witte sneeuw. Ook de weidse wildernis van Alaska en de smaragdgroene eilanden van Hawaï behoren tot Amerika. Het land biedt een uitgebreide staalkaart van 's werelds natuurschoon. Zelfs de klimatologische variatie tart elke typering. De Grote Meren in het noorden kunnen kraken onder een ijzige kou, terwijl Zuid-Florida zich wentelt in een subtropisch zonnetje. Om het aanbod nog te verruimen, grossiert het land in extreme weersverschijnselen: van moordende tornado's over heftige orkanen tot verlammende sneeuwstormen.

Er is wel eens beweerd dat zowat elke migrantengroep in Amerika een aangepaste omgeving kon vinden. Denen en Duitsers nestelden zich in de gematigde klimaatzones van de noordelijke landbouwstaten, Schotten en Ieren in het heuvelland van de Virginia's, de zwarte slaven in het bloedhete zuiden. Telkens leunden klimaat en landschap nauw aan bij wat ze hadden achtergelaten in het thuisland. Toch is dat misschien een makkelijke uitleg achteraf. Veel immigranten hadden weinig te kiezen inzake eindbestemming en liepen gewoon achter de jobs aan. Op die manier belandden er ook honderdduizenden Zuid-Europeanen in de koude noordelijke steden Chicago of Cleveland. Maar het is waar dat *settlers* die in groepsverband opereerden, bij voorkeur de landbouwgrond en klimaatzone zochten waarmee ze van kindsbeen af vertrouwd waren. Op die manier heeft de geografische verscheidenheid van Amerika de etnische inkleuring vergemakkelijkt en ondersteund.

Monotonie

En toch. Hoe rijk geschakeerd het Amerikaanse landschap ook mag zijn, daar waar de menselijke hand heeft ingegrepen, gebeurde dat met een stuitende uniformiteit. De wegen die het landschap doormidden snijden, de parkings en rustzones onderweg, de op- en afritten, de viaducten en de wegmarkering zien er overal, van noord naar zuid, griezelig hetzelfde uit. Wie een bed of maaltijd zoekt, heeft de keuze uit een handvol ketens. Die merken bieden een comfortabele zekerheid: een Ramada Inn ziet er precies hetzelfde uit in Ohio als in Alabama. Het menu bij Wendy's in Beaverton, Oregon, is identiek aan de kaart bij het zusterhuis in Kissimmee, Florida. Fastfoodketens en wegrestaurants zijn uiteraard ook in opmars in Europa, maar niet zo verpletterend als in de vs.

Elk knooppunt en elk stadje in het binnenland van Amerika is volgens identieke lijnen en structuren gebouwd. Soms, in verlaten gebieden, gaat het om niet veel meer dan een forse parkeerzone, waar garages, een supermarkt, motels en benzinestations bij elkaar zijn gezet; een eigentijdse versie van de cowboystad, waar het paard te drinken kreeg en een saloon onderdak verschafte. Vaak leiden vierbaanswegen, vanuit die pleisterplaats, naar bescheiden woonwijken. Altijd in rechte gridpatronen, met gelijkvloerse woningen achter (meestal) keurige voortuintjes. Winkels en eetgelegenheden liggen per definitie buiten de woonzone, langs drukke verbindingswegen. Tussen de woon- en de winkelomgeving krijgen de kerken, tandartspraktijken en verzekeringskantoren een plek.

De rare contradictie is dat gemeenten en *counties* of districten verregaande bevoegdheden hebben om de ruimte naar eigen goeddunken te ordenen, maar dat de patronen niettemin verbazend uniform zijn. Op dit punt wordt duidelijk waar het Amerika aan ontbreekt: een lokaal verankerde cultuurgeschiedenis. Steek in Europa een grens over en het verschil spat van de stadjes af: zelfs Nederlandse gemeenten zien er anders uit dan Vlaamse. Het ligt aan de verkeerscirculatie, de bestrating, de kleuren van gevels en ramen. Nog sterker is de eigenheid van Toscaanse stadjes, Zwitserse bergdorpen of Engelse *country towns*. Je zou ze allemaal zonder veel moeite kunnen situeren, mocht je daar plompweg vanuit een helikopter worden gedropt. De materialen zijn anders, de bouwstijl, de breedte en loop van de straten. In Amerika daarentegen zijn de verschillen in bouwstijl beperkt en soms bedrieglijk; houten bungalows bijvoorbeeld vind je van New Hampshire tot Texas – al verraadt de typische veranda of *porch* meestal wel een zuidelijke ligging. Het zijn de bomen en planten die je een aanknopingspunt bieden, de zon of de sneeuw; de straten en huizen hullen zich in kleurloze anonimiteit.

Kortom, ondanks de opwindende etnisch-culturele diversiteit van de bevolking is de materiële cultuur van het land ontstellend saai. Die vaststelling is geen kwestie van Europees leedvermaak of van neerbuigendheid. Integendeel, in die monomassacultuur schuilt wellicht een van de geheimen van het Amerikaanse integratieverhaal. De materiële en ruimtelijke uniformiteit verenigt het uitgestrekte land en zijn bevolking. Alle Amerikanen, ook de minderheden en nieuwkomers, consumeren in dezelfde ketens en gebruiken dezelfde infrastructuur. Natuurlijk is er sprake van een segmentering en niche-

markten, maar die volgen eerder de breuklijnen tussen inkomens en
klassen dan tussen etnische groepen. Mexicaanse jongeren en Somalische asielzoekers trekken net zo goed naar het Walmart-warenhuis
of de Subway-snackbar als hun zwarte of blanke buren. Het toenemende fenomeen van obesitas onder latinokinderen is daar het wrange bewijs van. Dit is inburgering in Burgerking: een acculturatieproces
met cola en *chicken wings.*

Dat betekent niet dat de etnische gemeenschappen hun culinaire
eigenaardigheden kwijtraken. Naarmate een minderheid sterker geconcentreerd is, zal ze voor zichzelf ook een specifieke catering ontwikkelen, met eigen voedingswinkels en eethuizen in de traditie van
het land van herkomst. Toch zie je ook daar algauw een geameri-
kaniseerde en geformatteerde aanpak. Latijns-Amerikaanse restaurants heb je in maten en soorten, maar ketens als Taco Bell, King Taco
en Pollo Tropical kneden het aanbod in eenzelfde voorverpakt en
gestroomlijnd model als McDonald's of Kentucky Fried Chicken dat
doen. Ook zij mikken op lage prijzen, snelle herkenbaarheid en een
bediening aan de lopende band. Beide ketens lokken intussen ook
blanke en zwarte klanten. Op die manier brengen ze een spatje kleur
en variatie in het fastfoodmodel, maar ze blijven wel trouw aan het
sjabloon. Al zullen sommige Amerikanen een bezoekje aan een taco-
keten al behoorlijk avontuurlijk noemen, de inplanting en het uitzicht van de filialen sluiten perfect aan bij de Amerikaanse eetcultuur.

Wat je ziet en wat je eet op je rondreis door de vs is dus opvallend
monotoon. Rijdend door dat monotone ruimtelijke landschap, met
eenvormige hotelketens en altijd eendere *shopping plaza's,* over betonnen viaducten en commerciële zesbaanswegen, bestaat er toch
een snelle manier om de lokale inkleuring van stad en bevolking in
te schatten: zet de radio aan en zap langs de FM-band. De klanken
en muziekjes uit de radio geven meteen aan wie er in de omgeving
woont. Tex-mexdeuntjes wijzen op een sterke Mexicaanse aanwezigheid; Indiase *raga's* geven aan dat er veel Indiërs zijn neergestreken;
R&B of blues verraden een grote zwarte gemeenschap; countryrock
hoor je overal (en niet alleen in het zuiden) waar een kleinstedelijke
blanke middenklasse leeft; in Boston bots je op *folky* ballades en
doedelzak-*jigs;* en creoolse *zouk* of calypso doen vermoeden dat je
in Florida bent beland, in een buurt met Caraïbische concentraties.

Op die manier zou je geblinddoekt kunnen gokken waar je bent. De ether ademt ook de religieuze koorts van sommige gebieden. Zeker op zondag krioelt het op de FM-band van vurige predikanten en levendige gospels. Afstemmend op de *talkradio* shows kan je de dominante politieke voorkeur peilen. De radio in Amerika is een auditieve caleidoscoop, waarin elke etnische groep of geloofsgemeenschap zich op een eigen golflengte nestelt. Het belang van die radiozenders ligt voor de hand: muziek en taal versterken het groepsgevoel en de culturele identiteit. Via inbel- en debatprogramma's helpen ze immigranten bovendien vaak bij concrete praktische problemen of in hun zoektocht naar een nieuw evenwicht tussen de cultuur van het herkomstland en die van Amerika.

Small towns, big cities

Ondanks de opvallende eenvormigheid van de ruimtelijke ordening in de vs vallen er wel degelijk verschillen te markeren. Die hebben in de eerste plaats te maken met de omvang van de woonzones en met bevolkingsdichtheid. In Amerika is de grens tussen ruraal en stedelijk of tussen dorp en stad, nochtans veel minder scherp afgelijnd dan in Europa. Sinds tenminste een halve eeuw is het onderscheid nog verder gaan vervagen; de overgangszone tussen stad en platteland – *suburbia* – is haast de norm geworden. In een overzicht van de diversiteit aan diversiteiten mag dat aspect niet ontbreken, want ook de woonvorm kan in de vs een symbolische plek bekleden in iemands zelfbeeld en een haast ideologische en politieke lading krijgen.

Om dat te begrijpen volstaat het te luisteren naar een aantal rock- en popsongs. In *Small Town* bezingt John Mellencamp met veel nostalgie zijn jonge jaren in wat wij een provincienest zouden noemen: Seymour in Indiana. De 'small town' is voor veel Amerikanen het icoon bij uitstek van het oorspronkelijke Amerika: een overzichtelijke gemeenschap van enkele duizenden bewoners, die elkaar kennen, voor het overgrote deel tot eenzelfde raciale groep behoren en elkaars waarden en geloof delen. 'Ik leerde om Jezus te vrezen in een kleine stad,' zingt Mellencamp. Het mag voor een Europeaan verbazing wekken dat niet het dorp het symbool is van het geïdealiseerde, eenvoudige en eerlijke Amerika. Hier en daar is er wel sprake van *villages*, maar dan vooral waar een nederzetting oorspronkelijk ge-

sticht is door een samenhorige groep van migranten, zoals de Nederlandse gemeenten in Michigan of Duitse dorpen in Texas. Daar kunnen inwoners nog hun stamboom traceren en is de familiale verankering sterk genoeg om een dorps karakter te behouden. Veel van de
kleinere woongemeenschappen in de vs zijn daarentegen ontstaan
als doorgangskampen of handelsknooppunten, altijd dicht bij het wegennet. Het fenomeen van de afgelegen bergdorpjes, waar huizen zich
tegen een vesting of kasteel hebben aangeschurkt – uit angst voor
plunderaars, veroveraars of misschien wel malaria – is in Amerika
nauwelijks doorgedrongen.

Daarbij komt dat stadjes vaak in ijltempo zijn ontstaan, maar dikwijls ook even snel weer zijn leeggelopen. De Franse filosoof Bernard-
Henri Lévy mijmert daarover bij een bezoek aan de *ghost town* Ashcroft in Colorado: 'een van de *boomtowns* die aan het einde van de
negentiende eeuw binnen enkele weken of maanden uit de grond
schoten'. In dit geval ging het om een goudzoekersstadje, dus toen
het goud opraakte, liep ook Ashcroft leeg. 'De schoonheid van dit
volk, dat zo weinig aan zijn wortels hecht. De schoonheid van de
wonderlijke vrijheid van een volk dat zich niet op één plaats laat verankeren.' Dat voorlopige karakter, dat kampaspect van Amerikaanse
gemeenschappen maakt ze onvergelijkbaar met het Europese dorp.

De kleine stad is dus de leefvorm bij uitstek van het rurale Amerika of beter nog: van het niet-verstedelijkte Amerika. Geografen en
statistici worstelen al decennialang met de vraag waar je de lijn moet
trekken. Hoeveel inwoners heb je nodig om van een stad(je) te kunnen spreken? Of tot welk bevolkingspeil mag je een gebied nog ruraal
noemen? In de ruimste benadering van het US Census Bureau heb je
al een stadscluster als er tweeduizend vijfhonderd mensen dicht bij
elkaar wonen; alles daaronder is ruraal. Met dat criterium haalt de
rurale bevolking geen hoge score en rockzanger John Mellencamp
zou er niet meer bij zijn. Zijn stadje Seymour telt namelijk bijna twintigduizend zielen. Volgens een strengere definitie is er pas sprake van
stedelijk gebied als er vijftigduizend mensen wonen. Op die manier
stijgt het aandeel van de rurale bevolking in de vs tot ongeveer een
vierde van het totaal – inclusief John Mellencamp. Maar op die manier worden meteen ook provinciestadjes tot de landelijke sfeer gerekend, een beetje zoals dorpen in Europa bij het platteland worden
ondergebracht. De grenzen tussen platteland, small towns en steden
zijn dus niet zo duidelijk en kunnen behoorlijk worden opgerekt.

Die discussies zijn voer voor planbureaus en academici. Essentieel is de vaststelling dat een groot aantal Amerikanen nog steeds in kleinere, provinciale steden verblijft. Ondanks ons beeld van wolkenkrabbers en eindeloze metropolen, wonen ruim honderd miljoen mensen – een op drie – in een stad van minder dan honderdduizend zielen. Veralgemenen is altijd fout, maar in een boek als dit niet te vermijden. Het kleinsteedse Amerika is doorgaans conservatief, sterk gelovig en wantrouwig tegenover de overheid, vooral dan de federale regering in Washington. Dat is de reden waarom populistische bewegingen in de geschiedenis altijd op veel bijval konden rekenen in kleinere steden, van de People's Party aan het einde van de negentiende eeuw tot en met de Tea Party-groepen van de jongste jaren. Religieus rechts heeft hier eveneens zijn machtsbasis, al zullen de nieuwerwetse evangelische kerken ook sterk rekruteren in de voorsteden. Small town-Amerika gaat prat op morele rechtlijnigheid, eist van zijn bewoners samenhorigheid en conformisme en verafschuwt cultureel snobisme en dikdoenerij. Meestal stemt de bevolking hier Republikeins, maar dat is zeker geen wet van Meden en Perzen. In de Midwest of in mijnstaten als West-Virginia, is de vakbondstraditie – hoewel tanend – toch nog sterk genoeg om de Democraten een reservoir aan stemmen te verzekeren. Alleen moeten kandidaten met een progressief en grootstedelijk imago, zoals Barack Obama, in dat soort arbeidersstadjes stevig opboksen tegen scepsis en wantrouwen.

In de geïdealiseerde en dus fors aangedikte typologie staat de gemoedelijke kleine stad tegenover de *big city*, de onpersoonlijke grootstad of metropool. De bewoners daar worden door de *small towners* gezien als arrogant, individualistisch en materialistisch. Ze hebben te weinig geloof en moraal en zijn de familiewaarden vergeten die de natie groot hebben gemaakt. Omgekeerd beschouwen de grootstedelingen de mensen op het platteland als bekrompen, onverdraagzaam en overdreven religieus. Omdat de meeste miljoenensteden aan de oost- en westkust liggen, wordt die tweedeling soms ook regionaal doorgetrokken: de grootstedelijke zones aan de linker- en rechterbovenrand van de natie en het Amerikaanse *heartland* daar tussenin – ook wel eens spottend *Jesusland* genoemd. Die term raakte vooral in zwang na de presidentsverkiezingen van 2004, toen bleek dat vrijwel alle staten in het centrum rood of Republikeins hadden gestemd (voor George W. Bush) en de westkust en het noordoosten blauw en Democratisch (voor John Kerry). Er werd gewag gemaakt van twee

Amerika's, twee haast onverzoenlijke naties met een compleet ver-schillende levensstijl en visie op de samenleving. Het is veelzeggend dat in sommige satirische voorstellingen de blauwe staten bij 'de United States of Canada' werden gevoegd, alsof hun vrijere en link-sere opvattingen per definitie on-Amerikaans zouden zijn.

Die classificatie is uiteraard te simplistisch en gaat voorbij aan het feit dat er in heel wat staten een flinke strijd was gevoerd. Binnen die staten zag je eenzelfde tegenstelling en polarisatie aan het werk. De politieke cultuur was complexer en gediversifieerder dan het kaartje deed vermoeden. Toch is de opdeling ook niet echt bij de ha-ren getrokken. Er zijn wezenlijke verschillen tussen de stadscultuur van de kustzones en de leefpatronen van het binnenland. Dat onder-scheid vertaalt zich weliswaar in uiteenlopende politieke voorkeuren, maar eigenlijk is er veel meer aan de hand. In feite zijn de verschillen zo sterk met het dagelijkse leven verweven, dat je ze makkelijk over het hoofd kan zien.

Zeldzame stadscultuur

Simpel gezegd heeft alles – letterlijk – te maken met de handel en wandel van de bewoners. Wat van die twee oorzaak en gevolg is, is niet zo duidelijk. Beginnen we met de handel: het winkelen. Zoals hierboven al vermeld, moet dat haast overal in de vs buiten de woon-wijken gebeuren. In de kleinere steden in het binnenland zijn de su-permarkten, maar ook de modeboetieks, boekenwinkels, speciaalza-ken en drankwinkels allemaal geconcentreerd rond commerciële assen, die buiten het oude centrum liggen of tussen de woonwijken in. De winkels zijn ondergebracht in grote overdekte *malls* of liggen als *strip malls* gegroepeerd rond uitgestrekte parkings op zogenaam-de *plaza's*. Een buurtwinkeltje is een zeldzaam verschijnsel en vaak is de dichtstbijzijnde voedingszaak het benzinestation om de hoek. Hetzelfde geldt, nog sterker misschien, voor alles wat horeca is: res-taurants, cafés (als die er zijn) en motels. Er is sprake van een haast hermetische uitsplitsing tussen woon- en consumptiewereld.

In grootsteden als New York, Philadelphia, Boston, San Francisco en Washington DC liggen buurtwinkels, speciaalzaken en restaurants nog wel tussen de woonstraten. Toegegeven, ook hier zal je soms een commerciële concentratie krijgen in wat dan de hoofdstraat kan worden genoemd, net als in Europa, maar wonen en winkelen, thuis en uit liggen op loopafstand van elkaar.

Daarmee zijn we bij het tweede verschil: de wandel. In de stadscultuur van New York of San Francisco kan er nog veel te voet gebeuren. Als het toch te ver lopen is, neem je de fiets, metro, bus of taxi. Dat vereist een infrastructuur aan voetpaden, die op zichzelf weer tal van mogelijkheden creëren: sociaal contact, communicatie, sociale controle. De Canadese stedenbouwkundige Jane Jacobs heeft in haar klassieke werk *Dood en leven van grote Amerikaanse steden* scherp beschreven hoe de aanwezigheid van winkels de mensen langer op straat doet slenteren, naar etalages laat kijken en hen aanzet om te praten met elkaar. Bovendien kunnen de eigenaars van winkels die onmiddellijk aan het voetpad grenzen – en niet in een *shopping center* zijn weggestopt – de hele dag de straat in de gaten houden. Hun blik wordt automatisch naar de openbare ruimte getrokken en ze gaan zich mee verantwoordelijk voelen voor rust, veiligheid en gezelligheid in de straat. Logisch, want als er een onguur sfeertje hangt, blijven hun klanten weg.

Het simpele feit dat mensen zich te voet in de stad begeven en winkels aan de straatlijn liggen, creëert stadsleven. Een leefpatroon dat lokaal en op de buurt is gericht en tezelfdertijd gekenmerkt blijft door een grote sociale vrijheid. Juist daarin, in dat ongebonden en onverplichte karakter, verschilt stadsleven van het klassieke dorpsleven. Want ook in een dorp houden de slager en de bakker de straat in de gaten, maar de klant heeft er nauwelijks de vrijheid om de slager voorbij te lopen, op zoek naar een andere of om zijn weg voort te zetten zonder een praatje te maken met de buurman. Het is dat evenwicht tussen contact en anonimiteit dat het stadsleven zijn specifieke beleving geeft. 'De buurt rond een goed functionerende stadsstraat brengt een wonderbaarlijke balans tot stand tussen de vastbesloten wens van de bewoners er privacy op na te houden en hun gelijktijdige behoefte om met de mensen in de buurt in meer of mindere mate contact te hebben, zich met hen te amuseren of hulp van hen te krijgen.'

Zo beschouwd lijkt dit hoogst vanzelfsprekend. De realiteit voor de meerderheid van de Amerikanen is echter helemaal anders. In de meeste kleine en middelgrote steden van het binnenland gebeurt alles, maar dan ook alles, met de auto. Voor elke winkel en naast elk restaurant ligt een parking, zodat trottoirs nauwelijks nog een functie hebben en op veel plaatsen ook daadwerkelijk verdwenen zijn. In sommige steden ben je haast verdacht als voetganger, een dakloze of zwerver of in elk geval een arme schooier die naar de bus moet lopen (als er tenminste een bus is). Natuurlijk zullen buren en kennissen elkaar tegen het lijf lopen op de parking of in de supermarkt – maar een openbare ruimte die door het sociaal contact zelf wordt bestendigd, is er niet echt.

Deze Amerikanen bekijken de wereld dus voornamelijk van achter het dashboard. Ze nemen zelden of nooit een bus of trein en lopen nauwelijks. Dat draagt niet alleen bij aan het zwaarlijvigheidsprobleem, het vertekent ook de blik waarmee ze in de samenleving staan. Wie nooit gebruik maakt van openbare voorzieningen als een parkje, een tram of een voetpad, zal ook minder belang hechten aan een goed functionerende overheid. Wie van de ene geprivatiseerde plaza naar de andere afgesloten mall rijdt, ontgaat het belang van een gemeenschapsleven dat met belastinggeld wordt ondersteund.

Ik waag mij aan een boude bewering: deze vorm van diversiteit, het verschil tussen lopende stadsmensen (een minderheid) en rijdende small towners (de meerderheid) is een van de fundamenteelste breuklijnen in de Amerikaanse samenleving. Ze beïnvloedt en bepaalt de houding tegenover de samenleving en dus de politieke overtuiging. Dat verschil verklaart ook waarom veel Europeanen zo van New York houden: de grootstad bij uitstek, opwindend, oneindig, anoniem en toch ook – buurt na buurt – bruisend van gezellig straatleven. Juist daarom wordt ook beweerd dat New York Amerika niet is.

Daarmee hebben we de grove penseelstreken getrokken. Tijd nu om weer wat te schakeren. Want niet alle kleine steden baden in de small town-cultuur en niet alle metropolen van de vs zijn gezegend met een stadsleven.

Je kan in Amerika kleinere steden vinden waar je tenminste een levendig centrum hebt met een winkel-, eet- en straatcultuur. Of alle bezoekers daar onmiddellijk in de buurt wonen, is twijfelachtig. Wellicht komen de meesten uit verder afgelegen woonwijken en parkeren ze de auto in een betaalde garage. Voor een halve dag of een avond zijn het stedelingen die de centrumfunctie van de stad beleven: ze winkelen, eten, kuieren, doen een terrasje. Vooral universiteitsstadjes kunnen verrassen, omdat de studenten er doorgaans op loopafstand wonen. Ann Arbor in Michigan is daar een sympathiek voorbeeld van. Zo'n campusstad lijkt een beetje op een uitgaansbuurt in een stadsdeel van New York, San Francisco of Chicago.

Veel kleine en middelgrote steden in het binnenland hebben trouwens recent geïnvesteerd in de heraanleg en heropleving van het stadscentrum, zodat tenminste die oude marktfunctie weer wat wordt opgekrikt. Hier en daar lukt dat, zoals in Raleigh in Noord-Carolina, waar de revival ondersteund werd door een boomende bankensector (die helaas ook klappen opliep tijdens de financiële crisis). Soms blijft de vernieuwing beperkt tot een specifieke buurt: dat kan een studentenbuurt zijn of een stratenblok met lichtjes alternatieve allures, zoals in Austin in Texas of Tucson in Arizona. Het is veelzeggend dat straatleven op die manier bijna een uiting wordt van een wat tegendraadse of hippe jongerencultuur. Helaas is de heraanleg al te vaak een gekunstelde onderneming, waarbij het centrum of bepaalde stadswijken artificieel oud en historisch worden aangekleed. Dat resulteert soms in pretparktoestanden: nagebouwde Spaanse huizen of valse westernsfeertjes. Om eerlijk te zijn weet ik vaak niet wat ik daarvan moet denken: gezellig en charmant of goedkope kitsch? Neem nu de River Walk in de zuidelijke stad San Antonio in Texas: een lint van eethuisjes, winkeltjes, terrasjes en cafés dat zich langs een gracht slingert waarop toeristische bootjes dobberen tussen weelderig subtropisch groen, alles doelbewust in een Mexicaans sfeertje gedrenkt. Als je goed kijkt, zie je hoe nep het allemaal is, maar tegelijk kan het daar best gezellig worden.

Bernard-Henri Lévy stoorde zich aan wat als het oude centrum en historische begin van Los Angeles werd voorgesteld; hij trof er alleen maar 'dode straten' en een 'verstarde wijk'. 'Je voelt geen gemene deler tussen dit stenen museum, deze relieken en de vitale, woekerende uitdijing van de stad.' Daarmee legt hij natuurlijk de vinger op de wonde: de afgestofte stadscentra missen meestal een natuurlijke, organische band met de hedendaagse omgeving. Misschien is het daarom een slimmere optie om er ook echt een museum van te maken, zoals met een oud stuk San Diego gebeurde. De buurt die beschouwd wordt als de vroegste Spaanse nederzetting van de stad is omgevormd tot Old Town State Park: een soort Bokrijk dat gratis te bezoeken is en aansluit bij een prettig stratenblok met tal van Mexicaanse eethuizen. Laten we ook maar een beetje mild zijn. Amerika heeft weinig historische gebouwen of restanten; een klein beetje *reenactment* moet kunnen.

Suburbia

Met het voorbeeld van Los Angeles is duidelijk geworden dat schaal-grootte er eigenlijk niet veel toe doet. Ook in een monsterstad als LA valt er van stadsleven weinig te merken. Er is geen kern en nauwe-lijks een plan. Het gaat om een grote, uitdijende agglomeratie, waar haast alle verplaatsingen met de auto gebeuren. Hetzelfde zie je in steden als Atlanta, Houston of Nashville. De tweedeling tussen ste-den-met-stadsleven en plaatsen met een small town-cultuur spoort dus niet volledig met bevolkingsaantal of oppervlakte.

Bovendien stappen veel Amerikanen dagelijks van het ene patroon in het andere. Neem een inwoner van wat ze in Noord-Carolina de Triangle noemen: een randstadzone tussen Durham, Raleigh en Cha-pel Hill. Wellicht is hij gehuisvest in een van de uitgestrekte woonwij-ken en leeft en consumeert hij 's avonds en in het weekend zoals de small town-bewoners. Hij stapt in de auto, rijdt naar het wegrestau-rant, parkeert op de plaza en laadt zijn koffer vol. Maar op weekdagen werkt hij in een van de banken van Raleigh of aan de universiteit van Chapel Hill. Dan gaat hij lunchen en kiest een terrasje uit of nestelt zich met een sandwich op een bank op een van de pleinen. Misschien blijft hij 's avonds wat hangen en doet hij aan netwerken in de pubs. Op dat moment beleeft en voedt hij op zijn beurt het stadsleven. Het is prettig om vast te stellen dat steeds meer steden in Amerika ten-minste weer die kantoorbuurtdrukte op dreef hebben gekregen. Als het meezit, beginnen de restaurants ook 's avonds hun deuren te ope-nen, verschijnen er boetieks, buurtwinkels of speciaalzaken en komen er lofts en appartementen. Bemoedigende signalen, maar naar Euro-pese maatstaven blijft stadsontwikkeling in Amerika en zeker de vernieuwing van de binnensteden een amechtige onderneming.

De realiteit van de stadsbeleving is dus ingewikkeld en nog altijd in beweging. Ook de geografische patronen zijn veel complexer dan de concentrische cirkel van een centrum met buitenwijken. De woon-buurten of slaapsteden liggen lang niet altijd rond de oude en oor-spronkelijke stad, maar tussen commerciële zones en oude stadsker-nen in. Op een aantal plaatsen, zoals in de vermelde Triangle van Noord-Carolina, vullen ze de ruimte op die tot voor kort tussen af-zonderlijke steden vrij was gebleven, tot er enorme verstedelijkte clusters ontstaan. Dat is het typisch Amerikaanse fenomeen van de *suburbs* en *exurbs*: randgemeenten, voorsteden en als het over exurbs gaat, buitenwijken voor de veelverdieners die willen ontsnappen aan (groot)stadsproblemen. Uit films als *American Beauty* en tv-series als *Desperate Housewives* is de wereld van suburbia voldoende bekend: doorgaans nette maar eendere huizen in groene laantjes, met kort gemaaide grasperken en tenminste twee auto's op de oprit. Qua leef-, verplaatsings- en consumptiegedrag zijn de suburbs vergelijkbaar met de small towns: alles gebeurt met de auto, woon- en winkelzones blijven gescheiden. De bevolkingssamenstelling verschilt echter op belangrijke punten van de dwarsdoorsnede van de bewoners in traditionelere kleine steden.

In kleine steden zoals het Seymour van John Mellencamp is de bevolking doorgaans sinds generaties geworteld in de omgeving. Vaak is het een lokale nijverheid – textiel in New England, auto-onderdelen in de Midwest – die de bewoners werk verschaft. De families kennen elkaar en er hebben zich weinig nieuwe gezinnen gevestigd; soms is er eerder sprake van een uittocht en ontvolking. De bewoners behoren er haast allemaal tot eenzelfde raciale en zelfs etnische groep. In suburbs daarentegen bestaat zowat de hele wijk uit nieuwkomers, die uit alle hoeken en staten van de vs kunnen zijn aangewaaid. Ze delen weinig met elkaar, behalve dan hun inkomensniveau en nieuwelingenstatus. Juist daarom floreren de evangelische kerken in die buurten, omdat ze de deuren opengooien voor elke zoekende ziel die hunkert naar zingeving en sociaal contact. Suburbia bestaat in soorten en klassen, van krappe bungalows tot rijke villa's en heeft de voorbije jaren flink wat littekens opgelopen door de huizencrisis. In haast elke recent gebouwde woonwijk kwamen woningen leeg te staan omdat de eigenaars de hypotheek niet langer konden afbetalen. Miljoenen gezinnen moesten afdruipen en hun intrek nemen in een huurflat, een motel of een garage of zolder van ouders of familie.

De Amerikaanse succesauteur Robert Kaplan beschreef in 1998 al hoe de spontaan gegroeide stedelijke clusters na een tijd weer uiteenvallen in kleinere bestuurlijke eenheden. Dat gebeurt meestal op initiatief van de hogere inkomensgroepen. Die willen niet langer mee betalen voor sociale voorzieningen in aangrenzende wijken of binnensteden en sturen aan op een afscheuring of verzelfstandiging van hun woongebied. De problematiek van de openbare scholen speelt daarbij een cruciale rol. Zolang je opteert voor het gratis onderwijs van het publieke net, ben je in Amerika aangewezen op de lokale scholen uit je eigen schooldistrict; je kunt je kind niet inschrijven in een naburig district. Nu verschilt de kwaliteit van openbare scholen aanzienlijk: reden waarom heel wat jonge gezinnen een uitgebreide verkenningstocht ondernemen naar het schoolaanbod, alvorens te kiezen waar ze gaan wonen. Niet het comfort van het huis of de sfeer in de buurt geeft de doorslag voor de woonkeuze, maar het peil van lessen en leerkrachten. Daar komt nog bij dat het onderwijs in Amerika op een bijzondere wijze gefinancierd wordt. Het geld komt grotendeels van een onroerendgoedbelasting van de bewoners in het schooldistrict. Dat leidt tot een kanjer van een Matteuseffect: hoe rijker de huizen, hoe welvarender de scholen. Sociale ongelijkheid wordt daarmee bestendigd, want kansarme kinderen hebben juist meer aandacht, tijd, bijzondere zorgen en leerkrachten nodig dan kinderen uit betere families. De basisfinanciering trekt een scheve situatie dus nog schever, al springt de federale overheid of de staatsregering wel bij met allerlei bijzondere programma's en subsidies. Enkel waar het schooldistrict een heterogene omgeving omspant, met rijke en armere wijken, is er sprake van een sociale correctie. Tot in de jaren 1990 werd in zulke districten zelfs bewust aan spreiding gedaan van rijke en armere leerlingen: kinderen uit de zwarte getto's werden dagelijks met de schoolbus naar scholen in blanke wijken gebracht.

Die laatste praktijk van *busing* komt steeds minder vaak voor, maar of het nu door een reële gedwongen spreiding is of omdat ze mee moeten betalen voor het onderwijs van kansarme leerlingen, feit is dat bewoners van betere wijken vaak proberen om uit de grotere en heterogene verbanden te breken. Ze sturen aan op een opdeling van het schooldistrict of de gemeente. Omdat ze welvarender en hoger opgeleid zijn, kennen ze beter de politieke kneepjes van het vak om dat te bereiken. Kaplan merkte op dat dergelijke jonge gemeenten of *townships* er ook voor zorgen dat hun status op peil blijft. 'Daarnaast is de ruimtelijke ordening in deze townships strikt gereglementeerd, bijvoorbeeld met betrekking tot het oppervlak per wooneenheid en de bouwmaterialen, wat het voor mensen beneden een bepaalde inkomensgrens onmogelijk maakt om er te wonen. Een van die townships, Country Life Acres, leek te bestaan uit niet meer dan één weelderige straat met een paar bewoners.' Of hoe de geografische grenzen en breuklijnen ons terugvoeren naar het klassenverschil: zelden benoemd in de VS, maar altijd aanwezig.

De trend van verzelfstandiging wijst alvast op een selectief soort burgerzin. Het openbaar domein wordt zoveel mogelijk ingeperkt tot een ruimte van gelijkgezinden met een vergelijkbaar inkomen. Net als in de small town-leefcultuur beweegt ook de *suburban American* zich in een grotendeels geprivatiseerde ruimte. Met de auto rijdt hij van winkelplaza naar fitnesscentrum, van steakhouse naar indoor-speeltuin. Geen wonder dat ook hier het wantrouwen tegenover de overheid in de lucht hangt. Toch botst die politieke oriëntatie met de inzichten van bewoners die voor de overheid werken of die het belang kennen van subsidies en publieke investeringen: leerkrachten, academici, onderzoekers, ambtenaren. Voeg daar de sporadische lunch- en uitgaansmomenten van het stadsleven aan toe, die eerder al werden vermeld. Die tegengestelde ervaringen verklaren allicht waarom veel voorstedelijke gebieden bij verkiezingen uitgroeien tot *swing districts*: plaatsen waar het beide kanten uit kan, links of rechts, Democratisch of Republikeins.

Regionale spanningen

De verschillen tussen het stadsleven, de kleinsteedse en de voorste-delijke levenswijze zijn, naar mijn ervaring, de belangrijkste lagen van de geografische diversiteit in Amerika. Sommige auteurs hebben ook gewezen op verregaande regionale spanningen, alsof de natie vroeg of laat zal uiteenvallen. In die visie worden vooral de etnische en demografische verschillen tussen regio's zo groot, dat er vanzelf separatistische tendensen de kop zullen opsteken.

Er is natuurlijk een historisch precedent. In 1861 scheurden elf zuidelijke staten zich af van de vs en vormden de Confederate States of America. Dat leidde tot de traumatische *Civil War* of Burgeroorlog: een vier jaar durende slachtpartij, waarbij meer dan zeshonderddui-zend soldaten sneuvelden, maar ook een onbekend aantal burgers werd omgebracht door plunderende troepen en milities. In dit con-flict, dat soms als de eerste totale oorlog wordt omschreven, stonden de elf zuidelijke staten van de Confederatie tegenover vijfentwintig noordelijke staten van de Unie. De zuiderlingen deelden een agrari-sche cultuur die gestoeld was op slavernij en wilden het voortbestaan van dat plantagemodel veiligstellen. De noordelijke staten waren veel sterker geïndustrialiseerd en hadden belang bij de afschaffing van het slavenstelsel. Het conflict was dus veel meer dan een moreel hoog-staande kruistocht van het noorden en zijn president voor de bevrijding van de slaven. Voor president Abraham Lincoln was de primaire doelstelling van de oorlog het samenhouden van het land. Hij was oorspronkelijk helemaal niet van plan om de slavernij in de zuidelijke staten af te schaffen en deed dat uiteindelijk eerder om strategische redenen – om de vijand te verzwakken – dan uit ethische motieven. De culturele en economische verschillen tussen noord en zuid waren echter dermate aangescherpt, dat de opgelopen spanningen in een open oorlog uitmondden. Een regionale breuklijn leidde ei zo na tot een opbreken van Amerika.

De kans dat een dergelijk bloederig scenario zich in de aanwijsbare toekomst zal herhalen, is zo goed als onbestaande. Zoals reeds aangestipt is de materiële monocultuur stevig uitgesmeerd over alle hoeken van de natie. De slavernij is als stelsel afgeschaft en de industrialisering heeft zich in zuidelijke richting doorgezet, met petrochemie, Japanse autofabrieken en hightechbedrijven. Af en toe ontstaat er opschudding omdat politici in het diepe zuiden de oude vlag van de Confederacy willen hijsen, wat vooral door zwarten als een provocatie wordt gezien. Veel meer dan nostalgisch gedweep is dat nochtans niet. Het zuiden mag dan nog steeds praten met een apart en zangerig soort dialect, de zakelijke en politieke elites denken Yankee-Amerikaans: een nieuwe afscheuring van hetzelfde zuidelijke blok is pure fictie.

Natuurlijk is het zuiden globaal bekeken conservatiever en religieuzer dan pakweg New Hampshire of Californië. De kans dat racisme en *white supremacy* nog openlijk verdedigd worden, is ongetwijfeld groter in Zuid-Carolina dan in New York, maar evangelisch-conservatieve tendensen vind je ook in heel wat suburbs van Minneapolis, racisme sluimert nog in Chicago en populistisch-rechtse ideeën steken zelfs de kop op in Massachusetts, zoals bleek uit het succes van de Tea Party. De verschillen binnen de staten – geografisch, economisch, cultureel, etnisch, religieus en politiek – zijn veel belangrijker geworden dan de verschillen tussen de staten. De diversiteit van Amerika heeft haast elke staat in zijn greep: homogeniteit is zeldzaam geworden. Afscheuren van de natie is onmogelijk, tenzij één bepaalde groep in een staat of regio de politieke macht zou kunnen vergaren om zijn wil aan de andere groepen op te leggen. Dat lijkt erg onwaarschijnlijk. Zelfs in Texas, wellicht de meest chauvinistische van alle staten van de vs, is de Texas Nationalist Movement slechts een potsierlijk clubje zonder achterban van betekenis. Zij schermen vooral met Texaanse onafhankelijkheid om op die manier de gehate federale regering in Washington de rug toe te keren: een Texaanse versie van Tea Party-ideeën.

Een andere regionale breuklijn die door sommige auteurs als een gevaar wordt gezien voor de eenheid van de vs, is de grens met het voormalige Mexicaanse gebied in het zuidwesten. Zoals al aangestipt behoorden het huidige Californië, Nevada, Arizona, Utah, New Mexico en zelfs Colorado goeddeels tot het jonge Mexico en voordien tot het Spaanse koloniale rijk. Pas na 1848 werd dat gebied door de vs als oorlogsbuit ingelijfd. De Spaans-Mexicaanse sporen laten zich lezen in plaatsnamen (van Los Angeles tot Santa Fe) en monumenten (kerkjes en missieposten). In een staat als New Mexico wonen bovendien heel wat mensen met een Spaanse familienaam en een stamboom die terugvoert tot de Spaans-koloniale periode. Dat zijn geen immigranten, maar nazaten van de oorspronkelijke bewoners: zij waren hier het eerst. Daar zijn de voorbije decennia miljoenen Mexicanen bijgekomen die in de vs werk en kansen kwamen zoeken. In een ironische gril van de geschiedenis eisen zij nu een plaats op in het gebied dat van hun voorouders is afgepakt. Het hoeft dus niet te verwonderen dat er over die instroom wordt gepraat in termen van *reconquista*: een herovering van dat stuk Amerika, niet door Mexico, maar wel door Mexicanen. In een milde interpretatie van dat fenomeen ontstaat er een soort de facto grensoverschrijdende zone, als een nieuw land in de dop. In kranten en boeken zijn termen gehanteerd als de 'smeltende grens', Mex-America of Mexifornia. Vergelijk het misschien met de Euregio op de grenzen tussen Nederland, België en Duitsland, waar het woon-, winkel- en werkverkeer van de bewoners op natuurlijke wijze grensoverschrijdend is geworden. Volgens een meer alarmerende visie kunnen de zuidwestelijke staten van de vs vroeg of laat de keuze maken om daadwerkelijk bij Mexico aan te sluiten. De hispanisering van het gebied zal dan zo ver zijn doorgeschoten, dat de latino's de politieke macht daarvoor veroverd hebben.

Eind 2011 is dat een hoogst onwaarschijnlijk toekomstbeeld. Mexico is momenteel een imploderend land, met een chronisch geweldprobleem en uitzichtloze armoede. Tegen die achtergrond zullen noordelijke deelstaten uit Mexico eerder hunkeren naar toetreding tot de vs (die daarvoor feestelijk zouden bedanken), dan dat zuidelijke staten van Amerika zich in de schoot van Mexico zullen nestelen. Bovendien geldt ook hier het bezwaar dat de hispanisering al lang geen regionaal fenomeen meer is, beperkt tot het zuidwesten. Zuid-Texas en Zuid-Florida zijn haast Spaanstalige enclaves geworden. Ook noordelijke grootsteden als Chicago en New York huisvesten intussen honderdduizenden latino's en zelfs in landelijke uithoeken van het noorden vind je Mexicaanse arbeiders op varkensboerderijen, in restaurants en bouwbedrijven. Waarom zou een sterk gehispaniseerde regio zich afscheuren van een nog steeds hispaniserend land?

Scenario's van separatisme ogen altijd spectaculair. Maar wat er op langere termijn gebeurt, kan niemand voorspellen. Misschien zijn het wel de progressievere noordelijke staten die zich losweken van de federatie, aanhakend bij Canada of misschien een zone aan de westkust die zich op China oriënteert. Misschien komt het ooit zelfs tot een grootschalige hergroepering van minderheden: bejaardenstaten in plaats van bejaardensteden of etnische enclaves ter grootte van een miljoenenstad. Hoe akelig of futuristisch dat ook mag klinken, helemaal uit te sluiten valt het niet, maar zoals de kaarten nu liggen, aan het begin van de eenentwintigste eeuw, vallen de etnische, culturele, religieuze en economische breuklijnen slechts heel vaag samen met de grotere geografische contouren. Als het land verbrokkelt onder het gewicht van zijn eigen culturele en etnische diversiteit dreigt dat op tal van plaatsen tegelijk te gebeuren: binnen staten en metropolen, buitenwijk tegen binnenstad. Voor een simpele scheuring of opdeling is Amerika's diversiteit intussen veel te complex en alomtegenwoordig.

Voor separatisme heb je trouwens separatisten nodig: mensen die zich in hoge mate identificeren met de regio die ze willen afscheuren. Op de meeste plaatsen in de vs ontbreekt het daaraan. Drie factoren werpen een hinderpaal op voor al wie separatistische dromen zou willen verwezenlijken. In de eerste plaats de verbluffende mobiliteit: jaarlijks verhuizen vijf miljoen Amerikanen van de ene staat naar de andere. Vaak doen ze dat verschillende keren in een levensloop. Op die manier wordt de emotionele binding met een thuishaven een beetje dun. Ten tweede is de materiële cultuur, zoals vermeld, nogal eentonig; de particulariteit van een woonplaats of staat blijft dus beperkt. Ten derde blijven de meeste Amerikanen, wat er ook van zij, overtuigde patriotten. Ze dulden weinig inmenging van Washington in hun dagelijkse beslommeringen, maar ze branden van trots als Amerika zijn macht tentoonspreidt in het buitenland. Die drie gegevens maken het voorlopig hoogst onwaarschijnlijk dat een staat of regio echt op eigen benen zal willen staan.

Couleur locale

Dat betekent nog niet dat de Amerikanen gespeend blijven van chauvinisme. De eigenliefde van de New Yorkers is tot in het buitenland bekend, maar ook steden als Boston, Chicago of Nashville koesteren zich graag in een opgeblonken zelfbeeld. De countrymuziek staat stijf van heimatnostalgie naar de *green green grass of home*. Op elke campagnemeeting hoor je lof aan het adres van de staat en de stad van het gebeuren *(the great state of Indiana, the wonderful people of Concord...)* – gevolgd door uitbundige kreten. De Tea Party-beweging heeft de pleitbezorgers van de *states' rights* een nieuwe adem gegeven; zij vragen meer bevoegdheden voor de staten, ten koste van het federale niveau. Net zoals in Europa vormen ook sportclubs het brandpunt van de stedelijke of regionale trots. Veel teams verwijzen in hun naam, logo of mascotte naar de lokale geschiedenis of geografie. De Pittsburgh Steelers (een *American football-club*) ontlenen hun titel aan de staalindustrie van hun stad, de Portland Trail Blazers (basketbal) roepen herinneringen op aan het pioniersverleden in Oregon en de Colorado Rockies (honkbal) evoceren de kracht van de bergen.

De grote sportcompetities zijn opgedeeld in regionale conferenties of divisies. In zekere zin creëert dat een regionaal referentiekader: de fans aan de oostkust zien hun club uitkomen tegen teams uit dezelfde oostelijke zone, hetzelfde gebeurt in het westen. De uitgestrekte monotonie van de materiële cultuur van Amerika mag trouwens niet doen vergeten dat het land in vier tijdzones is verdeeld. Het tijdsverschil tussen oost- en westkust bedraagt drie uur. Als Obama om tien uur 's ochtends een persconferentie geeft in het Witte Huis, wrijven de mensen in Californië zich de slaap nog uit de ogen. Voor nieuwsfreaks aan de westkust is het lastiger om alle debatten en uitspraken in Washington op de voet te volgen; vaak sluimert daar toch het gevoel dat je achter loopt. Omgekeerd worden vooravondprogramma's die vanuit Los Angeles de ether ingaan, aan de oostkust al gauw als *late night shows* ervaren en pas de volgende ochtend becommentarieerd. De tijdzones knagen een beetje aan de gemeenschappelijke beleving van gebeurtenissen in de natie en dus aan het natiegevoel. Dat mag zeker niet worden overdreven, maar het creëert – naast of onder het landelijke referentiekader – een tweede 'zonaal' referentieniveau.

Je kan de kaart van de natie ook anders indelen. Het US Census

Bureau maakt een onderscheid tussen vier regio's: het westen, de Midwest, het zuiden en het noordoosten. Uit de telling van 2010 blijkt dat het westen en het zuiden hun bevolking het sterkst zien groeien, telkens met ongeveer 14% vergeleken met 2000. In de 'oudere' regio's van het noordoosten en de industriële Midwest lag die stijging veel lager, rond 4%. Dat toont aan dat het dynamisch zwaartepunt van de vs verschoven is, van het noorden en het oosten naar het zuiden en het westen. De aantrekkingskracht van de *Sunbelt* is daar niet vreemd aan. Bejaarde Amerikanen zoeken in de winter graag een mild klimaat op en ook heel wat hightechbedrijven zijn zich in de zonnige zone gaan nestelen; dankzij de airco zijn hete zomerpieken geen fundamenteel bezwaar meer.

Die vier regio's hebben opnieuw hun eigen geschiedenis en tradities, maar in de populaire voorstellingswereld van de Amerikanen loopt er vooral een breuklijn tussen de oostkust- en westkustcultuur. Die verschillen worden algemeen erkend en in clichés uitvergroot. De oostkust is ouder, traditioneler en op Europa gericht. Oude elites en eerbiedwaardige Ivy League-universiteiten maken er de dienst uit. Politiek en regering kunnen daar op veel belangstelling rekenen. Het imago van de westkust is jonger, materialistisch en haast hedonistisch, verzinnebeeld in surfende *beachboys* en natuurlijk in de nieuwe elites van Hollywood en LA. De westkust maalt minder om politiek en meer om het bedrijfsleven en technologische innovaties, met Google en Apple (Silicon Valley bij San Francisco) en Microsoft (Seattle) als bekendste iconen. Er zitten libertaire trekjes in de mentaliteit van het westen: nergens leeft de afkeer van belastingen zo intens als in Californië en een staat als Arizona flirt haast met een rechts soort anarchisme. Vreemd genoeg volgt de westkust op andere vlakken dan weer een progressieve lijn. Inzake milieuzorg loopt Californië ver voor de rest van de natie uit en de holebibeweging boekte hier haar eerste successen. Hoewel steden als San Francisco en Seattle een Europees soort grootstadsgevoel oproepen, houdt de westkust de blik steeds scherper op Azië en de Pacific gericht. Het groeiende aantal Aziatische Amerikanen is daar tegelijk oorzaak en gevolg van.

Die wat aparte westkuststijl maakt duidelijk dat er wel degelijk regionale accentverschillen kunnen worden aangewezen: een eigen culturele sfeer en mentaliteit. Je zou eenzelfde typering kunnen betrachten van de noordelijke staten die aan Canada grenzen of van het oude zuiden. Opnieuw geldt meteen het voorbehoud dat typeren en veralgemenen met de feiten botst. Want in het 'progressieve' Californië vind je aartsconservatieve districten en in het conservatieve zuiden hippe metropolen. De overheersende indruk van de ruimte, taal en materiële cultuur blijft die van Amerika. Daar kan een plaatselijke *couleur locale* doorheen schemeren, als een watermerk in een bankbiljet, maar de Amerikaanse context blijft onmiskenbaar.

Veel van die couleur locale is in dit boek, in het voorbijgaan, al uitgelicht: de Spaans-Latijnse inkleuring van Miami of San Antonio, de haast exotische cowboy en country-cultuur van Nashville of Texas of de subtropische nostalgie van het zuiden. De aanstekelijke nervositeit van New York is een wereld op zichzelf; de *big apple* is een icoon van Amerika en tegelijk veel meer dan dat. Naar verluidt vertoont Hawaï paradijselijke trekjes, niet alleen door zijn natuurpracht maar ook door de opvallend harmonieuze vermenging van rassen en culturen. En Alaska heeft nog steeds wat de andere staten vroeger hadden: een ongetemde wildernis. Als toevluchtsoord voor jagers, trekkers en pioniers appelleert de staat van Sarah Palin aan het collectief geheugen.

Al die plekken overstijgen en doorbreken de monotonie. Eén plek verdient nog een aparte beschouwing: New Orleans. Als er een stad bestaat waar de Verenigde Staten van Amerika aan zichzelf ontsnappen, dan is het daar. In New Orleans proef je een creoolse traditie die wezenlijk verschilt van de rest van de natie, als een zijtak in de evolutie. Het culinaire aanbod van de stad behoort zonder meer tot het beste en authentiekste waar je in dit land op hopen kan: een heerlijke *cuisine* van eigen bodem, eenvoudig en geraffineerd tegelijk, zoals de creoolse keuken van Brazilië. De pot schaft zeevruchten, rijst en pittige kruiden: niets voor wie van slap en zoutloos houdt. Juist dat koppige en uitdagende is typisch voor de stad en schalt ook uit de trompetten van de *second line*-bands. Die hoekige maar opwindende muziek van swingende wandelfanfares valt met niets anders in Amerika te vergelijken. Natuurlijk heeft de muziek van New Orleans de Amerikaanse jazz-, blues- en popmuziek gevoed en beïnvloed, maar in haar zuivere vormpatronen is ze daar niet door opgeslorpt. Als die traditie al verder gecultiveerd werd en van de straat naar de concertzaal werd getild, dan was het door artiesten uit New Orleans zelf: Dr. John, Allen Toussaint of de Dirty Dozen Brass Band. *Mardi gras*, het jaarlijkse carnavalsfeest, is schokkend on-Amerikaans: een aanfluiting van de landelijke protestantse moraal en gematigdheidscultuur.

Het is jammer dat Bourbon Street in het oude French Quarter tot een wat ranzige attractie is uitgegroeid, waar Amerikaanse toeristen, behangen met kralen, vulgair uit de bol kunnen gaan. Daar is de stad een soort *sin city*, waar alle remmen los worden gelaten; te veel drinkende bezoekers worden er dronken. Dat is geen fraai spektakel, maar het getuigt wel van de aantrekkingskracht die de morele eigenzinnigheid van New Orleans op Amerikanen blijft uitoefenen. Voor het echte stadsleven van New Orleans moet je een paar zijstraten inslaan of een concert meepikken in de Preservation Hall. Ook de architectuur is uniek voor de vs: de sierlijke smeedijzeren balkons, behangen met bloemen en varens, de galerijen op ranke zuilen, de gekleurde gevels. Zelfs *voodoo* is in deze stad nog net iets meer dan een gecommercialiseerde herinnering, goed voor souvenirshops, want sporen van de voodootradities klinken door in de opwindende beklemming van de second line-ritmes. Andere duistere trekjes zijn moderner van aard: ingebakken corruptie, criminaliteit en politiegeweld. De doortocht van de orkaan Katrina heeft verloederde wijken nog verder vernield. Sommige zwarte volksbuurten verschillen maar weinig meer van Caraïbische slums.

Kortom, New Orleans is creools, onstuimig, vrijgevochten, warm, bedreigend en charmant. Vermoedelijk de meest on-Amerikaanse plek van het land en tegelijk – of juist daarom? – een van de meest bezongen en bejubelde.

Kleuradvies voor Europa

What language do you laugh in
What language do you cry in
What language do you dance in, make romance in
What language do you make love in
Or pray to the above in
What language are your fears
What language are your tears

MICHAEL FRANTI

American Idol

De tekst van de nationale hymne verschijnt vers per vers op een groot scherm, als in een karaokebar. Honderdachtenveertig buitenlanders gaan rechtop staan en leggen de rechterhand op hun hart. Ze zingen naar bestvermogen mee met de muziek van een geluidsband. Sommigen zwaaien enthousiast met een *stars-and-stripes*vlaggetje. Als het eindakkoord wordt bereikt, beginnen ze spontaan te applaudisseren. 'Ik vind jullie geweldig,' zegt Nick, de immigratiebeambte die de ceremonie aan elkaar praat. 'Vaak houden mensen niet zo van dat zingen. Maar die mijnheer hier vooraan wordt vast en zeker het volgende *American Idol*-talent.' Gelach en opnieuw applaus. De enthousiaste zanger neemt het complimentje gretig in ontvangst en zwaait nogmaals met zijn vlaggetje. De man komt uit Aruba en lijkt een geweldige dag te beleven. De naturalisatieceremonie in de federale regeringskantoren van Lower Manhattan verloopt informeel en met veel humor, maar de aspirant-Amerikanen blijven uiterst aandachtig en toegewijd. Achteraan in de zaal zitten familieleden, als bij een huwelijk of een vormselplechtigheid in de katholieke kerk.

Ook ambtenaar Nick slaat nu een ernstige toon aan. 'Jullie mogen allemaal heel fier zijn op jezelf. Vandaag eindigt jullie reis als immigranten en slaan jullie het pad in van het burgerschap. Maar dat brengt nieuwe verantwoordelijkheden met zich mee. Laat je registreren als kiezer, laat je stem horen. Ga zetelen in een jury. En we moedigen jullie ook aan om de politiek te volgen op lokaal niveau. Jullie zijn vanmorgen hierheen gekomen als burgers van drieënveertig verschillende landen, maar jullie zullen straks weggaan als burgers van een en dezelfde natie.' Na die boodschap leest Nick de namen van de drieënveertig landen voor. Wie zijn land van oorsprong hoort afroepen, staat op. Beetje bij beetje zie je de zaal oprijzen: één Congolees, twee Canadezen, vijf Albanezen, negen Chinezen, tien Jamaicanen. Bij 'Dominicaanse Republiek' komt plots de helft van de ruimte in beweging; maar liefst tweeënvijftig mensen komen daar vandaan. Dit is een momentopname van de binnensijpelende kleuren van Amerika, een close-up van de randen van het *action painting*-doek. En omdat we in New York zijn, is de Caraïbische instroom het sterkst.

Een hogere ambtenaar komt nu het podium op om de *oath of allegiance*, de eed van trouw, af te nemen. Bijna woord voor woord zegt zij voor wat de zaal daarna in groep herhaalt. Ik kijk even rond en zie alle lippen bewegen. De ruggen zijn gerecht, de rechterhanden opgeheven. De eed is niet alleen een belofte van trouw aan de vs, maar ook een afzweren van loyaliteit aan het land van herkomst. Het is een hele boterham en als je de inhoud letterlijk neemt, gaat het om een verregaand engagement.

Hierbij verklaar ik, onder eed, dat ik absoluut en volledig afstand doe en afzweer elke loyaliteit en trouw aan om het even welke buitenlandse prins, potentaat, staat of soevereine macht waarvan ik tot dusver burger of onderhorige ben geweest. Dat ik de grondwet en wetten van de Verenigde Staten van Amerika zal steunen en verdedigen tegen alle binnen- of buitenlandse vijanden. Dat ik een oprecht vertrouwen en loyaliteit zal bewaren tegenover de vs. Dat ik de wapens zal opnemen

voor de Verenigde Staten indien dat door de wet gevraagd
wordt. Dat ik dienst zal nemen in de strijdkrachten in andere
dan gevechtstaken als dat door de wet gevraagd wordt. Dat
ik werk van nationaal belang zal vervullen onder een burger-
lijke leiding als dat door de wet gevraagd wordt. En dat ik deze
verplichting vrij op mij neem, zonder enige inwendige reserve
of voornemen om hieraan te ontsnappen. Zo helpe mij God.

De laatste woorden trillen nog na in de zaal als de beambte er voldaan
aan toevoegt: 'Proficiat. Nu zijn jullie burgers van de Verenigde Staten.' En meteen stijgt er opnieuw gejoel en applaus op. Daarna is de
ceremoniemeester Nick weer aan de beurt. 'Gefeliciteerd! Voelt iemand het al? Voelt iemand een verschil?' 'Yes!' roepen een aantal
aanwezigen. 'Zo hoor ik het graag.' Familieleden krijgen de kans om
foto's te schieten: de eerste seconden als Amerikaans staatsburger
verdienen vereeuwigd te worden.

Nick vervolgt zijn praatje over zin en betekenis van de ceremonie.
'Jullie zijn nog steeds dezelfde personen, alleen ben je nu staatsburger
van de vs. Je hebt nog steeds dezelfde tradities, cultuur, religie of taal.
Wij zijn dankbaar voor de diversiteit die jullie in New York binnen-
brengen. Jullie stad is een van de meest diverse steden in de wereld
en jullie zijn daar een toonbeeld van. Daar mag je best trots op zijn.
Geef jezelf nog maar eens een applaus daarvoor.' En ja hoor, weer
handgeklap: dit keer applaudisseren de kersverse staatsburgers voor
hun eigen culturele verscheidenheid.

Dan flitst het scherm weer aan en daar verschijnt president Obama met gelukwensen. 'Jullie kunnen nu aanspraak maken op alle
burgerrechten,' zegt de president. 'Maar met het voorrecht van het
burgerschap gaan ook grote verantwoordelijkheden gepaard. Daarom
vraag ik jullie om je vrijheden en talenten aan te wenden ten bate
van het land en de wereld. Blijf eraan denken dat in Amerika geen
enkele droom onmogelijk is.' De boodschap van de president krijgt
een vervolg in een wat melig filmpje op de tonen van het nieuwerwetse volkslied *God Bless the USA*. Heel wat aanwezigen kennen
het nummer en zingen mee met Lee Greenwood. Na elk refrein – het
wordt wat vervelend nu – juichen en klappen ze geestdriftig.

De ceremonie loopt stilaan ten einde, maar behalve de eed van
trouw moet ook nog de belofte van trouw of *pledge of allegiance*
worden uitgesproken, het gezicht naar de vlag gewend en de hand op
het hart. Opnieuw dreunt de zaal een hogere beambte na.

Ik beloof trouw aan de vlag van de Verenigde Staten van Amerika en aan de republiek waarvan de vlag het symbool is, één natie onder God, ondeelbaar, met gerechtigheid en vrijheid voor allen.

Na nog wat dankwoordjes krijgen de nieuwe burgers tenslotte hun naturalisatiecertificaat overhandigd door ambtenaren die de rijen langslopen. Sommigen verlaten de zaal meteen, anderen nemen de tijd om zich te laten knuffelen en feliciteren door vrienden en familieleden. Ik verneem van de beambten dat menig nieuwbakken burger de ceremonie voortzet met een drankje op café, een vrolijke lunch of een feestje.

Ritueel of rompslomp

In de vs is de stap naar het burgerschap meer dan wat administratieve rompslomp. Er komt een publieke eedaflegging bij kijken in een gerechtshof of regeringsgebouw. Die procedure is verplicht. Elk jaar verwerven zeshonderdtachtigduizend volwassen vreemdelingen op die manier de Amerikaanse nationaliteit. Het is de laatste stap in een proces waarin ook een kleine burgerschapstest zit vervat. Dat is een mondeling examen met tien vragen over de geschiedenis en het bestuur van het land. Om te slagen moet je er zes juist beantwoorden. Omdat de vragen uit een bekende lijst van honderd komen en de lat niet te hoog wordt gelegd, is dat doorgaans geen onoverkomelijk probleem.

De test en de ceremonie vormen voor de meeste nieuwe burgers de bekroning van een jarenlange wachttijd en van een geleidelijke, trapsgewijze klim van het bezoekersstatuut naar het volwaardige staatsburgerschap. Ze kunnen hun einddoel bereiken langs verschillende trajecten. Maar allemaal betuigen ze, op het ultieme moment, hun loyaliteit aan de Amerikaanse staat, het Amerikaanse rechtssysteem en het Amerikaanse samenlevingsproject. Ze doen dat expliciet, met persoonlijke gebaren en een individueel engagement, als in een doopritueel van volwassenen. Hoewel het maar woorden zijn die net zo goed afgeraffeld kunnen worden zonder de zin ervan te begrijpen, ligt in deze rituele stap naar het Amerikaanse burgerschap een wezenlijk verschil met de manier waarop buitenlanders in heel wat Europese landen hun nieuwe nationaliteit krijgen toegedicht. Op het gevaar af te idealiseren en te schematiseren, kan je de Amerikaanse naturalisatie omschrijven als actief en geëngageerd, terwijl het in Europa maar al te vaak om een passief en receptief gebeuren gaat. Dat besef is intussen ook in Europa doorgedrongen, want het Amerikaanse model maakt school. Sinds enkele jaren is een vergelijkbare ceremonie ook verplicht in Nederland, Groot-Brittannië en Ierland; in Nederland is 15 december zelfs een nationale naturalisatiedag. Frankrijk en Duitsland experimenteren al een tijdje met het ritueel; de Fransen hebben het principe inmiddels bij wet vastgelegd en werken de procedures nog verder uit. In België is er hooguit sprake van losse initiatieven op lokaal niveau.

In zekere zin lijkt het verwerven van de Belgische nationaliteit op het veroveren van een parkeerkaart: je staat een paar jaar op een wachtlijst en bent dan eindelijk aan de beurt. Of die parkeerkaart jou wel toekomt en of je van plan en in staat bent om behoorlijk en correct te parkeren, is niet echt een punt van overweging. Je grabbelt ze mee en maakt meteen gebruik van alle voordelen die de kaart te bieden heeft. Het Amerikaanse staatsburgerschapsritueel vraagt tenminste aan de nieuwe burgers om, voor ze bij de club komen, het clubreglement in te kijken en zich akkoord te verklaren met doel en statuten. Het plechtige, ceremoniële aspect ervan markeert het belang van het overgangsmoment. Wellicht zullen de meeste Amerikanen van buitenlandse herkomst nog exact de datum weten waarop ze hun trouw aan de vlag hebben uitgesproken en als burger naar buiten wandelden. De kans dat nieuwbakken Belgen nog precies de dag kunnen navertellen waarop ze hun identiteitskaart gingen afhalen op het gemeentehuis is een stuk kleiner.

Natuurlijk heb je in Europa ook steeds meer inburgeringstrajecten, -cursussen en -tests waarbij de nieuwkomers worden onderricht in de belangrijkste sociale, culturele, politieke en wettelijke normen van hun nieuwe land, maar te veel buitenlanders ontsnappen daar nog aan of vallen van de (vaak veel te lange) wachtlijsten. In België is inburgering vooralsnog een bevoegdheid van de regio's. De Vlaamse regering rekent grotendeels op de gemeenten om dat beleid op lokaal niveau uit te voeren. Hier en daar worden de cursussen bekroond met een feestelijke uitreiking van de inburgeringsattesten en in Antwerpen heeft het stadsbestuur de geslaagde inburgeraars al wel eens uitgenodigd voor een plechtige viering in het stadhuis. Met dat soort initiatieven wordt een klein stapje gezet in de richting van een naturalisatieceremonie. Maar omdat inburgering een regionale bevoegdheid is en naturalisatie vanzelfsprekend een federale aangelegenheid blijft, staan beide los van elkaar. Wellicht komt daar spoedig verandering in, want er is een wet in de maak waarin de voorwaarden voor naturalisatie strenger worden. Alleen wie een beroepsopleiding volgt of een inburgeringscursus in een van de regio's of wie een diploma behaalt van (tenminste) het middelbaar onderwijs, zou nog in aanmerking komen. Tot die nieuwe wet van kracht wordt, is naturalisatie in België nog perfect mogelijk zonder inburgering. Op die manier blijft het verwerven van de nationaliteit voornamelijk een administratieve kwestie.

Republiek van idealen

In Europese ogen krijgen symbolen als de groet aan de Amerikaanse vlag en de eed van loyaliteit al gauw iets nationalistisch of erger. Amerikanen worden inderdaad – letterlijk – van de schoolbanken af vertrouwd gemaakt met patriottische symbolen. Dat lijkt op een civiele religie en dat is het ook. De *founding fathers* mogen dan al een dikke streep hebben getrokken tussen godsdienst en staat, ze hebben de symbolen van de staat haast religieuze allures gegeven. Een bezoek aan Washington DC en de strak classicistische maar overweldigend grootse *Mall* en monumenten maakt dat duidelijk. Het Washington Monument lijkt op een modern fallisch machtssymbool en in het Lincoln Memorial troont president Lincoln, als een gigantisch heiligenbeeld, op een haast goddelijke troon. Europeanen zijn, met reden, beducht voor zoveel verheerlijking van tijdelijke machten. Het Duitse en Italiaanse fascisme hebben pijnlijk aangetoond hoezeer zo'n idolatrie kan ontsporen. Ik moet bekennen dat ik mij, ook in Amerika, al vaak hartgrondig heb geërgerd aan alle vlagvertoon. Maar met het oog op de gastvrije en welwillende opname en integratie van nieuwkomers in de samenleving hebben die nationale symbolen een onmiskenbaar nut. Je weet waar je bij hoort als je toetreedt, je erkent en onderschrijft het vaandel en programma, je sluit je aan.

Op het gevaar af de thematiek van dit betoog te vertroebelen, wil ik een sluimerend vermoeden formuleren. Het feit dat de VS een republikeinse staatsvorm hebben, maakt hoogstwaarschijnlijk een verschil. Een republiek leent zich makkelijker tot een open, niet-exclusief, gastvrij nationaliteitsmodel dan een eeuwenoude monarchie. Dat gaat in elk geval op voor republieken met een missie, zoals de Verenigde Staten er van meet af aan een waren. De grondslag van de natie was in Amerika nooit een kwestie van taal of volksverbondenheid, maar een project dat – in theorie tenminste – openstond voor iedereen: een natie uitbouwen die vrij was van tirannie en feodale overheersing, waarin iedereen zijn individueel geluk kon nastreven binnen de overeengekomen wetten en rechtsregels van het land. Die *pursuit of happiness* kreeg een populaire vertaling in het concept van de *American dream*. Wat er ook in de praktijk van die nobele idealen geworden is en hoezeer ze ook selectief zijn toegepast en schandelijk onthouden aan de indiaanse of zwarte bevolkingsgroepen, die fundamentele bestaansreden van de vs is een constante gebleven – en daar valt weinig op af te dingen. Daar komt bij dat het project zo groots werd en de horizon zo ver lag, dat een enorme mensenmassa van pas kwam om het ten uitvoer te brengen. Amerika is een club die haar deuren al vijfhonderd jaar laat openstaan, klaar om nieuwe leden te ontvangen. Soms stond de deur wagenwijd open en soms op een kier. Vaak kwamen de leden toch stiekem binnen, door de ramen of de achterdeur en sporadisch werden ze eruit gezet. Maar dat het lidmaatschap alsmaar bleef groeien, stond nooit ter discussie. Kleur, taal of godsdienst van de aspirant-Amerikanen hebben theoretisch nooit een rol gespeeld bij de toelatingscriteria. Iedereen die zich herkende in het gezamenlijke project was welkom. Dat is tot vandaag het geval, al zitten er nu kwantitatieve en kwalitatieve beperkingen op de instroom van immigranten.

In een land waarvan de identiteit en bestaansreden gestoeld is op een enkele taal of cultuur is het veel moeilijker voor nieuwkomers om meteen als volwaardige medeburgers te worden aanzien. De autochtone bevolking heeft de neiging om zich af te vragen wat ze komen zoeken en of ze daar wel thuishoren. Hun land bestaat niet als een gezamenlijk project dat vers bloed kan gebruiken; hun land bestaat omdat het bestaat. Dat geldt nog duidelijker voor monarchieën als België of Spanje en zelfs het Verenigd Koninkrijk, waarin verschillende culturen en volkeren verenigd zijn door een toevallig koningshuis. Als die landen clubjes waren, dan zouden ze wel reglementen en statuten hebben (de wetgeving en het strafrecht), maar zouden ze een doelstelling missen die richting geeft aan hun bestaan.

De Franse republiek komt in Europa wellicht het dichtst in de buurt van de projectmatige, idealistische identiteit van Amerika. Beide republieken ontstonden, zoals bekend, kort na elkaar aan het eind van de achttiende eeuw, als de belangrijkste praktische bekroning van de Verlichting. Beide naties grondvestten zichzelf expliciet op waarden als gelijkheid en de scheiding van kerk en staat. De Amerikanen konden in hun onafhankelijkheidsstreven op Franse steun rekenen en Franse en Amerikaanse politieke denkers speelden leentjebuur bij elkaar. Doorheen de geschiedenis hebben zowel Frankrijk als Amerika zich op geregelde tijdstippen een haast messianistische missie aangemeten om hun idealen uit te dragen en te verwezenlijken in het buitenland. Misschien is het net omdat ze op dat punt zo gelijkaardig zijn, dat ze elkaar ook zo graag in de haren zitten.

Het diep verankerde concept van de *laïcité* of de lekenstaat helpt de Fransen zich evenzeer open te stellen voor nieuwe godsdiensten als de islam of het boeddhisme, als voor het traditioneel Franse katholicisme. Vergelijk bijvoorbeeld het Franse onderwijssysteem met het Belgische. In België wordt het katholieke net nog steeds op grote schaal door de overheid gesubsidieerd. Dat is historisch zo gegroeid. Afgaande op de grote waardering voor de katholieke scholen – ook onder niet-praktiserende katholieken – is het wellicht geen goed idee om daar radicaal komaf mee te maken. Toch voelt iedereen aan dat die praktijk een beetje wringt met het principe van de scheiding van kerk en staat. Hoe kan je moslims het recht ontzeggen om een gesubsidieerd islamitisch net uit te bouwen, als je de financiering van katholieke scholen een evidentie vindt? In Frankrijk ligt de lat wat dat betreft gelijk: religieus onderwijs is privé-onderwijs, net als in Amerika.

De Franse republiek is gebouwd op ideeën waarmee iedereen zich kan identificeren, zowel autochtonen als nieuwkomers. Het probleem van veel andere Europese landen is een schraalheid aan concepten over de eigen bestaansredenen. Het antwoord op de vraag waar het land voor staat en wat het samenbindt, wordt dan al gauw gezocht in termen van culturele identiteit. Taal, tradities, materiële cultuurpatronen, zogenaamd traditionele waarden of zelfs een geïdealiseerde volksaard worden dan tegelijk grondslag en doel van de natie. Voor een immigrant uit Kazachstan, Marokko of Somalië is dat een lastige boodschap. Hij of zij zal nooit die volkscultuur kunnen bijbenen. Een land dat zichzelf uitsluitend in termen van cultuurgeschiedenis beschrijft, zal nieuwkomers langdurig als buitenstaanders beschouwen.

Republieken zoals Frankrijk of de Verenigde Staten hebben potentieel een voetje voor op andere staatsvormen, omdat het voor republieken logischer lijkt om idealen en idealistische principes als grondslag in te bouwen. Toch moeten we dat onderscheid niet belangrijker maken dan nodig. Italië is een republiek en een heerlijk land. De republikeinse staatsvorm kan echter niet beletten dat de politiek er vaak een zootje is, dat het gehalte van de democratie danig te wensen overlaat en dat bevolking en overheid geregeld blijk geven van xenofobe aanvechtingen. Een republiek is geen garantie voor een open, gastvrije samenleving.

Het zou voor immigranten allicht ook weinig verschil maken als Spanje, het Verenigd Koninkrijk of België zich van hun monarchie zouden ontdoen. De onderhorigheid aan een koningshuis mag voor veel burgers dan al een magere basis vormen voor een nationaal gevoel, de vraag is wat er in de plaats zou komen en of dat de nieuwkomers een volwaardiger identificatiemodel zou bieden. Je zou zelfs het tegendeel kunnen vermoeden. België, Spanje en Groot-Brittannië zijn multinationale staten; dat vergt een voortdurende oefening in diversiteit. Het opbreken van multinationale staten tot monoculturele landen lijkt eerder een stap weg van de diversiteitsgedachte dan een springplank naar meer openheid.

Maar dat is een ander debat. Hoewel ik er stellig van overtuigd ben dat het republikeinse project Amerika helpt om gastvrij te zijn, is het ene geen voorwaarde voor het andere. Toch zullen we in Europa nieuwe emblemen en modellen moeten ontwikkelen, als we van immigranten verwachten dat ze zich met hun nieuwe land identificeren.

Erfgoed

Amerika heeft zijn openheid niet alleen te danken aan de republikeinse staatsvorm en idealen. Belangrijker was dat het Amerikaanse continent een onbeschreven blad was, waar de geschiedenis als het ware opnieuw kon beginnen. Natuurlijk waren er miljoenen indianen die Noord-Amerika bewoonden en hun eigen rijke verleden hadden, maar door hun geringe aantal, hun versnippering en geografische spreiding waren zij geen partij voor de massaal toestromende blanken. Ze werden – letterlijk – aan de kant geschoven om plaats te maken voor een volledig nieuw project. Als we terugkeren naar het beeld van het *action painting*-schilderij, zou je de indiaanse bevolking en cultuur als stipjes op het canvas kunnen zien die uitgeveegd, overschilderd of verplaatst werden. Al bij al was het doek nog grotendeels wit en konden de opeenvolgende golven van kolonisten, handelaars en immigranten onbelemmerd hun eigen kleuren op het werk drukken.

In West-Europa was het canvas waarop de nieuwe kleuren van de immigrantengolven begonnen door te sijpelen al helemaal beschilderd. Op het doek stonden huizen in herkenbare bouwstijlen, indrukwekkende overheidsgebouwen, kunstwerken en vooral veel kerken. In feite waren er meerdere doeken, deels gelijkend, deels verschillend: de kerkjes op het Duitse schilderij zagen er anders uit dan die op het Spaanse. Wat op het canvas van Europa stond was eeuwenoude cultuurgeschiedenis. De Europeanen waren zo vertrouwd met de schakeringen en vormen ervan, dat elke nieuwe kleurenvlek een inbreuk leek op het totaalbeeld.

Voor Europa is dat een van de grote problemen: hoe blijf je de geschiedenis waarderen en een gerechtvaardigde plaats geven, als steeds meer bewoners geen voeling meer hebben met de materiële restanten daarvan? Stel dat een oude historische stad in Italië, Spanje of Frankrijk door een steeds stijgend aantal moslims wordt bewoond. Om te beginnen zullen zij tussen de historische kerkjes en kathedralen hun eigen moskeeën willen oprichten, met koepels en minaretten – en hoe zou je hen dat kunnen ontzeggen? Bovendien zullen zij opklimmen in gemeenteraden en stadsbestuur en bestaat de kans dat de vrijwaring van het christelijk historisch erfgoed gaandeweg minder prioriteit krijgt. Daarmee wil ik niet beweren dat moslims per definitie cultuurbarbaren zijn, noch wil ik blind blijven voor de talrijke autochtone Europeanen die dat wel zijn. Maar echt vergezocht is dit voorbeeld niet. Als je de *skyline* van de Noord-Engelse stad Bradford bekijkt springen de moskeeën meer in het oog dan de kerkgebouwen. Hun vormen zijn mooi en voegen vanuit esthetisch oogpunt iets toe aan de foeilelijke stad, maar niemand kan ontkennen dat ze een cultuurhistorisch patroon ombuigen en veranderen.

Als Europese landen zichzelf herdefiniëren als multiculturele naties of samenlevingen zal die lokaal verankerde cultuurgeschiedenis een plaats moeten krijgen. Voor zover het in een Europese context om christelijke cultuurgeschiedenis gaat, wordt die uitdaging nog lastiger. Want geloof en kerkbezoek boeren spectaculair achteruit en de katholieke kerk is, door de vele schandalen met kindermisbruik, al helemaal in het defensief gedrongen en in een diepe crisis verzeild. Er is dus nog nauwelijks sprake van een sterke buffer die het christelijke erfgoed op natuurlijke wijze kan behoeden. Zelfs het simpele gebruik van al die kerkgebouwen is niet langer gegarandeerd. Meer en meer komen ze leeg te staan of krijgen ze nieuwe functies. Ik doe geen uitspraak over de leegloop van de kerken, maar als cultuurfanaat ben ik bezorgd over het christelijke erfgoed. Het zou jammer zijn de talloze historische kerken, kloosters en religieuze kunstschatten te zien verkommeren, ontmantelen of verdwijnen.

De vraag is welke toekomst een monoculturele traditie nog heeft in een multiculturele Europese maatschappij. Natuurlijk geldt die vraag ook voor Amerika, waar ondanks de principiële openheid van het samenlevingsproject de protestantse traditie in de praktijk erg dominant was. Die traditie heeft daar echter, vergeleken met Europa, veel minder opzienbarende gebouwen of kunst nagelaten. In Amerika is een gebouw al historisch als het honderd jaar oud is en de kerken of kloosters van tweehonderd jaar of ouder zijn doorgaans juist niet-protestants, zoals de Spaans-katholieke kloosters van Californië. De grote historische architectuur in de vs is seculier en nog steeds relatief jong. Het is onwaarschijnlijk dat de elegante wolkenkrabbers die in de vroege twintigste eeuw in New York of Chicago werden opgetrokken hun functie of glans verliezen naarmate blank protestants Amerika aan belang inboet. Hetzelfde geldt voor de neoklassieke gerechtshoven en parlementsgebouwen die de hoofdsteden van zowat alle staten sieren. Amerika heeft minder en een veel jongere geschiedenis. Dat maakt de kloof tussen autochtone tradities en nieuw aanwaaiende cultuurstromingen kleiner en minder problematisch dan in Europa.

Uiteindelijk zullen Europeanen in staat moeten zijn om de waarde van hun erfgoed overtuigend aan de nieuwkomers te presenteren, zodat een Turkse moslim uit Keulen net zo trots kan zijn op zijn Dom als zijn Duitse stadsgenoten. Maar ook hier geldt dat Europeanen in de eerste plaats zichzelf zullen moeten doordringen van het esthetische en historische belang ervan. Je kunt geen identiteitsbeeld aan immigranten voorhouden als je er zelf geen benul van hebt.

Burgerzin

De openheid van het Amerikaanse instapmodel is minder gratuit dan de sfeer waarin migranten in Europa doorgaans hun nieuwe staatsburgerschap verkrijgen. In de naturalisatieceremonie zit impliciet een vraag vervat naar engagement: naar een actief en betrokken burgerschap. Het nieuwe lid van de club onderschrijft een geheel van normen en afspraken. Het doel van de Amerikaanse club is individuele ontplooiing en succes, maar dat moet gebeuren met zin voor verantwoordelijkheid. Of om dat prachtige, oude woord te gebruiken dat in Europa veel te lang onder het stof heeft gelegen: met burgerzin.

Het punt is: Amerikanen hebben meer burgerzin dan Europeanen. Dat mag misschien verbazen, als je bedenkt hoeveel medeburgers ze door de mazen van het net laten vallen. Maar burgerzin of burgerlijke verantwoordelijkheid is iets anders dan solidariteit. West-Europeanen zijn erg gebrand op een stelsel van sociale solidariteit en hebben er minder moeite mee dat ze daarvoor moeten bijdragen. Amerikanen halen, jammer genoeg in steeds grotere aantallen, hun neus op voor georganiseerde solidariteit, maar qua burgerzin zijn ze moeilijk te kloppen.

Het is een van de intrigerende contrasten van de vs: in het land van de vrijheid voegen de burgers zich mak en moeiteloos naar tal van geschreven en ongeschreven regeltjes. Bezoek een parkeerplaats langs de snelweg in Amerika en bezoek er een in Europa; het contrast kan nauwelijks groter zijn. Terwijl de Europese picknickzone bezaaid is met flesjes, blikjes, peuken en papier, vaak met een penetrante urinegeur als toemaatje, liggen de Amerikaanse er brandschoon bij, op het saaie en doodse af. Dat is niet enkel een kwestie van spontane verantwoordelijkheidszin, want de boetes in Amerika voor *littering* liegen er niet om en halen makkelijk de duizenddollargrens. Toch is het voor de meeste Amerikanen vanzelfsprekend geworden dat je afval in een afvalemmer gooit. In Europa zie ik keer op keer hoe automobilisten aan een verkeerslicht met stuitend gemak een sigaret, blikje of bananenschil door het raampje op de berm kieperen, alsof het zogenaamd normaal is. Overigens gedragen de meeste Amerikaanse chauffeurs zich opvallend netjes aan het stuur; alleen truckchauffeurs zullen je vervaarlijk voorbij scheuren boven de snelheidslimiet.

Gehoorzaam en geduldig staan Amerikanen langdurig in de rij, een talent dat ze gemeen hebben met de Britten. Met dezelfde haast willoze overgave laten ze zich in restaurants en zelfs luchthavenbars naar tafeltjes of barkrukken voeren die de *host* voor hen heeft uitgekozen; er zelf eentje uitpikken wordt niet gewaardeerd (en zie je vooral Europese bezoekers doen). Ze lijken het volkomen normaal te vinden dat privé-instanties, met bewakingsagenten en tal van camera's, hun doen en laten in de gaten houden, zoals in shoppingmalls of kantoortorens. Zelf ben ik een keer door de bewakingsdienst een mall uitgezet omdat ik voor de radio *vox pop*-interviews moest rapen. De camera had me meteen met mijn bandopnemertje gespot en het duurde maar enkele minuten voor de agenten op me afkwamen: privé-terrein, *sir, and it's against the policy* et cetera. Wat mij betreft gaat die slaafse volgzaamheid voor regels van privé-instanties soms ergerlijk ver. Maar telkens ligt er een onuitgesproken verantwoordelijkheidsgevoel en plichtsbesef aan ten grondslag: als we hier met zijn allen willen samenleven, moeten we afspraken maken. Anders loopt het mis. De solidaire Europeanen daarentegen zijn meesters in het vrij interpreteren en ombuigen van de regeltjes. Er is altijd wel een reden om niet in de rij te staan, om tussen te wringen op het andere rijvak of om toch even wat dieper op het gaspedaal te duwen.

Het ligt voor de hand om die vanzelfsprekende volgzaamheid in verband te brengen met de protestantse achtergrond van de Amerikanen. In gemeenschappen waar het leven door de protestantse kerken werd (en wordt) gestuurd en overheerst, zijn mensen vertrouwd met een codex aan morele voorschriften. Toch vraag ik me af of er ook geen tweede en specifieke factor heeft bijgedragen tot die burgerzin. Het feit dat er in zo korte tijd zoveel mensen uit zoveel diverse culturen en herkomstlanden samen aan een nieuw leven zijn begonnen in dichtbevolkte stadswijken of in verafgelegen en gevaarlijke grensgebieden, kan de noodzaak aan regels en de handhaving daarvan hebben versterkt. In een gesloten en homogene gemeenschap deelt iedereen dezelfde normen en waarden zonder dat die al te vaak expliciet moeten herhaald worden. Sociale controle volstaat er meestal om iedereen in de pas te laten lopen. Maar in een cultureel heterogene samenleving is het zoeken en om zich heen kijken: wat wordt hier aanvaard en wat niet, wat wordt er verwacht of waar kom ik mee weg? Nieuwe immigranten uit Balkanlanden zien er soms geen graten in om meubels of huisraad gewoon op de stoep te droppen. Vanzelfsprekend hoor je de buren mopperen. Oost-Europese bouwvakkers nemen graag een paar blikjes bier mee of een fles sterke drank, als ze na een harde werkdag willen uitblazen op een bankje. Dat schokt en irriteert de moslimbevolking in de wijk en leidt tot wrijvingen. Omgekeerd hangen moslimjongens liever niet te lang in huis rond bij hun moeders en zussen en zoeken ze de straat op. Dat maakt dan weer de Belgen bang. In Europa is het zoeken naar gemeenschappelijke gedragsregels in multiculturele wijken nog volop aan de gang. Ook in Amerika komen die botsingen voor, maar de ervaring heeft de Amerikanen geleerd om sneller in te grijpen en de naleving van allerlei voorschriften zonder dralen af te dwingen. Ook nieuwkomers in de wijk moeten hun voortuin maaien en zich houden aan de bouwvoorschriften. Voor sluikstorten of dubbel parkeren gelden geen sociale of culturele excuses.

De protestantse invloed heeft wellicht een voedingsbodem gelegd voor de bereidheid om regels te aanvaarden; de acute etnische en culturele complexiteit heeft de roep om regels aangewakkerd. En misschien hebben ook de zware boetes en de hardvochtige celstraffen of erger hun afschrikkingseffect niet gemist. In de populaire beeldvorming van boeken en films was de Far West ook de *Wild West*, een ruige regio waar eenzame mannen het recht in eigen handen namen. Om dat schorem in het gareel te houden, moest ook de openbare macht – de *sheriff* en zijn *deputies* – van wanten weten. Die traditie van keihard terugslaan als de regels worden overtreden, leeft in zekere zin nog altijd voort, zoals de twee miljoen driehonderdduizend gevangenen in de vs duidelijk maken. Dat is in alle opzichten buiten proportie en verdient absoluut geen navolging in Europa, vooral omdat die celstraffen doorgaans meer kwaad dan goed doen. Toch kan een strak handhavingsbeleid heus geen kwaad. Je kan een nieuwkomer die zijn afval op straat kiepert één waarschuwing geven, maar bij een tweede overtreding of nalatigheid moet hij de bon op.

De Amerikaanse burgerzin heeft ook een actievere kant. In de vs is het aandoenlijk om te zien hoe graag mensen zich engageren in kerken en clubs, in schoolraden en comités, in politieke partijen en campagnes. Het gebrek aan structurele solidariteit wordt er gedeeltelijk gecompenseerd door de talloze verenigingen voor liefdadigheid die vooral draaien op vrijwilligers. Dat is natuurlijk geen ideale situatie, maar het getuigt van de haast gretige bereidheid om een rol te spelen, te participeren en betrokken te blijven op de samenleving. Wat de Britse conservatieve premier David Cameron voor ogen heeft met zijn concept van *Big Society* is in de vs al verregaand gerealiseerd.

Burgers nemen zelf de touwtjes in handen in charterscholen of bibliotheken of ze zoeken onderling naar oplossingen voor problemen in de buurt. Je mag niet blind zijn voor de elitaire kantjes van dat burgeractivisme; rijkere en hoger opgeleide Amerikanen slagen daar beter in dan de lagere klassen en mikken vooral op hun eigen belangen. Maar dat burgers de vinger aan de pols houden en de handen uit de mouwen steken is onmiskenbaar een pluspunt. Ongetwijfeld zijn er ook in Europa tal van zulke voorbeelden te vinden. Toch lijkt het verenigingsleven in het ontzuilde West-Europa nog steeds naar een tweede adem te zoeken, terwijl het in Amerika flexibel en pragmatisch functioneert, vaak naar aanleiding van concrete opdrachten, noden of campagnes.

Dubbele nationaliteit

Wie officieel Amerikaan wordt, betuigt zijn geloof in de Amerikaanse waarden en het Amerikaanse project. Toch kunnen immigranten in Amerika tegelijk hun eigen, oorspronkelijke nationaliteit behouden, als hun oorspronkelijke land dat tenminste toestaat. Die dubbele nationaliteit roept vragen op over verdeelde loyaliteit, zoals in het hoofdstuk over de latino's al werd aangestipt.

Ook in Europa zijn we intussen vertrouwd geraakt met wrijvingen tussen twee of meer vormen van loyaliteit. Vooral de migranten die afkomstig zijn uit Turkije, een rijzende grootmacht aan de grenzen van de Europese Unie, lijken met hun hoofd en hun hart bij hun land van herkomst te zitten. Nationalistische Turkse bewegingen werken dat nog in de hand. Ze weten moeiteloos tienduizenden migranten te verzamelen voor grote evenementen in sportarena's. Bij de laatste confrontatie tussen de Belgische en de Turkse nationale voetbalploeg kwam het in Gent tot relletjes tussen supporters; er is geen Turkse Belg die het in zijn hoofd haalt om de kant van de Rode Duivels te kiezen. Wat nog het moeilijkst te begrijpen valt, is de verplichting voor buitenlandse Turkse jongemannen om in Turkije legerdienst te vervullen. Al zijn ze geboren en opgegroeid in een ander land, dan nog ontsnappen ze daar niet aan, zolang ze tenminste hun Turkse nationaliteit willen behouden. Buitenlandse Turken kunnen hun legerdienst wel inkorten, van vijftien maanden naar eenentwintig dagen, maar dat kost hun meer dan vijfduizend euro. De druk van de

Turkse gemeenschap om Turk te blijven en die militaire dienstplicht na te komen, is groot.

Europese steden worden soms het plaatsvervangende strijdtoneel van buitenlandse conflicten. Zo vochten Turken en Koerden al robbertjes uit in Brussel en leiden gevechten in het Midden-Oosten steevast tot oplaaiende spanningen in een stad als Antwerpen, waar een grote islamitische en een aanzienlijke joodse gemeenschap leven.

Moet dat nu echt? Waarom kijken al die migranten de hele tijd over hun schouder naar wat er zich in hun verre land van herkomst afspeelt? Zouden ze niet beter wat aandacht hebben voor de problemen in de buurten waar ze wonen en thuis zijn? Die vragen klinken een beetje naïef, na decennia van migratiegeschiedenis in Europa en eeuwen ervaring in Amerika. Toch vind ik volgende vraag legitiem: waar liggen de grenzen van de dubbele of externe loyaliteit? Persoonlijk vind ik de Turkse legerdienst meer dan een brug te ver, hoewel ik er tegelijk begrip voor heb dat Turkse migranten hun Turkse nationaliteit willen behouden. Dat een migrantengroep meeleeft met oorlog of leed in het thuisland lijkt menselijk en normaal.

De vragen zijn terecht, de antwoorden zijn niet eenduidig. Het helpt ook niet dat de nationaliteitswetgeving momenteel alles behalve gestroomlijnd is. Sommige landen aanvaarden de dubbele nationaliteit, andere niet. Sommige zijn lankmoediger voor de buitenlandse nieuwkomers dan voor de autochtone burgers: de migranten mogen hun oorspronkelijke nationaliteit behouden als ze zich naturaliseren, de autochtonen daarentegen verliezen hun staatsburgerschap als ze elders gaan wonen en een tweede nationaliteit willen verkrijgen. Die discriminerende toestand gold tot voor kort ook in België: een Belg die zich pakweg in Nieuw-Zeeland vestigde en Nieuw-Zeelander wou worden, moest van de Belgische regering zijn Belgische nationaliteit laten vallen. Een Rus die in België kwam wonen, mocht rustig Rus blijven en tegelijk aanspraak maken op de Belgische nationaliteit. Die wat scheve regel is in België intussen rechtgetrokken.

In Nederland is die kwestie al jaren een heet hangijzer. Nederland ontmoedigt de combinatie van twee nationaliteiten. Wie door naturalisatie Nederlander wil worden, moet in principe afstand doen van zijn oorspronkelijke nationaliteit. Omgekeerd moet een Nederlander die naar het buitenland verhuist en daar kiest voor een nieuwe nationaliteit, de Nederlandse laten vallen. Op beide regels gelden er nochtans uitzonderingen, zodat het debat geregeld weer oplaait. Bovendien zijn er landen die het hun burgers gewoonweg niet toestaan om afstand te doen van de nationaliteit. Marokko is in dat geval, een land dat miljoenen emigranten naar West-Europa zag vertrekken. Die blijven Marokkaans voor het leven of ze daar nu zin in hebben of niet. Een Marokkaan die door naturalisatie Nederlander wordt, is daarom vrijgesteld van de afstandsplicht. Hij zal voortaan met twee nationaliteiten leven.

Zelfs binnen de Benelux is de nationaliteitswetgeving dus nog lang niet geharmoniseerd, laat staan in Europa of in de wereld. Zolang verschillende landen uiteenlopende rechten laten gelden op de verschillende migrantengroepen in de migratielanden – zoals legerdienst of stemrecht – zal er aanleiding zijn tot wrevel en debat. Op de emotioneel psychologische kant van loyaliteit en identificatie kan je moeilijk op korte termijn ingrijpen, maar de wettelijke aspecten ervan kunnen geregeld en verfijnd worden. Voor scherpere internationale afspraken over gedeelde nationaliteit lijkt het niets te vroeg.

Misschien is het begrip 'nationaliteit' inmiddels aan een inhoudelijke actualisering toe. In een geglobaliseerde wereld is de fysieke verknochtheid aan een geboorteplaats of -land steeds minder vanzelfsprekend. Het reizen, verhuizen en migreren van mensen verliest zijn uitzonderlijkheid. De mens wordt een *homo migrans*, die in één levensloop op twee of meer plaatsen kan wonen en wortel schieten. De uitdaging is om wetten en regels uit te werken die voldoende soepelheid bieden om met die nieuwe realiteit om te gaan. Tegelijk is er de legitieme verwachting van een gastland dat nieuwkomers zich inburgeren en engageren. Zelfs een tijdelijk verblijf mag niet vrijblijvend zijn. Een evenwicht vinden tussen die twee tegenstrijdige factoren is niet gemakkelijk.

Het zou een begin van oplossing zijn als we de focus versmallen tot het lokale in plaats van het nationale niveau. Al zien Turkse Belgen zich in de eerste plaats als Turk en pas in tweede instantie als Belg, dan nog hoeft niets hen te beletten om voluit Gentenaar, Amsterdammer of Hamburger te worden. Het lokaal stemrecht biedt hun alvast de kans om als lokaal burger partij te kiezen en politiek actief te zijn. Terugkerend naar het motief van de burgerschapseed zou je voor nieuwkomers kunnen denken aan een ceremonieel moment om zich te engageren ten aanzien van stad of gemeente. Voor de doorsnee burger is het leven in de eerste plaats lokaal. Nachtlawaai, parkeer-

problemen en de kwaliteit van de buurtscholen houden hem doorgaans meer uit zijn slaap dan het begrotingstekort of de splitsing van
een kieskring. Voor nieuwe stadsbewoners is dat niet anders. Van
zodra ze zich domiciliëren, horen ze erbij, met bijhorende rechten en
plichten. De identificatie met naties en landen mag dan schimmig
en dubbelzinnig zijn, over het bewonerschap van een straat en een
stad is geen twijfel mogelijk. Misschien kunnen we het integratiedebat en sommige aspecten ervan, verhelderen door het tot een lokaal
niveau terug te brengen.

Voetbal en politiek

In mijn eigen stad Antwerpen ligt voetbalclub Beerschot in de sterk
Marokkaans gekleurde wijk het Kiel. Telkens als de club thuis speelt,
zie je een voornamelijk mannelijk gezelschap naar het stadion stromen. Vrienden maken er een gezamenlijk avondje van en ook vaders
en zonen vergezellen elkaar met een vreemde vanzelfsprekendheid.
Zoveel mannen van alle generaties: het lijkt wel het vrijdagmiddag-
gebed in de moskee. Alleen zijn het geen moslims uit de Maghreb die
door de straten lopen, maar Vlaamse supporters uit de hele Antwerpse regio. De Marokkaanse voetbalfans in de tribune zijn zeldzaam.
Om in voetbaltermen te blijven: hier wordt een kans voor open doel
gemist. Jonge Marokkaanse mannen houden evenzeer van voetbal.
Onder Antwerpse Marokkanen is trouwens een buitensporige liefde
gegroeid voor FC Barcelona. Natuurlijk is het spel van Barcelona aantrekkelijker dan dat van Beerschot, maar Barcelona ligt wel veertien-
honderd kilometer naar het zuiden. Waarom slaagt de Antwerpse club
van het Kiel er niet in om de harten te raken van de mensen die het
dichtst bij het stadion wonen?

Om te beginnen zijn de matige prestaties van de ploeg inderdaad
niet van aard om extra fans te rekruteren. Verder is er de factor van
de kostprijs: een zitje voor een wedstrijd in de hoogste voetbalklasse
is niet goedkoop. Toch is er misschien ook iets aan de hand met de
bezetting van het veld. In het eerste elftal vind je Zuid-Amerikanen,
Oost-Europeanen, zwarte Afrikanen en Israëliërs, maar gek genoeg
geen enkele Marokkaan. Een paar jaar geleden had Beerschot met
Mohamed Messoudi een bescheiden vedette van eigen bodem in huis,
maar die voetbalt intussen voor het West-Vlaamse Kortrijk. Het ge-

brek aan Marokkaanse Belgen kenmerkt trouwens de hele Belgische voetbalcompetitie. Hun aantal staat totaal niet in verhouding tot de omvang van de Marokkaanse gemeenschap. Om de een of andere reden vinden Congolese Belgen – waarvan er nochtans heel wat minder zijn – makkelijker de weg naar het voetbalveld dan Maghrebijnen. Sportjournalisten zouden een keer moeten uitzoeken hoe dat komt.

Beerschot behoort dan nog tot een select gezelschap van Belgische voetbalclubs die investeerden in buurtvoetbal en sociale projecten. Dat verdient een pluim, maar lijkt geen verschil te maken op het veld of in het stadion. Wie op de tribunes om zich heen kijkt kan zich in de jaren 1950 wanen, toen er alleen nog blanken woonden in de stad. Ik stel me voor welk een geweldige integrerende kracht er zou uitgaan van een gemengd Vlaams-Marokkaanse spionkop, verenigd in hun liefde voor het stadselftal.

In de vs is dat geen idyllisch droombeeld. Daar zijn migranten relatief snel naar de top van de sportwereld doorgestoten. Tot aan de Tweede Wereldoorlog was baseball in Italië onbekend, maar in Amerika raakten de Italianen verslingerd aan het spel door het succes van Joe DiMaggio en andere Italiaans-Amerikaanse spelers. In het nationale voetbalteam (*soccer*) spelen meerdere latino's; de Mexicaanse migrantenzoon Carlos Bocanegra draagt de kapiteinsband. Het belang daarvan voor de identificatie van een migrantengemeenschap met een club en een stad – en bij uitbreiding met een land en de samenleving – valt nauwelijks te overschatten. Omgekeerd zullen ook de autochtone supporters met meer openheid en sympathie tegen een buitenlandse gemeenschap aankijken als ze spelers uit die groep in hun club zien presteren. Waar het om gaat is zichtbaar succes: een migrant die het maakt binnen de autochtone instituties, in dit geval een sportteam. Zoiets werkt bemoedigend en aanstekelijk en reikt jonge migranten een positief rolmodel aan.

De politieke arena biedt een tweede platform waarop migranten kunnen scoren. De Amerikaanse ervaring op dat vlak is al minstens honderdvijftig jaar oud, zoals in het tweede hoofdstuk is toegelicht. Het kiessysteem van de vs, gebaseerd op het meerderheidsprincipe, heeft de snelle doorstroming van migranten vergemakkelijkt. Per kiesomschrijving kan er maar een enkele winnaar zijn. In een Italiaanse concentratiebuurt kon alleen een Italiaanse kandidaat het halen, in een Ierse buurt moest het een Ier zijn. De migranten met ambitie hoefden niet eens hard te knokken om een kans te krijgen, de partijbonzen kwamen hen opzoeken en paaien. In de West-Europese landen met een proportioneel kiessysteem konden de politieke formaties het zich langer veroorloven om migrantengroepen links te laten liggen, omdat hun aandeel in het grote geheel van de kiesomschrijving relatief beperkt bleef. Inmiddels is het electoraal gewicht van allochtonen ook daar zo sterk toegenomen, dat het onverstandig zou zijn om geen enkele buitenlandse naam op de lijst te zetten. Vraag is alleen of ze verkiesbare plaatsen krijgen of enkel dienen om de lijsten op te smukken.

In Amerika is tegelijk gebleken hoe politieke participatie van immigranten kan verworden tot puur etnische politiek. De verkozen volksvertegenwoordigers houden enkel nog de specifieke zorgen en belangen van hun eigen etnische groep voor ogen en allerminst het algemeen belang. Zo krijg je een lappendeken aan politieke doelen en een koehandeltje om die in min of meer gelijke mate te behartigen en te realiseren. De zwarte kandidaten steunen de agendapunten van hun joodse partijgenoten, als die op hun beurt het zwarte verlanglijstje willen bijtreden. In de Amerikaanse grootsteden is dat soort *package deals* tot een hogere kunst verheven. Ook op nationaal niveau, in het Congres, zie je voortdurend hoe stemmen worden afgekocht met allerhande extraatjes en beloftes die in wezen niks te maken hebben met de globale strekking van de wet. Uiteraard is dat geen model dat navolging verdient in Europa. De uitdaging is om migrantenpolitici te vinden die tegelijk hun gemeenschap willen vertegenwoordigen en het bredere belang kunnen dienen. Maar omdat de verwachtingen van de achterban hooggespannen zijn, ligt dat vaak bijzonder moeilijk en gevoelig. In elk geval kan politiek succes net zo'n machtige publiciteitsstunt voor integratie worden als een indrukwekkende sportcarrière.

Behalve het kiesstelsel is er nog een belangrijk onderscheid tussen Amerika en Europa als het gaat om het inschakelen van migranten in de lokale politiek. In de periode van de massale immigratiestromen naar de vs, tussen 1850 en 1920, groeiden de steden en staten zo spectaculair snel dat er honderdduizenden nieuwe jobs konden worden gecreëerd en ingevuld. Er waren brandweerkorpsen nodig, politieagenten, vuilnismannen en straatvegers; de gemeentelijke diensten moesten bemand worden met ambtenaren en toezichters, de openbare scholen met onderwijzers. In ruil voor hun stemmen kregen de opeenvolgende migrantengroepen – de Ieren, de Italianen, de Polen

– een vrijwel onvervreemdbaar aandeel in de arbeidsmarkt van de openbare sector. Dat is vermoedelijk een van de allerbelangrijkste verschillen tussen Amerika na 1850 en Europa na 1950. In de vs zat er veel minder tijd tussen de instroom in het land en de instroom in de overheidsdiensten. In Europa waren de hoogdagen van de openbare sector al lang voorbij en werd er overal aan afslanking en inkrimping gedaan, toen politici en sociologen ernstig begonnen na te denken over het belang van de aanwerving van allochtone medewerkers. Dat is een achterstand die nooit meer in te halen valt.

Dat probleem overstijgt de kwestie van de werkloosheid onder migranten, die op zich al acuut genoeg is. Als immigranten nooit een van hen bij de politie zien of achter een loket in het gemeentehuis of als vertegenwoordiger van de sociale huisvestingsmaatschappij of wooncoöperatie, dan is de kans kleiner dat ze begrip en ontzag opbrengen voor het standpunt van die instanties, zeker in situaties waarin ze zich benadeeld voelen. Veel gekleurde gezichten bij de politie sturen de boodschap uit dat kleur van geen tel is voor de politie en dat de politie van alle kleuren en gemeenschappen is. Opnieuw gaat het om identificatie of het gebrek daaraan. Participatie en identificatie zijn twee keerzijden van eenzelfde medaille; hoe groter de doorstroming, hoe hechter de banden en omgekeerd. Dat geldt voor voetbalclubs, openbare diensten of partijen.

Werk, werk, werk

De rekrutering bij de overheid heeft in Amerika ook in latere fasen van de geschiedenis een rol gespeeld om de sociale promotie van minderheden een handje te helpen. Na de goedkeuring van de *Civil Rights Act* in 1964 werd de openbare sector een belangrijke springplank voor zwarte Amerikanen. Volgens Chris Quispel werden in vijftien jaar tijd meer dan achthonderdduizend zwarte werknemers aangeworven. Een van de bekende instrumenten om die instroom nog te versnellen, was het beleid van *affirmative action,* wat in het Nederlands meestal vertaald (of begrepen) wordt als 'positieve discriminatie'. Gewoonlijk werkt dat op basis van quota: er wordt een bepaalde verhouding opgelegd tussen het aantal 'gewone' werknemers en de groep die tot een kansarme minderheid behoort. Het systeem is in de vs ook op grote schaal toegepast in het universitair onderwijs. Universiteiten legden zichzelf normen en selectiecriteria op waardoor ze in korte tijd een hoger aantal zwarte of latinostudenten zouden inschrijven.

Het idee achter alle vormen van affirmative action was steeds om een inhaalbeweging te realiseren en om de veelkleurigheid van Amerika te weerspiegelen op de campus of in het personeel van bepaalde diensten. Zonder die specifieke normen zou de rekrutering van zwarte en kansarme Amerikanen ongetwijfeld minder snel zijn verlopen. De nobele gedachte botste echter met het gelijkheidsbeginsel dat in de vs altijd zeer individueel wordt opgevat. Als het tegen de grondwet indruist om zwarten te discrimineren en te weren uit bepaalde scholen of jobs omdat ze zwart zijn, dan is het evenzeer tegen de grondwet om ze te bevoordelen omdat ze zwart zijn. In feite strookt het al niet met de grondwettelijke beginselen om bij de beoordeling van een individuele sollicitatie of toelatingsaanvraag de groep waartoe iemand behoort op enigerlei wijze in overweging te nemen.

Het duurde niet lang of de positieve discriminatiepraktijken werden voor de rechtbank aangevochten door blanke kandidaten die uit de boot waren gevallen. Ondanks hogere kwalificaties zagen ze hoe lager gekwalificeerde concurrenten uit minderheidsgroepen de beschikbare plaatsen kregen toegewezen. In veel gevallen gaf de rechter hen gelijk. Naarmate de jaren verstreken en Amerika vanaf Ronald Reagan weer een rechtsere koers koos, werd het goed bedoelde maar juridisch wankele beleid van affirmative action steeds feller afgebrand door conservatieve politici en commentatoren en steeds minder ondersteund door de rechtbanken. Een aantal staten, zoals Californië, namen wetten aan waarin het systeem expliciet verboden werd. Omdat zwarte belangengroepen het beleid het langst bleven verdedigen, werd het uiteindelijk steeds sterker geassocieerd met de zwarte gemeenschap. Het debat verwerd tot een beledigende karikatuur: affirmative action was een vorm van pamperbeleid voor luie en onbekwame zwarten die hun beurt niet wilden afwachten of hun plaats niet wisten te verdienen.

Intussen wordt positieve discriminatie in de vs steeds minder toegepast. Daar komt bij dat de overheden – van het gemeentelijk niveau tot het federale staatsapparaat – toch al minder aanwerven en nu veeleer snoeien in hun personeelsbestand. Door de politieke druk van conservatieve Tea Party-Republikeinen en de dwingende nood om radicaal te bezuinigen, valt er voorlopig voor kansarme groepen nog weinig heil te verwachten van de publieke sector.

In West-Europa kwamen de buitenlandse werknemers in eerste instantie om de noden van privébedrijven te lenigen: autofabrieken, steenkoolmijnen en staalfabrieken. De overheid deed pas veel later een beroep op immigranten. Enkel in het Verenigd Koninkrijk werden Indiërs en Pakistani al snel ingezet in het openbaar vervoer en vrouwelijke migranten uit het Britse Gemenebest in de ziekenhuizen van de National Health Service. De jongste decennia proberen heel wat overheidsinstanties, onder de noemer van een gericht diversiteitsbeleid, buitenlanders aan te trekken. Van quota of dwingende normen is er meestal geen sprake. Ook in Europa is trouwens, zoals eerder vermeld, de grote afslanking ingezet. Behalve in de ziekenhuizen, waar een tekort aan verplegend personeel dreigt, zijn er niet gek veel mogelijkheden meer in de openbare sector.

Dat betekent dat, zowel in de vs als in Europa, de uitdaging om migranten en minderheden aan het werk te zetten in eerste instantie door de privésector zal moeten worden waargemaakt. Privébedrijven kan je onmogelijk verplichten om quota te halen of positief te discrimineren. Wel kan de overheid erover waken dat er niet negatief wordt gediscrimineerd. In veel staten van de vs zijn er wetten goedgekeurd om dat te beletten en te verbieden. In de zuidelijke staten ontbreekt het nog aan zulke bepalingen. Erger zelfs: de *at will*-ontslagwetten geven haast een vrijgeleide aan werkgevers om mensen om oneigenlijke redenen de laan uit te sturen. Wat dat betreft is er in Amerika nog werk aan de winkel. De vraag is of Europa het veel beter doet. Ondanks Europese richtlijnen, nationale wetgeving en gedragscodes blijkt nog steeds dat bedrijven er makkelijk mee wegkomen als ze, bijvoorbeeld, systematisch Marokkaanse sollicitanten aan de kant laten staan.

Uitkeringen op de weegschaal

De historische ervaring van Amerika bewijst hoe cruciaal arbeid is geweest om nieuwe stromen immigranten een volwaardige plaats te geven in de samenleving. Vaak moesten ze in het begin genoegen nemen met zware, vuile en onderbetaalde baantjes, zodat je zonder schroom over uitbuiting mocht spreken. Ook nu nog worden latino's ingeschakeld in de fruitpluk of landbouw, in varkenskwekerijen of pluimveebedrijven, in de bouwsector of in de horeca, voor uurlonen die je met goed fatsoen niet kan verdedigen. Daar staat tegenover dat het tenminste werk is en als zodanig een eerste trapje op een ladder. Of het nu om legale of illegale arbeid gaat of het loon nu hoger of lager ligt dan het federaal vastgelegde minimumloon van 7,25 dollar per uur, niemand kan ontkennen dat het simpele feit dat buitenlandse nieuwkomers in Amerika een job vinden hen lanceert in een carrière, hoe bescheiden die ook mag zijn. Als je die carrière uitspreidt over meerdere generaties wordt dat effect nog duidelijker. Er zijn tientallen miljoenen Amerikanen geweest die laaggeschoold en laagbetaald begonnen, maar die hun kinderen al naar school zagen gaan en doorstromen naar een prestigieuzer segment van de arbeidsmarkt. Zoals eerder besproken was dat de collectieve ervaring van joodse migranten uit Oost-Europa en van miljoenen Aziaten uit Japan, China en Korea. Bij de Ieren en Italianen kostte het wat meer tijd om op te klimmen. Uiteindelijk wisten hun kleinkinderen en achterkleinkinderen toch aan te pikken.

De historische ervaring van Amerika is bemoedigend, maar garandeert nog geen succesvol vervolg. De economie slabakt al jaren en creëert nog weinig nieuwe banen. De middenklasse staat onder druk. Daardoor lijken probleemgroepen moeilijker vooruit te komen dan in eerdere periodes van de geschiedenis. Onder alle bevolkingsgroepen vind je generatiearmoede: ellende die wordt doorgegeven van moeder op kind. Vooral bij de zwarte Amerikanen en de indiaanse bevolking is dat endemisch. Ook nieuwere migrantengroepen, zoals de Somalische, vertonen symptomen van ontreddering en achterstelling. Hun jeugdbendes en radicalisering hebben ongetwijfeld te maken met een gebrek aan perspectieven.

In Europa is arbeid doorgaans duurder en strikter gereglementeerd dan in Amerika. Dat beperkt de speelruimte van werkgevers om nieuwe jobs te creëren. Daar komt nog bij dat het makkelijker is om werkloos te zijn. Uitkeringen zijn soms zo gul dat moeders liever thuisblijven dan dat ze uit werken gaan en een hoge rekening voor kinderopvang betalen. Dat soort situaties staat bekend als werkloosheidsvallen: een hangmat om in verstrikt te geraken. In een karikaturale voorstelling van zaken is West-Europa één groot hemelbed dat voor luie migranten wordt gespreid. Ze hoeven geen klap uit te voeren en plunderen intussen de sociale reserves van de gemeenschap.

Natuurlijk is dat beeld veel te simplistisch, alsof de beschikbare uitkeringen niet begrensd zijn in tijd, voorwaarden en omvang en alsof alle migranten uit vrije wil een betrekking laten staan. Er circuleren trouwens heel wat misverstanden. Zo kunnen nieuwe immigranten in België of Nederland nooit aanspraak maken op een werkloosheidsuitkering zonder eerst gewerkt te hebben in hun nieuwe land. Ook de zogenaamde volgmigranten, die via gezinshereniging overkomen, hebben daar zelf geen recht op. Wel kan iedereen aankloppen voor een bijstandsuitkering. Het is die bijstandsfactuur die in sommige steden hoog oploopt, naarmate meer armlastige migranten zich aandienen.

In Amerika bestaan er eveneens steunmaatregelen voor mensen zonder bestaansmiddelen, zoals voedselbonnen, een basisziekteverzekering of hulp bij kinderopvang. Het criterium daarvoor is een inkomensgrens en de middenklassers die daar net boven zitten (en dus niet in aanmerking komen) kijken soms jaloers naar de begunstigden aan de onderkant. In de voorbije twintig jaar zijn die bijstands- of welfareuitkeringen nochtans flink teruggeschroefd. Vooral onder president Clinton werd het systeem fundamenteel hervormd. De staten kregen meer armslag, de steun werd in de tijd begrensd en strikter gekoppeld aan de verplichting om werk te zoeken. Los daarvan kunnen werklozen in Amerika, net als in Europa, werkloosheidsuitkeringen aanvragen. Die liggen veel lager dan bij ons, rond een derde van het laatst verdiende loon. In principe gelden ze slechts voor zesentwintig weken. Daarna is het afgelopen. Tijdens de jongste recessiejaren werd die periode een paar keer verlengd.

Het klopt dus dat Amerika beduidend minder genereus is dan wat gebruikelijk is in de lage landen. Toegepast op de legale immigranten maakt dat wel degelijk een verschil. Een volgmigrant die via gezinshereniging naar Europa komt, kan in algemene termen op een groter pakket steunmaatregelen rekenen dan zijn lotgenoot in de vs. Juist daarom zijn de voorwaarden voor gezinshereniging verstrengd, eerst in Nederland en later ook in België. Je moet nu over voldoende bestaansmiddelen beschikken om een partner te laten overkomen.

Voor illegalen of mensen zonder papieren is het speelveld eveneens verschillend. Theoretisch komen illegalen alleen in aanmerking voor medische hulp, zowel in Amerika als hier. In de praktijk investeert Europa meer middelen en energie in materiële opvang omdat veel illegalen zich aandienen als asielzoekers. Daardoor dwingen ze een tijdelijk verblijfsstatuut af voor de periode van het onderzoek van de asielaanvraag. In feite gaat het in heel veel gevallen om economische immigranten die het asielsysteem misbruiken. In België kunnen illegalen zelfs aankloppen voor steun zonder dat ze een asielaanvraag hoeven in te dienen, wanneer ze minderjarige kinderen hebben. De humanitaire plicht van de overheid om die kinderen niet – soms letterlijk – in de kou te laten staan, creëert op die manier een bijkomende migratiestroom. In oktober 2011 was het Belgisch parlement goed op weg om de opvang- en steunmaatregelen voor asielzoekers aan banden te leggen. De nieuwe regeling lijkt er vooral op gericht om steunzoekers uit andere EU-landen te weren, en om afgewezen asielzoekers daadwerkelijk het land uit te krijgen. Of dat effect zal hebben, zal moeten blijken.

In de VS zullen weinig economische vluchtelingen de moeite doen om een kansloze asielaanvraag in te dienen. Illegalen staan er daar grotendeels alleen voor, zonder overheidssteun. Pas wanneer ze in Amerika een kindje krijgen, zet dat baby'tje als kersvers staatsburger een kleine hulpverleningsmolen in gang waarvan het hele gezin kan profiteren.

Het contrast is duidelijk, maar moet niet worden overdreven. Het beeld van het harteloze Amerika tegenover luilekkerland Europa is te simplistisch. Ook in Amerika bestaan er uitkeringen en steunmaatregelen. Europa is intussen bezig om die te herzien en terug te schroeven. Het Europese beleid blijft niettemin gebaseerd op solidariteit, terwijl het in Amerika veel meer ieder-voor-zich is.

Je zou die beide modellen tegenover elkaar kunnen plaatsen als een dilemma. Ofwel kies je voor laag betaalde, superflexibele en vaak onaantrekkelijke jobs met minder sociale bescherming. Daarmee bied je achtergestelde en laag geschoolde groepen meer kansen op werk en op een carrière. Ofwel kies je voor fatsoenlijk geregelde arbeid, met een behoorlijk salaris, verregaande wettelijke bescherming en een stevige verzekering tegen ziekte en werkloosheid. In dat geval blijven de banen duurder en kariger en vallen veel meer kansarmen uit de boot. Je kunt die keuze laten afhangen van ideologische en zelfs morele principes of je kan nagaan wat het best gewerkt heeft. Terugblikkend op het verleden blijkt dat het Amerikaanse systeem efficiënter is geweest.

Zelfs actuele cijfers zetten dat vermoeden kracht bij. In 2009 lag de werkloosheidsgraad bij de *foreign born workers* – de werknemers of werkzoekenden die in het buitenland geboren zijn – niet hoger dan 9,7%. Dat was een schamel half procentje hoger dan bij de *native*

borns. In België bedroeg het verschil tussen beide groepen in datzelfde jaar bijna 9%, in Nederland 4%. De conclusie is duidelijk: migranten in Amerika zijn nagenoeg even actief op de arbeidsmarkt als de
autochtone beroepsbevolking. In Nederland moet het verschil tot
nadenken stemmen, in België is de kloof ronduit alarmerend. Wat
ons hier bezighoudt is de problematiek van diversiteit en integratie:
hoe betrek je nieuwkomers bij de samenleving, ook als die er een andere achtergrond, taal en cultuur op nahouden? Alleen een burger-
schapsceremonie volstaat natuurlijk niet. Voor een volwaardige inburgering en participatie is werk onmiskenbaar van het allergrootste
belang. Veel migranten in Europa die werkloos thuiszitten, missen
zonder meer de aansluiting met medeburgers en met de samenleving.
Op die manier wordt hun burgerschap passief en gelaten. Ze kunnen
in een stad en een land wonen zonder enige betrokkenheid of belangstelling voor hun omgeving, zonder de taal te kennen of zonder uit
hun eigen etnische netwerk te breken. Dat is niet alleen nefast voor
henzelf, maar vermoedelijk ook voor hun partner en kinderen. Juist
daarom is er voor immigranten nood aan een gericht activeringsbe-
leid en aan het schrappen en ontmantelen van alle deactiverende
factoren die in het sociale stelsel zijn geslopen. Om het simpel uit te
drukken: het mag niet te gemakkelijk worden om niet te werken.

De fundamentele sociale bescherming van Europa – het terecht
geroemde Rijnlandmodel – moet overeind blijven. Wellicht hoeven
zelfs de grote krachtlijnen niet te sneuvelen. Snoeien in het kluwen
van achterpoortjes, uitzonderingen en misbruiken zou al een groot
verschil maken. De werkloosheidsvallen aanpakken is een absolute
noodzaak.

Voor zover het debat betrekking heeft op illegalen en asielzoekers
moet er een einde komen aan een vals soort menslievendheid. Persoonlijk vind ik het geen groot misdrijf als mensen zonder toelating
een land binnenglippen om daar werk te zoeken, geld te sparen of
zelfs een nieuw leven te beginnen. Dat is wellicht een onvermijdelijk
gevolg van de kloof tussen arme en rijke landen, een sluipende herverdeling van de rijkdom van onderen uit. Als er echt geen werk te
versieren valt, zullen er heus geen werkwillige illegalen blijven komen. De talloze kansloze asielzoekers die in Europa neerstrijken,
beantwoorden nochtans aan een heel ander profiel. Iedereen weet dat
veel van die economische vluchtelingen grof worden uitgebuit door
mensensmokkelaars die hen tegen betaling naar West-Europa bren-

gen met een waslijst aan instructies over de hulp die ze kunnen vragen. Hoe hartverscheurend de situatie van gestrande gezinnen met kinderen ook kan zijn, het helpt niet om hen voortdurend te blijven bijstaan met rechtshulp of solidariteitscampagnes. Een grote groep vluchtelingen heeft geen schijntje van kans om voor erkenning in aanmerking te komen. Zolang advocaten voor die mensen toch nog kansen weten af te dwingen – tijdelijke opvang, financiële steun, beroepsprocedures – blijft het smokkelnetwerk draaien. Zelfs als dat gebeurt uit goedbedoeld idealisme, draagt het bij aan een schemerzone van criminaliteit. Intussen groeit de groep van immigranten die als asielzoekers of illegalen niet eens de toelating krijgen om te werken en dus passief aan de kant blijven zitten.

Het beleid van West-Europa tegenover legale en illegale immigranten mag wat strakker. Niet alleen kraakt het sociale bijstandsstelsel in zijn voegen naarmate meer mensen het misbruiken, het vertraagt en belemmert ook de integratie van de nieuwkomers. De vraag is: hoe laat je immigranten actief deelnemen aan de samenleving? Als dat het doel is, lijken de middelen van Amerika beter te werken dan die van Europa.

Hindernissen en hulp

Moet Europa dan dringend minder sociaal en solidair worden? Zo geformuleerd, klinkt dat onsympathiek en harteloos. Het tegendeel is waar: Europa moet juist nog sterker inzetten op een globaal sociaal beleid. Alleen mag die sociale solidariteit niet toegespitst blijven op de individuele situaties en trajecten van inwoners en immigranten. Laten we de samenleving bekijken als een hindernissenparcours met valkuilen en hinderpalen. Het einddoel is werk en inkomen. In Amerika moeten de spelers grotendeels op eigen kracht de overkant bereiken, met vallen en opstaan. Van tussentijdse bevoorrading is er niet of nauwelijks sprake. In Europa worden ze weliswaar aangemaand om over te steken, maar hoeft het niet zonodig: onderweg krijgen ze geregeld wat toegestopt. Sommige spelers – de illegalen en asielzoekers – mogen zelfs niet starten in de race. Zij worden simpelweg onderhouden en wachten nietsdoend aan de start, tot hun statuut hun toelaat om mee te spelen.

Europa moet wat minder bevoorraden en de obstakels wegwerken op het parcours. Daarin kunnen Europese landen het verschil blijven maken met de vs. Het speelveld moet geëffend en wat in de weg zit, moet worden opgeruimd. De spelers moeten bovendien beter gewapend aan de start komen, met vergelijkbare bagage in hun rugzak. Het gaat, kortom, om vormen van sociaal beleid die de slaagkansen verhogen. Dat heeft te maken met onderwijs, wonen, ruimtelijke ordening, gezondheidszorg en belastingen.

In Amerika zit segregatie tussen klassen en inkomensgroepen ingebakken in het systeem. Die opdeling valt doorgaans samen met een raciale segregatie. Door het onwaarschijnlijke financieringssysteem van de schooldistricten, dat hier een paar keer aan de orde is geweest, krijgen publieke scholen in arme wijken minder geld terwijl scholen in rijkere buurten een pak meer middelen hebben. Die fundamentele ongelijkheid wordt weliswaar halfslachtig geremedieerd met aanvullende ondersteuningsprogramma's voor kansarme leerlingen, maar dat is pappen en nathouden. Het niveau van de publieke scholen is in sommige buurten of steden alarmerend laag. Dat jaagt de betere middenklassers dan weer weg naar het privé-onderwijs, waardoor de scheiding tussen rijkere en armere leerlingen nog toeneemt.

Het mag duidelijk zijn dat we dat soort ideeën in Europa beter niet overnemen. Integendeel, de overheid moet blijven streven naar een sociale en etnische mix. In de grootsteden van West-Europa zijn zwarte scholen, met een meerderheid migrantenkinderen, al lang geen uitzondering meer. Het zal niet makkelijk zijn om dat nog terug te schroeven, maar intussen zou er niet op een cent mogen gekeken worden om in die scholen de beste zorgen te verschaffen. Bij sommige migrantengroepen zal bovendien moeten gewerkt worden aan een negatief zelfbeeld. Michelle Obama twijfelde als studente of ze wel carrière mocht maken en of dat geen verraad inhield aan haar gemeenschap. Dat soort gevoelens, angst om goed te presteren, leeft ongetwijfeld ook bij scholieren in Brussel of Amsterdam. Alle psychologische en pedagogische ideeën in dit verband zijn welkom, maar het is in de eerste plaats de migrantengemeenschap zelf – ouders, broers, zussen – die de jongeren op andere gedachten moet brengen. Meer *tiger moms* in de migrantenbuurten zouden wonderen doen.

Schoolsegregatie heeft vaak te maken met de feitelijke apartheid in woonbuurten. Daar spelen uiteraard de wetten van de markt en wie durft die nog in vraag te stellen? Toch zijn er dingen die overheden kunnen doen en moeten laten. Het neerpoten van sociale huurflats voor lage inkomensgroepen in wijken die al kwetsbaar waren, is absoluut te vermijden. In de vs zijn buurten die aan een heropbloei bezig waren op die manier opnieuw afgegleden. Omgekeerd kunnen steden mikken op een sociale differentiatie in moeilijke buurten. Pogingen in die zin zijn ondernomen in Rotterdam en Antwerpen, met wisselend succes. Ik weet wel dat er nadelen kleven aan die aanpak: voor de bouw van duurdere lofts moeten goedkope woningen wijken of de probleemgroepen verplaatsen zich naar een volgende buurt. Niettemin is Amerika een levensgrote waarschuwing: het verval van sommige binnensteden is daar zo ver gevorderd dat het nog nauwelijks te verhelpen valt. Als een beetje *gentrification* de prijs is die we moeten betalen om de steden te redden, dan is het dat absoluut waard.

In Amerika is trouwens de hele ruimtelijke planning een hoogst onaangename kant opgeschoven, zoals in het vorige hoofdstuk duidelijk is gemaakt. Wat een idee om winkelzones compleet te privatiseren of alle handelszaken ver van de woonbuurten te leggen. Dat is logisch voor een autodealer of een meubelzaak, maar allerminst voor een supermarktje of restaurant. Laten we ophouden met nieuwe shoppingmalls te bouwen aan de stedelijke rand, we maken er de middenstand van de binnenstad mee kapot.

Voor Amerikanen neigt dat soort sturend beleid al te sterk naar *social engineering*. Hun heilige geloof in de vrije markt en het privé-initiatief beperkt de speelruimte van de verschillende overheden om in te grijpen. Zeker nu de Tea Party het politieke debat bepaalt, is elke vorm van overheidsingrijpen verdacht. Het mag wel duidelijk zijn dat de markt in Amerika in veel gevallen de sterksten bevoordeelt en de zwaksten in de kou laat. Europa moet daarom zijn sociale correcties behouden. Europeanen beseffen nauwelijks welke weelde het is om verzekerd te zijn tegen ziekte of ongevallen. Het kan niemand worden aangerekend dat hij of zij met gezondheidsproblemen te kampen krijgt. Medische zorg is een mensenrecht, maar in de vs is het een kwestie van geluk: afhankelijk van hoe welvarend je in het leven staat. Laat Europa zijn ziekteverzekering behouden, ook voor immigranten en niet te veel wegprivatiseren.

Dat alles zal maar haalbaar blijven zolang de overheid over voldoende middelen beschikt. Daar heb je een rechtvaardig en efficiënt belastingstelsel voor nodig. Amerikanen doen vaak meewarig over de hoge belastingtarieven in Europa. Ik antwoord telkens dat het me weinig kan deren, als je bedenkt wat je in de plaats krijgt: een prachtige ziekteverzekering en een behoorlijke sociale bescherming. In Amerika moeten ze dat uit eigen zak betalen.

De vs noemen zichzelf het *land of opportunities* en terecht. In principe is iedereen er welkom om het te maken en het vrije initiatief wordt niet te veel ingeperkt door regelgeving of te hoge belastingen. Dat samenlevingsmodel heeft nochtans een keerzijde: Amerika is allerminst een land van *equal opportunities*. Voor Europa is de uitdaging om meer kansen te creëren en ze toch gelijk te spreiden.

Culturele botsingen

Zoals problemen met migranten vaak te maken hebben met het klassenverschil, zo moeten we veel van de oplossingen zoeken in het sociale beleid. Als het in Amerika de foute kant uitgaat met minderheden heeft dat vrijwel altijd te maken met achterstelling en marginalisering. In Europa is dat niet anders.

Daarmee is niet gezegd dat er geen culturele wrijvingen kunnen bestaan. De moslims in Dearborn behoren tot de middenklasse, hun kinderen zijn uitstekend geschoold. Toch vragen ze begrip voor hun religieuze eigenheid, met speciale regelingen voor de zwemles of de doucheruimte. In Amerika zie je vaak een ontwikkeling die je de integratieparadox kan noemen: hoe sterker een migrantengroep zich integreert en participeert aan de besluitvorming, hoe meer die erin slaagt om voor zichzelf uitzonderingsmaatregelen af te dwingen.

Amerikanen blijven tot nu toe opvallend relaxed bij dat alles. Hoofddoeken zijn er niet echt een punt van discussie, van een boerkaverbod is er geen sprake. Sikhs mogen hun tulband dragen boven op een uniform, joodse gemeenschappen krijgen meestal hun aruv (de draad die hun woonbuurt begrenst). Natuurlijk wekken die gebruiken nu en dan wrevel op, maar zelden of nooit worden ze verboden. Zonder enige twijfel is Amerika op dat punt toleranter dan Europa.

Nu hebben de vs bij mijn weten nog niet te vaak met extreme eisen te maken gehad. Over een boerkaverbod is er geen discussie omdat er weinig vrouwen in boerka op straat lopen. In Brooklyn zag ik ooit één dame in *niqab*, maar in het Engelse Bradford zag ik ze voortdurend. De vraag is wat er zou gebeuren als een lerares in een publieke school de vrijheid zou opeisen om in niqab of boerka voor de klas te staan. Theoretisch is verdraagzaamheid prachtig, maar iedereen weet dat religieuze vrijheid niet oneindig is. Stel dat een kerk of sekte haar leden geregeld lijfstraffen zou toedienen, zogenaamd op basis van haar geloofsovertuigingen. Dan moet de overheid ingrijpen, want lijfstraffen en mishandeling zijn verboden. Je kan nochtans heel wat praktijken bedenken die in een schemerzone zitten tussen wat toegelaten is en verboden. Als een geloofsgemeenschap sterke sociale druk uitoefent op haar leden, tot en met intimidatie of fysieke dwang, is dat nog toegelaten? In Europa zijn er situaties gesignaleerd waar het dragen van de hoofddoek, *hijab* of niqab duidelijk aan intimidatie kon worden toegeschreven. Amerikanen vinden het schandelijk als een schooldirectie of regering het dragen van de hoofddoek verbiedt, maar brengen niet altijd de context in rekening.

Overigens hebben ook de Amerikanen al lijnen in het zand getrokken. De vrouwelijke besnijdenis is sinds 1997 over het hele land – gelukkig maar – verboden. Voor Somalische moslims is dat een probleem, want velen zijn ervan overtuigd dat de ingreep door het geloof wordt voorgeschreven. Het nadeel van het verbod is dat zij nooit in ziekenhuizen terecht kunnen om een besnijdenis te laten uitvoeren en het dus zelf beginnen te doen, in bedenkelijke omstandigheden en met primitieve middelen. In 2010 stelde de American Asociation of Pediatrics daarom voor om toch gedeeltelijk tegemoet te komen aan de Somalische vraag. Ze adviseerde haar kinderartsen om een heel kleine, haast symbolische ingreep toe te passen, meer een speldenprik in de clitoriskap dan het verwijderen daarvan. Onder luid protest van vrouwenorganisaties, de VN en actiegroepen tegen de besnijdenis moesten de pediaters hun voorstel intrekken. Hun plan werd omschreven als 'een belediging van alle vrouwen die hun leven op het spel hebben gezet om tegen die praktijken te vechten'.

De mannelijke besnijdenis is minder omstreden en wordt in de VS zowel door joden als moslims toegepast. Net als in Nederland zijn er recent toch stemmen opgegaan om de besnijdenis van kleine jongetjes te verbieden. Een actiegroep in San Francisco verzamelde zelfs genoeg handtekeningen om de kwestie aan de stadsbewoners voor te leggen in een referendum. Een rechter stak daar een stokje voor, omdat een stad geen bevoegdheid heeft over medische procedures. Voor alle zekerheid keurde de senaat van Californië inmiddels een speciale wet goed die lokale overheden verbiedt om de mannelijke besnijdenis aan banden te leggen. De controverse raakt in de VS algauw verstrikt in verwijten van antisemitisme en ligt uiterst gevoelig. In elk geval bewijzen de debatten twee dingen: het respect voor religieus gemotiveerde gebruiken is in de vs stevig verankerd, maar zelfs Amerikanen botsen nu en dan op de grenzen ervan.

Diversiteit in diversiteit

Religieuze verschillen zijn belangrijk en tegelijk relatief. De chassidische joden van Brooklyn, de moslims van Dearborn en de evangelische christenen van Lynchburg moeten uiteindelijk allemaal hun boterham verdienen. Hun kinderen gaan naar school en wie ziek is, gaat naar de dokter. Ze willen graag een mooi huis, veilige straten en een beetje zekerheid. Dat alles hebben ze gemeenschappelijk, zodat ze samen een samenleving kunnen vormen, ongeacht hun uiteenlopende godsdienstige overtuigingen.

Dit boek heeft doelbewust geprobeerd om diversiteit niet eenzijdig toe te spitsen op de godsdienstige breuklijnen of op de etnisch-raciale verschillen. De samenleving zit ongetwijfeld ingewikkelder in elkaar dan vijftig jaar geleden. Een homogene gemeenschap is herkenbaar en vertrouwd, een gemengde stad of buurt vergt oefening in verdraagzaamheid. Toch helpt het niet om jezelf blind te staren op de breuklijnen tussen autochtonen en allochtonen, tussen wij en zij. Misschien zijn er intussen andere vormen van verscheidenheid die aandacht verdienen – zoals leeftijdsgroepen, klassen of woonvormen – waarbij autochtonen en allochtonen aan dezelfde kant van de discussie staan. In Amerika komen de niet-raciale verschillen al geregeld aan de oppervlakte. In toenemende mate vormt de generatiekloof een uitdaging voor de cohesie van de samenleving. Het verschil tussen grootstad en voorstad kneedt de Amerikaanse geesten en politieke voorliefdes. De seksuele geaardheid zorgt op haar beurt voor een groepering, tot in de woonbuurten, van lotgenoten. Veel groepsgedrag is nog niet eens aan bod gekomen. Wat te denken van de miljoenen wapenfanaten, voor wie een eigen wapencollectie haast het summum uitmaakt van hun zelfbeeld. Of de in leer getooide oorlogsveteranen op hun Harley Davidson-motoren, die als rechts conservatieve hippies postvatten bij politieke meetings of linkse betogingen om de eer van de militairen te verdedigen. Je hebt aanhangers van de *wicca* of neopaganisten, die het druïdische geloof willen beleven. We hebben de bejaarde Amerikanen bezocht, maar de jongerencultuur over het hoofd gezien. Het internet biedt nieuwe mogelijkheden om met gelijkgezinden uit het hele land toch een digitale gemeenschap te vormen. De Amerikanen bloggen zich een tenniselleboog, klitten virtueel samen in nieuwsgroepen en zelfhulp*communities*. De digitale televisie, met voor elke gril een kanaal, versterkt nog die nichecultuur. De satelliettelevisie schraagt dan weer de verbondenheid van migranten met hun herkomstland.

Die technologie was er honderd jaar geleden niet en zou een belangrijk verschil kunnen maken in het integratieparcours van nieuwkomers. De kans dat een migrant langer in een spreidstand blijft leven, is nu veel groter dan voor de Tweede Wereldoorlog. Ook Amerika zal dat ondervinden. Anderzijds kan het internet net zo goed de autochtone gemeenschap versplinteren. De diversiteit is uiterst divers. Als de samenhang onder druk komt te staan, is dat niet alleen te wijten aan nieuwkomers en immigranten.

De deur op een kier

Wat is, bij zoveel verscheidenheid, de gemeenschappelijke noemer van Amerika? De eerbiedwaardige Samuel Huntington, die de wereld door een bril van botsende beschavingen zag, heeft nog een laatste keer geprobeerd om de Amerikaanse identiteit te grondvesten in het Angelsaksische protestantisme. Zijn boek *Wie zijn wij?* was een late stuiptrekking van het WASP-denken: Amerika is gemaakt door en voor *white Anglo-Saxon protestants*. Huntington liet enkel het *white* vallen en aanvaardde dat niet-blanke minderheden perfect het Angloprotestantse denken in zich konden opnemen. Toch stond het voor hem als een paal boven water dat de Anglo-protestantse cultuur Amerika gevormd en bepaald had en dat dit zo moest blijven.

Voor de eerste bewering valt veel te zeggen: het Angelsaksische protestantisme lag ongetwijfeld aan de grondslag van de Amerikaanse politieke en maatschappelijke idealen. De stelling gaat alleen te makkelijk voorbij aan de niet-protestantse en niet-Angelsaksische invloeden die al heel vroeg in de geschiedenis hun sporen hebben nagelaten. Je kan onmogelijk blind blijven voor de zwarte Afrikaanse onderstroom of het Spaans-katholieke erfgoed in de vs. De tweede bewering van Huntington, dat de vs eeuwig Anglo-protestants moeten blijven, zal inmiddels op heel wat scepsis stuiten of zonder meer worden weggehoond.

In feite ligt de kern van de Amerikaanse identiteit juist in de principiële, onuitgesproken openheid ervan. Iedereen mag meedoen: protestants of anderszins, Anglo of Maori, blank of groen of paars. Wel moet iedereen zich scharen achter dezelfde principes die ooit door protestantse Anglo's werden uitgedacht. Amerika is een migrantenland, niet enkel in historische zin, maar in het diepst van zijn ziel.

Juist daarin ligt het belangrijkste verschil met Europese landen. Sinds vijftig jaar krijgt Europa migranten over de vloer van buiten het continent. Hoewel die aanvankelijk werden uitgenodigd als zogenaamde gastarbeiders, dacht niemand eraan dat Europa hiermee wezenlijk zou veranderen. Nu is er geen weg terug: de verkleuring van Europa is onomkeerbaar. Soms lijkt het alsof dat besef nog steeds niet is doorgedrongen. Ook Europa is een immigratieland geworden, net als Amerika. Omdat Europese politici dat nog altijd niet gezegd willen hebben, verdoezelen ze de reële problemen. Ze roepen enerzijds dat Europa niet de vluchtheuvel van de wereld mag worden, maar laten zich anderzijds overrompelen en een hak zetten door criminele smokkelcircuits. Ze ondergaan de immigratie, in plaats van die te regelen en te sturen.

Als verzachtende omstandigheid kan worden aangevoerd dat het Europese grondgebied moeilijker valt dicht te spijkeren dan de VS. Afrika ligt op een boogscheut van Spanje en Italië, Oost-Europa en Centraal-Azië grenzen aan de nieuwste staten van de Unie. Het klopt dat Europa kwetsbaar is, maar ook de Amerikanen moeten bijna tienduizend kilometer landgrens bewaken. De massale instroom van illegalen uit Mexico en Latijns-Amerika bewijst dat zij de immigratie evenmin onder controle hebben. Het verschil is dat de VS niet enkel proberen om illegalen buiten te houden, maar tegelijk nog altijd legale immigranten welkom heten. De Amerikanen gooien de deur niet dicht om ze vervolgens te laten forceren; ze zetten ze op een kier en laten voortdurend nieuwe mensen binnen. Daarmee sturen ze een ander signaal uit naar buitenlanders die legaal willen verhuizen. In Europa kom je binnen omdat je een scheurtje in het net hebt gevonden, een asielaanvraag of gezinshereniging. In Amerika kan je nog altijd immigreren, omdat Amerika nog altijd migranten wil.

Als we de cijfers voor 2010 overlopen wordt dat duidelijk. Je moet een onderscheid maken tussen de tijdelijken en de permanenten.

★ Bijna drie miljoen buitenlanders kregen toelating om tijdelijk in de vs te verblijven met een werkvergunning: ofwel werkten ze zelf, ofwel hun partner of een van hun ouders. Daar zitten weliswaar artiesten en atleten bij die misschien slechts een korte periode in de vs hebben doorgebracht, maar ook tweehonderdduizend seizoenarbeiders. De grootste groep van die tijdelijken (een half miljoen) bestond uit mensen met gespecialiseerde vakkennis of met uitzonderlijk talent. Die tijdelijken blijven niet noodzakelijk hangen in Amerika, al kan het daar later wel op uitdraaien.

★ Om te weten wie er als permanent resident is bijgekomen, kijk je naar het aantal *green cards*. In 2010 werden er meer dan een miljoen uitgereikt.

Bijna twee derden daarvan gingen naar familieleden van Amerikaanse burgers of van andere groene kaarthouders. Dat toont duidelijk het gewicht aan van de gezinshereniging of volgmigratie, ook in de vs. In het Amerikaanse systeem komen heel wat verwanten in aanmerking voor die *family-based* verblijfsvergunning, maar telkens moet de persoon die hen laat overkomen bewijzen dat hij hen ook kan onderhouden.

Honderdvijftigduizend green cards werden toegekend in functie van een werksituatie. In dat geval moet een Amerikaanse werkgever daarvoor een aanvraag doen.

Tachtigduizend groene kaarten werden verdeeld als gevolg van een goedgekeurde asielaanvraag.

Tenslotte was er de beruchte loterij, ook wel het diversiteitsprogramma genoemd. Door dat systeem kregen, naar jaarlijkse gewoonte, nog eens vijftigduizend buitenlanders uit de hele wereld een kans om zich in Amerika te vestigen. Die loterij sluit landen uit die via de andere procedures (gezinshereniging, werk of asiel) al een groot aantal immigranten mochten sturen.

★ Met een groene kaart zit je veilig in de vs, tenzij je een misdrijf begaat. Je moet ze wel te allen tijde op zak hebben en elke tien jaar vernieuwen. Een groene kaart geeft je nog niet het recht om te stemmen, tenzij in sommige lokale verkiezingen. Wil je echt Amerikaan worden, vraag je de naturalisatie aan. Daarvoor moet je vijf jaar geduld oefenen of drie als je met een Amerikaanse partner bent getrouwd. In 2010 vroegen en kregen zeshonderdtwintigduizend Amerikanen de naturalisatie. Allemaal legden zij de eed van trouw af, zoals de mensen in New York aan het begin van dit hoofdstuk.

Vergelijken met Europa is moeilijk. Voor 2008 telde Eurostat bijna vier miljoen nieuwe immigranten in de EU. De helft daarvan immigreerde binnen de Unie, bijvoorbeeld van Roemenië naar Italië. De andere helft kwam van buiten de EU. Eurostat vermeldt niet onder welke procedures ze kwamen.

Voor de autochtone bevolking van immigratielanden in West-Europa maakt het onderscheid tussen Europese en niet-Europese migranten misschien niet bijster veel uit. Onder beide categorieën vind je vlot integrerende en zogenaamd moeilijke gemeenschappen. Met name de Romazigeuners uit Oost-Europa worden vaak als een probleemgroep gezien. Toch zal Europa gaandeweg de consequenties van de eenmaking moeten aanvaarden: het vrij verkeer van personen betekent onvermijdelijk dat armere Europeanen naar de rijkere gebieden zullen afzakken, op zoek naar werk en toekomst. Dat betekent natuurlijk niet dat de rijkere steden of landen hen onbeperkt kunnen bijspringen met steunmaatregelen en uitkeringen. Voor zover er sprake is van misbruik van die voorzieningen, moet daaraan paal en perk worden gesteld. Het betekent evenmin dat de lidstaten sociale dumping moeten aanvaarden; ook buitenlandse (Europese) ondernemers moeten zich schikken naar de nationale regelgeving. Het gevolg is wel dat we die interne, Europese volksverhuizers steeds minder als migranten kunnen beschouwen, zeker als je wil vergelijken met Amerika.

Wie een historische parallel zoekt in de VS, komt uit bij de *Great Migration* van de zwarte Amerikanen uit het zuiden naar de rijke industriesteden in het noorden. Voor veel noordelijke Amerikanen was dat net zo bedreigend als een massale toestroom van buitenlanders. Alleen waren het geen buitenlanders die in de steden neerstreken, maar berooide Amerikaanse landgenoten uit verafgelegen staten. Op dezelfde wijze zullen West-Europeanen de Poolse of Bulgaarse migranten als mobiele mede-Europeanen moeten aanvaarden.

Het vergt voorlopig nog verbeeldingskracht en een sterk geloof in de Europese constructie, maar zo bekeken moeten we de echte immigratie beperken tot de groep van buiten de EU. In 2008 ging het om twee miljoen mensen: een behoorlijk aantal, maar nog geen overrompeling. De EU telt een half miljard inwoners, bijna tweederde meer dan de VS. Als de immigratie in Europa problematisch is, ligt dat niet zozeer aan het aantal. De knelpunten hebben meer te maken met de selectie, voorbereiding en integratie van de nieuwkomers. Van een gestuurde immigratie, op vraag en in het belang van Europa, valt er nog weinig te merken.'

Paradoxen

Amerika is een land van paradoxen. In het land van de vrijheid hangen overal bordjes met wat mag en wat niet mag. Het land van de burgerzin en de grote liefdadigheid haalt tegelijk zijn neus op voor solidariteit. In het land van de *freedom of speech* wordt taalgebruik aan banden gelegd door een overspannen lexicon van politiek-correcte termen. Vrouwen klagen seksisme aan terwijl ze zonder verpinken de naam van hun man aannemen. Er leeft een grote argwaan tegenover alles wat naar racisme zweemt, maar het woord ras maakt deel uit van de volkstelling. Niemand wil op basis van zijn uiterlijk in categorieën worden gestopt, het zogenaamde *racial profiling*, maar elke minderheidsgroep eist respect op voor zijn particuliere identiteit. Iedereen betuigt zijn trouw aan de Amerikaanse vlag en iedereen viert zijn eigen *heritage day* of *heritage month*. Hoe succesvoller een minderheid integreert, hoe meer ze haar aparte rechten claimt.

Nog een paradox: in een tijd van verkleuring leeft de belangstelling weer op voor stamboomonderzoek en de oorspronkelijke etnische tradities. Het genetische mengvat is inmiddels zo op toerental gekomen dat een eenduidige afstammingslijn meer uitzondering dan regel is. Je kunt jezelf Ier verklaren, maar misschien is Nederlander ook nog wel een optie. Bill Clinton beweerde ooit dat hij voor een zestiende part Cherokee was, in een poging om bij de indianen in het gevlei te komen. Ook tussen de raciale groepen is de vermenging nu volop aan de gang. President Obama is er het levende toonbeeld van: hij noemde zichzelf een *mutt* of bastaardhond. De verkleuring van Amerika verkleurt straks ook de doorsnee Amerikaan. Misschien zijn de VS over honderd jaar een groot Spaanstalig kleurlingenland.

De kleuren van Amerika zijn nog altijd niet gestold op het doek. Ze vloeien en bewegen verder, lekken en verkleven. Het schilderij blijft her en der een knoeiboel, maar het ziet er in elk geval gedurfd uit, kleurrijk en dynamisch. Wie het doek te zien krijgt, raakt geboeid en geërgerd, geschokt of gecharmeerd. De kleuren van Amerika laten niemand onverschillig.

Bronnen en verwijzingen

De kleuren van Amerika is ook een website. Af en toe verschijnen daar nieuwe verhalen, cijfers en commentaren over de diversiteit van de vs.

www.dekleurenvanamerika.be

Inleiding

p. 11: Een handig overzichtje van bevolkingscijfers en het procentuele aandeel van minderheden en bevolkingscategorieën vind je op http://quickfacts.census.gov/qfd/states/00000.html
Wie nog dieper wil grasduinen in meer gedetailleerde cijfers gaat naar http://factfinder2.census.gov

Hoofdstuk 1: Vijfhonderd jaar diversiteit

p. 18: Songtekst Randy Newman uit *The Great Nations of Europe*, van de cd *Bad Love*, skg Music L.L.C., 1999.
p. 18: Holland ligt in Michigan, Angola in Indiana. Antwerp, Toledo, Paris, Lisbon en East Palestine liggen in Ohio. Rome en Potsdam liggen in de staat New York.
p.18: New Galilee ligt in Pennsylvania, Canaan in Connecticut, Mount Tabor in Wisconsin.
p. 20: Over Florida, zie Edwin Gaustad & Leigh Schmidt, *The Religious History of America. The Heart of the American Story from Colonial Times to Today*, HarperCollins, 2004, p. 18.

p. 21: Roger Daniels schat het aantal indianen in Noord-Amerika niet hoger dan drie miljoen, het huidige Canada inbegrepen. Zie Roger Daniels, *Coming to America. A History of Immigration and Ethnicity in American Life*, Perennial, 2002, p. 7.

p. 21: 'De diversiteit werd teruggeschroefd, niet versterkt, door de invasie van Amerika', citaat uit Gaustad & Schmidt, p. 5.

p. 22: Er is discussie over de nationaliteit van Cabrilho. Sommige historici beschouwen hem als een Spanjaard, geboren in Sevilla. In elk geval is het zijn Spaanse naam – Juan Rodriguez Cabrillo – die in Californië voortleeft. Er zijn straten, bruggen en scholen naar hem genoemd.

p. 26: Citaat John Winthrop uit Gaustad & Schmidt p. 53.

p. 29: De juiste geboorteplaats van Peter Minuit is voorwerp van discussie. Volgens sommige auteurs werd hij geboren in Ohain in Waals-Brabant, maar dat lijkt intussen, na nieuw onderzoek, toch twijfelachtig. Wellicht is hij geboren in Wesel. Op kaarten en zegels uit de 17e eeuw staat de kolonie vaak aangegeven als Nova Belgica, maar ook dat wijst niet op een speciale Belgische inbreng: Belgica of Belgium was een geografische benaming die men voor het hele gebied van de Nederlanden gebruikte.

p. 30: Citaten uit Russell Shorto, *The Island at the Center of the World. The Epic Story of Dutch Manhattan and the Forgotten Colony that Shaped America*, Vintage Books, 2005, p. 107 en 126.

p. 30: Overigens was Peter Stuyvesant als gouverneur geen toonbeeld van verdraagzaamheid. Hij verklaarde de joden ongewenst in Nieuw Amsterdam, maar werd daar later door de WIC in teruggefloten; zie Lucas Ligtenberg, *De nieuwe wereld van Peter Stuyvesant. Nederlandse voetsporen in de Verenigde Staten*, Balans, 1999, p. 55.

p. 31 : De schatting van zeshonderdduizend komt uit Daniels, p. 30.

p. 37: Het verhaal over de geleidelijke degradatie van de zwarte schuldslaven en de omschakeling naar een echt slavernijstelsel is grotendeels gebaseerd op Ronald Takaki, *A Different Mirror. A History of Multicultural America*, Back Bay Books, 2008, p. 52-61 en p. 457.

p. 42: Anheuser-Busch werd in 2008 overgenomen door het Braziliaans-Belgische Inbev, en maakt daarmee deel uit van de grootste brouwerij ter wereld.

p. 43 : Over de Friese taal, citaat van Ligtenberg, p. 128.

p. 44: Over Chileense goudzoekers in Californië schreef Isabel Allende de roman *Fortuna's dochter*, Wereldbibliotheek, 1999.

p. 46 : Citaat over het unieke karakter van het westen van Amerika uit Gaustad & Schmidt, p. 183, eigen vrije vertaling.

p. 48 : Citaat Thomas Jefferson uit Gaustad & Schmidt, p. 138.

p. 53 : Citaat over de Italiaanse immigratiegolf uit Daniels, p. 188.

p. 57: Citaat uit Takaki, p. 272.

p. 61: *We didn't cross the border, the border crossed us* is een slogan die nu door actiegroepen van en voor Mexicaanse immigranten vaak wordt gebruikt.

p. 63: Citaat over de Navajo-indianen uit Takaki, p. 371.

p. 63: Het grafschrift van de zwarte soldaat komt uit Takaki, p. 351.

p. 63: Honderdtachtig Tuskegeepiloten uit W.O. ii woonden op 20 januari 2009 de inauguratie van Obama bij in Washington. Ze waren uitgenodigd door de nieuwe president, als een laat eerbetoon aan hun moed en inzet.

p. 64: Overigens was ook tijdens de Eerste Wereldoorlog al een groot aantal vrouwen buitenshuis aan de slag gegaan. Dat droeg ertoe bij dat de laatste weerstand tegen stemrecht voor vrouwen afbrokkelde; in 1919 werd dat, via het Negentiende Amendement, in de grondwet verankerd.

p. 72 : Citaat over de Haïtianen uit Daniels, p. 379.

Hoofdstuk 2: Niets nieuws onder de zon

p. 75: Songtekst uit *Gee, Officer Krupke*, van de musical *West Side Story*, muziek Leonard Bernstein, tekst Stephen Sondheim, Leonard Bernstein Music Publishing Company lcc. De musical West Side Story illustreert duidelijk dat stadsbendes op etnische basis van alle tijden zijn. De musical ging op Broadway in première in 1957.

p. 77: In een eigen vrije vertaling betekenen de verzen op het voetstuk van het vrijheidsbeeld: 'Geef me uw vermoeide, uw arme, uw ineengedoken menigten die verlangen naar vrijheid; het ellendige uitvaagsel van uw overbevolkte kusten.'

p. 77: Vrije vertaling van het getuigenis van de immigrant: 'De valleien en heuvels die me zo dierbaar zijn, het doet me pijn te bedenken dat ik die moet verlaten; gedwongen om te emigreren, zo ver, zo ver over de oceaan.' Geciteerd in Ronald Takaki, *A Different Mirror. A History of Multicultural America*, Back Bay Books, 2008, p. 132.

p. 77: Over China en de Chinezen in Amerika, citaat uit Frans Verhagen, *The American Way. Wat Nederland kan leren van het meest succesvolle immigratieland*, Nieuw Amsterdam Uitgevers, 2006, p. 75-76. Het boek van Verhagen was, zeker voor dit hoofdstuk, een belangrijke inspiratiebron. Ook Verhagen schreef zijn overzicht van de immigratiegeschiedenis met in het achterhoofd de vraag wat Europa - of meer bepaald Nederland - ervan kan leren.

p. 79: Zie Carlo Levi, *Christus kwam niet verder dan Eboli*, Nieuw Amsterdam Uitgevers, 1990, p. 56-57.

p. 81: Citaat uit Daniels, p. 195.

p. 85: Citaat Benjamin Franklin uit Daniels, p. 109.

p. 85: De etnisch gekleurde stadsbendes in de negentiende eeuw werden prachtig beschreven door Herbert Asbury, *Gangs of New York. An Informal History of the Underworld*, Arrow Books, 2002.

p. 86: Voor de scheldwoorden die Italianen te beurt vielen en voor een mooie, geromantiseerde reconstructie van het levensverhaal van een Italiaanse immigrant, zie Melania Mazzucco, *Vita*, Mouria, 2003.

p. 88: Aartsbisschop John Hughes wordt geciteerd bij Verhagen, p. 46-47.

p. 90: Over de remigranten die door Mussolini waren gelokt, zie Levi p. 142-143.

p. 91: Voor de vergelijking tussen de anarchistische terreur en de islamterreur, zie Verhagen, p. 9-19, maar ook Rik Coolsaet, *De geschiedenis van de wereld van morgen*, Uitgeverij Van Halewyck, 2008, p. 231-232.

p. 92: Citaat uit Thomas Reppetto, *De Amerikaanse maffia. Een geschiedenis*, Anthos/Standaard Uitgeverij, 2004, p. 97.

p. 94: Over de Zwarte Hand, zie Reppetto, p. 45-46.

p. 95: Over de culturele breuklijn in de maffiawereld van New York, zie Reppetto, p. 143-144.

p. 96 : Over de remigratiecijfers bij Italianen en joden, zie Daniels, p. 189 en p. 225.

p. 96: De Ieren waren al snel politiek actief: in 1880 al werd William Russel Grace verkozen, de eerste katholieke burgemeester van New York. Zie Takaki p. 153.

p. 98-99 : Over het onderwijs in vreemde talen, Daniels, p. 161.

Hoofdstuk 3: Zwart Amerika

p. 105: Songtekst Nina Simone uit *I Wish I Knew How It Would Feel To Be Free*, van de CD *Silk And Soul*, RCA Victor's Studio B, 1967. Het lied werd een van de strijdliederen van de burgerrechtenbeweging en werd ontelbare keren gecoverd.

p. 106: De lezing komt uit het boek Rechters, hoofdstuk 6.

p. 112: De cijfers over dropouts komen van het National Center for Education Statistics, zie http://nces.ed.gov/programs/digest/d10/tables/dt10_115.asp?referrer=report

p. 112: Over de charterschools in Harlem, zie *N.A.A.C.P. on Defensive as Suit on Charter Schools Splits Group's Supporters*, The New York Times, 10 juni 2011.

p. 117: Over Obama en dominee Wright, zie David Remnick, *De brug. Leven en opkomst van Barack Obama*, De Bezige Bij, 2010, p. 520-524 en p. 571-588.

p. 121: Over het beleid van Reagan, zie Chris Quispel, *Hardnekkig wantrouwen. De relatie tussen blank en zwart in de VS*, Amsterdam University Press, 2002, p. 263-276. Het boek van Quispel biedt een uitstekend overzicht van de geschiedenis van de relaties tussen zwart en blank in de VS en was een belangrijke bron van informatie voor dit hoofdstuk.

p. 133: De cijfers over de interne remigratie komen uit een persbericht van het Census Bureau, *2010 Census Shows Black Population has Highest Concentration in the South*, 29 september 2011.

p. 136: De cijfers over bedrijven komen uit een persbericht van het Census Bureau, *Census Bureau Reports the Number of Black-Owned Businesses Increased at Triple the National Rate*, 8 februari 2011.

p. 136: Het argument van het ontbreken van een etnische niche wordt ook ontwikkeld door Quispel, p. 317.

p. 136: Over Michelle Obama's twijfels en thesis, zie Liza Mundy, *Michelle Obama. Een biografie*, De Bezige Bij, 2009, p. 93-95.

p. 137: De bewering dat de slogan *Yes we can!* van Michelle komt, staat bij Mundy, p. 183.

p. 138: Het percentage zwarten verschilt een beetje, afhankelijk van de vraag of je de zwarten die ook een ander ras opgeven (in combinatie met zwart) meetelt of niet. Zonder die groep zijn er bijna 39 miljoen zwarten in de VS, of 12,6 %. Tel je die groep er wel bij, kom je aan 42 miljoen of 13,6 %. Gezien de *one drop rule* is het niet overdreven om ook de gemengde zwarten erbij te rekenen. Anders zou Barack Obama ook niet als zwart moeten beschouwd worden. Zie http://factfinder2.census.gov

p. 138: De cijfers over moord komen van het Bureau of Justice Statistics, zie http://bjs.ojp.usdoj.gov/content/homicide/race.cfm; het cijfer over de doodsoorzaken komt van de Centers for Disease Control and Prevention, http://www.cdc.gov/men/lcod/index.htm

p. 138: De cijfers over de gevangenisbevolking komen uit het jaarrapport *Prisoners in 2009* van het Bureau of Justice Statistics, zie http://bjs.ojp.usdoj.gov/content/pub/press/corrections09pr.cfm

p. 139: Voor de uitspraak van het Hooggerechtshof in Californië, zie *Justices, 5-4, Tell California to Cut Prisoner Population*, The New York Times, 23 mei 2011.

p. 139: Songtekst B.I.G. uit *Somebody's Gotta Die*, van het album *Life after Death*, Bad Boy, 1997.

p. 140: Citaat van Spike Lee uit interview met de filmwebsite CrankyCritic, zie http://www.crankycritic.com/qa/spikelee.html

p. 142: Voor resultaten van het project, zie *Safe Streets in Baltimore*, the Johns Hopkins University Gazette, 20 januari 2009.

p. 142: Voor een in memoriam, zie *Leon Faruq*, The Baltimore Sun, 26 juni 2009.

P. 144: Over de historische kans om een zwarte president te verkiezen: een van de kandidaten voor de Republikeinse nominatie voor de presidents-verkiezingen van 2012 was Herman Cain, een zwarte gewezen zaken-man en radiopresentator uit Atlanta. Toen dit boek persklaar werd gemaakt lag hij voorop in sommige peilingen.

p. 147: Voor de cijfers over Detroit, zie http://www.city-data.com/poverty/poverty-Detroit-Michigan.html

p. 147: Voor de ontvolking van Detroit, zie *Motor City population declines 25%*, USA Today, 24 maart 2011.

p. 149: Voor het moestuinproject, zie http://www.detroitagriculture.org/GRP_Website/Garden_Resource_Program.html

p. 149: Voor de Lost Boys, zie Dave Eggers, *Wat is de wat?*, Lebowski, 2010.

Hoofdstuk 4: Latijnse kleuren en accenten

p. 153: Songtekst Rubén Blades uit *Caminando*, van de CD *Caminando*, Discos CBS, 1991. De geciteerde tekst betekent ongeveer dit:
'Door onderweg te zijn, leer je in het leven.
Onderweg kom je te weten wat het leven is.
Onderweg heelt de wonde die je verleden achterliet.
    In Puerto Rico, Panama en New York.
Wie niet leeft, kent de smaak van de liefde niet.
Onderweg heb ik duizend misstappen gezet.
En nooit ben ik gestopt.
Met vreugde en pijn, altijd vooruit, vol geloof.'
Ik zie het als een lied over de *homo migrans*, die veel moet achterlaten om veel nieuwe kansen te vinden.

p. 154 e.v.: Voor de geschiedenis van de Cubaanse immigratie, zie onder meer Filip Huysegems en Luc Verheyen, *Latino's. Een reis door de nieuwe Verenigde Staten*, Atlas, 1997, p. 43-87.

p. 155: Citaat uit Ed Morales, *Living in Spanglish. The Search for Latino identity in America*, St. Martin's Press, 2002, p. 239.

p. 159: Voor de versoepeling van de reisbeperkingen, zie persbericht Witte Huis, *Reaching Out to the Cuban People*, 14 januari 2011.

p. 162: Voor de bevolkingscijfers, zie http://quickfacts.census.gov/qfd/states/00000.html

p. 165: Voor de raming van het aantal illegalen, zie http://pewhispanic.org/files/reports/133.pdf

p. 167: Voor de omstreden imigratiewet in Arizona, zie http://www.azleg.gov/legtext/49leg/2r/bills/sb1070s.pdf

p. 168: Over de uittocht uit Arizona, zie *Study: 100,000 Hispanics leave Arizona after immigration law debated*, Associated Press, 11 november 2010.

p. 170: Over Obama's grensmaatregelen, zie *Obama administration announces new border security measures*, The Washington Post, 24 juni 2010.

p. 171: Over de beslissing van Obama om geplande deportaties te herzien, zie bijvoorbeeld *Hoping they're 'low priority'*, in Los Angeles Times, 29 augustus 2011.

p. 171-172: Over de kinderen van illegalen, zie onder meer http://pewhispanic.org/reports/report.php?ReportID=125

p. 173: Citaat uit Morales, p. 2.

p. 175: De cijfers voor Texas zijn te vinden op http://quickfacts.census.gov/qfd/states/48000.html

p. 176: Voor het debat over het tweetalig onderwijs in Texas, zie bijvoorbeeld *Does Bilingual Education Work? The Case of Texas*, Texas Public Policy Foundation, zie http://www.texaspolicy.com/pdf/2009-09-RR01-bilingual-rossell.pdf

p. 176: Voor de taalactiegroepen, zie www.us-english.org/ en www.proenglish.org/

p. 178: Voor de bezorgdheid van Huntington over de Mexicaanse loyaliteit, zie Samuel Huntington, *Wie zijn wij? Over de Amerikaanse identiteit*, Manteau, 2004, p. 257 en 261.

p. 179: Voor de transnationale dorpen, zie Huntington, p. 223-224.

p. 180: Voor de *matrícula consular*, zie http://www.migrationinformation.org/feature/display.cfm?ID=115

p. 181: Voor de opkomst van de latino's bij de verkiezingen van 2008 en 2010, zie http://pewresearch.org/pubs/1209/racial-ethnic-voters-presidential-election en http://pewresearch.org/pubs/1973/latino-electorate-midterm-2010

p. 181: Over het aandeel van de jongeren bij de latino's, zie http://factfinder2.census.gov

p. 182: Over Villaraigosa, zie *L.A. Elects Hispanic Mayor for First Time in Over 100 Years*, The New York Times, 18 mei 2005.

p. 182: Over latinofilmsterren, zie Morales, p. 127-148.

p. 183: Voor de kijkcijfers van Univisión, zie http://thewrap.com/tv/article/hispanic-tv-networks-poised-advertising-gold-mine-27073

Hoofdstuk 5: De kleuren van het Oosten

p. 185: Songtekst Emi Meyer uit *Happy Song*, van de CD *Suitcase Of Stones*, Plankton Co., 2011.

p. 187: Voor de bevolkingscijfers, zie http://factfinder2.census.gov. Als gevolg van de historische vergissing van Columbus, die de oorspronkelijke bewoners van Amerika 'indianen' noemde, maakt de census nu een onderscheid tussen de *American Indians* (de indianen) en de *Asian Indians* (de Indiërs). Het is een leuke speling van de geschiedenis dat beide groepen nu ongeveer even groot zijn: beide tellen ze ca. 2,9 miljoen mensen, of 0,9 % van de bevolking.

p. 187: Voor het lijstje van Time, zie www.time.com/time/specials/packages/0,28757,2023831,00.html

p. 190: Voor de lobbygroep, zie www.usinpac.com/

p. 192: Voor de profielstudie, zie *A Chinese American Portrait*, University of Maryland, http://www.aast.umd.edu/snapshotofportrait.pdf

p. 193: Voor de Chinese confectie-industrie in Manhattan, zie *Manhattan's Chinatown Pressured to Sell Out*, The Washington Post, 21 mei 2005.

p. 193: Voor de Chinese bevolkingscijfers, zie http://factfinder2.census.gov.

p. 193: Voor de informatie over de geografische herkomst van de etnische Chinezen en hun taalkennis, zie http://www.migrationinformation. org/USfocus/display.cfm?id=781

p. 194: Voor de blog over Chinatown, zie http://www.ourchinatown.org/

p. 196: Voor de Vietnamese manicuresalons, zie *A mix of luck, polish*, Los Angeles Times, 5 mei 2008.

p. 197: Over gemengde huwelijken, zie het rapport van het Pew Research Center, *Marrying Out*, http://pewsocialtrends.org/files/2010/10/755-marrying-out.pdf

p. 197: Voor de bevolkingscijfers van de totale categorie Aziaten, zie http://factfinder2.census.gov

p. 200: Voor de schoolprestaties, zie een overzicht van het National Center for Education Statistics, http://nces.ed.gov/pubs2010/2010015.pdf

p. 200-201: Over de zondagsscholen, zie *After-School Institutions in Chinese and Korean Immigrant Communities: A Model for Others?*, op http://www.migrationinformation.org/Feature/display.cfm?ID=598

p. 201: Voor de peiling van het German Marshall Fund, zie *Survey: Americans say Asia more important than Europe*, persbericht op http://trends.gmfus.org/?page_id=3226

Hoofdstuk 6: De rode naties

p. 203: Songtekst Robbie Robertson uit *It Is A Good Day To Die*, van de
CD *Music For The Native Americans*, Cema/Capitol, 1994.

p. 203: Dit hoofdstuk is grotendeels gebaseerd op het uitstekende boek van
Peter Nabokov, *Native American Testimony (Revised Edition)*, Penguin Books, 1999.

p. 203: Het National Museum of the American Indian in New York heet
officieel het George Gustav Heye Center of the National Museum of
the American Indian. Het is gevestigd in het historische Alexander
Hamilton US Custom House, op Bowling Green 1 in Manhattan, New
York City. Daarnaast is er het National Museum of the American Indian in Washington DC.

p. 206: De beide citaten zijn te vinden in Nabokov, p. 119.

p. 209: Citaat over *Termination* komt uit Nabokov, p. 334.

p. 210: Citaat Bennie Bearskin uit Nabokov, p. 349.

p. 212: Voor de zelfmoordcijfers onder indiaanse jongeren en jongvolwassenen, zie een rapport van het Suicide Prevention Action Network
(SPAN), http://www.sprc.org/library/ai.an.facts.pdf

Hoofdstuk 7: De schakeringen van wit

p. 213: Songtekst James Taylor uit *Belfast To Boston*, van de CD *October
Road*, Columbia Records, 2002.

p. 213-214: Voor het bevolkingsaantal en het aantal blanken, zie http://
quickfacts.census.gov/qfd/states/00000.html
De klok is te vinden op www.census.gov/main/www/popclock.html

p. 214: Er zijn 196 miljoen niet-hispanic blanken om precies te zijn. Voor
projecties op de toekomst, zie *Projections Put Whites in Minority in
U.S. by 2050*, The New York Times, 17 december 2009.

p. 216: Over het bezoek van Obama aan Moneygall, zie *Obama's visit
greeted with jubilation in Moneygall*, The Guardian, 24 mei 2011.

p. 216: Het cijfer voor het aantal Iers-Amerikanen komt van de American
Community Survey (ACS) 2010. Dat is een enquête die slechts bij een
steekproef van de bevolking wordt gehouden, niet bij de totale bevolking zoals de census. De vraag naar de etnische groep of nationaliteit
van de voorouders wordt tegenwoordig in de ACS gesteld. De resultaten
zijn dus minder betrouwbaar dan die van de census. Op te zoeken via
http://factfinder2.census.gov

p. 217: Voor de uitlatingen van Peter King destijds over het IRA, zie www.
irishcentral.com/news/Congressman-Peter-King-defends-his-pro-IRA-
position-to-British-parliament--129788933.html?page=1

p. 217: Om te zien hoe het Irish Northern Aid Committee zichzelf voorstelt, zie www.inac.org/action/index.html

p. 217: Anne Applebaum, *The discreet charm of the terrorist cause*, The Washington Post, 3 augustus 2005.

p. 218: Over de recente Ierse emigratie, zie *Emigration: the next generation*, The Irish Times, 8 januari 2011. Voor de Ierse lobbygroep, zie www.irishlobbyusa.org/transcript.php

p. 219: Het Italian American Museum is gelegen in Mulberry Street 155 in Manhattan, New York.

p. 220: Over de recente maffia-arrestaties en -bekentenissen, zie *Nearly 125 arrested in sweeping mob roundup*, The New York Times, 20 januari 2011, en *A Mafia boss breaks a code in telling all*, The New York Times, 12 april 2011.

p. 221: Het cijfer voor het aantal Amerikanen van Italiaanse afkomst komt van de American Community Survey 2010. Op te zoeken via http://factfinder2.census.gov

p. 222: Thea Grigsby verliet het Holland Museum in de zomer van 2011.

p. 223: Het cijfer voor het aantal Amerikanen van Nederlandse afkomst (5 miljoen) komt van de American Community Survey 2010. Op te zoeken via http://factfinder2.census.gov

p. 224: Over de naam *Yankee*, zie Lucas Ligtenberg, *De nieuwe wereld van Peter Stuyvesant. Nederlandse voetsporen in de Verenigde Staten*, Balans, 1999, p. 285.

p. 224: Over Santa Claus, zie ook bij Ligtenberg, p. 280.

p. 224: Het Café Cadieux is gelegen op Cadieux Road 4300, Detroit. Zie ook www.cadieuxcafe.com

p. 225: Voor de Gazette van Detroit, zie www.gazettevandetroit.com

p. 225: Het cijfer voor het aantal Amerikanen van Belgische afkomst komt van de American Community Survey 2010. Op te zoeken via http://factfinder2.census.gov

Hoofdstuk 8: Joods Amerika

p. 229: Songtekst Woody Guthrie uit *The Many And The Few*, van de CD *Hard Travelin' – Asch Recordings Volume 3*, Smithsonian/Folkways, 1999.

p. 233: De livestream van Seven Seventy is te zien op http://770live.com/en770/770live.asp?lang=1

p. 236: Een studie die de chassidische gemeenschap om de twintig jaar ziet verdubbelen, is van Joshua Comenetz van de University of Florida. Zie http://news.ufl.edu/2006/11/27/hasidic-jews/

p. 236: De cijfers van het Census Bureau staan op http://www.census.gov/ compendia/statab/2010/tables/10s0077.xls

p. 240: Het satirische stukje van de *Daily Show* is te zien op http://www. thedailyshow.com/watch/wed-march-23-2011/the-thin-jew-line

p. 240: John J. Mearsheimer & Stephen M. Walt, *The Israel Lobby and US Foreign Policy*, Penguin Books, 2007, p. 116.

p. 242: De website van Neturei Karta International is www.nkusa.org/

p. 243: Citaten uit Mearsheimer en Walt, p. 115 en 140.

p. 243: Wanneer dit boek persklaar wordt gemaakt, ligt er bij de VN Veiligheidsraad in New York een aanvraag op tafel voor de erkenning van de Palestijnse staat. De VS hebben al aangekondigd zonodig hun veto te gebruiken om die erkenning af te blokken.

p. 244: Citaat over AIPAC bij Mearsheimer en Walt, p. 154. Citaat over reizen Mearsheimer en Walt, p. 161.

p. 245: Voor de hulp aan Israël, zie ook de studie van de Congressional Research Service, *U.S. Foreign Aid to Israel*, te vinden op http://www. fas.org/sgp/crs/mideast/RL33222.pdf, zie vooral het overzicht op p. 24.

p. 247: Pearl Abraham, *Vreugde der wet*, Meulenhoff, 1999. De oorspronkelijke titel in het Engels was *The Romance Reader*.

Hoofdstuk 9: Het groen van de islam

p. 251: Songtekst Native Deen uit *My Faith My Voice*, van de CD *The Remedy*, Native Deen Records, 2011. Native Deen is een rapgroep van drie jonge moslims uit Washington DC.

p. 253: Een mooi overzichtje van de verschillende golven van Arabische immigratie in Dearborn is te lezen bij www.patrickbelton.com/dearborn_article.pdf

p. 258: Het citaat komt uit de studie *Muslim Americans. Middle Class and Mostly Mainstream*, van het Pew Research Center, p. 3. Zie http:// pewresearch.org/assets/pdf/muslim-americans.pdf

p. 258: Voor Karamah, zie www.karamah.org/home.htm

p. 258: Een van de meer betrouwbare verslagen over de manifestaties tegen Israël is te vinden op de site van de publieke omroep NPR: www.npr. org/templates/story/story.php?storyId=5627457
Een aantal blogs en sites die gewag maakten van Hezbollah-vlaggen en -symbolen in Dearborn moeten met een korrel zout worden genomen, omdat ze een anti-islamitisch oogmerk hebben.

p. 261: Het getuigenis over de schietpartij in Fort Hood komt uit *Witnesses recount horror at Fort Hood*, The New York Times, 13 oktober 2010.

p. 264: over de correspondentie tussen Nidal Hasan en Awlaki, zie http://abcnews.go.com/Blotter/major-hasans-mail-wait-join-afterlife/story?id=9130339

p. 265: Mohammed Bouyeri werd in Nederland veroordeeld voor 'moord met het oogmerk van terrorisme'.

p. 265: Citaat uit Peter Bergen en Bruce Hoffman, *Assessing the Terrorist Threat. A Report of the Bipartisan Policy Center's National Security Preparedness Group*, september 2010, p. 16.

p. 266: Voor een profiel van Najibullah Zazi, zie *Radical influences all around NYC teror suspect*, Associated Press, 25 september 2009.

p. 266: Voor Shukrijumah, zie Bergen en Hoffman, p. 14.

p. 267: Citaat over Faisal Shahzad uit Bergen en Hoffman, p. 15.

p. 268: Voor de Amerikanen die in dienst van Al Shabab zijn omgekomen, zie Berger en Hoffman p. 10.

p. 268: Over de jonge terreurverdachte in Portland, zie *Teen held in alleged Portland bomb plot*, Los Angeles Times, 28 november 2010.

p. 269: Over de Somalische jeugdbendes en de prostitutie van jonge meisjes, zie *Somalis in Twin Cities shaken by charges of sex trafficking*, The New York Times, 23 november 2010.

p. 270: De bekering van Michael Jackson werd onder meer gemeld in *Michael Jackson 'converts to Islam and changes name to Mikaeel'*, The Telegraph, 21 november 2008. Ook Britse tabloids meldden het nieuws, maar het bericht werd nooit door Michael Jackson of zijn omgeving bevestigd.

p. 271: De letterlijke zin in de toespraak van Obama in Cairo over Keith Ellison was: '*And when the first Muslim American was recently elected to Congress, he took the oath to defend our Constitution using the same Holy Koran that one of our Founding Fathers -- Thomas Jefferson -- kept in his personal library.*' Terug te vinden op http://www.whitehouse.gov/blog/NewBeginning

p. 271: Over het afhaken van zwarten bij de christelijke kerken en hun keuze voor de Nation of Islam in de jaren 1960, zie David Remnick, *De brug. Leven en opkomst van Barack Obama*, De Bezige Bij, 2010, p. 195.

p. 272: Voor de latinomoslims, zie ondermeer http://www.latinodawah.org/

p. 277: Voor de opening van Park 51, zie onder meer *Islamic Center Opens Its Doors Near Ground Zero*, Associated Press, 22 september 2011. Het centrum stelt zichzelf voor op http://park51.org/

p. 277: Over het protest tegen de koepel in Arizona, zie *Locals Protest Mosque That's Actually a Church*, The Atlantic Wire, 16 november 2010.

p. 280: Citaten uit Ayaan Hirsi Ali, *Nomade*, Uitgeverij Augustus, 2010, respectievelijk op p.132, p. 148, p. 162, p. 154 en p. 155.

p. 281: Citaten uit Hirsi Ali, respectievelijk op p. 158, p. 163, p. 168., p. 168, p. 171 en p.172.

p. 284: Citaat minister Eric Holder uit een interview met ABC News, zie http://abcnews.go.com/Politics/attorney-general-eric-holders-blunt-warning-terror-attacks/story?id=12444727

Hoofdstuk 10: Een waaier aan kerken

p. 287: Songtekst Lyle Lovett uit *I'm A Soldier In The Army Of The Lord* , van de CD *Songs From The Movies*, MCA Records 2003. Het lied werd gecomponeerd voor de film *The Apostle* (met en van Robert Duvall).

p. 291 : Over het millennialisme, zie John Gray, *Zwarte mis. Apocalyptische religie en de moderne utopieën*, Ambo/Amsterdam, 2007, p. 37 en p. 164.

p. 291: Over dat exceptionalisme op religieuze gronden, zie Gray, p. 159 e.v. Volgens Gray uit dat exceptionalisme zich zowel in een assertieve buitenlandse politiek (een 'militante zendingsdrang') als in een isolationalistische reflex ('een naar binnen gericht nationalisme dat niet in de corrupte intriges van de Oude Wereld verstrikt wilde raken'). Gray wijdt trouwens een heel hoofdstuk aan de amerikanisering van de apocalyps.

p. 291: Citaat uit de Bijbel, Willibrord-vertaling, Katholieke Bijbelstichting, 1978.

p. 292: Citaat terug te vinden op www.leftbehind.com

p. 292: John Gray over de theoconservatieve stroming, in Gray, p. 170.

p. 292: Michelle Goldberg, *Uw koninkrijk kome. De opkomst van het christelijk nationalisme in de VS*, Ten Have, 2007, passim.

p. 295: Letterlijk vertaald zou het klinken als: 'Onze eerste opdracht is dat onze studenten op Christus gaan lijken.' In het Nederlands wringt dat, terwijl het in het evangelische idioom van de VS heel wat gewoner klinkt.

p. 298: De documentaire Jesus Camp is terug te vinden op www.jesuscampthemovie.com/

p. 303: Voor een omschrijving van megakerken hanteren we de definitie van Hartford Institute for Religious Research, hirr.hartsem.edu/megachurch/megachurches.html

p. 305 : Citaat Falwell, te zien op www.youtube.com/watch?v=H-CAcdta_8I en transcript op www.actupny.org/YELL/falwell.html

p. 307: Michael Bussee schreef een spijtbetuiging over die periode bij Exodus International, te lezen op http://www.beyondexgay.com/article/busseeapology

p. 307: De Engelse versie van de *mission statement* van CWA is te lezen op de website, www.cwfa.org/about.asp

p. 308: Over stagiairs in het Witte Huis, zie *College for the Home-Schooled Is Shaping Leaders for the Right*, The New York Times, 8 maart 2004.

p. 309 : Voor de reactie van André Bauer, zie *Federal court says Christian-themed license plates unconstitutional*, Associated Baptist Press, 10 november 2009.

p. 309: Over het monument dat werd opgesteld door Roy Moore in het Hooggerechtshof, zie Goldberg, p. 34-37.

p. 311: Citaat van Bill O'Reilly, eigen vrije vertaling vanuit mediamatters.org/research/200412100006

p. 311: De tekst van de Pledge of Allegiance luidt sinds 1954: *'I pledge allegiance to the flag of the United States of America, and to the republic for which it stands, one nation under God, indivisible, with liberty and justice for all.'* Zie ook hoofdstuk 16.

p. 313: Voor het *Center for Science and Culture*, zie Goldberg, p. 102.

p. 316: Voor het *covenant* huwelijk van gouverneur Huckabee, zie *Trying to Strengthen an 'I Do' With a More Binding Legal Tie*, The New York Times, 15 februari 2005.

p. 316: Over de controverse rond de vaccinatie van tienermeisjes tegen baarmoederhalskanker, zie Goldberg p.170 en FRC-brochure, *What Every Parent Should Know about the New HPV Vaccin*, downloads.frc.org/EF/EF07H25.pdf

p. 320: De uitspraak van Obama over de FOCA-wet is terug te vinden op http://www.whitehouse.gov/the-press-office/news-conference-president-4292009

p. 322: Over de bedreigingen aan Bart Stupak en andere politici, zie *Lawmakers concerned as health-care overhaul foes resort to violence*, The Washington Post, 25 maart 2010.

p. 322: Voor de dood van Terry Schiavo, zie bijvoorbeeld *Long Legal Battle Over as Terry Schiavo dies*, Washington Post, 1 april 2005.

p. 325 : Het vonnis van Warren Jeffs werd later door het Hooggerechtshof van Utah ongedaan gemaakt wegens procedurefouten. Jeffs werd niettemin uitgeleverd aan Texas, waar hij in de zomer van 2011 opnieuw tot levenslang veroordeeld werd voor seksueel misbruik van twee minderjarige meisjes.

p. 328: De godsdienstsocioloog was Alan Wolfe, directeur van het Boisi Center for Religion and American Public Life in Boston College. Ik had

hem eerder al een keer uitgebreid kunnen spreken tijdens de voorver-
kiezingscampagne van 2008. Wolfe is een uiterst deskundig, onbevoor-
oordeeld en genuanceerd deskundige van de Amerikaanse kerken.

Hoofdstuk 11: Witte boorden, blauwe boorden

p. 329: Songtekst Billy Joel uit *Allentown*, van de CD *The Nylon Curtain*,
Columbia Records, 1982. Het nummer is al bijna dertig jaar oud en nog
steeds erg actueel.

p. 333: Over de mislukte recallverkiezingen, zie *Wisconsin recalls fail,
unions suffer major blow*, The Orange County Register, 9 augustus
2011.

p. 334: Over Walmart en de vleessnijders, zie *Wal-Mart Ends Meat-Cutting
Jobs; Shutdown at 180 Stores Comes After a Union Victory*, The Washington Post, 4 maart 2000.

p. 340: Het aantal verloren jobs tijdens de crisisjaren komt uit Arianna
Huffington, *Third World America. How our Politicians are abandoning the Middle Class and betraying the American dream*, Crown
Publishers, 2010, p. 20. Het aantal *foreclosures* (dreigend en effectief)
komt uit Huffington, p. 69. Het aantal dolende kinderen zonder huis
komt uit Huffington, p. 73. De cijfers voor de daklozen komen van
www.thechicagoalliance.org/

p. 340: Het eerste stimulusplan bedroeg zo'n 814 miljard, het tweede stimulusplan (de deal rond de verlenging van de belastingverlagingen van
Bush, eind 2010) werd geschat op 900 miljard. Voeg daar nog de banken
en autoindustrie bij, en je komt aan een totaal bedrag van meer dan
twee biljoen $ aan crisisbestrijding. In het najaar 2011 wou Obama een
nieuw stimulusplan (het zogenaamde *jobs-plan*) laten goedkeuren ter
waarde van meer dan 400 miljard $.

p.341: Voor de effecten van de crisis op de zwarte Amerikanen en hispanics, zie bijvoorbeeld *Economy Poll: African-Americans, Hispanics
were hit hardest but are most optimistic*, in The Washington Post,
20 februari 2011.

p. 341: De cijfers over de *racial wealth gap* komen uit een studie van het
Pew Research Center, http://www.pewsocialtrends.org/2011/07/26/
wealth-gaps-rise-to-record-highs-between-whites-blacks-hispanics/

p. 342: Citaat uit Huffington, p.68.

p. 344: Over het verschil in loonstijging tussen hoger opgeleiden en laagge-
schoolden, zie een studie van het Economic Policy Institute, *The sad
but true story of wages in America*, te lezen op http://www.epi.org/
page/-/old/issuebriefs/IssueBrief297.pdf

p. 344: Over het verschil in loonstijging tussen hogere lonen en lagere lonen, zie Tyler Cowen, *The Inequality That Matters*, The American Interest, januari/februari 2011, p. 31.

p. 344: Eén op de vijf dollar ging naar de toplaag, zie Cowen, p. 30. Het cijfer voor het aandeel van de financiële sector in de bedrijfswinsten komt uit Huffington p. 21. De studie rond de S&P 500 staat vermeld bij Cowen, p. 33.

p. 345: 'Ingeboet op hun salaris': Huffington citeert een studie van Brookings Institution in mei 2010, zie Huffington, p. 54.

p. 346: De cijfers voor het banenverlies in de industrie komen uit Huffington p. 20.

p. 346: Over de Teamsters en de Mexicaanse truckers in de vs, zie *US and Mexico sign trucking deal*, The New York Times, 6 juli 2011.

p. 346: Over het slinkend aantal werkende mannen, zie *Decline of the Working Man*, The Economist, 30 april 2011, p. 64.

p. 347: Voor de visie van Mead, zie Walter Russell Mead, *American Dreams, American Resentments*, in The American Intrest, januari/ februari 2011, p. 16-19. De citaten staan respectievelijk op p. 20 en p. 19.

p. 350: Over de blunder van Obama toen hij de arbeidersklasse bitterheid aanwreef, zie *On the defensive, Obama calls his words ill-chosen*, The New York Times, 13 april 2008.

Hoofdstuk 12: De vergrijzing van Amerika

p. 353: Songtekst Ben Harper & The Innocent Criminals uit Younger Than Today, van de CD Lifeline, Virgin Records, 2007.

p. 358: Citaat uit Bernard-Henri Lévy, *Duizelingwekkend Amerika*, Ineke Mertens en De Geus BV, 2007, p. 183-184.

p. 358: Voor het cijfer voor de vijfenzestigplussers in Florida, zie http://quickfacts.census.gov/qfd/states/12000.html

p. 360: Voor het cijfer over het stemgedrag van de bejaarden, zie *The GOP's senior moment*, Newsweek, 3 november 2010.

p. 361: De peiling over de verwachtingen in verband met het pensioen werd uitgevoerd in opdracht van de bank- en verzekeringsmaatschappij Sun Life Financial in 2009.

p. 363: Over de tekorten van de pensioenkassen van de staten: www.pewcenteronthestates.org/initiatives

p. 363: Zie Newsweek, 19 januari 2009.

p. 363: De problematiek van obesitas wordt zeer duidelijk voorgesteld op http://www.cdc.gov/obesity/data/trends.html

p. 364: Voor de publieke investeringen in wijken die als *food deserts* worden gezien, zie *If you build it, they may not come*, The Economist, 9 juli 2011, p. 47.

p. 367: Voor de studie in opdracht van UnitedHealth Group: *Half of Americans facing diabetes by 2020*, Reuters, 23 november 2010.

p. 367: Voor de voorstellen in verband met obesitas en de ziekteverzekering, zie *Fat tax*, The New York Times, 12 augustus 2009.
Het cijfer van 54 miljoen gehandicapten werd door het Census Bureau gepubliceerd in 2010. Zie www.census.gov/newsroom/releases/archives/facts_for_features_special_editions/cb10-ff13.html

p. 369: Het cijfer van de gehandicapte veteranen komt van de pressiegroep www.disabled-world.com/disability/statistics/veteran-statistics.php

p. 369: Voor de gehandicapte veteranen uit Irak en Afghanistan: *Number of disabled vets up with Iraq, Afghan wars*, The Huffington Post, 11 mei 2008.

p. 369: Voor de besparingen in gehandicaptenzorg, zie ook de website van www.disabled-world.com. Zie ook Arianna Huffington, *Third World America. How Our Politicians Are Abandoning The Middle Class And Betraying The American dream*, Crown Publishers, 2010, p. 11-12.

p. 370: De cijfers voor de levensverwachting van mannen en vrouwen komen van het Census Bureau:
http://www.census.gov/compendia/statab/2011/tables/11s0103.pdf

Hoofdstuk 13: De vrouwelijke toets

p. 371: Songtekst James Brown uit *It's A Man's Man's Man's World*, uitgebracht als single op het King label, 1966.

p. 373: Een transcriptie van de *concession speech* van Clinton is te vinden op www.nytimes.com/2008/06/07/us/politics/07text-clinton.html?pagewanted=all

p. 375: Het demografische overwicht blijkt uit de census 2010: www.census.gov/prod/cen2010/briefs/c2010br-03.pdf

p. 376: De studie van Catalyst is te vinden op www.catalyst.org/home

p. 376: De ledenlijst van Augusta is te vinden op www.usatoday.com/sports/golf/masters/2002-09-27-augusta-list.htm

p. 376: Citaat voorzitter Johnson, zie *An interview with Augusta's Hootie Johnson*, Associated Press, 11 november 2002.

p. 377: Voor het overwicht van vrouwen met diploma's op de Amerikaanse arbeidsmarkt, zie www.census.gov/newsroom/releases/archives/education/cb11-72.html

p. 377: De loonkloof in de EU is in kaart gebracht door Eurostat, zie epp. eurostat.ec.europa.eu/statistics_explained/index.php/Gender_pay_gap_statistics

p. 377: De loonkloof in de VS is in kaart gebracht door het Institute for Women's Policy Research, zie www.iwpr.org/publications/pubs/the-gender-wage-gap-2009

p. 378: Ondertekening van de Lily Ledbetter-wet: *Obama signs equal-pay legislation*, The New York Times, 29 januari 2009.

p. 378: De zaak Walmart, zie *Supreme Court dismisses women's class action lawsuit against Wal-Mart*, The Christian Science Monitor, 20 juni 2011.

p. 379: Studie en persbericht Human Rights Watch, zie www.hrw.org/news/2011/02/23/us-lack-paid-leave-harms-workers-children

p. 379: Over de *single moms* zijn cijfers te vinden bij Catalyst: www.catalyst.org/publication/252/working-parents

p. 380: Het begrip *tiger mom* komt uit Amy Chua, *Battle Hymn of the Tiger Mother*, Penguin Books, 2011.

p. 382: Het letterlijke citaat van Kagan is: 'Vandaar dat ten aanzien van alle belangrijke strategische en internationale vraagstukken momenteel de indruk bestaat dat de Amerikanen afkomstig zijn van Mars en de Europeanen van Venus: ze kunnen zich maar zeer ten dele in elkaars standpunten vinden en begrijpen elkaar steeds minder.' Robert Kagan, *Balans van de macht. De kloof tussen de Verenigde Staten en Europa*, De Bezige Bij, 2003, p. 8.

P. 383: Citaat Martha Burk uit Andrea Wong e.a., *Secrets of Powerful Women. Leading Change for a New Generation*, Hyperion, 2010, p. 32.

P. 384: Voor de cijfers over verkrachting, zie www.fbi.gov/about-us/cjis/ucr/crime-in-the-u.s en RAINN www.rainn.org/statistics

p. 384: De *Campus Sexual Assault Study* over seksueel geweld op universiteitscampussen werd uitgevoerd in 2005, door het National Institute of Justice. Zie www.nij.gov

p. 385: De cover met Hillary's War stond op het Newsweek nummer van 14 maart 2011.

p. 385: Over het gebruik van Hillary Clintons meisjesnaam Rodham als gouverneursvrouw, zie Carl Bernstein, *Een vrouw aan de macht. Het leven van Hillary Rodham Clinton*, De Bezige Bij, 2007, p. 194.

p. 385: Citaat sociologe Laurie Scheuble uit *With little to prove, women are taking their husbands' names*, The Sacramento Bee, 6 juli 2005.

Hoofdstuk 14: De kleuren van de regenboogvlag

p. 387: Songtekst Willie Nelson uit *Cowboys Are Frequently, Secretly Fond Of Each Other*, van de CD *Lost Highway*, Lost Highway Records, 2009.

p. 387: In de VS wordt door holebi's vaak de term LGBT gebruikt om hun groep te omschrijven, wat staat voor *Lesbian, Gay, Bisexual and Transgender*. Omdat dit in het Nederlands absoluut niet is ingeburgerd, gebruik ik in dit hoofdstuk de term holebi's.

p. 387: De vlag werd omstreeks 1978 ontworpen door Gilbert Baker in San Francisco.

p. 396: In Maryland werd een wetsvoorstel ingediend om het holebihuwelijk te legaliseren, maar bij gebrek aan een parlementaire meerderheid werd het voorstel in maart 2011 weer ingetrokken.

p. 388: Het leven van Harvey Milk werd door regisseur Gus van Sant verfilmd; de rol van Milk werd meesterlijk vertolkt door Sean Penn, die daarmee in 2009 de Oscar voor beste mannelijke acteur in de wacht sleepte.

p. 398: Fred Karger profileert zich met opzet als holebikandidaat en wil vooral de holebirechten ter sprake brengen in de campagne. Tot nu toe wordt hij niet of nauwelijks uitgenodigd voor televisiedebatten. Om na te gaan hoe lang hij het volhoudt als kandidaat voor de Republikeinse voorverkiezingen: www.fredkarger.com

p. 399: De studie over zelfmoordpogingen bij holebijongeren werd gedaan door psycholoog Mark Hatzenbuehler, zie www.ncbi.nlm.nih.gov/pubmed/21502225

p. 400: De ontstaansgeschiedenis van DADT werd mooi beschreven door Bill Clintons perschef George Stephanopoulos, nu politiek redacteur bij ABC. George Stephanopoulos, *All Too Human*, Little, Brown and Company, 1999, p. 122-129.

p. 401: De schatting van negen miljoen komt uit een studie van het Williams Institute van de universiteit van Californië in Los Angeles, zie www.williamsinstitute.law.ucla.edu/

p. 401: Voor de peilingen over DADT, zie bv. *Most back repealing 'don't ask, don't tell,' poll says*, The Washington Post, 15 december 2010.

p. 401: Het Southern Poverty Law Center in Montgomery (zie hoofdstuk 1) probeert ook de uitingen van homohaat te traceren: www.splcenter.org

Hoofdstuk 15: De kleuren van het land

p. 405: Songtekst Gladys Knight and the Pips uit *Midnight Train To Georgia*, van de CD *The Greatest Hits*, Curb Records, 1990.

p. 406: De bewering dat de ecologische diversiteit van de VS de etnische diversiteit heeft bevorderd, staat bijvoorbeeld bij Roger Daniels, *Coming to America. A History of Immigration and Ethnicity in American Life*, Perennial, 2002, p. 21.

p. 409: Songtekst John Mellencamp uit *Small Town*, van het album *Scarecrow*, Riva Records, 1985.

p. 410: Citaat uit Bernard-Henri Lévy, *Duizelingwekkend Amerika*, Ineke Mertens en De Geus BV, 2007, p. 177.

p. 410: De cijfers over de rurale en stedelijke bevolking zijn nog niet gebaseerd op de census 2010, wel op cijfers uit 2009. Zie www.census.gov/compendia/statab/2011/tables/11s0029.pdf

p. 413: Over het belang van winkels: Jane Jacobs, *Dood en leven van Amerikaanse steden*, Sun Trancity, 2009, p. 60 e.v.

p. 413: Citaat uit Jacobs, p. 90.

p. 415: Citaat uit Lévy, p. 134.

p. 417: Over het uiteenvallen van steden in aparte bestuurlijke eenheden: Robert D. Kaplan, *Het einde van Amerika*, Het Spectrum, 1998.

p. 418-419: Citaat uit Kaplan, p. 46.

p. 420: Voor een kritische evaluatie van de positie van Lincoln tijdens de Burgeroorlog, zie William E. Gienapp, *Abraham Lincoln and Civil War America. A Biography*, Oxford University Press, 2002.

p. 421: De Texaanse nationalisten ventileren hun ambities onder meer op www.texasnationalist.com/

p. 421: De termen 'Mexifornia' en 'Mex-america' staan bij Samuel Huntington, *Wie zijn wij? Over de Amerikaanse identiteit*, Manteau, 2004, p. 265.

p. 422: Interne mobiliteit: tussen 2008 en 2009 verhuisden 4,6 miljoen Amerikanen naar een andere staat. Bron: *The World Almanac and Book of Facts 2011*, World Almanac Books, 2011, p. 613.

p. 424: Voor cijfers over de relatieve groei van de regio's in de VS: www.census.gov/prod/cen2010/briefs/c2010br-01.pdf

Hoofdstuk 16: Kleuradvies voor Europa

p. 427: Songtekst Michael Franti & Spearhead uit *Is Love Enough?*, van de CD *Yellfire*, Boo Boo Wax, 2006.

p. 427 e.v.: Dit hoofdstuk is mede geïnspireerd door het boek van Paul Scheffer, *Het land van aankomst*, De Bezige Bij, 2007. Ik heb het boek gelezen kort na de publicatie ervan. Het debat over immigratie en integratie is sindsdien sterk door Scheffer beïnvloed. Voor het schrijven van dit boek heb ik het niet meer expliciet geraadpleegd, omdat ik mijn eigen gedachtegang wou ontwikkelen vanuit de ervaringen in de vs. Voor zover er van schefferiaanse invloed sprake zou zijn, ben ik de auteur in elk geval zeer erkentelijk.

p. 429: Eigen vertaling van de eed van trouw. De Engelse tekst is onder meer te vinden op publications.usa.gov/epublications/ourflag/pledge. htm

p. 430: Eigen vertaling van de belofte van trouw. De Engelse tekst is onder meer te vinden op www.uscis.gov/portal/site/uscis

p. 447: Aanwerving zwarten via *affirmative action*: Chris Quispel, *Hardnekkig wantrouwen. De relatie tussen blank en zwart in de VS*, Amsterdam University Press, 2002, p. 311.

p. 452: De cijfers over de werkloosheidsgraad bij de (eerste generatie) immigranten in de vs en in NL en België komen uit de databank van de OESO, *Society at a Glance OECD Social Indicators*, te raadplegen op de website www.oecd.org

p. 458: Citaat uit *Female genital mutilation in the U.S.: No compromise*, http://www.salon.com/2010/06/02/fgm_genital_nick/singleton/

p. 461: De cijfers voor de immigratie in de vs komen uit het jaarboek immigratie: www.dhs.gov/xlibrary/assets/statistics/yearbook/2010/ois_ yb_2010.pdf

p. 463: De cijfers voor de immigratie in de EU 2008 komen van Eurostat, te raadplegen via epp.eurostat.ec.europa.eu/portal/page/portal/eurostat/ home/

Bibliografie

Pearl Abraham, *Vreugde der wet*, Meulenhoff, 1996.

Isabel Allende, *Fortuna's dochter*, Wereldbibliotheek, 1999.

Herbert Asbury, *Gangs of New York. An Informal History of the Underworld*, Arrow Books, 2002.

Peter Bergen en Bruce Hoffman, *Assessing the Terrorist Threat. A Report of the Bipartisan Policy Center's National Security Preparedness Group*, September 2010.

Carl Bernstein, *Een vrouw aan de macht. Het leven van Hillary Rodham Clinton*, De Bezige Bij, 2007.

Hugh Brogan, *The Penguin History of the United States of America*, Penguin Books, 1985.

Amy Chua, *Battle Hymn of the Tiger Mother*, Penguin Books, 2011.

Rik Coolsaet, *De geschiedenis van de wereld van morgen*, Uitgeverij Van Halewyck, 2008.

Roger Daniels, *Coming to America. A history of Immigration and Ethnicity in American Life*, Perennial, 2002.

Dave Eggers, *Wat is de wat?*, Lebowski, 2010.

Dave Eggers, *Zeitoun*, Lebowski, 2009.

Edwin Gaustad & Leigh Schmidt, *The religious History of America. The Heart of the American Story from Colonial Times to Today*, HarperCollins, 2004.

William E. Gienapp, *Abraham Lincoln and Civil War America. A Biography*, Oxford University Press, 2002.

Michelle Goldberg, *Uw koninkrijk kome. De opkomst van het christelijk nationalisme in de vs*, Ten Have, 2007.

John Gray, *Zwarte mis. Apocalyptische religie en de moderne utopieën*, Ambo, 2007.

Ayaan Hirsi Ali, *Nomade*, Uitgeverij Augustus, 2010.
Arianna Huffington, *Third World America. How Our Politicians Are Abandoning The Middle Class And Betraying The American dream*, Crown Publishers, 2010.
Samuel Huntington, *Wie zijn wij? Over de Amerikaanse identiteit*, Manteau, 2004.
Filip Huysegems en Luc Verheyen, *Latino's. Een reis door de nieuwe Verenigde Staten*, Atlas, 1997.
Jane Jacobs, *Dood en leven van Amerikaanse steden*, Sun Trancity, 2009.
Robert Kagan, *Balans van de macht. De kloof tussen de Verenigde Staten en Europa*, De Bezige Bij, 2003.
Robert D. Kaplan, *Het einde van Amerika*, Het Spectrum, 1998.
Carlo Levi, *Christus kwam niet verder dan Eboli*, Nieuw Amsterdam Uitgevers, 1990.
Bernard-Henri Levy, *Duizelingwekkend Amerika*, Ineke Mertens en De Geus BV, 2007.
Lucas Ligtenberg, *De nieuwe wereld van Peter Stuyvesant. Nederlandse voetsporen in de Verenigde Staten*, Balans, 1999.
Stephen Mansfield, *Barack Obama. Zijn droom - zijn geloof*, Uitgeverij Kok, 2008.
Melania Mazzucco, *Vita*, Mouria, 2004.
John J. Mearsheimer & Stephen M. Walt, *The Israel Lobby and US Foreign Policy*, Penguin Books, 2007.
Ed Morales, *Living in Spanglish. The Search for Latino Identity in America*, St. Martin's Press, 2002.
Liza Mundy, *Michelle Obama. Een biografie*, De Bezige Bij, 2009.
Dirk Musschoot, *Wij gaan naar Amerika. Vlaamse landverhuizers naar de nieuwe wereld 1850-1930*, Lannoo, 2002.
Peter Nabokov, *Native American Testimony (Revised Edition)*, Penguin Books, 1999.
Chris Quispel, *Hardnekkig wantrouwen. De relatie tussen blank en zwart in de VS*, Amsterdam University Press, 2002.
David Remnick, *De brug. Leven en opkomst van Barack Obama*, De Bezige Bij, 2010.
Thomas Reppetto, *De Amerikaanse maffia. Een geschiedenis*, Anthos/ Standaard Uitgeverij, 2004.
Paul Scheffer, *Het land van aankomst*, De Bezige Bij, 2007.
Russell Shorto, *The Island at the Center of the World. The Epic Story of Dutch Manhattan and the Forgotten Colony that Shaped America*, Vintage Books, 2005.
George Stephanopoulos, *All Too Human*, Little, Brown and Company, 1999.

Ronald Takaki, *A Different Mirror. A History of Multicultural America*, Back Bay Books, 2008.

Craig Unger, *De ondergang van de familie Bush*, Mets & Schilt uitgevers en Ruud van der Helm, 2008.

Frans Verhagen, *The American Way. Wat Nederland kan leren van het meest succesvolle immigratieland*, Nieuw Amsterdam Uitgevers, 2006.

Andrea Wong e.a., *Secrets of Powerful Women. Leading Change for a New Generation*, Hyperion, 2010.

The World Almanac and Book of Facts, World Almanac Books, 2011.

Dankwoord

Een paar keer nam ik op mijn reizen naar Amerika een fototoestel mee. Meestal kwam het nagenoeg ongebruikt terug. Als radioverslaggever ben je gefocust op geluid, stemmen, gesprekken. Tegelijk het beeld inblikken lukt niet. Met dit boek heb ik de schade een beetje kunnen inhalen. Het was een kans om waarnemingen weer te geven van de mensen en de ruimte, een beetje als een fotoboek in woorden.

In de radiobijdragen stonden de mensen centraal. Persoonlijke indrukken en bedenkingen zaten hooguit tussen de regels. Ook die heb ik nu wat meer vrij baan kunnen geven.

Al die ideeën, observaties en analyses heb ik in een gestroomlijnd verhaal willen stoppen: het verhaal van de kleuren van Amerika. Een leidraad om Amerika te lezen en te begrijpen. Als het boek bovendien stof en richting kan bieden aan een debat over de verkleuring van Europa, dan is mijn opzet helemaal geslaagd.

Uitgever Leo de Haes heeft dit project van meet af aan zijn steun toegezegd. Hij heeft me veel vrijheid en vertrouwen gegeven, ik ben hem daar dankbaar voor.

Herman Portocarero, Belgisch consul-generaal in New York, nam de tijd om het voorwoord te schrijven. Als diplomaat, wereldreiziger en schrijver was hem dat toevertrouwd. Ik dank hem van harte voor zijn inzichten en voor de boeiende gesprekken in Amerika.

Ik dank het Fonds Pascal Decroos voor het financiële steuntje in de rug, waardoor ik met name het hoofdstuk over zwart Amerika kon verstevigen en verrijken.

Ik dank de redactie van MO* voor de opdracht die ze me gaven in Chicago en Illinois. Dat materiaal heeft sterk bijgedragen aan het hoofdstuk over de witte en blauwe boorden.

Noam Nir heeft me geholpen bij de contacten met de Lubavitch chassie-den in New York.

Andere ontmoetingen werden geregeld met de hulp van Tania Chomiak-Salvi en Samuel Maenhout van de Amerikaanse ambassade in Brussel. Net als Ambassadeur Howard Gutman geven de persmensen van de ambassade blijk van veel respect voor de journalistieke vrijheid. Ze helpen en bieden aan, maar verwachten of controleren niets. Ik dank hen voor die uitstekende werkrelatie.

Ik dank ook de VRT-nieuwsredactie voor de kansen die ik kreeg om tien-tallen keren naar de VS te reizen en verslag uit te brengen over campagnes, verkiezingen en grote gebeurtenissen. Het was Jos Bouveroux, toen nog hoofdredacteur radio, die mij Amerika toevertrouwde. Ik wil ook Inge Vran-cken en Rony Van Gastel bedanken voor de ruimte die ze me gaven en hun geloof in reportagewerk.

In Amerika was ik meestal alleen op pad, maar op grote momenten werd het teamwerk. Ik bedank de collega's met wie het fijn samenwerken was in de VS: Els Aeyels, Greet De Keyser, Johan Depoortere, Jan Balliauw, Kris De Naegel, An Baccaert, Lotte Dambre, Mark Morren en Gilles De Coster. Dank ook aan de NOS-collega's Tim Overdiek en Ron Linker. Ik wil verder Steven Dierckx vermelden, die zelf jarenlang de radioverslaggeving over Amerika voor zijn rekening nam. Twaalf jaar geleden gaf hij het dossier aan me door, met inbegrip van al zijn contacten en ervaring.

Er is een lang rijtje van Amerikakenners die ik sindsdien met veel plezier leerde kennen en van wie ik veel heb opgestoken. Ik noem graag de profes-soren Bart Kerremans, Christophe Crombez en Rik Coolsaet, en politiek consultant Hans Anker.

Van de Amerikaanse gesprekspartners staan er al velen vermeld in het boek. De namen van Galen Irwin, Charles Kupchan, Alan Wolfe, Chantal de Jonge Oudraat en Michael Traugott waren nog niet gevallen. Ongetwijfeld zijn hun inzichten over Amerika ergens tussen de regels geslopen.

Een boek als dit bedenken gebeurt in een flits. Het uitschrijven is wat anders. Zonder het stille supportersteam thuis was dat onmogelijk geweest. Ik dank Linde, Laure en Lennert voor hun tips en ideeën, en voor de pauzes met tafelvoetbal in de laatste stressvolle weken.

Hoe ik Els moet bedanken weet ik niet. Ik was wekenlang de deur uit voor reizen of was mentaal afwezig bij het schrijven. Toch was ze enthousi-ast over het project. Ze heeft de teksten nagelezen en beter gemaakt, sugges-ties gedaan en vragen gesteld. Ze heeft me geholpen met haar geduld, vertrou-wen en liefde. Als het boek bij momenten luchtig en happy klinkt, dan is dat zeker ook aan haar te danken.

15 oktober 2011

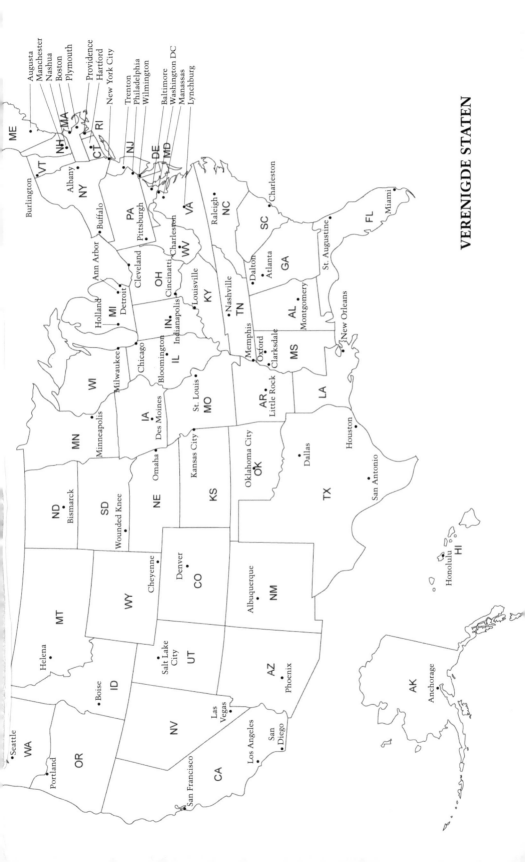

VERENIGDE STATEN